曹禺全集

·1·

北 京 出 版 集 团
北京十月文艺出版社

主编：王风

本卷责任编委：祝宇红

1928年

天津曹禺故居(修复前)

天津曹禺故居(修复后)

1934年7月《雷雨》初刊
《文学季刊》第1卷第3期

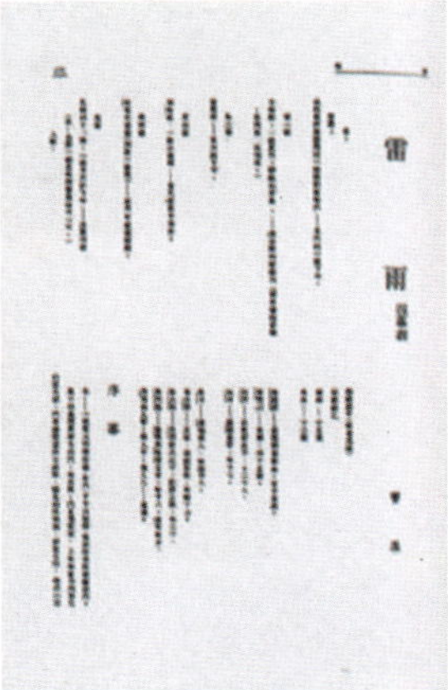
雷雨

初刊首页

曹禺饰周朴园，
1937年1月南京

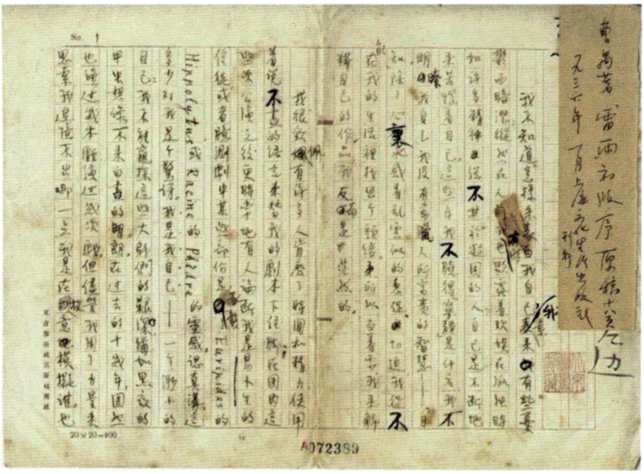

《雷雨·序》手稿，国家图书馆藏

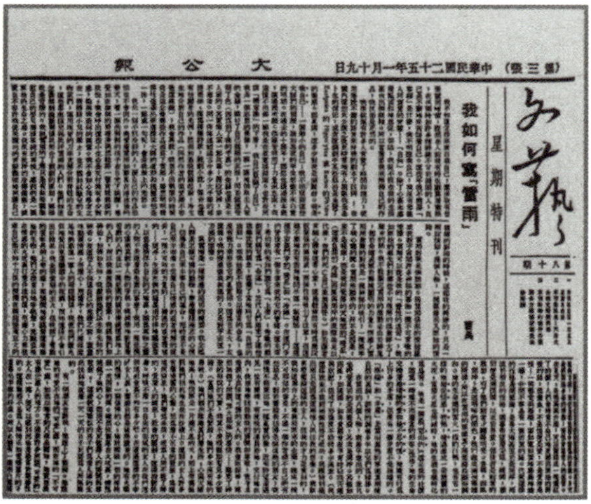

第三張 中華民國二十五年一月十九日 大公報

文藝

星期特刊

我如何寫「雷雨」

曹禺

《我如何写〈雷雨〉》
刊于1936年1月19日《大公报》

1935年4月中华话剧同好会在东京首演《雷雨》

1935年8月孤松剧团
在天津首演《雷雨》

1935年中国旅行剧团
在天津新新戏院演出《雷雨》

1954年北京人民艺术剧院首排《雷雨》

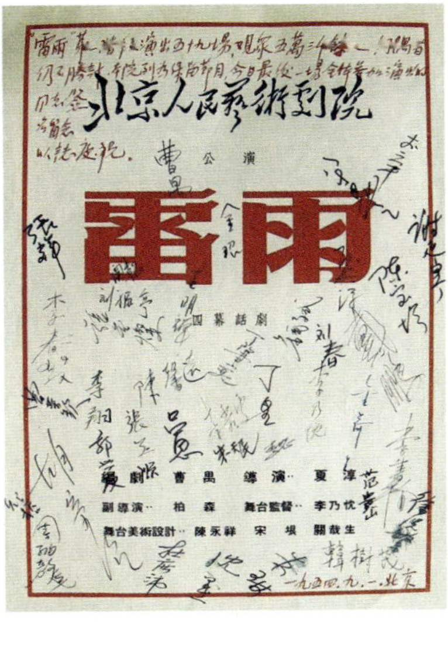

1954年《雷雨》第一阶段演出结束，
全体演职人员签名，
北京人民艺术剧院藏

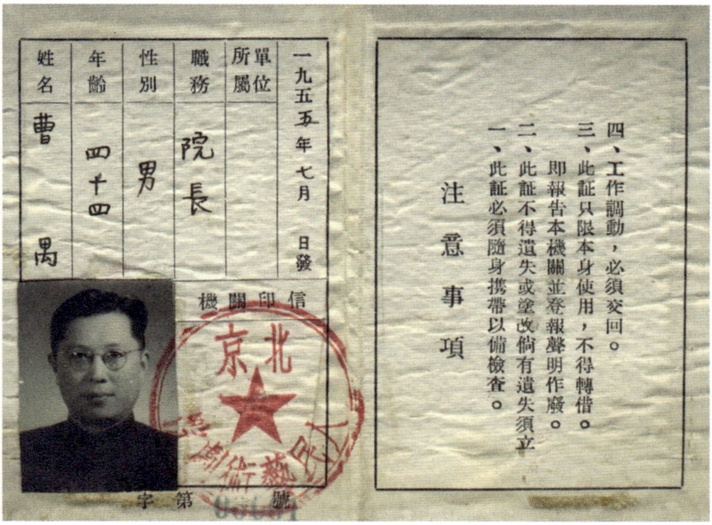

姓名	年齡	性別	職務	單位所屬
曹禺	四十四	男	院長	

一九五五年七月 日發

機關印信

字第 號

注意事項

一、此証必須隨身携帶以備檢查。

二、此証不得遺失或塗改倘有遺失須立即報告本機關並登報聲明作廢。

三、此証只限本身使用，不得轉借。

四、工作調動，必須交回。

曹禺工作证

1979年北京人民艺术剧院复排《雷雨》，

曹禺在剧组讨论剧本（右一导演夏淳）

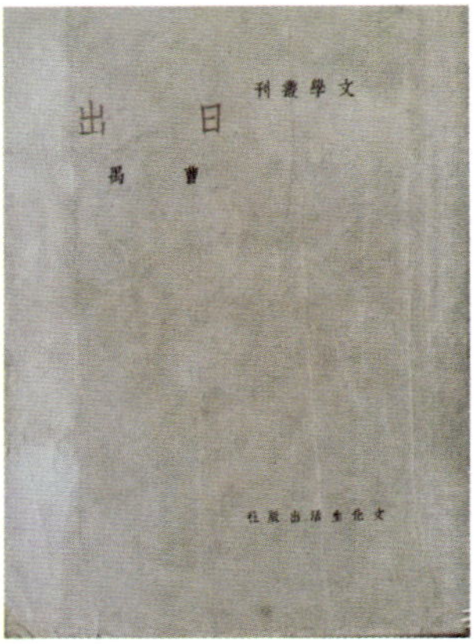

解放前文化生活出版社出版的
“文学丛刊”本和“曹禺戏剧集”本部分书影（沪版）

前言

王风

一

新文学自发生以来，就划分为诗歌、小说、散文、戏剧四大文类。胡适、陈独秀早早观察到，西方近代文学“最有势力者，厥惟戏剧”；（胡适《非留学》，1915年10月《甲寅》第一卷第十号）“第一推重者，厥惟剧本”。（陈独秀《现代欧洲文艺史谭》，1915年11月《青年杂志》第一卷第三号）但这四大部类中，1918年1月胡适等人的“自由体”诗、5月鲁迅的《狂人日记》、9月鲁迅开始写作的“随感录”，都可以看作因文学革命而产生的诗歌、小说、散文新文体的开端。而唯有戏剧，尽管《新青年》同人多有努力，批判旧戏，鼓吹新剧，致力于翻译，尤其“易卜生号”影响巨大，但就文体变革的角度，终究不具有划时代的意义。

其原因在于，戏剧的最终实现方式是剧场演出，而《新青年》同人所从事的译介，只在剧本的文字层面，实则无法搬演，“上不了台面”。北京大学校内专业学者如宋春舫，校外舞台实践者如欧阳予倩，尽管都曾在《新青年》发文，但居于边缘位置。实则现代中国戏剧史，固然与文学革命和新文化运动有莫大关系，却也有着自身演变的艺术史轨迹。由“新剧”、“文明戏”、“爱美剧”、“白话剧”，直到1928年定名“话剧”，这一系列名称的变化，既有与时代互动的不同内容，也是艺术形式定型的过程，远不能完全纳入纯粹的文学史叙事。

上世纪五十年代以降，作为现代文学秩序描写的重要组成部分，“鲁郭茅巴老曹”的俗称逐渐流行。曹禺显然是作为剧本文学的代表厕身其列，在文学史中获得最高的评价权重。这既源于政治地位的保证，也加成于文学成绩的确认。但如果就官方位置而言，曹禺在中国戏剧家协会领导层中，于话剧界大体列于田汉、欧阳予倩、洪深之后，辈分自是也晚。而就对话剧历史的全体贡献而论，与前列几位至少是难分轩轾。显然，列名“顺口溜”，是他的几部剧作远超他人的影响力所致，周扬所谓“当代语言艺术的大师”是所云者。(1956年2月27日中国作家协会第二次理事会会议周扬《建设社会主义文学的任务》讲话)

因而，曹禺是作为剧作家被最终定位，并以《雷雨》《日出》《北京人》等几部名剧，很大程度上成为中国话剧的代言人。这固是实至名归，不过对他这一方面成就的肯定，也遮蔽了至少他前半生工作的另一面向，即剧作之外多方面的努力和成绩。

曹禺（1910年9月24日—1996年12月13日）本名万家宝，以“萬”姓拆解而成笔名“曹禺”行世。仅创作早期极少量作品署本名或表字“小石”。他的字与名并无意义连带，乃从父亲表字而来，其父德尊字宗石，兄家修字少石。曹禺籍属湖北潜江，父亲留日回国后清廷任职，旋为北洋政府武官，定居天津。是以曹禺家境优渥，12周岁时入名校南开中学。

曹禺天性喜戏，自幼即观看从京剧、梆子到文明戏等各类戏剧。南开教育系统由于创办者张伯苓（名寿春，1876—1951）的理念，以新剧作为教育手段之一，遂成为中国话剧史重要组成部分。曹禺15岁加入南开新剧团，开始其戏剧生涯。1926年16岁时，恰逢《庸报》创刊，他和几位同学得到机会，在报上开设“玄背”副刊，于是有了小说《今宵酒醒何处》和几首新诗。小说有强烈的郁达夫痕迹，新诗略近新月派。这些作品虽谈不上高明，但题材、情绪、文风等方面的偏嗜，与他后来的剧作实乃一脉相承，流露出新文学对他的总体影响。

将曹禺引上话剧舞台的导师，是张伯苓胞弟张彭春（字仲述，1892—1957）。其1910年考取北京游美预备学务处，同年与胡适等人出国留学，在美期间对戏剧尤所注意。回国后1916-1919年任南开学校专门部主任，主持南开新剧团并执导诸多话剧，其间周恩来在团中并出演多个女角。1918年彭春排演自己创作的《新村正》，此剧在中国话剧史上具有划时代意义。1919年又助兄开办南开大学，随后再度出国攻读博士学位。1923年回国至1926年任清华学校教务长，对清华转制为大学尤起关键作用。1926-1929年回任南开中学主任，并南开大学教授。此数年正是曹禺在南开就读期间，得张彭春赏识，并受到全面的话剧训练。此训练主要在两方面：一是剧场演出，曾在《压迫》《刚愎的医生》(即《国民公敌》)《玩偶之家》《争强》等剧中扮演角色；一是剧本改译，有《太太！》《冬夜》《争强》等。另外，他接受或旁观张彭春导戏，于未来创作剧本的风格，也有莫大关系。

1929年，曹禺转学清华大学西洋文学系。清华是现代话剧史上，除南开外的另一校园重镇。曹禺继续登台演出，还导演自己改译的《罪》。不过对戏剧课程，他的兴趣似乎不大。而是投入大量时间，系统阅读西方戏剧作品，由古希腊延至当下。并已经有自己创作剧本，以颉颃天下的想法。所成即其自述构思五年，并于1933年问世的《雷雨》。

《雷雨》发表于1934年《文学季刊》第一卷第三期，与他最早的文学朋友圈有关。《文学季刊》郑振铎挂名主编，实际操持者是曹禺的换帖把兄弟章靳以。而作为编委的巴金正在北京，一见惊诧，力主刊发。正如巴金所预料，剧作发表之后一炮而红，并很快被译成英日文。半年之内，日中两国均搬演舞台。1938年并被拍成电影。

出道即巅峰的局面，决定了曹禺一生的工作走向。或许，他原先还有创作小说、新诗方面的兴趣，但《雷雨》确乎获得“雷雨式”的爆炸性成功，使得他在路线上心无旁骛。不过，有关这部剧作的主旨，解说可谓是五花八门。普通观众或者“审查委员会”看到的多是“乱伦”；批评家基于新文学传统，很容易归结为“暴露大家庭的罪恶”；随着时代的变迁，曹禺自己也在变换说法，落实于阶级斗争。但就曹禺创作的原始动机，尽管他在南开、清华都扮演过娜拉，写作《雷雨》前刚完成毕业论文《论易卜生》，但可以相信他对五四以来热门的“社会问题剧”未必看得上眼。按他自己的说法，“《雷雨》所显示的，并不是因果，并不是报应，而是我所觉得的天地间的‘残忍’。”(《〈雷雨〉序》) 这一高蹈的立意，毋宁说是西方戏剧史最显眼的古典传统，即从古希腊索福克勒斯的《俄狄浦斯王》，到莎士比亚的《汉姆雷特》等等的“宿命”主题。曹禺“取法乎上”的心理动因，应该在这条脉络上找寻。

随后创作的《日出》，剧本前摘录八条《道德经》和《圣经》的语录以为题记，是他提示主旨，在于对人性和命运的宽广关怀。《雷雨》的成功，也让他给自己施加了保持水准的压力，“写完《雷雨》，渐渐生出一种对于《雷雨》的厌倦。我很讨厌它的结构，我觉出有些‘太像戏’了……”(《〈日出〉跋》)《雷雨》基本是三一律的产物，焦菊隐所谓“假古典主义”。(《关于〈雷雨〉》，桂林《扫荡报》1940年2月2日)《日出》“想脱开了La Pièce bien-faite一类戏所笼罩的范围”。(《〈日出〉跋》) 尤其在第三幕的设置，“宝和下处”作为对照性的另一场景，需要完全不同的舞台布置，和完全不同的另一组演员。这一设计作为文学文本而言并无问题，但舞台演出，从时长到成本均显示出困难。1937年初首演，由欧阳予倩执导，曹禺从南京专程赶到上海，结果看到了删去第三幕的《日出》。再加一年多前，同样由欧阳予倩导演《雷雨》，删去了“序幕”和“尾声”。如此引起曹禺的大不快。曹禺作剧，大体都有些原型，如《雷雨》《北京人》《家》，与他的生活经历较为亲近，自可胜任愉快。其他如《蜕变》《桥》，就需要外出专门做些调查。《日出》介于二者之间，剧中陈白露，有当时艾霞、阮玲玉自杀的触动，这类形象曹禺多少能够意想；下等妓院则绝非其能梦见，而在天津、山西等地的有意走访和无意得见，其间的悲惨让他深受震动。因而第三幕，在他感情中的位置，极为特殊。

《日出》连载于1936年靳以、巴金合办的《文季月刊》，时曹禺在天津女子师范学校西洋文学系任教。翌年该剧搬演舞台，曹禺亦渐成为《大公报》文艺副刊的常客，受到广泛的评论。后与主持副刊的萧乾相熟，1937年《日出》剧本并获第一届《大公报》文艺奖金。这一切均对迅速扩大曹禺的名声，作用不小。

其时曹禺已经南下，就职国立戏剧学校。国立戏剧学校1935年创建于南京，1937年疏散长沙，1938年转徙重庆，1939年迁驻江安，1940年6月改名国立戏剧专科学校。此校由国民党大员张道藩创办，直属国民党中央宣传部。张道藩于文学艺术颇有修养，话剧方面曾翻译、创作多部剧作。他请余上沅任校长，余则通过清华学生张骏祥邀曹禺任教务主任，并负责编剧方面课程。曹禺1936年9月至1942年初任职该校，在校期间，他先后创作《原野》《蜕变》《北京人》，以及部分《全民总动员》(后改名《黑字二十八》)。

这些剧作大致可以分为两类,《原野》《北京人》处于《雷雨》

《日出》的延长线上。1937年的《原野》，背景置于乡村，显然曹禺对于自己的创作，有着不重复以往的自我要求。不过可以断言，他仍希望自己的剧作被看作“一首诗，一首叙事诗……但决非社会问题剧”,(《〈雷雨〉的写作》,《质文》第2号,1935年7月)所回旋者依然是“命运”。只是与《雷雨》被解读为揭露封建家庭的黑暗相似,《原野》在大部分人眼中，也仅是“复仇”。

曹禺自承第三幕中的鼓声与枪声,“采取了欧尼尔氏在《琼斯皇帝》所用的”。(《原野》初刊“附记”)他的几部名剧，是否剿袭外国剧作，是个长久被议论的话题。关于《雷雨》,“……时常地有人论断我是易卜生的信徒，或者臆测剧中某些部分是承袭了Euripides的*Hippolytus*或Racine的*Phèdre*灵感”。(《〈雷雨〉序》)而《日出》与契诃夫的关系也有不少人生疑，等等。持平而论，曹禺固不是莎士比亚、莫里哀、奥尼尔那样划时代的剧作家，他是在阅读这些剧作家的剧作中成长的。熟稔于心他们的各类写作手法，不自觉地在自己的剧作中有所映射，是在所有作家中都能见到的艺术现象。但他剧作的成功，首先在于中国观众的共鸣，这出于他自己的所感所见所思。因而他与西方戏剧史的复杂关系，从多维影响角度来观察，则更为妥当。

《北京人》写于1940年，主角愫芳是以他的新恋人方瑞为模本。但毋宁说，这部剧中“有如人猿”的“北京人”角色，或许才是最具“曹禺性”的。他曾提到,“我常纳闷，何以我每次写戏总把主要的人物漏掉。《雷雨》里原有第九个角色，而且是最重要的，我没有写进去，那是就称为‘雷雨’的一名好汉……同样，在《日出》里，也是一个最重要的角色我反而将他疏忽了，他原是《日出》唯一的生机……”之所以无法写出这“最重要的角色”，前者因“技巧上的不允许”，后者是“事实上的不可能”。(《〈日出〉跋》)《北京人》与《雷雨》《日出》相类，曹禺的本心，是要在展出一切的黑暗与无望之外，另蕴含有某种“洗涤”的力量，然却难得为人体味。《北京人》中的“北京人”，终于在“技巧上”和“事实上”，让他有了直接的表现机会。

另一路剧本则与抗战的大背景有关。1938年10月于重庆开幕的第一届戏剧节，几乎集合了当时大后方所有的话剧名流。曹禺与宋之的合作，将成于众手的《总动员》改写为《全民总动员》以供上演，编剧、导演、演员皆是一时之选。这部以保卫大武汉为背景的“时事剧”，自然有国民政府推动的因素，当时引起很大轰动。张道藩亲自饰角，曹禺也有角色。如果说此剧曹禺或者还算是被分配了任务，但在民族危机之下尽一份力，显然也是当时他自觉的意识。

一年后，他创作《蜕变》，题材得自1937年冬在长沙调查伤兵医院。有关《蜕变》，解放后曹禺多次自我解释其立意，大体偏于揭露国民党统治的黑暗。而尤其言及国民党中宣部和教育部的审查，以及强迫他修改剧本。叙述中教育部政务次长顾毓琇和常务次长张道藩的形象，均颇为负面。不过回到历史现场，情况或许并非完全如此。顾毓琇是曹禺曾经的清华老师，并非国民党人，是由于日本入侵才出山参加政府。据自述，他曾对曹禺说，“此次抗战，如果知识分子抱悲观，则必失败；如抱乐观，则是否战胜，须再视吾人努力如何。”(《迎送新旧同学大会，公演名剧〈蜕变〉，顾校长介述本剧写作经过》,《国立政治大学校刊》1948年269期)由此相约，顾毓琇写出了《古城烽火》，曹禺则是《蜕变》。

《蜕变》迭经审查，屡屡被要求修改，引起曹禺反感，这自是事实。但其主题，既有揭露“动摇分子”、“腐朽人物”，又有歌颂“新的力量”、“新的生命”，意旨在于展现“我们民族在抗战中一种‘蜕’旧‘变’新的气象”。(《关于“蜕变”二字》)1943年1月，中央图书杂志审查委员会颁发荣誉奖状，及奖金一千元。4月21日，蒋介石亲临观看，剧中第四幕伤愈重返前线的“荣誉大队”军人高呼“蒋委员长万岁”的台词，想必让他甚为受用。但这其实是个临时添置的“马屁”，曹禺剧本原词只是“中华民国万岁”等，直到八十年代重出时才去掉。无论如何，9月中旬，修改后的《蜕变》被中央图书杂志审查委员会认定为“奖励上演列为本会审定标准本者”。(《审查通讯》第56、57期合刊)1944年2月，《蜕变》和赵清阁、老舍的《桃李春风》等四剧获教育部卅二年度优良剧本奖，《蜕变》奖金一万五千元。当时如老舍等写剧，多受政府部门或民间团体赞助委托。《蜕变》究其本质，属于所谓“抗战问题剧”，而为各方所接受。

在大后方和解放区，曹禺几部剧作的遭遇并不相同。《蜕变》受国民政府表彰，延安更早在1940年底就有排演，但在沦陷的上海则遭禁演。其他名剧，《雷雨》《原野》1941年秋和1942年秋在大后方相继被禁；《日出》被要求修改；《北京人》则获“三十年度全国艺术奖金”。共产党方面，1939年冬周恩来到渝，很快会见曹禺这位南开小师弟。而据说是出于毛泽东的亲自建议，延安在翌年元旦，上演《日出》，毛与洛甫到场，并多有褒扬。这显然是高层早有商议。4月延安方面刊出崇基(艾思奇)《〈日出〉在延安上演》：“延安上演《日出》，是因为它是抗战以前的戏剧创作中最优秀的产品之一……我们不演《原野》，不演《雷雨》，而单演《日出》，就因为他们比前面的戏包含着更多的现实的暴露，所以如果因为延安演了《日出》，就以为其他非抗战内容的戏通通在可以上演之列，这完全是可笑的推测。”(延安《中国文化》第1卷第2期)畸轻畸重非常显明。不过半年以后，《雷雨》在解放区也不断上演，曹禺的创作动机，被认定为“向人们提出了他所憎的社会势力正在无可挽救地没落下去，而把他的希望寄托在他所爱的社会势力上”。(默涵《〈雷雨〉的演出》，延安《大众文艺》第1卷第6期，1940年9月）1941年12月4日，延安青年艺术剧院增聘曹禺为名誉理事。这一切，均可隐约看出中共方面的统战态度。1942年初，在重庆的周恩来观看了《北京人》，颇有意味地对曹禺说：“你还在向往原始共产主义吗？我们现在已经有了延安了。”(《岁月有情——张瑞芳回忆录》第154页）

是年曹禺已离开国立剧专，任教时迁重庆的复旦大学。此前他即在该校兼职。本年夏，动手依据巴金代表作《家》改编同名剧。本剧并未完全依照原小说人物主次，而尤其以觉新夫妇的塑造为出色，延续的是他拿手的《雷雨》《北京人》的路子。小说与剧本均成名作，是为二人兄弟情谊的纪念。

1943年曹禺有了新的计划，夏天开始创作历史剧《三人行》，以岳飞、秦桧、赵构为主角。在曹禺的设想中，这是莎士比亚式的“诗剧”。此时文化生活出版社版的“曹禺戏剧集”中，已预告此剧和《李白与杜甫》。以李杜两位唐代诗界双子星为对象，曹禺计划更进一步，在戏台上表现中国语言的音乐性。但在写出《三人行》第一幕后，六月底他受邀赴西北，这是由国民政府资源委员会组织的考察，期间过玉门油田。显然是受领队的该会副主委钱昌照委托，秋天归渝后曹禺开始收集资料、体验生活，准备创作工业题材的剧本。此事一直迤至抗战胜利后，曹禺受邀访问美国的1946年初，才开始赶写《桥》，未及半而行期已至。

曹禺早已是话剧界的大名人，而他似乎一向很愿意披露写作计划，以为上戏预热。出国前，新闻界周知他写作《桥》的信息，颇多报道。其中引述他的说法，大体可知《桥》是为配合战后发展各项建设的“建国”需要，属于《蜕变》一流的“时事剧”。“文革”后，一向激赏曹禺才华的巴金，不断催促他重作冯妇。情急之下，点题要他至少先续写完《桥》。视巴金如长兄的曹禺压力巨大，几经努力，最终还是放弃了。表面上是迎来送往的杂事如麻缠身，但偶尔间还是透露了真正的忧虑,《桥》无论怎么写，都可能被认为表彰国民政府的功绩。这才是生性谨慎且历经世事的曹禺不可承受之重。或许巴金犯了策略错误，如果建议曹禺重拾《三人行》，会不会有另外的局面？

据曹禺自述，1943年翻译莎剧《柔蜜欧与幽丽叶》，试一试诗剧的感觉，是为创作《三人行》做准备。当时有剧团约张骏祥导演此剧，张骏祥又约曹禺译出。这是曹禺最后一次译剧。而本年一月，同样由张骏祥导演的焦菊隐译贝拉·巴拉兹《安魂曲》，曹禺饰演了莫扎特，则是他最后一次登台演出。

由于剧本创作方面的巨大成功，曹禺后来一直是以“剧作家”的面目为人所知，而掩盖了其作为“戏剧人”的另一面，即改译、导演、演员的多方面工作。这反过来又影响了对他创作剧本的认识。

曹禺1925年高中一年级时加入南开新剧团。1926年2月张彭春回南开，导演了很多话剧，曹禺是先以演出才能受到赏识。1927年首次登台，在丁西林《压迫》一剧中饰角。此后年年都有角色扮演。1928年9月他被保送南开大学政治系，1929年开始改译西方戏剧。是年暑假南开演出的《争强》，引起轰动，剧本就是曹禺改译的（John Galsworthy *Strife*），他并在剧中扮演角色。

1930年9月曹禺入清华大学，任戏剧社社长，有了更多的演出，也改译出多个剧本，并尝试导演。随后尽管已经以《雷雨》等剧作成名，曹禺仍然不断地有改译西方剧本之举。抗战中任教剧专期间，更是创、译、导、演并举。比如《镀金》(Eugène

Labiche *La Poudre Aux Yeux*），曹禺改译作为训练学生之用，随之导演，也担任过剧中角色。

曹禺这些改译的剧本，不乏莎士比亚、莫里哀、易卜生、高尔斯华绥等名家名作。如果就文学名著翻译的角度，对原作径行改动，是很难得到认可的做法。即便如《柔蜜欧与幽丽叶》，他也将“丑角打诨的那些俏皮话……改成我们的观众能了解的笑话了”。此剧1954、1978年几度再版，曹禺仍然保留着这类“换例”，显然自觉并无不妥。

之所以如此，在于“从上演的角度考虑问题”。（《译者前记》，作家出版社1954年版）而《罗密欧与朱丽叶》已有的诸多译本，只是纸面的文本，无法搬进剧场。而为了戏台的需要，一切均需让位，翻译中修改原作，在他也是无法避免且天经地义的事情。这就不难理解，直到1981年，曹禺还兴致勃勃地对短短的《镀金》，进行了多达数百处的修改，并重新刊载。其改动密度之大，致以无法校勘出注，本全集只能两本并收。

因此，这些改译的剧本固然不像他创作的剧本那样引人注目，但恰构成曹禺不可忽视的另一面。遗憾的是，诸如1934年南开校庆受张彭春委托改编的新版《新村正》、1935年据莫里哀《悭吝人》改译的《财狂》，剧本均已无处寻踪。盖因未公开出版，只由剧团自印有限的演出本。如此，留存下1930年南开新剧团演出本《争强》，就显得弥足珍贵。其中收有“南开新礼堂建筑图”3幅、首演演出人员表、演出剧照6幅、各幕舞台示意图3幅。再加上改译剧本，以及在剧中饰角，这一切才是曹禺话剧工作的完整剪影。

对于自己的创作剧本，曹禺也是同样的工作程序。1933年暑假，他在清华大学图书馆写作《雷雨》，据日夜陪在身边协助的未婚妻郑秀回忆：“他总是抱着厚厚一大摞《雷雨》的提纲、草稿，还有分幕表、舞台设计草图以及剧中人物性格描绘分类卡片等等。”（郑秀《〈雷雨〉是怎样诞生的》,《希望月报》总第10期，1997年7月）可见曹禺是以对戏台场景的想象来进行创作的，演出效果而不是阅读感觉才是他剧本写作的出发点。为此一切应该让路，一切可以为我所用。诸如《原野》对《琼斯王》的袭取，以及其他可能的借用，确实都有必要探究，但至少应该了解曹禺的这一面向，才有商榷的基础。

也就是说，曹禺尽管以“剧作家”著称，但就本质而言，他却是个“话剧人”。《日出》面世后，文学界和批评界褒奖纷至，但也有不少异议。面对朱光潜的意见，曹禺回复说：“朱孟实先生仿佛是一位铁面无私的判官……诗人的诗，一时不得人的了解可以藏诸名山，俟诸来世……一个弄戏的人，无论是演员，导演，还是写戏的，便于立即获得观众，并且是普通的观众。只有他们才是‘剧场的生命’。”（《〈日出〉跋》）他对自己的定位，最终还是个“弄戏的人”。

如此才可理解他创作剧本的诸多特点，“素来冗长，经常犯话多、重描、场次繁……许多毛病”。（《重印〈日出〉后记》，1982年）这是由于他不同于郭沫若、老舍等写剧本，纯粹从剧作家角度，并不管导演、演员如何处理。曹禺受过张彭春的系统训练，据他回忆，“张先生排戏有个特点，就是台步该走几步，走到哪里，都是有讲究的，一点不准有差错的。哪句台词该怎么读，哪个字该如何动作，有板有眼，一点不能含糊”。（《苦闷的灵魂——曹禺访谈录》，113页）曹禺导戏学的是张彭春，毋宁说写戏也是这个路子。脑子中的戏台同样“一点不准有差错”，写作时兼任作家、导演和演员。他剧本中的说明文字特别多，也经常改，改动甚至涉及某个角色从哪边上场哪边下场，此类完全不该由剧作家考虑的细节。这是由于不同时期对剧场的情景，他的想象有了变化。

就自己的创作，曹禺希望的是文学和演出的双重成功，而根本上更偏于从演出出发，“我写剧本，经常希望它像小说一样吸引读者坐下来读读，有点兴味……我不赞同‘书斋剧本’，即只为了读，不为演的剧本。剧本还是为了演出写的。”(《重印〈日出〉后记》，1982年）只有理解这其中的轻重缓急，才能对他的成绩有清晰的评价。

应美国国务院邀请，1946年3月，曹禺与老舍启程赴美访问一年。时间未满，1947年1月他就返国。而老舍一直迁延至1949年10月，经周恩来催促才回来。二人性格不同，曹禺生性拘谨，在国外过得并不舒服；而老舍到哪儿都是朋友，如鱼得水。回国后曹禺经黄佐临介绍，进入上海文华影业公司任编导。随后，从1947年下半年到1948年上半年，他创作电影《艳阳天》，从编剧到执导历时近一年。这是他最后一次担纲导演。

三十年代的曹禺，非左非右、非“京”非“海”，并不归于某个文学派别。但创作成绩，受到各方的注意。据其自述，他的政治立场，是在从美国回来后，发生了彻底的变化。但此前也有不少线索可寻。虽自认为不懂政治，但并非没有政治感情。早在清华就学期间，他曾任“抗日救国委员会”委员兼抗日宣传队队长。《雷雨》《日出》时期，他抱怨“实在写不出‘代表光明面’的英雄”,(《重印〈日出〉后记》，另参《〈日出〉跋》）显然受到某些朋友立场性的压力。1936年曹禺进入南京国立戏剧学校，总务主任杨帆（石蕴华）同时也是张道藩秘书，却还是中共地下党员。曹禺曾忆及正是这位最终命运悲惨的革命者，给了他最初的革命道理。1938年学校迁长沙时，他跟徐特立有接触。1939年到重庆以后，更是与周恩来有着密集的关系。而1945年国共重庆谈判期间，经周恩来安排，毛泽东与曹禺有了亲切的交谈。

另一方面,《蜕变》《日出》被审查要求修改,《雷雨》《原野》遭禁演，显然也让曹禺逐渐升高了对现政权的不满。1944年起，从呼吁言论出版自由、取消图书审查制度，到对时局进言，到对政协会议提出要求和建议，有关的集会和文件，都有曹禺的参与和签名。此延续到他赴美前的1946年初，所发生的让知识界对政府绝望的“较场口事件”，曹禺也签署了慰问电。虽然自承对政治不甚敏感，并且也不是这些活动的组织者，但由这些行动可以看出他立场和态度的逐渐明晰。

1949年2月9日，曹禺经地下党安排避匿香港，3月18日与各路名流同程到达已解放的北平城。随后参加中华全国文学艺术工作者代表大会，当选中华全国文学艺术界联合会全国委员会委员。由此开启他的后半生。

解放后的曹禺是个剧作家，同时也具有文化官员的身份。社会地位很高的同时，兼职和事务也非常之多。他是中央戏剧学院副院长，人事关系在该院，但除了一些讲座外，并不授课。同时他还是北京人民艺术剧院院长，写的戏很少，但院务投入精力颇多。总之他有无数的会议和活动需要参加，却也未脱尽自己是个“弄戏的人”。

北京人艺有焦菊隐这样杰出的总导演，也有满台的好演员，作为院长的曹禺自然不会再涉足这两个行当，终于成了纯粹的剧作家。一方面，是他已经有的几部名剧，尤其如《雷雨》《日出》，随应时代变化，或被动或主动地不断修改。另一方面，则是新的创作，从五十年代初到七十年代末，近三十年，唯有三部。

1952年曹禺参加领导北京高校教师思想改造运动，其中在北京协和医院待得最久，基于调查写出《明朗的天》。这个创作规划事先曾向周恩来汇报过。而到五十年代末，周恩来建议写一部反映民族团结的剧本，于是他开始收集有关王昭君的资料。但尚未正式进入写作状态，1960年中央倡导全国人民学习“卧薪尝胆”的精神，以鼓励克服饥荒。随后各地同题材的戏曲创作达数十部，北京市委也向人艺下达任务。为此曹禺暂停《王昭君》创作，在梅阡、于是之协助下，写出《胆剑篇》。完成后曹禺继续转向《王昭君》，写出两幕，却又被“文革”打断。直到1978年才杀青：“我用这个剧本献给国庆三十周年，并且用它来献给我们的敬爱的周总理。”(《王昭君·献辞》)

《胆剑篇》是急就章，曹禺的自我评价并不高。但《王昭君》他投入大量精力，对批评界有所期待。后来他大概清楚，解放后几部戏，在观众中是无法与他的早期剧作相提并论的。配合形势，响应号召，是当时的写作常态。不过他还是写得很少，比如远不能和老舍的创作量相比。老舍的不少剧作，也来自喜爱并重视话剧的周恩来的直接建议或吩咐。这其中有写作方式的问题，由于受到全方位的话剧训练，曹禺写作时的考虑和安排，是直接延伸到戏台的，要比其他剧作家来得繁复。解放后三剧，虽然他自承都是“硬着头皮”写的，不过无论如何评价，至少从技术上说，还是值得注意的。另一方面是个性和经历使然，老舍出身贫寒，因此在新社会毫无思想压力，不过大风暴来临，一旦玉碎。而曹禺出身官宦之家，加之生性谨慎，则难免时时瞻前顾后。即便到了晚年，有巴金督促，有很多人相信他“文章未尽才”，他也自信还能“写点东西”，但最终还是放弃了。

二

全集编纂是个文献工作，有一般的准则。于役《曹禺全集》，自也不能例外。不过，涉及不同的对象，情况各异。因每位作家的个性经历，以及由此带来的文本状况各有差异。需要对人与文作全面的判断，才能在具体过程中有所依循并妥当处理。“剧作家”的曹禺就其写作特点，尚易订定文本处理原则。而就“话剧人”的曹禺，是无法在纸面上全体展露的。但有此方向，还是可以在可能范围内，使这一面貌多少有所体现。

文献学无非目录、版本、校勘三事。首先是集合作品，甄别辑佚，排列分类，亦即目录学的工作。现代文学分四大部类，计诗歌、小说、戏剧、散文。但具体到每位作家，情况不同。曹禺作品，首要自是剧本，乃一生精力所萃。剧本又可分自作与改译，话剧之外又有电影。此类排列并不复杂，先自作后改译，先话剧后电影。每类以时间先后编次。惟因调和每卷厚薄，略有前后错落而已。

小说和诗歌这两个文类，曹禺也有所作。在南开就学时，写过一篇并翻译过数篇小说。也有一些新诗。他可能有在这些方面尝试的想法，但话剧创作的迅速成功，使得未来路径极为清晰，遂一生心无旁骛。后来他新旧体诗还写过不少，但多是一时有感或应请而作。

至于各类文章，数量繁多，亦极为庞杂。均称作散文自无不可，但就文体而言，严格说应称“杂文”。不过由于鲁迅的关系，“杂文”已成为某种特殊议论文的专称。为区别起见，本集笼统称作“文章”。此盖因曹禺的剧作、小说、诗歌，可统看作“创作”。

而诸多文章，并非可并列的文学散文。这些文章，似可分门别类，以便阅读。但事实上很难做到，因大多文本，无论如何分类，内容上均有兼跨。因此只能全部编年排列。如此造成的性质不清，本集以“索引”交互配合。“索引”覆盖全部文章，分人名、书刊名、机构名三类，欲了解曹禺某方面的经历或议论，有此应已足敷使用。

曹禺文章，数量庞大，作为全集，自然以尽寻尽收为原则。至于某些文字是否是他真实意思表达，不在甄别范围。曹禺尤其解放后所居的位置，身享待遇的同时也多身不由己。他曾自比“木鱼”，“你们敲吧，爱怎么敲怎么敲”。(田本相引曹禺语，见《曹禺：像陈白露一样掉到坑里，可又跳不出来》,《南方周末》2010年10月21日）不少写作未必反映他的本心和本意。诸如五十年代批胡适、批胡风，他不可能缺席，文化界名人谁也缺席不了。再如朋友吴祖光和孙家琇成了右派，他也都写有批判文章，事实上也不能不写。个人以为，构陷人罪与循例表态，其间有着截然的道德鸿沟。曹禺无疑属于后者，晚年他与吴、孙友谊未变，即能说明问题。他的很多文章，时移世易，或为现在人所难解或误解，但依序排列，却能展现当代文化变迁的一个侧影。

虽然穷尽心力，这部全集自亦不敢夸言无甚遗漏。曹禺唯一的小说《今宵酒醒何处》，刊于天津《庸报》，旧报残缺，故无开头。以天津为起始，由近及远，直到日美，寻查不下三十个机构，终于还是不能如愿补足。而解放后的曹禺，三天两头就有活动，通常都要发言。这些发言有的有稿，有的只是口头说说。有稿的未必公开发表，口头发言或许被记录，但不少存于不同机构档案中。已查找到的有打印件，有手记件，还有速记件。而格于种种限制，未能查到的必定还夥。也还有未正式出版物为私人所得，自秘不愿面世者。此类非人力可及的事情，只能俟诸异日了。

文章之外，曹禺还有数量相当可观的访谈、对话，以及采访中的直接引语、会议记录中的插话，乃至他在各地的题字题辞。有的版权并不独属曹禺，有的零碎不成段落。自然，按照中国当下编辑全集无所不收的做法，也应在可收录之列。但这些文字并不属于“作品”，如依中国古代集部做法，不在编“集”的范围。而按西方通例，“全集”即complete works，不属于“works”的，一般无需公开出版，通常归于个人档案管理，向社会公开，供研究者使用。中国档案制度不发达，全集收录这些零碎文字也有益处。但本集并不采此做法，即只收“成文”的文字。

另外，还有些集体署名的文章，经编者判断确为曹禺执笔，或明确反映曹禺观点的，本集方予收录。而有数篇或署名曹禺，或曾被认为曹禺所作者，则未予收录。如1937年《学校新闻》第63号刊发曹禺讲话《中国话剧应走的路线——在中央大学文艺研究会讲》，次期有曹禺来函，声明系“代我投稿，其中有不实之处”。作者当场否认之作，自不能收录。1931年《国闻周报》第8卷第31期有署名万小石的译文《拉斯基论英美大学教育（附：译者个人的意见）》，虽然曹禺姓“万”字“小石”，早期也曾有署名“小石”的文章发表。但“万小石”仅此一见，文章内容也离曹禺趣味甚远。疑者从阙，亦不收录。《人民教育》1978年第3期有署名曹禺的《一位教师的家信》，内容与我们所知曹禺毫无关联，且文章只是放在刊物普通位置。这应该是正好同名同姓的另一位“曹禺”了。

“目录”一语，实系二词相合：“目”指汇集分目；“录”指编次说明，亦即叙录、解题或提要。如今二者已混为一谈。本集目录，除排比目次外，剧本部分，另有“版本叙录”，不涉内容、评议，只在厘清版本流变。这是由于曹禺尤其早期剧作，版本变动情况极为复杂。本集编纂，涉及众多版本，版本的判断、择定，以及由此延伸出的校勘原则及具体操作，均需对剧本的版本链做总体的流变说明。至于曹禺文章，也有经过重写的篇什，不同版本需要校勘，但数量极微，情况单纯，故不另作“叙录”。

曹禺剧本印次既多，修改亦夥，有因于作者观念或感觉的变化，也有格于时代变迁之主动或被动，情况极为复杂。本集考察诸版本的范围，框定在作者生前本，亦即作者可以干涉的版本。在这些版本中，首先要确定以何为底本，据以排印。但不同版本之间的异文，同样也是作者创作的一部分，作为“全集”，理应纳入。但何者当通校，何者当参校，也需大费思量。因如《雷雨》《日出》等剧，曹禺修改次数不少，而每次修改，所根据的本子，基本没有说明，全需比对判断。自然，另有些大规模改动的版本，已经不是校勘所能解决，只能以附录本的方式排印。

现代文本的版本，通常由手稿、报刊本、成集本构成。报刊是现代印刷技术出现后的产物。成集本有不同印次之间挖改的问题，又有推倒重排的情况，还有不同时期不同出版社的不同版本。作家手稿存世并不多觏，而且还有究竟是初稿还是定稿的问题。曹禺手稿留存无多，可以忽略。报刊本和成集本之间，由于作家结集时通常会做修订，也会恢复报刊编辑格于版面的删改，一般可看作最后定稿。原刊和成集本之间，有时修动异乎寻常的多，如《日出》，二者之间异文达三百余处。目前学术界的通行做法，是以成集本的初版为标准。自然，一般情况这是可行的。

但也会遇到一些问题，即便同一纸型再印，虽然很难做大的调整，但较真的作家会要求个别错字或特别要紧字词的些微改动。因此，同一纸型靠后的版次反而错误更少。曹禺剧本解放前基本由巴金主持的文化生活出版社包办，销路上佳，因而重印次数很多。其中也有量虽小但意义重大的改动，故很难说初版即是定本。本集各剧责任编委，对各印次均做了预校勘，以择定底本。由于各剧情况各不相同，底本并未统一使用初版，或某一印次。

比如《雷雨》底本的择定。文化生活出版社印行至少二十六版，这么多版次使用的是同一纸型，但还是有些微改动。最引人注目者，是鲁大海的身份由“工头”变成“工人”。这一变化显然具有重要意义。遍搜国内外公私收藏机构，逐步缩小范围，终于发现这一改动最初出现在1937年5月的“改订九版”上，曹禺做了少量但却重要的挖补。其后各版再无变化，显然这是他民国时期的最终“定本”，因此将之作为底本显然是顺理成章的。至于初版，则和原刊一起，全文通校。

再如《蜕变》，情况极为复杂。1940年初刊《国民公报》时即“依据中宣部校正”，而多有缺略。随后长沙商务印书馆印行两版，是遵从宣传部审查意见的完整本。1941年，文化生活出版社印行了经过大量修订的“曹禺戏剧集第五种”本，后有巴金《后记》，言及经他据曹禺原稿校订，暗示此为原貌。也因此本版受到学术界的推重，以为《蜕变》首要的版本。然而事实上，有些地方确系恢复，另有些地方却回到原刊状态，连商务版都不如。而到1942—1943年，文化生活出版社又印行了两版“渝版”，却与商务本一致。其原因难于索解，可能是为应付中央图书杂志审查委员会再度“饬作者自行修改呈核”。最终是1945年，文化生活出版社又有“曹禺戏剧集第六种”本，校核之下，可知经过曹禺全面修订，而此后各印次再无变动。因此本集认为“第六种本”是曹禺最终意图的体现，并以此版作为底本。

曹禺民国时期的剧作，文化生活出版社各版，尽管情况颇有复杂之处，但大体都在作者创作完成不久印行，反映作者的原始意图。故而本集在该社各版之间斟酌比对，选择“定本”作为底本。这些剧作，解放后的五六十年代，其中《雷雨》《日出》《北京人》三剧，作为被承认的曹禺代表作，又有多次印行。由于时易世变，造就了变动极为剧烈的新版，其中尤以《雷雨》《日出》为甚。

1951年8月，开明书店出版《曹禺选集》，系茅盾主编的“新文学选集”丛书的一种。该丛书共选择24位作家，均属“‘五四’以来具有时代意义的作品”。(《新文学选集·编辑凡例》）入列其中，表明曹禺得到新政权的褒扬。《曹禺选集》收录《雷雨》《日出》《北京人》三剧，应经过筛选而得到批准。不过，旧时代的作品总有不合新要求之处，因此在世作家对自己的代表作均有修改。至于改动到什么地步，大家似乎各凭理解。曹禺谨慎过度，动作尤为酷烈。如《日出》，不但删去说明旨意的题辞、附记、跋语，各主要人物的“阶级成分”也有巨大变动。陈白露出身改为市民家庭，方达生从事救亡运动。原来被凌辱而死的“小东西”，其父亲成了工人领袖，为金八所害，而“小东西”最终也被父亲工友所救。

《雷雨》同样删去序言、序幕和尾声，鲁大海作为身份最“正确”的人物，自然得到很大增强。而尤其最后一幕，几乎是重写，增加了省政府乔议员一角，属于英国资方的代表，与周朴园勾结意图镇压工人，然工潮终究不可阻挡。而原剧情中周萍自杀，周冲与四凤触电身亡，在这一新版中居然一个没死。

这几部剧本的再度变动，始于1954年6月人民文学出版社的《曹禺剧本选》。显然开明版面目全非的改动，已失去延续经典作品的意义。而人文社作为当时最权威的文学出版社，把握着印行标准版本的尺度。曹禺三剧尽管还有大量的内容修订，并仍然删除《雷雨》的序幕、尾声等,《日出》的题辞、跋语等，以及《北京人》中的“北京人”，但主要剧情基本回到解放前的状态。这个版本影响深远，五十年代末中国戏剧出版社《雷雨》《日出》单行本、六十年代初人民文学出版社收录三剧的《曹禺选集》，曹禺都有些还算重要的改动，但更多是技术性的修订。这几版可以看成相关的系列版本。

尽管如此,《曹禺剧本选》等几个版本，与《曹禺选集》一样，相较解放前的文化生活版，改动处还是多到校记出不胜出。因此，这三部剧本的《曹禺选集》本和《曹禺剧本选》本，均作为附录收入本集。

1979—1985年，四川人民出版社和四川文艺出版社印行的“曹禺戏剧集”，是解放后第一次全体性出版的曹禺剧作，也是曹禺对自己剧作最后一次进行系统性修改的产物。之所以移到四川出版，并给予排他性授权，有几个原因：首先是中国戏剧出版社未征求同意，重印《雷雨》《日出》，而开本、封面寒碜，让曹禺极不高兴；其次，四川社主持其事的，系巴金侄子李致，既有这层亲近关系，李致复相当尽力，使得曹禺放心；再者，曹禺未明说的，是他对1979年2月四川人民出版社初版的《王昭君》的装帧非常满意，出国访问送得出手，因而希望所有剧作都能按此办理。这在几年间给李致信中数度暗示。但改革开放初期，各出版社日子都不好过，他的这一愿望并未实现。

授权的改易，也促成了曹禺对自己剧作的全面修订。这时外部环境已经较为宽松，曹禺可以很大程度上随他心愿改动。不过，曹禺修订时，对底本似乎毫无择取，方便用哪个本子就用哪个本子。除个别借到文化生活出版社版外，其他用的应该都是五十年代人民文学出版社或中国戏剧出版社的版本。由于版本承递的关系，解放后一些大的删除，如《雷雨》序幕、尾声,《北京人》中“北京人”并未重归。自然，曹禺不可能忘记这些情节，因而我疑心，当时的他，还是很持重地牢记权威如周扬和茅盾的看法。(见周扬《论〈雷雨〉和〈日出〉》,《光明》第2卷第8号，1937年；茅盾《读〈北京人〉》,《解放日报》1942年8月12日)

而随后的学术界和评论界，对包括曹禺在内的重要作家，其解放后格于形势对经典作品的修改，基本均持否定态度。因此此后的几个版本，如1988年中国戏剧出版社《曹禺文集》本、1994年人民文学出版社单行本，以及曹禺生前最后一个版本，即1996年花山文艺出版社《曹禺全集》本，均以或号称以文化生活出版社初版本为底本。话剧的重新排演，也总体上回归原始。新时期以后川版的最后一度全面修订，在曹禺身前就已经直接被忽视了。

不过七八十年代之交的川版，还是有其重要意义。因虽然底本选择不尽如人意，但曹禺的大量修改涉及舞台装置、人物活动，以及台词。如《日出》是以从凤子处借到的文化生活出版社第十二版为修改底本，却有超千处的变动。应视为作为“话剧人”的曹禺，于戏台上他的剧作该如何进行，有了新的设想和理解。这对重排这些剧目，至少在技术层面，有着重要的参考意义。目前学术界和戏剧界的倾向，不免埋没了曹禺最后的心血。职此之故，无论从文本意义还是演出价值，本全集均将川版回归所对应底本，予以通校，以保存这些更动。

具体校勘工作，剧本部分，在全面判断基础上，由底本、通校本、参校本构成校勘组。“通校本”逐字逐句与底本对勘，并出校注。“参校本”指在底本、通校本均有可疑的情况下，局部参考的本子。如1994年9月人民文学出版社的“中国现代名剧丛书”中的曹禺剧本，虽出版时间很晚，但据该社编辑回忆，曾就有疑问处咨询过曹禺，因此参校该本是有价值的。

而校勘的技术处理，大体而言，并不出陈垣之“校勘四法”，即对校、本校、他校、理校。不同版本之间的对校，是最基础也是最大量的，其基本功能是呈现异文。其他三种校法使用很少，主要是在对校无法解决，或无本可校时，通过这些办法来改正错误。而尤其理校，需极为谨慎使用。若无把握，则宁以□标示，也绝不孟浪为之。

曹禺话剧剧本，最终要展现在剧场。在他写作或修改时，脑中是有舞台情景、人物活动。因此其中异文，不仅对文学研究者，更对话剧的导与演，有着重要的参考用途。而既称之为“话剧”，人物对话是绝对的核心。在纸面上固然由文字呈现意义，而到戏台上，则转化为声音，有语调、有口气。基于此，尤其剧本中的对话，本集对产生声音影响的标点符号亦予校勘出注。本质上，我们认为，为曹禺编全集的特殊之处，在于拟想读者不应该只是阅读者，而同时要能为话剧所有行当，提供尽可能丰富的曹禺不同时期的舞台想象，或才能不负他作为“话剧人”的全面工作。

至于诗歌和文章，相对来说版本比较简单。解放前个别文章，八十年代他曾修改重新发表。而1958年的《迎春集》，是曹禺剧本以外唯一的自编结集，收录了五十年代诸多文章，大部分曾在报刊上发表。其中异文，也反映了那个时代急剧的政治形势变化，因而还是有其校勘价值。

诸如此类的处理原则，均在“凡例”中做了规定，此处只是择要解释。凡例是文献整理的灵魂。作为全集，不同人处理，做法可能会有不同。要处在于原则清晰，且一以贯之。如此，使用者就其使用目的，可以明了，是否只需依赖此本，还是因特殊需要，须回查原本。

三

曹禺在世的最后一年，研究者田本相曾编出《曹禺全集》，1996年7月由花山文艺出版社出版。这部全集，几十年来为学术界所使用，做出了历史性的贡献。但不可否认，该集数月编成，仓促蒇事。收集既难全面，更谈不上版本选择，异文校勘。事过二十多年，早已不堪依靠。如今重新动议，也确乎正当其时。

约在2017年10月初，主持北京十月文艺出版社的韩敬群兄来电话，言及曹禺著作版权持有人万方女士授权他们出版全集，要我这个老同学帮忙推荐能经营此事者。多方调查并考虑，我觉得还是依托北大中文系组成团队为妥。因外地虽有专门从事曹禺研究，或校勘现代文本有经验者，但与出版社不在一城，有事不方便见面商量。另外团队成员应互相熟悉，且受过相似的学术训练，如此才能默契。

北大中文系现代文学专业的在职老师，教学科研非常忙碌。因此我建议由钱理群和方锡德两位老先生领衔。钱老师德高望重，并写过有关曹禺的专著《大小舞台之间》；方老师在文献方面见识深湛，功力深厚。具体工作则由年轻一代学者担负，他们或是我师弟师妹，有的算我学生辈，大致1990年代中期至2000年代就读北大中文系，都上过钱、方老师的课。如今分布北京、天津、上海、杭州、金华、武汉等地研究机构，均已是学术中坚。10月28日，各方在出版社聚会商议，大体主要由两位老师发言，就总体编纂原则做了学术说明。我自然与会，也就以往编辑《废名集》

的甘苦经验，提了一些建议。

会议结束，我以为自己任务完成。不料回头就被两位老师按在原地，不让脱身。此也无法可想，只好以襄赞军机的方式参与。钱老师做了总体指导后，“退居二线”，由方老师和我商量体例，安排工作。而调查版本，确定底本、通校本和参校本，在此基础上安排体例，前后就花费了一年。我们与十位责任编委的有关电子邮件，总字数达到匪夷所思的十万以上，其中主要是方老师和我在那儿往返讨论和辩论。

两位老师均年事已高，钱老师仍著述不辍，方老师则身体欠佳。布局大定后，是更大的工作量，方老师渐觉难以支撑。终于他们商量均退为学术顾问，如此，“主编”大任如紧箍儿回扣到我头上，无计可逃，不过谁让我“始作俑”呢？

这项工作极为复杂而繁琐，如今已忙了五年，而出版社的著作权协议一般五年为期。出版方和万方女士大概都未曾料如此费时。自然他们也并未想象，更未要求我们如此做。收罗作品，排好次序，“齐清定”交给出版社，本就可以万事大吉，各方轻松。但既然委托我们，所谓知我罪我，那也只能按照我的标准进行。时程必然如此，无法可想。

因而，我得代表编委全体，表达并非出于客套的谢意。万方女士作为曹禺的女公子，自然关心自己父亲的作品编成什么样儿。但自从五年前一见之后，除应邀提供材料，接受我们的咨询、核实外，对全集该如何编，具体作品如何判断，或当收不当收，从未发过一言，更别提干涉了。这种信任而自持的态度，为我们提供了扎实的工作前提。出版社诸同人，则对违背他们一般工作程序的特殊方式，比如过程中插入新发现文章，超出习惯认知的校注量等，也容忍了人力和经济成本的启高。正由于此，我们有了较为良好的工作环境。尤其工作时程，他们原先的感觉，和我们初始的预计，有着不小的心理距离。但正由于相互的迁就，才使得全集基本达到最初的预想。

自然，我更应该感谢团队的伙伴。在现有学术评估体制下，投入如此多的精力，做这样一件事情，固然对自身学术的蜕变有着潜在的助益，然而并无现实的好处。五年来，参加这项工作的编委，都需要大幅度调整自我的规划。搜寻资料、比对版本、校勘异文、撰写注释、编排索引，无一不是繁重而繁琐的事务。我忝居主持的位置，需要平衡想法、折冲意见、统一标准，诸公都很给面子。正由于大家默契的互相配合，虽然各卷处理个别处分寸或微有差异，但全书自信还是有统一的面貌。我们希望，本全集既能为爱好曹禺者提供充分的作品，也能为专业研究者提供可靠的文本，还能为话剧从业者提供尽可能丰富的信息。

需要说明的是，经过商议，为统一起见，各卷均只署名一位作为责任编委。而实际上，过程中工作多有所交叉。编纂的前半程，曾有分卷的大幅度调整，因此很多早期工作都是你中有我。而最后为平衡各卷篇幅，再度局部调整，则调整部分的工作不再移交，以免出错。如第七卷责任编委，也负责第六卷的电影剧本部分。第八到第十卷的调整结果，前一卷责任编委的工作实覆盖到后一卷开头部分。至于索引，是此三卷编委统一制作的。大家同一团队合作多年，对此均不以为意。惟在我的角度，需要有所交代。

无疑，本书同一文本上覆盖着多层的校勘，工作量远不能以印刷出的字数来衡量。对于编者，同时对于责任编辑，这不断叠加的工作均需一一厘清。而新增文本，调整次序，更是牵一发动全身。本书多达十一卷，起初由一位责任编辑负项目统筹之责。

多年的合作，在我们之间建立了特殊的工作关系，实际上也成为了编者团队的一员，穿针引线，助益全书体例的执行匪浅。而到付排阶段，工作量剧增，又有三位编辑朋友加入，虽与我们联系较少，但校样往返，其间的仔细和耐烦也让我们心存感谢。

我们自然还得到多方朋友的帮助，此实在无法一一列举。经常发现某个线索，就四处打电话询查，至少海内外数十个研究机构的朋友受到我们打搅。作为与曹禺直接相关的机构，北京人民艺术剧院和中央戏剧学院更是提供了系统的支持。诸多谢意，只能如此笼统地表达了。

总之，这项工作对各方都是个意外。在我是没想到要负总责，在万方女士是没想到要这么多年，在出版社是没想到工作那么繁琐，在各位编者是没想到要投入如许多的精力。于今,《曹禺全集》最终如此呈现，在我们虽已尽心尽力，但存在这样那样的问题，也自是心知肚明。遗憾固然在所难免，而我们无非是编纂史上的一个环节，尽这代人的责任而已。后来者必有更完善的工作，亦无需未卜先知。惟希望读此书者，不吝指教。或许批评也应该是本全集编纂的待续部分吧。

凡例

一、本集收录曹禺所有现存、可寻见、独立成文的著译作品，不作采择增删。与他人共享版权者，如访谈、对话、采访等；不成文作品，如题辞、他人文章引语、会议记录中片段发言或插话等，未予采录。与他人联合署名的剧作、诗文、书函，可确定有曹禺亲笔，则采收并注明。

二、作品排序方式，先分文体，依次为：剧本、小说、诗歌、文章、日记与书信。剧本先创作后改译或改作，先话剧剧本后电影剧本。各文体，均按可考定的写作、发言、刊用时间排列。为各卷篇幅平衡，剧本排列次序偶有前后错落。

三、曹禺作品，尤其某些话剧剧本，历经多次修改甚至改写，版本状况复杂。编委会经过分析讨论，择定底本、通校本、参校本。底本的确定，以作者初始创作的写定本为原则；通校本的选择，包括写定本之前的原始本（通常是初刊与初版）、不同历史阶段的系统修改本；参校本则是某些作者重阅并修订的版本。部分剧作，及个别文章，曾经作者大面积修改，无法以校勘方式进行，作为附录本收录。剧本与各类文章，其底本与校本，只选择作者生前，并曾亲自干预过的版本。

四、本书为所有作品建立“题注”。内容包括：介绍各作品所据底本和通校本、参校本，并规定校本在校注中的简称；对创作年代有疑问的作品加以说明或考定；采摘原刊各种附言，以及记录、整理者信息，参会者发言顺序，合撰文署名顺序；必要的说明，如改译剧的原作信息等。某些异文，比如剧作中人物姓名、身份的改动，遍布全剧；某些文章个别字词通篇更替，一一出注繁琐，亦在题注中统一说明。

五、所有作品依底本排印，以通校本全体“对校”，异文一律出校注。底本有误，据通校本改；底本、通校本均误，核对参校本改；如诸本皆误，则以“本校”“他校”“理校”方式改动并出注。为阅读顺畅，正文均直接改正文字，校注中说明底本原作某，据何而改。某些地方读之似不可通，或疑有误而不知所误为何者，均一仍其旧，迳排不出注。底本不误而校本有误者，一律不出注。另外，作者文间注照原来形式排印，底注则在该条之末标以“——底本注”。

六、曹禺择字不甚讲究，但于读音异常敏感。故本集对繁体字、异体字、通假字、异形词、标点符号，一般情况按照现行规范统一。但对尤其是剧本中的台词，改动可能导致读音有异者，一律不予更替。台词中的语气词、象声词、拟声词等，涉及声音的表现，即便不常见人使用，如嚜、啊提、聒聒叫、孜妞妞……亦一律不改。的、地、得在文本中的使用，多与现在规范有异，且难以找到规律，考虑到可能影响声音，谨慎起见，也不作改动。剧本台词中标点符号，尤其如问号、叹号、省略号等的异文，会产生明显语气差异，则出校注。

七、某些字词，如磁缸、激刺、时尔、孤另另、卡机布……涉及作者创作时期的习惯写法，且具特殊色彩；还有如颈脖、唬虎你、个混蛋……，以及“没人疼”作“没人痛”、“假模假式”作“假门假事”，实系采用方言；个别生造字词，不同剧本或不同版本反复出现，如喉、獴绒皮袍、黑黢黢……，表明作者有所坚持。这些均予保留。还有如介词“给”，曹禺大多用“跟”，如

“你跟我滚”、“跟您问问”，有些版本可以明确判断系由编辑“规范”为“给”，且未改净，今一律保留原句式，不出校注。“您”与“你”、“一会”与“一会儿”，时此时彼，则一照原文，不作统一。

八、各剧不同版本，有相当多的格式差异，部分系作者不同历史时期所为，部分与不同责任编辑的处理有关。全集予以统一，不再出注。剧本人物表和对白人物的指称，不同版本或用全称或用简称，今一律统一为全名。人物表中标示人物年龄，有的加“岁”，有的不加，毫无规律，今统一加上。此外，如己、已、巳形近易误，容易判断，径改不出注。

九、曹禺剧本版本复杂，文章则品类繁多。本集为每个剧本撰写“版本叙录”，介绍各剧创作动因，版本流变，重大改动及缘由等。曹禺后半生具多种社会角色，文章所负任务亦甚复杂，故难以简单分类，其自编也只有一本《迎春集》。是以文章全部编年排列，另辑有“索引”，分：人名、作品报刊名、机构社团名三类，以便参互使用。

十、文集中尤其如采于书中的序跋等，需补充原书名，方可区别，编者添加的题中文字，以（ ）标示。各剧序跋附记，随剧本排印，文集只在目录排次，并附注见某卷。另外，本全集区分不同情况，为题注和校注规定统一句式。需补充的是，由于作者一生文章基本均署名“曹禺”，仅早期个别作品署本名或表字，题注只对“曹禺”以外的署名情况予以说明。

十一、日记、书信作为私文本，可见作家不为人知的面向。曹禺日记不多；书信与其他作家情况一样，收集自是不易而难全，只能就现有可能尽量汇总。日记书信卷先日记后书信。书信依收信者现存首函时间排比先后，家信集中置卷末，以辈分为序。个别时日不清，由本卷责任编委根据内容判断插入。某些已公布函札有删隐字句，则不强求原函补齐。

目　录

版本叙录

祝宇红

《雷雨》的酝酿有五年时间，1928年初入南开大学曹禺就开始构思，1933年暑期毕业前他终于在清华大学图书馆完成了这个剧本。1934年7月1日,《雷雨》发表在巴金、靳以编辑的《文学季刊》第1卷第3期。

1935年，留日学生团体中华话剧同好会、天津市立师范学校孤松剧团、中国旅行剧团等学生剧团、商业剧团先后公演《雷雨》，舆论反响热烈。伴随着《雷雨》的轰动效应，1936年1月上海文化生活出版社出版《雷雨》单行本，列入巴金主编“文学丛刊”系列图书第一集。“文学丛刊”选目，以及装帧、印刷，品质很高，著者包括鲁迅、茅盾等已经成名的大作家，更吸纳了很多当时的“新人”。

《雷雨》1936年的初版本较之1934年的初刊本，曹禺的修改主要集中在扩充并修订人物小传、增加舞台提示、字句的润色与勘误。此外，剧本前“人物”栏，鲁侍萍的身份由“侍役”改为“女佣”，鲁大海的年龄由“二十”改订为“二十七”。另外,《雷雨》初版收录一篇长篇序言，成为该剧单行本的基本要素，此后历次修订重版一直都保留着。这篇序言曾以《我如何写〈雷雨〉》为题发表在1936年1月19日《大公报》上。

初版之后一年多的时间内,《雷雨》单行本多次重印。到了1937年5月的“改订9版”,曹禺又对初版进行了少量修订。这次修订,主要是将鲁大海的身份由“工头”改为“工人”,并且相应地调整了一些相关台词。这一“改订版”成为确定版,文化生活出版社此后多次重版《雷雨》,都依照这一版本。

1940年12月,“文学丛刊”系列《雷雨》已出到第17版。鉴于曹禺剧本创作数量增多,销路良好,文化生活出版社又推出“曹禺戏剧集”系列。1940年12月,《雷雨》单行本作为“曹禺戏剧集”第一种出版,更改了“文学丛刊”版的封面,版权页标为第18版;直到1953年5月,文化生活出版社的《雷雨》,包括“文学丛刊”本和“曹禺戏剧集”本,出到了第26版。

1951年8月,开明书店出版《曹禺选集》,收《雷雨》《日出》《北京人》,是“新文学选集”的一种。曹禺对三剧都做了较大修改,《雷雨》的修改尤其多。此版删去了序言、序幕和尾声,第四幕的情节完全改写,此外,大量删节、改写了人物出场前的小传。

“开明版”《雷雨》完全重写的第四幕,使剧作成为一个纯粹的“社会问题剧”,体现了鲜明的阶级意识:剧中增加了省政府乔议员这一人物,周朴园与深夜来访的乔议员商议如何勾结警察局镇压工人罢工,如何对出资方英国人唯命是从,“有奶便是娘”;周萍形象变得非常恶劣,他先是虚伪地向蘩漪示好,在蘩漪好意让他带走四凤时,他假意同意,转身又让周冲陪着四凤,试图自己悄悄溜走;

同时，结尾删去了四凤怀孕、四凤与周冲触电身亡、周萍自杀的内容，改为侍萍带四凤忿然离开周家，而此时乔议员给周朴园带来了工潮扩大、势不可挡的消息。

当时，曹禺曾经认为此次修订“比原来接近于真实”，同时也意识到修改后“可能又露出一些补缀的痕迹”（1951年开明版《曹禺选集·自序》）。随着有些地方剧团根据“开明版”排演《雷雨》，出现了对修改本的批评声音。曹禺重新审视“开明版”《雷雨》，显然也认为这次修改并不成功。1954年6月，人民文学出版社出版《曹禺剧本选》，依然收录《雷雨》《日出》《北京人》三剧。为这次出版，曹禺再次修改《雷雨》，向1937年“文化生活出版社改订9版”回归的同时，保留了1951年“开明版”一些情节与字句上的删改，对“回归”的段落也进行了不少情节与字句上的修订。

1954年“人文剧本选”版《雷雨》延续1951年“开明版”较为重要的删节主要包括：1、序幕与尾声；2、全剧中关于周朴园拟搬家的相关台词；3、第一幕侍萍给四凤带来一个银顶针做礼物的情节；4、第三幕鲁大海对周冲所说的关于妹妹四凤“没有定性平平常常”“你们有钱人的世界，她多看一眼，她就得多一番烦恼”的评述。这些删节，在后来的多次修订中一直延续下来。1954年“曹禺剧本选”版《雷雨》恢复了1937年“文化生活出版社改订9版”的第四幕，同时这一幕也有两处重要的修改和删节：1、删去鲁大海到周家之后还枪给周萍的情节，增加了周朴园给马上要去矿上的周萍一把手枪、让他保护自己的情节，后来周萍自杀用的正是这把手枪；2、删去蘩漪与鲁贵谈论鲁妈的名字、并且将鲁妈与周朴园保留的侍萍照片加以联想的情节。这两处删改，在后来的多次修订中也一直延续下来。

1957年6月，中国戏剧出版社在1954年“人文剧本选”版基础上出版了单行本《雷雨》，属于“五四以来话剧剧本选”丛书。这一版主要从语言规范的角度对1954年“人文剧本选”版在字词和标点使用上有所修订。另外，1957年“戏剧版”收入1936年初版的序言，个别字句也有删改，比如删去对蘩漪的这一评价：“她是一个最‘雷雨的’（这是我杜撰的，因为一时找不到适当的形容词）性格。”显然，从1951年“开明版”以来，蘩漪在剧中的重要性在削弱，而突出了周朴园与侍萍、周朴园与鲁大海的矛盾与对立。

1959年9月，中国戏剧出版社出《雷雨》单行本第二版时，曹禺又根据演出情况再次修订多处。比较重要的删节包括：删去第一幕鲁贵对四凤谈“闹鬼”往事的台词。删去周萍对鲁大海谈自己与蘩漪不伦关系的一段对话，这段对话主要为了证明他厌弃这种关系而转向四凤的心理动因。后来的1961年人文版、1984年川版延续了后一删节。

1961年5月，人民文学出版社出版《曹禺选集》，收《雷雨》《日出》《北京人》三剧，其中《雷雨》主要根据1959年“戏剧二版”。

1980年6月，中国戏剧出版社将《雷雨》单行本作为“现代戏剧创作丛书”的一种出版发行，该版系1959年“戏剧二版”的重印。

1984年，四川人民出版社出版《雷雨》单行本，为“曹禺戏剧集”之一，这个本子是曹禺新时期再次修改的产物，也是他最后一次修改《雷雨》。1984川版在吸收历次修改的各种元素的基础上，进一步修订字句，更加符合当时的语言规范。

1988年12月，中国戏剧出版社出版《曹禺文集》，第一卷收《雷雨》《日出》《原野》三剧。《雷雨》注明据“1936年1月上海文化生活出版社”的版本，经对照，实际据“1937年文化生活改订9版”之后的确定版。《雷雨》从1951年“开明版”起删去的序幕和尾声恢复。另外剧本后附有《〈雷雨〉序》和《〈雷雨〉英译本序》。

1994年9月，人民文学出版社出版《雷雨》单行本，属于“中国现代名剧丛书”。此版注明据“1936年1月上海文化生活出版社初版”，经对照，实际据“1937年文化生活改订9版”之后的确定版。

1996年7月，花山文艺出版社出版七卷本《曹禺全集》,《雷雨》收入第一卷，这是曹禺生前最后一个版本。此版注明据“1936年1月上海文化生活出版社初版”，经对照，实际据“1937年文化生活改订9版”之后的确定版。

雷雨

【题注】据1937年5月文化生活出版社改订九版“文学丛刊”本排印。通校1934年7月《文学季刊》第一卷第三期初刊本（校注称“原刊”）、1936年1月文化生活出版社第一版“文学丛刊”本（校注称“初版”）、1984年12月四川人民出版社“曹禺戏剧集”本初版（校注称“川版”）。参校1994年9月人民文学出版社“中国现代名剧丛书”本初版（校注称“1994人文版”）。

序

我不知道怎样来表白我自己，我素来有些忧郁而暗涩；纵然在人前我有时也显露着欢娱，在孤独时却如许多精神总不甘于凝固的人，自己不断地来苦恼着自己，这些年我不晓得“宁静”是什么，我不明了我自己，我没有希腊[1]人所宝贵的智慧——“自知”。除了心里永感着乱云似的匆促，切迫，我从不能在我的生活里找出个头绪。所以当着要我来解释自己的作品，我反而是茫然的。

我很钦佩，有许多人肯费了时间和精力，使用了说不尽的语言来替我的剧本下注脚；在国内这些次公演之后更时常地有人论断我是易卜生的信徒，或者臆测剧中某些部分是承袭了Euripides的Hippolytus或Racine的Phèdre灵感[2]。认真讲，这多少对我是个惊讶。我是我自

【题注】据1937年5月文化生活出版社改订九版“文学丛刊”本排印。通校1936年1月19日《大公报》“文艺”副刊第80期初刊本，题作《我如何写〈雷雨〉》（校注称“原刊”）、1936年1月文化生活出版社第一版“文学丛刊”本（校注称“初版”）、1984年12月四川人民出版社“曹禺戏剧集”本初版（校注称“川版”）。

1 “希腊”川版作“古希腊”。

2 “Phèdre灵感”初版、川版均作“Phèdre的灵感”。

己——一个渺小的自己：我不能窥探这些大师们的艰深，犹如黑夜的甲虫想象不来白昼的明朗。在过去的十几年，固然也读过几本戏，演过几次戏，但尽管我用了力量来思索，我追忆不出哪一点是在故意模拟谁。也许在所谓"潜意识"的下层，我自己欺骗了自己：我是一个忘恩的仆隶一缕一缕地抽取主人家的金线，织好了自己丑陋的衣服，而否认这些褪了色（因为到了我的手里）的金丝也还是主人家的。其实偷[1]人家一点故事，几段穿插，并不寒伧。同一件传述，经过古今多少大手笔的揉搓塑抹，演为种种诗歌，戏剧，小说，传奇也很有些显著的先例。然而如若我能绷起脸，冷生生地分析自己的作品（固然作者的偏爱总不容他这样做），我会再说，我想不出执笔的时候我是追念着哪些作品而写下《雷雨》，虽然明明晓得能描摹出来这几位大师的遒劲和瑰丽，哪怕是一抹，一点或一勾呢，会是我无上的光彩。

我是一个不能冷静的人，谈自己的作品恐怕也不会例外。我爱着《雷雨》如欢喜在溶冰后的春天，看一个活泼泼的孩子在日光下跳跃，或如在粼粼的野塘边偶然听得一声青蛙那样的欣悦。我会呼出这些小生命是交付我有多少灵感，给予我若何的兴奋。我不会如心理学者立在一旁，静观小儿的举止，也不能如试验室的生物学家，运用理智的刀来支解分析青蛙的生命，这些事应该交与批评《雷雨》的人们。他们知道怎样解剖论断：哪样就契合了戏剧的原则，哪样就是背谬的。我对《雷雨》的了解只是有如母亲抚慰自己的婴儿那样单纯的喜悦，感到的是一团原始的生命之感。我没有批评的冷静头脑，诚实也不

1 "偷"川版作"用"。

容许我使用诡巧的言辞狡黠地袒护自己的作品；所以在这里，一个天赐的表白的机会，我知道我不会说出什么。这一年来批评《雷雨》的文章确实吓住了我，它们似乎刺痛了我的自卑意识，令我深切地感触自己的低能。我突地发现它们的主人了解我的作品比我自己要明切得多。他们能一针一线地寻出个原由，指出究竟，而我只有普遍地觉得不满不成熟。每次公演《雷雨》或者提到《雷雨》，我不由自己地感觉到一种局促，一种不自在，仿佛是个拙笨的工徒，只图好歹做成了器皿，躲到壁落里，再也怕听得顾主们恶生生地[1]挑剔器皿上面花纹的丑恶。

我说过我不会说出什么来。这样的申述也许使关心我的友人们读后少一些失望。累次有人问我《雷雨》是怎样写的，或者《雷雨》是为什么写的，这一类的问题。老实说，关于第一个，连我自己也莫名其妙；第二个呢，有些人已经替我下了注释，这些注释有的我可以追认——譬如"暴露大家庭的罪恶"——但是很奇怪，现在回忆起三年前提笔的光景，我以为我不应该用欺骗来炫耀自己的见地，我并没有显明地意识着我是要匡正，讽刺或攻击些什么。也许写到末了，隐隐仿佛有一种情感的汹涌的流来推动我，我在发泄着被抑压的愤懑，毁谤着中国的家庭和社会。然而在起首，我初次有了《雷雨》一个模糊的影象的时候，逗起我的兴趣的，只是一两段情节，几个人物，一种复杂而又原始的情绪。

《雷雨》对我是个诱惑。与《雷雨》俱来的情绪蕴成我对宇宙间

1　川版无"恶生生地"。

许多神秘的事物一种不可言喻的憧憬。《雷雨》可以说是我的“蛮性的遗留”，我如原始的祖先们对那些不可理解的现象睁大了惊奇的眼。我不能断定《雷雨》的推动是由于神鬼，起于命运或源于哪种显明的力量。情感上《雷雨》所象征的对我是一种神秘的吸引，一种抓牢我心灵的魔。《雷雨》所显示的，并不是因果，并不是报应，而是我所觉得的天地间的“残忍”，（这种自然的“冷酷”四凤与周冲的遭际最足以代表，他们的死亡，自己并无过咎。[1]）如若读者肯细心体会这番心意，这篇戏虽然有时为几段较紧张的场面或一两个性格吸引了注意，但连绵不断地若有若无地闪示这一点隐秘——这种种宇宙里斗争的“残忍”和“冷酷”。在这斗争的背后或有一个主宰来使用它的[2]管辖。这主宰，希伯来的先知们赞它为“上帝”，希腊的戏剧家们称它为“命运”，近代的人撇弃了这些迷离恍惚的观念，直截了当地叫它为“自然的法则”。而我始终不能给它以适当的命名，也没有能力来形容它的真实相。因为它太大，太复杂。我的情感强要我表现的，只是对宇宙这一方面的憧憬。

写《雷雨》是一种情感的迫切的需要。我念起人类是怎样可怜的动物，带着踌躇满志的心情，仿佛是自己来主宰自己的运命，而时常不是自己来主宰着。受着自己——情感的或者理解的——捉弄，一种不可知的力量的——机遇的，或者环境的——捉弄；生活在狭的笼里

---

1 此句川版作“这种自然的‘冷酷’，可以用四凤与周冲的遭遇，和他们的死亡来解释，因为他们自己并无过咎。”。

2 川版无“使用它的”。

而洋洋地骄傲着，以为是徜徉在自由的天地里，称为万物之灵的人物不是做着最愚蠢的事么？我用一种悲悯的心情来写剧中人物的争执。我诚恳地祈望着看戏的人们也以一种悲悯的眼来俯视这群地上的人们。所以我最推崇我的观众，我视他们，如神仙，如佛，如先知，我献给他们以未来先知的神奇。在这些人不知道自己的危机之前，蠢蠢地动着情感，劳着心，用着手[1]，他们已彻头彻尾地熟悉这一群人的错综关系。我使他们征兆似地觉出来这酝酿中的阴霾，预知这样不会引出好结果。我是个贫穷的主人，但我请了看戏的宾客升到上帝的座，来怜悯地俯视着这堆在下面蠕动的生物。他们怎样盲目地争执着，泥鳅似地在情感的火坑里打着昏迷的滚，用尽心力来拯救自己，而不知千万仞的深渊在眼前张着巨大的口。他们正如一匹跌在泽沼里的羸马，愈挣扎，愈深沉地陷落在死亡的泥沼里。周萍悔改了"以往的罪恶"。他抓住了四凤不放手，想由一个新的灵感来洗涤自己。但这样不自知地犯了更可怕的罪恶，这条路引到死亡。蘩漪是个最动人怜悯的女人。她不悔改，她如一匹执拗的马，毫不犹疑地踏着艰难的老道，她抓住了周萍不放手，想重拾起一堆破碎的梦而[2]救出自己，但这条路也引到死亡。在《雷雨》里，宇宙正像一口残酷的井，落在里面，怎样呼号也难逃脱这黑暗的坑。自一面看，《雷雨》是一种情感的憧憬，一种无名的恐惧的表征。这种憧憬的吸引恰如童稚时谛听脸上划着经历的皱纹的父老们，在森森的夜半，津津地述说坟头鬼火，

1 "用着手"川版作"用着劲"。

2 川版无"而"。

野庙僵尸的故事。皮肤起了恐惧的寒栗，墙角似乎晃着摇摇的鬼影。然而奇怪，这“怕”本身就是个诱惑。我挪近身躯，咽着兴味的口沫，心惧怕地忐忑着，却一把提着[1]那干枯的手，央求：“再来一个！再来一个！”所以《雷雨》的降生是一种心情在作祟，一种情感的发酵，说它为宇宙[2]一种隐秘的理解乃是狂妄的夸张，但以它代表个人一时性情的趋止，对那些“不可理解的”莫名的爱好，在我个人短短的生命中是显明地划成一道[3]阶段。

与这样原始或者野蛮的情绪俱来的还有其他的方面，那便是我性情中郁热的氛围。夏天是个烦躁多事的季节，苦热会逼走人的理智。在夏天，炎热高高升起，天空郁结成一块烧红了的铁，人们会时常不由己地，更归回原始的野蛮的路，流着血，不是恨便是爱，不是爱便是恨；一切都走向极端，要如电如雷地轰轰地烧一场，中间不容易有一条折衷的路。代表这样的性格是周蘩漪，是鲁大海，甚至于是周萍，而流于相反的性格，遇事希望着妥协，缓冲，敷衍便是周朴园，以至于鲁贵。但后者是前者的阴影，有了他们前者才显得明亮。鲁妈，四凤，周冲是这明暗的间色，他们做成两个极端的阶梯。所以在《雷雨》的氛围里，周蘩漪最显得调和。她的生命烧到电火一样地白热，也有它一样地短促。情感，郁热，境遇，激成一朵艳丽的火花，当着火星也消灭时，她的生机也顿时化为乌有。她是一个最“雷雨

1 “提着”川版作“抓着”。

2 此处川版有“作”。

3 “划成一道”川版作“划清一个”。

的”（原是我的杜撰[1]，因为一时找不到适当的形容词）性格，她的生命交织着最残酷的爱和最不忍的恨，她拥有行为上许多的矛盾，但没有一个矛盾不是极端的，“极端”和“矛盾”是《雷雨》蒸热的氛围里两种自然的基调，剧情的调整多半以它们为转移。

在《雷雨》里的八个人物，我最早想出的，并且也较觉真切的是周蘩漪，其次是周冲。其他如四凤，如朴园，如鲁贵都曾在孕育时给我些苦痛与欣慰，但成了形后反不给我多少满意。（我这样说并不是说前两个性格已有[2]成功，我愿特别提出来只是因为这两种人抓住我的想象。）我欢喜看蘩漪这样的女人，但我的才力是贫弱的，我知道舞台[3]上的她与我原来的企图，做成一种不可相信的参差。不过一个作者总是不自主地有些姑息，对于蘩漪我仿佛是个很熟的朋友，我惭愧不能画出她一幅真实的像，近来颇盼望着遇见一位有灵魂有技能的演员扮她，交付给她血肉。我想她应该能动我的怜悯和尊敬，我会流着泪水哀悼这可怜的女人的。我会原谅她，虽然她做了所谓“罪大恶极”的事情——抛弃了神圣的母亲的天责。我算不清我亲眼看见多少蘩漪。（当然她们不是蘩漪，她们多半没有她的勇敢。）她们都在阴沟里讨着生活，却心偏天样地高；热情原是一片浇不熄的火，而上帝偏偏罚她们枯干地生长在砂上。这类的女人许多有着美丽的心灵，然为着不正常的发展，和环境的窒息，她们变为乖戾，成为人所不能了解

1 “原是我的杜撰”川版作“这是我杜撰的”。

2 “已有”川版作“已经”。

3 “舞台”川版作“剧本”。

的。受着人的嫉恶，社会的压制，这样抑郁终身，呼吸不着一口自由的空气的女人在我们这个现社会里不知有多少吧。在遭遇这样的不幸的女人里，蘩漪自然是值得赞美的。她有火炽的热情，一颗强悍的心，她敢冲破一切的桎梏，做一次困兽的斗。虽然依旧落在火坑里，情热烧疯了她的心，然而不是更值得人的怜悯与尊敬么？这总比阉鸡似的男子们为着凡庸的生活怯弱地度着一天一天的日子更值得人佩服罢。

有一个朋友告诉我：他迷上了蘩漪，他说她的可爱不在她的“可爱”处，而在她的“不可爱”处。诚然，如若以寻常的尺来衡量她，她实在没有几分赢人[1]的地方。不过聚许多所谓“可爱的”女人在一起，便可以鉴别出她是最富于魅惑性的。这种魅惑不易为人解悟正如爱嚼姜片的才道得出辛辣的好处。所以必需有一种明白蘩漪的人始能[2]把握着她的魅惑，不然，就只会觉得她阴鸷可怖。平心讲，这类女人总有她的“魔”，是个“魔”便有它的尖锐性。也许蘩漪吸住人的地方是她的尖锐。她是一柄犀利的刀，她愈爱的，她愈要划着深深的创痕。她满蓄着受着抑压的“力”，这阴鸷性的“力”怕是造成这个朋友着迷的缘故。爱这样的女人需有厚的口胃，铁的手腕[3]，岩似的恒心，而周萍，一个情感和矛盾的奴隶，显然不是的。不过有人会问为什么她会爱这样一棵弱不禁风的草，这只好问她的运命，为什么她会落在周朴园这样的家庭中。

---

1 “赢人”川版作“动人”。

2 “始能”川版作“才能”。

3 “手腕”川版作“坚韧”。

提起周冲，蘩漪的儿子。他也是我喜欢的人。我看过一次《雷雨》的公演，我很失望，那位演周冲的人有些轻视他的角色，他没有了解周冲，他只演到痴憨——那只是周冲粗犷的肉体，而忽略他的精神。周冲原是可喜的性格，他最无辜而他与四凤同样遭受了惨酷的结果。他藏在理想的堡垒里，他有许多憧憬，对社会，对家庭，以至于对爱情。他不能了解他自己，他更不了解他的周围。一重一重的幻念茧似地缚住了他。他看不清社会，他也看不清他所爱的人们。他犯着年轻人Quixotic病，有着一切青春发动期的青年对现实那样的隔离。他需要现实的铁锤来一次一次地敲醒他的梦：在喝药那一景，他才真认识了父亲的威权笼罩下的家庭；在鲁贵家里，忍受着鲁大海的侮慢，他才发现他和大海中间隔着一道不可填补的鸿沟；在末尾，蘩漪唤他出来阻止四凤与周萍逃奔的时候，他才看出他的母亲全不是他所想的那样，而四凤也不是能与他在冬天的早晨，明亮的海空，乘着白帆船向着无边的理想航驶去的伴侣。连续不断地失望绊住他的脚，每次的[1]失望都是一只尖利的锥，那是他应使的[2]刑罚。他痛苦地感觉到现实的丑恶，一种幻灭的悲哀袭击他的心。这样的人即便不为“残忍”的天所毁灭，他早晚会被那绵绵不尽的渺茫的梦掩埋，到了与世隔绝的地步。甚至在情爱[3]里，他依然认不清真实。抓住他心的并不是四凤，或者任何美丽的女人。他爱的只是“爱”，一个抽象的观念，

1 “每次的”川版作“每次”。

2 “应使的”初版、川版均作“应得的”。

3 “情爱”川版作“爱情”。

还是个渺茫的梦。所以当着四凤不得已地说破了她同周萍的事，使他伤心的却不是因为四凤离弃了他，而是哀悼着一个美丽的梦的死亡。待到连母亲——那是十七岁的孩子的梦里幻化得最聪慧而慈祥的母亲，也这样丑恶地为着情爱痉挛地喊叫，他才彻头彻尾地感觉到现实的粗恶。他不能再活下去，他被人攻下了最后的堡垒，青春期的儿子对母亲的那一点憧憬。他于是[1]整个死了他生活最宝贵的部分——那情感的激荡。以后那偶然的或者残酷的肉体的死亡对他算不得痛苦，也许反是最适当的了结。其实，在生前他未始不隐隐觉得他是追求着一个不可及的理想。他在鲁贵家里说过他白日的梦，那一段对着懵懂的四凤讲的："海，……天，……船，……光明，……快乐，"的话；（那也许是个无心的讽刺，他偏偏在那样地方津津地说着他最超脱的梦，那地方四周永远蒸发着腐秽的气息，瞎子们唱着唱不尽的春调，鲁贵如淤水塘边的癞蛤蟆哓哓地噪着他的丑恶的生意经。）在四凤将和周萍同走的时候，他只说：（疑惑地，思考地）"我忽然发现……我觉得，……；我好像并不是真爱四凤；（渺渺茫茫地）以前，……我，我，我[2]——大概是胡闹。"于是他慷慨地让四凤跟着周萍离弃了他。这不像一个爱人在申说，而是一个梦幻者探寻着自己。这样的超脱，无怪乎落在情热的火坑里的蘩漪是不能了解的了。

理想如一串一串的肥皂泡荡漾在他的眼前，一根现实的铁针便轻轻地逐个点破。理想破灭时，生命也自然化成空影。周冲是这烦躁多

---

1 "他于是"川版作"于是他"。

2 "我，我，我"川版作"我，我"。

事的夏天里一个春梦。在《雷雨》郁热的氛围里，他是个不调和的谐音，有了他，才衬出《雷雨》的明暗。他的死亡和周朴园的健在都使我觉得宇宙里并没有一个智慧的上帝做主宰。而周冲来去这样匆匆，这么一个可爱的生命偏偏简短而痛楚地消逝，令我们情感要呼出[1]："这确是太残忍的了。"

写《雷雨》的时候，我没有想到我的戏会有人排演，但是为着读者的方便，我用了很多的篇幅释述每个人物的性格。如今呢，《雷雨》的演员们可以借此看出些轮廓。不过一个雕刻师总先摸清他的材料有哪些弱点，才知用起斧子时哪些地方该加谨慎，所以演员们也应该明了这几个角色的脆弱易碎的地方。这几个角色没有一个是一具不漏的网，可以不用气力网起观众的称赞。譬如演鲁贵的，他应该小心翼翼地做到"均匀""恰好"，不要小丑似地叫《雷雨》头上凸起了隆包，尻上长了尾巴，使它成了只是个可笑的怪物；演鲁妈与四凤的应该懂得"节制"（但并不是说不用情感），不要叫自己叹起来成风车，哭起来如倒海，要知道过度的悲痛的刺激会使观众的神经痛苦疲倦，再缺乏气力来怜悯，而反之[2]，没有感情做柱石，一味在表面上下工夫更令人发生厌恶，所以应该有真情感。但是要学得怎样收敛运蓄着自己的精力，到了所谓"铁烧到最热的时候再锤"，而每锤是要用尽了最内在的力量。尤其是在第四幕，四凤见着鲁妈的当儿是最费斟酌的。两个人都需要多年演剧的经验和熟练的技巧，要找着自己情感的焦点，

---

1 "令我们情感要呼出"川版作"令我们束不住情感，要呼出"。

2 "而反之"川版作"反之"。

然后依着它做基准来合理地[1]调整自己成了有韵味的波纹，不要让情感的狂风卷扫了自己的重心，忘却一举一动应有理性的根据和分寸。具体说来，我希望她们不要嘶声喊叫，不要重复地单调地哭泣。要知道这一景落眼泪的机会已经甚多，她们应该替观众的神经想一想，不应刺痛他们，使他们感觉倦怠甚至于苦楚。她们最好能运用各种不同的技巧来表达一个单纯的悲痛情绪[2]。要抑压着一点，不要都发挥出来，如若必需有激烈的动作，请记住："无声的音乐是更甜美"，思虑过后的节制或沉静在舞台上更是为人所欣赏的。

周萍是最难演的，他的成功要看挑选的恰当。他的行为不易获得一般观众的同情，而性格又是很复杂的。演他，小心不要单调；须设法这样[3]充实他的性格，令我们得到一种真实感，还有，如若可能，我希望有个好演员，化开他的性格上一层云翳，起首便清清白白地给他几根简单的线条。先画出一个清楚的轮廓，再慢慢地细描去。这样便井井有条，虽复杂而简单，观众才不会落在雾里。演他的人要设法替他找同情（犹如演蘩漪的一样），不然到了后一幕便会搁了浅，行不开。周朴园的性格比较是容易捉摸的，他也有许多机会做戏，如喝药那一景，认鲁妈的景[4]，以及第四幕一人感到孤独寂寞的景[5]，都应加

1 "来合理地"川版作"合理地"。

2 "单纯的悲痛情绪"川版作"可以错认为'单一的悲痛'情绪"。

3 "这样"初版作"怎样"。

4 "景"川版作"那一景"。

5 "景"川版作"那一景"。

一些思索（更要有思虑过的节制）才能演得深隽。鲁大海自然要个硬性的人来演，口齿举动不要拖泥带水，干干脆脆地做下去，他的成功更靠挑选的适宜。

《雷雨》有许多令人疑惑的地方，但最显明的莫如首尾的“序幕”与“尾声”。聪明的批评者多置之不提，这样便省略了多少引不到归结的争执。因为一切戏剧的设施须经过观众的筛漏；透过时间的洗涤，那好的会留存，粗恶的自然要滤走。所以我不在这里讨论“序幕”和“尾声”能否存留，能与不能总要看有否一位了解的导演精巧地搬到台上。这是个冒险的尝试，需要导演的聪明来帮忙。实际上的困难和取巧的地方一定也很多，我愿意将来有个机会来实验。在此地我只想提出“序幕”和“尾声”的用意，简单地说，是想送看戏的人们回家，带着一种哀静的心情。低着头，沉思地，念着这些在情热，在梦想，在计算里煎熬着的人们。荡漾在他们的心里应该是水似的悲哀，流不尽的；而不是惶惑的，恐怖的，回念着《雷雨》像一场噩梦，死亡，惨痛如一只钳子似地夹住人的心灵，喘不出一口气来。《雷雨》诚如有一位朋友说，有些太紧张（这并不是句恭维的话），而我想以第四幕为最。我不愿这样戛然而止，我要流荡在人们中间还有诗样的情怀。“序幕”与“尾声”在这种用意下，仿佛有希腊悲剧Chorus一部分的功能，导引观众的情绪入于更宽阔的沉思的海。《雷雨》在东京出演时，他们曾经为着“序幕”“尾声”费些斟酌，问到我，我写一封私人的信（那封信被披露了出来是我当时料想不到的事），提到我把《雷雨》做一篇诗看，一部故事读，用“序幕”和“尾声”把一件错综复杂的罪恶推到时间上非常辽远的处所。因为事理变动太吓人，里面那些隐秘不可知的东西对于现在一般聪明的观众情感上也仿佛不易明了，我乃罩上一层纱。那“序幕”和“尾声”的纱幕便给了所谓的“欣赏的距离”。这样，看戏的人们可以处在适中的地位来看戏，而不至于使情感或者理解受了惊吓。不过演出“序幕”和“尾声”实际上有个最大的困难，那便是《雷雨》的繁长。《雷雨》确实用时间太多，删了首尾，还要演上四小时余，如若再加上这两件“累赘”，不知又要观众厌倦多少时刻。我曾经为着演出“序幕”和“尾声”想在那四幕里删一下，然而思索许久，毫无头绪，终于废然地搁下笔。这个问题需要一位好的导演用番功夫来解决，也许有一天《雷雨》会有个新面目，经过一次合宜的删改。然而目前我将期待着好的机会，叫我能依我自己的情趣来删节《雷雨》，把它认真地搬到舞台上。[1]

不过[2]这个本头已和原来的不同，许多小地方都有些改动，这些地方我应该感谢颖如，和我的友人巴金[3]（谢谢他的友情，他在病中还替我细心校对和改正），孝曾，靳以[4]，他们督催[5]着我，鼓励着我，使《雷雨》才有现在的模样。在日本的，我应该谢谢秋田雨雀先生，影山三郎君和邢振铎君，为了[6]他们的热诚和努力，《雷雨》的日译本才能出现，展开一片新天地。

---

1 “《雷雨》有许多让人疑惑的地方”以下川版无。

2 川版无“不过”。

3 “巴金”初版作“文慧”。

4 “靳以”初版作“方序”。

5 “督催”川版作“督促”。

6 “为了”川版作“有了”。

末了，我将这本戏献给我的导师张彭春先生，他是第一个启发我接近戏剧的人。

曹禺

一九三六年一月

景

序　幕　在教堂附属医院的一间特别客厅内——冬天的一个下午。

第一幕　十年前，一个夏天，郁热的早晨。——周公馆的客厅内（即序幕的客厅，景与前大致相同）

第二幕　景同前——当天的下午。

第三幕　在鲁家，一个小套间——当天夜晚十时许。

第四幕　周家的客厅（与第一幕同）——当天半夜两点钟。

尾　声　又回到十年后，一个冬天的下午——景同序幕。

（[1]由第一幕至第四幕为时仅一天）

1　此处原刊有“注：”。

人　物

姑奶奶甲（教堂尼姑）

姑奶奶乙

姊姊——十五岁。

弟弟——十二岁。[1]

周朴园——某煤矿公司[2]董事长，五十五岁。

周蘩漪——其妻，三十五岁。

周萍——其前妻生子，年二十八。

周冲——蘩漪生子，年十七。

鲁贵——周宅仆人，年四十八。

鲁侍萍——其妻，某校女佣[3]，年四十七。

鲁大海——侍萍前夫之子，煤矿工人[4]，年二十七[5]。

鲁四凤——鲁贵与侍萍之女，年十八，周宅使女。

周宅仆人等：仆人甲，仆人乙……老仆。

---

1 “姑奶奶甲”以下川版无。

2 原刊无“公司”。

3 “女佣”原刊作“侍役”。

4 “工人”原刊、初版均作“工头”。

5 “二十七”原刊作“二十”。

序幕

景——一间宽大的客厅[1]。冬天，下午三点钟，在某教堂附设医院内。

屋中间是两扇棕色的门，通外面；门身很笨重，上面雕着半西洋化的旧花纹，门前垂着满是[2]斑点，褪色的厚帷幔，深紫色的；织成的图案已经脱了线，中间有一块已经破了一个洞。右边——左右以台上演员为准——有一扇门，通着现在的病房。门面的漆已蚀了去，金黄的铜门钮放着暗涩的光，配起那高而宽，有黄花纹的灰门框和门上凹凸不平，古式的西洋木饰，令人猜想这屋子的前主多半是中国的老留学生，回国后又[3]富贵过一时的。这门前也挂着一条半旧，深紫的绒幔，半拉开，破成碎条的幔角拖在地上。左边也开一道[4]门，两扇的，通着外间饭厅，由那里可以直通楼上，或者从饭厅走出外面，这两扇门较中间的还华丽，颜色更深老；偶尔有人穿过，它好沉重地在门轨上转动，会发着一种久磨擦的滑声，像一个经过多少事故，很沉默，很温和的老人。这前面，没有帷幔，门上脱落[5]，残蚀的轮廓同漆

---

1 “客厅”原刊作“待客厅”。

2 “满是”原刊作“旧得有”。

3 “回国后又”原刊作“回国又是”。

4 “一道”原刊作“一个”。

5 “脱落”原刊作“衰落”。

饰都很明显。靠中间门的右面，墙凹进去如一个神像的壁龛，凹进去的空隙是棱角形的，划着半圆。壁龛的上大半满嵌着细狭而高长的法国窗户，每棱角一扇长窗，很玲珑的；下面只是一块较地板略起的半圆平面，可以放着东西，可以坐；这前面整个地遮上一面有折纹的厚绒垂幔，拉拢了，壁龛可以完全掩盖上，看不见窗户同阳光，屋子里阴沉沉，有些气闷。开幕时，这帷幕是关上的。

墙的颜色是深褐，年久失修，暗得褪了色。屋内所有的陈设都很富丽，但现在都呈现着衰败的景象。——右墙近前是一个壁炉，沿炉嵌着长方的大理石，正前面镶着星形彩色的石块；壁炉上面没有一件陈设，空空地，只悬着一个钉在十字架上的耶稣。现在壁炉里燃着煤火，火焰熊熊地，照着炉前的一张旧圈椅，映出一片红光，这样，一丝丝的温暖，使这古老的房屋还有一些生气。壁炉旁边搁放一个粗制的煤斗同木柴。右边门左侧，挂一张画轴；再左，近后方，墙角抹成三四尺的平面，倚的那里，斜放着一个半人高的旧式紫檀小衣柜[1]，柜门的角上都包着铜片。柜上放着一个暖水壶，两只白饭碗，都搁在旧黄铜盘上。柜前铺一张长方的小地毯；在上面，和柜平行的，放一条很矮的紫檀长几，以前大概是用来摆设瓷器，古董一类的精巧的小东西，现在堆着一叠叠的雪白桌布，白床单等物[2]，刚洗好，还没有放

---

1 “斜放着一个半人高的旧式紫檀小衣柜”原刊作“斜放着一个紫檀，半人高的旧式小衣柜”。

2 “以前大概是用来摆设瓷器”以下原刊作“以前大概为着摆设瓷器，古董……精巧的小东西，现在垒着一叠叠的雪白桌布，白床单等物”。

进衣柜去[1]。在正面，柜与壁龛中间立一只圆凳。壁龛之左（中门的右面），是一只长方的红木菜桌。上面放着两个旧烛台，墙上是张大而旧的古油画，中门左面立一只有玻璃的精巧的紫檀柜。里面原来放古董，但现在是空空的，这柜前有一条狭长的矮凳。离左墙角不远，与角成九十度，斜放着一个宽大深色的沙发，沙发后是只长桌，前面是一条短儿，都没有放着东西。沙发左面立一个黄色的站灯，左墙靠前略凹进，与左后墙成一直角。凹进处有一只茶几，墙上低悬一张小油画。茶几旁，再略向前才是左边通饭厅的门。屋子中间有一张地毯。上面对放着，但是略斜地，两张大沙发；中间是个圆桌，铺着白桌布。

开幕时，外面远处有钟声。教堂内合唱颂主歌同大风琴声，最好是Bach：High Mass in B Minor Benedictus qui venait Domini Nomini[2]——屋内寂静无人。

移时，中间门沉重地缓缓推开，姑奶奶甲（寺院尼姑）进来，她的服饰如在天主教堂里常见的尼姑一样，头束着雪白的布巾，蓬起来像荷兰乡姑，穿一套深蓝的粗布制袍，衣袍几乎拖在地面。她胸前悬着一个十字架，腰间悬一串钥匙，走起路来锵锵地响着。她安静地走进来，脸上很平和的。她转过身子向着门外。

姑　甲　（和蔼地）请进来吧。

〔一位苍白的老年人走进来，穿着很考究的旧皮大衣。进门

1　“去”原刊作“的”。

2　曲名当作“High Mass in B Minor Benedictus qui venit in nomine Domini”。

脱下帽子，头发斑白，眼睛沉静而忧郁，他的下颏有苍白的短须，脸上满是皱纹。他戴着一副金边眼镜，进门后，也取下来，放在眼镜盒内，手有些颤。他搓弄一下子，衰弱地咳嗽两声。外面乐声止。

姑　甲　（微笑）外面冷得很！

老　人　（点头）嗯——（关心地）她现在还好么？

姑　甲　（同情地）好。

老　人　（沉默一时，指着头）她这儿呢？

姑　甲　（怜悯地）那——还是那样。（低低地叹一口气）

老　人　（沉静地）我想也是不容易治的。

姑　甲　（矜怜地）您先坐一坐，暖和一下，再看她吧。

老　人　（摇头）不。（走向右边病房）

姑　甲　（走向前）您走错了，这屋子是鲁奶奶的病房。您的太太在楼上呢。

老　人　（停住，失神地）我——我知道，（指着右边病房）我现在可以看看她么？

姑　甲　（和气地）我不知道。鲁奶奶的病房是另一位姑奶奶管，我看您先到楼上看看，回头再来看这位老太太好不好？

老　人　（迷惘地）嗯，也好。

姑　甲　您跟我上楼吧。

〔姑甲领着老人进左面的饭厅下。

〔屋内静一时。外面有脚步声。姑乙领两个小孩进。姑乙除了年轻些，比较活泼些，一切都与姑甲相同。进来的小孩是姊弟，都穿着冬天的新衣服，脸色都红得像个苹果，整个是胖圆圆的。姐姐有十五岁，梳两个小辫，在背后摆着；弟弟戴上一顶红绒帽。两个都高兴地走进来，二人在一起，姐姐是较沉着些。走进来的时节姐姐在前面。

姑　乙　（和悦地）进来，弟弟。（弟弟进来望着姐姐，两个人只呵手）外头冷，是吧。姐姐，你跟弟弟在这儿坐一坐好不好？

姊　姊　（微笑）嗯。

弟　弟　（拉着姐姐的手，窃语）姐姐，妈呢？

姑　乙　你妈看完病就来，弟弟坐在这儿暖和一下，好吧？

〔弟弟的眼望姐姐。

姊　姊　（很懂事地）弟弟，这儿我来过，就坐这儿吧，我跟你讲笑话。

〔弟弟好奇地四面看。[1]

姑　乙　（有兴趣地望着他们）对了，叫姐姐跟你讲笑话，（指着火）坐在火旁边讲，两个人一块儿。

弟　弟　不，我要坐这个小凳子！（指中门左柜前的小矮凳）

姑　乙　（和气地）也好，你们就坐这儿。可是（小声地）弟弟，你得乖乖地坐着，不要闹！楼上有病人——（指右边病房）这旁边也有病人。

姊　姊
弟　弟　（很乖地点头）嗯。

1　此句原刊作“弟弟四面好奇地望着。”。

弟　弟　（忽然，向姑乙）我妈[1]就回来吧？

姑　乙　对了，就来。你们坐下，（姊弟二人[2]共坐矮凳上，望着姑乙）不要动！（望着他们）我先进去，就来。

〔姊弟点头，姑乙进右边病房下。

〔弟弟忽然站起来。

弟　弟　（向姊）她是谁？为什么穿这样[3]衣服？

姊　姊　（很世故地）尼姑，在医院看护病人的。弟弟，你坐下。

弟　弟　（不理她）姐姐，你看，你看！（自傲地）你看妈给我买的新手套。

姊　姊　（瞧不起地）看见了，你坐坐吧。（拉弟弟坐下，二人又很规矩地坐着）

〔姑甲由左边饭厅进。直向右角衣柜走去，没看见屋内的人。

弟　弟　（又站起，低声，向姊）又一个，姐姐！

姊　姊　（低声）嘘！别说话。（又拉弟弟坐下）

〔姑甲打开右面的衣柜，将长几上[4]的白床单、白桌布等物一叠叠放在衣柜里。

〔姑乙由右边病房进。见姑甲，二人沉静地点一点头，姑乙

1 “我妈”原刊作“妈”。

2 “姊弟二人”原刊作“领姊弟二人”。

3 “这样”原刊作“这样的”。

4 “长几上”原刊作“长几”。

助姑甲放置洗物。

姑　乙　（向姑甲，简截地）完了？

姑　甲　（不明白）谁？

姑　乙　（明快地，指楼上）楼上的。

姑　甲　（怜悯地）完了，她现在又睡着了。

姑　乙　（好奇地询问）没有打人么？

姑　甲　没有，就是大笑了一场，把玻璃又打破了。

姑　乙　（呼出一口气）那还好。

姑　甲　（向姑乙）她呢？

姑　乙　你说楼下的？（指右面病房）她总是那样，哭的时候多，不说话，我来了一年，没听见过她说一句话。

弟　弟　（低声，急促地）姐姐，你跟我讲笑话。

姊　姊　（低声）不，弟弟，听她们说话。

姑　甲　（怜悯地）可怜，她在这儿九年了，比楼上的只晚了一年，可是两个人都没有好。——（欣喜地）对了，刚才楼上的周先生来了。

姑　乙　（奇怪地）怎么？

姑　甲　今天是旧年腊月三十。

姑　乙　（惊讶地）哦，今天三十？——那么今天楼下的也会出来，到这房子里来。

姑　甲　怎么，她也出来？

姑　乙　嗯，（多话地）每到腊月三十，楼下的就会出来，到这屋子里；在这窗户前面站着。

姑　甲　干什么？

姑　乙　大概是望她儿子回来吧，她的儿子十年前一天晚上跑了，就没有回来。可怜，她的丈夫也不在了——（低声地）听说就在周先生家里当差，一天晚上喝酒喝得太多，死了的。

姑　甲　（自己以为明白地）所以周先生每次来看他太太来，总要问一问楼下的。——我想，过一会儿周先生会下楼来见她来的。

姑　乙　（虔诚地）圣母保佑他。（又放洗物）

弟　弟　（低声，请求）姐姐，你跟我就讲半个笑话好不好？

姊　姊　（听着有兴趣，忙摇头，压迫地，低声）弟弟！

姑　乙　（又想起一段）奇怪，周家有这么好的房子，为什么卖给医院呢？

姑　甲　（沉静地）不大清楚。——听说这屋子有一天夜里连男带女死过三个人。

姑　乙　（惊讶）真的？

姑　甲　嗯。

姑　乙　（自然想到）那么周先生为什么偏把有病的太太放在楼上，不把她搬出去呢？

姑　甲　说是呢，不过他太太就在这楼上发的神经病，她自己说什么也不肯搬出去。

姑　乙　哦。

〔弟弟忽然站起。

弟　弟　（抗议地，高声）姐姐，我不爱听这个。

姊　姊　（劝止地[1]，低声）好弟弟。

弟　弟　（命令地，更高声）不，姐姐，我要你跟我讲笑话！

〔姑甲、姑乙回头望他们。

姑　甲　（惊奇地）这是谁的孩子？我进来，没有看见他们。

姑　乙　一位看病的太太的，我领他们进来坐一坐。

姑　甲　（小心地）别把他们放在这儿。——万一把他们吓着。

姑　乙　没有地方；外头冷，医院都满了。

姑　甲　我看你还是找他们的妈来吧。万一楼上的跑下来，说不定吓坏了他们！

姑　乙　（顺从地）也好。（向姊弟，他们两个都瞪着眼望着她们）姐姐，你们在这儿好好地再等一下，我就找你们的妈来。

姊　姊　（有礼地）好，谢谢你！

〔姑乙由中门出。

弟　弟　（怀着希望）姐姐，妈就来么？

姊　姊　（还在怪他）嗯。

弟　弟　（高兴地）妈来了！我们就回家。（拍掌）回家吃年饭。

姊　姊　弟弟，不要闹，坐下。（推弟弟坐）

姑　甲　（关上柜门向姊弟）弟弟，你同姐姐安安静静地坐一会儿，我上楼去了。

〔姑甲由左面饭厅下。

弟　弟　（忽然发生兴趣，立起）姐姐，她干什么去了？

---

1 “劝止地”底本作“劝止他”，据原刊改。

姊　姊　（觉得这是不值一问的问题）自然是找楼上的去了。

弟　弟　（急切地）谁是楼上的?

姊　姊　（低声）一个疯子。

弟　弟　（直觉地臆断）男的吧?

姊　姊　（肯定地）不，女的——一个有钱的太太。

弟　弟　（忽然）楼下的呢?

姊　姊　（也肯定地）也是一个疯子。——（知道弟弟会愈问愈多）你不要再问了。

弟　弟　（好奇地）姐姐，刚才她们说这屋子死过三个人。

姊　姊　（心虚地）嗯——弟弟，我跟你讲笑话吧！有一年，一个国王——

弟　弟　（已引上兴趣）不，你给我讲讲这三个人怎么会死的?这三个人是谁?

姊　姊　（胆怯）我不知道。

弟　弟　（不信，伶俐地）嗯！——你知道，你不愿意告诉我。

姊　姊　（不得已地）你别在这屋子里问，这屋子闹鬼。

〔楼上忽然有乱摔东西的声音，铁链声，足步声，女人狂笑，怪叫声。

弟　弟　（略惧）你听！

姊　姊　（拉着弟弟手紧紧地）弟弟！（姊弟抬头，紧张地望着天花板[1]）

1　原刊无此句。

〔声止。

弟　弟　（安定下来，很明白地）姐姐，这一定是楼上的！

姊　姊　（害怕）我们走吧。

弟　弟　（倔强）不，你不告诉我这屋子怎么死了三个人，我不走。

姊　姊　你不要闹，回头妈知道打你！

弟　弟　（不在乎地）嗯！

〔右边门开，一位头发斑白的老妇人颤巍巍地走进来，在屋中停一停，眼睛像是瞎了。慢吞吞地踱到窗前，由帷幔隙中望一望，又踱至台上，像是谛听什么似的。姊弟都紧张地望着她。

弟　弟　（平常的声音）这是谁？

姊　姊　（低声）嘘！别说话。她是疯子。[1]

弟　弟　（低声，秘密地）这大概是楼下的。

姊　姊　（声颤）我，我不知道。（老妇人躯干无力，渐向下倒）弟弟，你看，她向下倒。

弟　弟　（胆大地）我们拉她一把。

姊　姊　不，你别去！

〔老妇人突然歪下去，侧面跪倒在舞台[2]中。台渐暗，外面远处合唱声又起。

弟　弟　（拉姊向前，看老太婆）姐姐，你告诉我，这屋子是怎么回

1　原刊无此句。

2　“舞台”原刊作“台”。

事？这些疯子干什么？

姊　姊　（惧怕地）不，你问她，（指老妇人）她知道。

弟　弟　（催促地）不，姐姐，你告诉我，这屋子怎么死了三个人，这三个人是谁？

姊　姊　（急迫地）我告诉你问她呢，她一定都知道！

〔老妇人渐渐倒在地下，舞台全暗，听见远处合唱弥撒和大风琴声。

〔弟弟声：（很清楚地）姐姐，你去问她。

〔姊姊声：（低声）不，你问她，（幕落）你问她！

〔大弥撒声。[1]

1　原刊无此句。

第一幕

开幕时舞台全黑，隔十秒钟，渐明。[1]

景——大致和序幕相同，但是全屋的气象是比较华丽的。这是十年前[2]一个夏天的上午，在周宅的客厅里。

壁龛的帷幔还是[3]深掩着，里面放着艳丽的盆花[4]。中间的门开着[5]，隔一层铁纱门，从纱门望出去[6]，花园的树木绿荫荫的，并且[7]听见蝉在叫。右边的衣服柜[8]，铺上一张[9]黄桌布，上面放着许多小巧的[10]摆饰，最显明[11]的是一张旧相片，很不调和地和这些精致东西放在一起。柜前面狭长的矮几，放着华贵的烟具同一些零碎物件。右边炉上有一个

---

1 川版无此句。

2 “大致”以下川版无。

3 川版无“还是”。

4 “盆花”原刊作“花”。

5 “门开着”原刊作“门是开着的”。

6 “望出去”原刊作“望出”。

7 川版无“并且”。

8 “衣服柜”川版作“紫檀木柜”。

9 “一张”原刊作“一个”。

10 “许多小巧的”川版作“一些古香古色的”。

11 “显明”川版作“触目”。

钟同鲜花盆[1]，墙上，挂一幅[2]油画。炉前有两把[3]圈椅，背朝着墙[4]。中间靠左的玻璃柜放满了古玩，前面的小矮凳有绿花的椅垫[5]，左角的长沙发还不旧，上面放着[6]三四个缎制的厚垫子。沙发前的矮几排置烟具等物，台中[7]两个小沙发同圆桌都很华丽，圆桌上放着吕宋烟盒和扇子。

所有的帷幕都是崭新的，一切都是兴旺的气象，屋里家具非常洁净，有金属的地方都放着光彩。

屋中很气闷，郁热逼人，空气低压着。外面没有阳光，天空灰暗[8]，是将要落暴雨的神气。

开幕时，四凤在靠中墙的长方桌旁，背着观众滤药，她不时地摇着[9]一把蒲扇，一面在揩汗[10]。鲁贵（她的父亲）在沙发旁[11]擦着矮几上零碎的银家具，很吃力地[12]；额上冒着汗珠。

---

1 “右边炉上有一个钟同鲜花盆”川版作“右边壁炉上有一座钟”。

2 “一幅”原刊作“一张”。

3 “两把”原刊作“两个”。

4 川版无“背朝着墙”。

5 “前面的小矮凳有绿花的椅垫”川版作“柜前有一张小矮凳”。

6 “长沙发还不旧，上面放着”川版作“长沙发上放着”。

7 川版无“台中”。

8 “灰暗”原刊作“灰阴”。

9 “摇着”原刊作“挥”，初版作“挥着”。

10 “一面在揩汗”原刊、初版均作“揩着汗”。

11 “在沙发旁”原刊、初版均作“在左边沙发旁”。

12 “擦着矮几上零碎的银家具，很吃力地”川版作“很吃力地擦着矮几上零碎的银家具”。

四凤约有十七八岁，脸上红润，是个健康[1]的少女。她整个的身体都很发育，手很白很大，走起路来，过于发育[2]的乳房很显明地在衣服底下颤动着。她穿一件旧的白纺绸上衣，粗山东绸的裤子，一双略旧的布鞋。她全身都非常整洁，举动虽然很活泼，因为经过两年在周家的训练，她说话很大方，很爽快却很有分寸。她的一双大而有长睫毛的[3]水凌凌的眼睛能够很灵敏地转动，也能敛一敛眉头，很庄严地注视着。她有大的嘴，嘴唇自然红艳艳的[4]，很宽，很厚，当着她[5]笑的时候，牙齿整齐地露出来，嘴旁也显着一对笑涡，然而她面部整个轮廓是很庄重地显露着诚恳[6]。她的[7]面色不十分白，天气热，鼻尖微微有点汗，她时时用手绢揩着。她很爱笑[8]，她知道自己是好看的，但是她现在皱着眉头。

她的父亲——鲁贵——约莫有四十多[9]岁的样子，神气萎缩，最令人注目的是粗而乱的眉毛同肿眼皮。他的嘴唇，松弛地垂下来，和他眼下凹进去的黑圈，都表示着极端的肉欲放纵。他的身体较胖，面

1 “健康”原刊作“康健”。

2 “发育”原刊作“发展”。

3 “有长睫毛的”原刊、初版均作“有长睫毛,”。

4 “她有大的嘴，嘴唇自然红艳艳的”川版作“她的嘴唇红艳艳的”。

5 “当着她”川版作“当她”。

6 “然而她面部整个轮廓是很庄重地显露着诚恳”川版作“她面部的整个轮廓显露着庄重诚恳”。

7 “她的”原刊作“坦白的”。

8 “爱笑”原刊作“好笑”。

9 “四十多”川版作“四十八”。

上的肌肉宽弛地不肯动[1]，但是总能很[2]卑贱地谄笑着，和许多大家的仆人一样。他很懂事，尤其是很懂礼节，他的背略有点伛偻，似乎[3]永远欠着身子向他的主人答应着“是”。他的眼睛锐利[4]，常常贪婪地窥视着，如一只[5]狼；他很能计算的[6]。虽然这样，他的胆量不算大；全部看去[7]，他还是萎缩的。他穿的虽然华丽，但是不整齐的[8]。现在他用一条抹布擦着东西，脚下是他刚刷好的黄皮鞋。时而，他用自己的衣襟揩脸上的油汗。

鲁　贵　（喘着气）四凤！

鲁四凤　（只做不听见，依然滤她的汤药）

鲁　贵　四凤！

鲁四凤　（看了她的父亲一眼）喝，真热。（走向右边[9]的衣柜[10]旁，寻一把芭蕉扇，又走回中间的茶几旁扇着）

---

1 “宽弛地不肯动”川版作“松弛，不大动”。

2 “但是总能很”川版作“但也能很”。

3 “似乎”原刊作“似”。

4 “他的眼睛锐利”原刊、初版均作“他的眼很锐利”，川版作“他的眼光锐利”。

5 “一只”原刊作“一个”。

6 川版无“的”。

7 “虽然这样”以下川版作“然而看去”。

8 “不整齐的”川版作“不算整齐”。

9 “右边”原刊作“边”。

10 “衣柜”川版作“柜”。

鲁　贵　（望着她，停下工作）四凤，你听见了没有？

鲁四凤　（烦厌地，冷冷地看着她的父亲）是！[1]爸！干什么？

鲁　贵　我问你听见我刚才说的话了么？

鲁四凤　都知道了。

鲁　贵　（一向是这样为[2]女儿看待的，只好是抗议似地）妈的，这孩子！

鲁四凤　（回过头来，脸[3]正向观众）您少说闲话吧！（挥扇[4]，嘘出一口气）呵！[5]天气这样闷热，回头多半下雨。（忽然）老爷出门穿的皮鞋，您擦好了没有？（拿到[6]鲁贵面前，拿起一只皮鞋不经意地笑着）这是您擦的！这么随随便便抹了两下，——老爷的脾气您可知道。

鲁　贵　（一把抢过鞋来）我的事用不着你管。（将[7]鞋扔在地上）四凤，你听着，我再跟你说一遍，回头见着你妈，别忘了把新衣服都拿出来给她瞧瞧。

鲁四凤　（不耐烦地）听见了。

鲁　贵　（自傲地）叫她想想，还是你爸爸混事有眼力，还是她有

1　川版无“是！”。

2　“为”川版作“被”。

3　川版无“脸”。

4　“挥扇”原刊、初版均作“搧着自己”。

5　川版无“呵！”。

6　“拿到”原刊作“走到”，川版作“到”。

7　原刊、初版均无“将”。

眼力。

鲁四凤 （轻蔑地笑）自然您有眼力啊！

鲁　贵 你还别忘了告诉你妈，你在这儿周公馆吃的好[1]，喝的好[2]，就是白天侍候太太少爷，晚上还是听她的话，回家睡觉。

鲁四凤 那倒不用告诉，妈自然会问的。

鲁　贵 （得意）还有啦，钱，（贪婪地笑着）你手下也有许多钱啦！

鲁四凤 钱！？

鲁　贵 这两年的工钱，赏钱，还有（慢慢地）那零零碎碎的，他们……

鲁四凤 （赶紧接下去，不愿听他要说的话）那您不是一块两块都要走了么？喝了！赌了！

鲁　贵 （笑，掩饰自己[3]）你看，你看，你又[4]那样。急，急，急什么？我不跟你要钱。喂，我说，我说的是——（低声）他——不是也不断地塞给你钱花么？

鲁四凤 （惊讶地[5]）他？谁呀？

鲁　贵 （索性说出来[6]）大少爷。

---

1 “吃的好”原刊、初版均作“吃好的”。

2 “喝的好”原刊、初版均作“喝好的”。

3 “笑，掩饰自己”川版作“掩饰着”。

4 原刊无“又”。

5 “惊讶地”川版作“惊讶”。

6 原刊无“索性说出来”。

鲁四凤　（红脸，声略高[1]，走到鲁贵面前）谁说大少爷给我钱？爸爸，您别又穷疯了，胡说乱道的。

鲁　贵　（鄙笑着）好，好，好，没有，没有。反正这两年你不是存点钱么？（鄙吝地）我不是跟你要钱，你放心。我说啊，你等你妈来，把这些钱也给她瞧瞧，叫她也开开眼。

鲁四凤　哼，妈不像您，见钱就忘了命。（回到中间茶桌滤药）。

鲁　贵　（坐在长沙发上）钱不钱，你没有你爸爸成么？你要不到这儿周家大公馆帮主儿，这两年尽听你妈妈的话，你能每天吃着喝着，这大热天还穿得上小纺绸么？

鲁四凤　（回过头）哼，妈是个本分人，念过书的，讲脸，舍不得把自己的女儿叫人家使唤。

鲁　贵　什么脸不脸？又是你妈的那一套！你是谁家的小姐？——妈的，底下人的女儿，帮了人就失了身份啦。

鲁四凤　（气得只看父亲，忽然厌恶地[2]）爸，您看您那一脸的油，[3]——您把老爷的鞋再擦擦吧。

鲁　贵　（汹汹地）讲脸呢，又学你妈的那点[4]穷骨头，你看她，她要脸！跑他妈的八百里外，女学堂里当老妈；为着一月八块钱，两年才回一趟家。这叫本分，还念过书呢；简直是没

1　“红脸，声略高”川版作“红了脸”。

2　“气得只看父亲，忽然厌恶地”原刊作“看了父亲半晌”。

3　“您看您那一脸的油，”川版作“你看，你那一脸的油！”。

4　“那点”原刊作“那些”。

出息。

鲁四凤 （忍气[1]）爸爸，您留几句回家说吧，这是人家周公馆！

鲁　贵 咦，周公馆也挡不住我跟我的女儿谈家务啊！我跟你说，你的妈……

鲁四凤 （突然）我可忍了好半天了。我跟您先说下，妈可是好容易才回一趟家。这次，也是看哥哥跟我来的。您要是再给她一个不痛快，我就把您这两年做的事都告诉哥哥。

鲁　贵 我，我，我做了什么事啦?（觉得在女儿面前失了身份）喝点，赌点，玩点，这三样，我快五十的人啦，还怕他么?

鲁四凤 他才懒得管您这些事呢！——可是他每月从矿上寄给妈用的钱，您偷偷地花了，他知道了，就不会答应您！

鲁　贵 那他敢怎么样,（高声地）他妈嫁给我，我就是他爸爸。

鲁四凤 （羞愧）小声点！这有什么喊头。——太太在楼上养病呢。

鲁　贵 哼！[2]（滔滔地）我跟你说，我娶你妈，我还抱老大的委曲呢。你看我这么个机灵人，这周家上上下下几十口子，哪一个不说我鲁贵刮刮叫。来这里不到两个月，我的女儿就在这公馆找上事，就说[3]你哥哥，没有我，能在周家的矿上当工人[4]么？叫你妈说，她成么？——这样，你哥同你妈还

1 “忍气”原刊、初版均作“忍着气”。

2 “哼!”原刊作“这使我心里难过。”。

3 “就说”川版作“我说”。

4 “工人”原刊、初版均作“工头”。

是一个劲儿地不赞成我。这次回来，你妈要还是那副寡妇[1]脸子，我就当你哥哥的面上不认她，说不定就离了她，别看她替我养个女儿，外带来你这个倒霉蛋的哥哥。

鲁四凤 （不愿听）哦，爸爸。

鲁　贵 哼,（骂得高兴了[2]）谁知道哪个王八蛋养的儿子。

鲁四凤 哥哥哪点对不起您，您这样骂他干什么？

鲁　贵 他哪一点对得起我？当大兵，拉包月车，干机器匠，念书上学，哪一行他是好好地干过？好容易我荐他到了周家的矿上去[3]，他又跟工头[4]闹起来，把人家打啦[5]。

鲁四凤 （小心地）我听说，不是我们老爷先叫矿上的警察开了枪，他才领着工人动的手么？

鲁　贵 反正这孩子混蛋，吃人家的钱粮，就得听人家的话。好好地，要罢工，现在又得靠我这老面子跟老爷求情啦！

鲁四凤 您听错了吧；哥哥说他今天自己要见老爷，不是找您求情来的。

鲁　贵 （得意）可是谁叫我是他的爸爸呢，我不能不管啦。

鲁四凤 （轻蔑地看着她的父亲，叹了一口气）好，您歇歇吧，我要

1　原刊无“寡妇”。

2　“高兴了”原刊作“上了兴”。

3　此句原刊、初版均作“好容易我荐他到了周家的矿，熬到了工头”。

4　“工头”原刊、初版均作“监工”。

5　“把人家打啦”川版作“领头罢工啦”。

上楼给太太送药去了。（端起药碗向左边饭厅走）

鲁　贵　你先停一停，我再说一句话。

鲁四凤　（打岔）开午饭了，老爷的普洱茶先泡好了没有？

鲁　贵　那用不着我，他们小当差早伺候到了。

鲁四凤　（闪避地）哦，好极了[1]，那我走了。

鲁　贵　（拦住她）四凤，你别忙，我跟你商量点事。

鲁四凤　什么？

鲁　贵　你听啊，昨天不是老爷的生日么？大少爷也赏给我四块钱。

鲁四凤　好极了[2]，（口快地）我要是大少爷，我一个子也不给您。

鲁　贵　（鄙笑）你这话对极了！四块钱，够干什么的，还了点账，就干了。

鲁四凤　（伶俐地笑着）那回头您跟哥哥要吧。

鲁　贵　四凤，别——你爸爸什么时候借钱不还账？现在你手下方便，随便匀给我七块八块好么？

鲁四凤　我没有钱。（停一下放下药碗）您真是还账了么？

鲁　贵　（赌咒[3]）我跟我的亲生女儿说瞎话是王八蛋！[4]

鲁四凤　您别骗我，说了实在的，我也好替您想想法。

---

1 “哦，好极了”川版作“好了”。

2 “好极了”川版作“真好”。

3 原刊无“赌咒”。

4 “是王八蛋！”原刊作“干什么？”。

鲁　贵　真的!?——说起来这不怪我。昨天那几个零钱，大账还[1]不够，小账剩点零，所以我就要了两把，也许赢了钱，不都还了么?谁知运气不好，连喝带输，还倒欠了十来块。

鲁四凤　这是真的。

鲁　贵　（真心地）这可一句瞎话也没有。

鲁四凤　（故意揶揄地）那我实实在在地告诉您，我也没有钱!（说毕就要拿起药碗）

鲁　贵　（着急）凤儿，你这孩子是什么心事?你可是我的亲生孩子。

鲁四凤　（嘲笑地）亲生的女儿也没有法子把自己卖了，替您老人家还赌账啊?

鲁　贵　（严重地）孩子，你可放明白点，你妈痛[2]你，只在嘴上，我可是把你的什么要紧的事情，都处处替你想。

鲁四凤　（明白地[3]，但是[4]不知他闹的什么把戏）您心里又要说什么?

鲁　贵　（停一停，[5]四面望了一望，更近地逼着四凤[6]，佯笑）我说，大少爷常跟我提过你，大少爷，他说——

鲁四凤　（管不住自己）大少爷!大少爷!你疯了!——我走了，太太就要叫我呢。

1　原刊无“还”。

2　“痛”川版作“疼”。

3　此句川版作“明白她的父亲的习性”。

4　川版无“是”。

5　川版无“停一停，”。

6　“更近地逼着四凤”川版作“更近四凤”。

鲁　贵　别走，我问你一句，前天！我看见大少爷买衣料，——

鲁四凤　（沉下脸）怎么样？（冷冷地看着鲁贵[1]）

鲁　贵　（打量四凤周身）嗯——（慢慢地拿起四凤的手）你这手上的戒指，（笑着）不也是他送给你的么？

鲁四凤　（厌恶地）您说话的神气真叫我心里想吐。

鲁　贵　（有点气，痛快地）你不必这样假门假事，你是我的女儿。（忽然[2]贪婪地笑着）一个当差的女儿，收人家点东西，用人家一点钱，没有什么说不过去的。这不要紧，我都明白。

鲁四凤　好吧，那么你说吧，究竟要多少钱用？

鲁　贵　不多，三十块钱就成了。

鲁四凤　哦？（恶意地[3]）那你就跟这位大少爷要去吧。我走了。

鲁　贵　（恼羞）好孩子，你以为我真装糊涂，不知道你同这混账大少爷做的事么？

鲁四凤　（惹怒）您是父亲么？父亲有跟女儿这样说话的么？

鲁　贵　（恶相地）我是你的爸爸，我就要管你。我问你，前天晚上——

鲁四凤　前天晚上？

鲁　贵　我不在家，你半夜才回来，以前你干什么？

鲁四凤　（掩饰）我替太太找东西呢。

1　“鲁贵”原刊、初版均作“她的父亲”。

2　“忽然”原刊作“忽而”。

3　“恶意地”川版作“瞪他一眼”。

鲁　贵　为什么那么晚才回家？

鲁四凤　（轻蔑地）您这样的父亲没有资格来问我。

鲁　贵　好文明词！你就说不上你上哪儿去呢[1]。

鲁四凤　那有什么说不上[2]！

鲁　贵　什么？说！

鲁四凤　那是太太听说老爷刚回来，又要我检老爷的衣服。

鲁　贵　哦,（低声，恐吓地）可是半夜送你回家的那位是谁？坐着汽车，醉醺醺，只对你说胡话的那位是谁呀？（得意地微笑）

鲁四凤　（惊吓）那，那——

鲁　贵　（大笑）哦，你不用说了，那是我们鲁家的阔女婿！——哼，我们两间半破瓦房居然来了坐汽车的男朋友，找我这当差的女儿啦！（突然严厉）我问你，他是谁？你说。

鲁四凤　他，他是——

〔鲁大海进[3]——四凤的哥哥，鲁贵的半子[4]——他身体魁伟，粗黑的眉毛几乎遮盖着他的锐利的眼，两颊微微地向内凹，显着颧骨异常突出，正同他的尖长[5]的下巴，一样地表现他

1　此句原刊作“你就说不出来你上哪儿去”，初版、川版均作“你就说不上你上哪儿去了”。

2　“说不上”原刊作“说不出”。

3　川版无“进”。

4　此处川版有“进”。

5　“尖长”川版作“方方”。

的性格的倔强的[1]。他有一副[2]大而薄的嘴唇，正和他的妹妹带着南方的热烈的、厚而红的嘴唇成强烈的对照。他说话微微有点口吃[3]，但是在他的感情激昂的时候，他[4]词锋是锐利的。现在他刚从六百里外的煤矿回来，矿里罢了工，他是煽动[5]者之一，几月来的精神的紧张，使他现在露出有点[6]疲乏的神色，胡须乱蓬蓬的，看去几乎老得像鲁贵的弟弟，只有逼近[7]地观察他，才觉出他的眼神同声音，还正是和他的妹妹一样年轻，一样地热[8]，都是火山的爆发[9]，满蓄着精力的白热的人物。他穿了一件工人的蓝布褂子，油渍的草帽在[10]手里，一双黑皮鞋，有一只鞋带早不知失[11]在哪里。进门的时候，他略微有点不自在，把胸膛敞开一部分，笨拙地又扣上一两个扣子。他说话很简短，表面是冷冷的。

鲁大海　凤儿！

---

1 川版无“的”。

2 “副”川版作“张”。

3 “有点口吃”川版作“有点口吃似的”。

4 川版无“他”。

5 “煽动”川版作“鼓动”。

6 “有点”川版作“有点点”。

7 “逼近”原刊作“再近”。

8 “热”川版作“热烈”。

9 “火山的爆发”原刊作“火山待爆发”，川版作“火山要爆发”。

10 “在”川版作“拿在”。

11 “失”川版作“落”。

鲁四凤 哥哥!

鲁　贵 （向四凤）你说呀！装什么哑巴。

鲁四凤 （看大海，有意义地开话头[1]）哥哥!

鲁　贵 （不顾地）你哥哥来也得说呀。

鲁大海 怎么回事?

鲁　贵 （看一看大海，又回头）你先别管。

鲁四凤 哥哥，没什么要紧的事。（向鲁贵）好吧，爸，我们回头商量，好吧?

鲁　贵 （了解地）回头商量?（肯定一下，再盯四凤一眼）那么，就这么办。（回头看大海傲慢地）咦，你怎么随随便便跑进来啦?

鲁大海 （简单地）在门房等了半天，一个人也不理我，我就进来啦。

鲁　贵 大海，你究竟是矿上打粗的工人，连一点大公馆的规矩也不懂。

鲁四凤 人家不是周家的底下人。

鲁　贵 （很有理由地）他在矿上吃的也是周家的饭哪。

鲁大海 （冷冷地）他在哪儿?

鲁　贵 （故意地）他，谁是他?

鲁大海 董事长。

鲁　贵 （教训的样子）老爷就是老爷，什么董事长，上我们这儿就得叫老爷。

---

1 “看大海，有意义地开话头”川版作“望大海，撇开话头”。

鲁大海　好，你给我问他一声，说矿上有个工人代表[1]要见见他。

鲁　贵　我看，你先回家去。（有把握地）矿上的事有你爸爸在这儿替你张罗。回头跟你妈，妹妹聚两天，等你妈去，你回到矿上，事情还是有的[2]。

鲁大海　你说我们一块儿在矿上罢完工，我一个人要你说情，自己再回去？

鲁　贵　那也没有什么难看啊。

鲁大海　（没有办法）好，你先给我问他一声。我有点旁的事，要先跟他谈谈[3]。

鲁四凤　（希望他[4]走）爸，你看老爷的客走了没有，你再领着哥哥见老爷。

鲁　贵　（摇头）哼，我怕他不会见你吧。

鲁大海　（理直气壮）他应当见我，我也是矿上工人的代表。前天，我们一块在这儿的公司见过他一次[5]。

鲁　贵　（犹豫地）那我先给你问问去。

鲁四凤　你去吧。（鲁贵走到老爷书房门口）

---

1 “工人代表”原刊、初版作“工头”。

2 “事情还是有的”原刊、初版作“工头的事还是你的”。

3 “你说我们一块儿在矿上罢完工”以下川版作“（没有办法）我们的事你不懂，就别再操心了”。

4 “他”川版作“鲁贵”。

5 “他应当见我”以下川版作“你告诉他，工人代表鲁大海要见他。他约我们来的。前天，已经在这儿的公司见过他”。

鲁　贵　（转过来）他要是见你，你可少说粗话，听见了没有？（鲁贵很老练地走着阔当差的步伐，进了书房）

鲁大海　（目送鲁贵进了书房）哼，他忘了他还是个人。

鲁四凤　[1]哥哥，你别这样说，（略顿，[2]嗟叹地）无论如何，他总是我们的父亲。

鲁大海　（望着四凤）他是你的，我并不认识他。

鲁四凤　（胆怯地望着哥哥，忽然想起，跑到书房门口，望了一望）你说话[3]顶好声音小点，老爷就在里面旁边的屋子里呢！

鲁大海　（轻蔑地望着四凤）好[4]。妈也快回来了，我看你把周家的事辞了，好好回家去。

鲁四凤　（惊讶）为什么？

鲁大海　（简短地）这不是你住的地方。

鲁四凤　为什么？

鲁大海　我——恨他们。

鲁四凤　哦！

鲁大海　（刻毒地）周家的人多半不是好东西。这两年我在矿上看见了他们所做的事。（略顿，缓缓地）我恨他们。

鲁四凤　你看见什么？

1　此处川版有“（有些责备）”。

2　川版无“略顿，”。

3　原刊无“说话”。

4　“好”原刊作“好，好”。

鲁大海　凤儿，你不要看这样威武的房子，阴沉沉地都是矿上埋死的苦工人给换来的[1]！

鲁四凤　你别胡说，这屋子听说直闹鬼呢。

鲁大海　（忽然）刚才我看见一个年轻人，在花园里躺着，脸色发白，闭着眼睛，像是要死的样子，听说这就是周家的大少爷，我们董事长的儿子。啊，报应，报应。

鲁四凤　（气）你，[2]——（忽然[3]）他待人顶好，你知道么？

鲁大海　他父亲做尽了坏人[4]弄钱，他自然可以行善。

鲁四凤　（看大海）两年我不见你，你变了。[5]

鲁大海　我在矿上干了两年，我没有变，我看你变了。[6]

鲁四凤　你的话我有点不懂，你好像——有点像二少爷说话似的。

鲁大海　你是要骂我么？"少爷"？哼，在世界上没有这两个字！[7]

〔鲁贵由左边书房进。

鲁　贵　（向大海[8]）好容易老爷的客刚走，我正要说话，接着又来一

---

1 "阴沉沉地都是矿上埋死的苦工人给换来的"川版作"哼，这都是矿上压死的苦工人给换来的"。

2 "你，"原刊作"你，你，你"，川版作"你！"。

3 "忽然"原刊作"忍着"。

4 "坏人"川版作"坏事"。

5 此句川版作"两年没见你，你跟从前不一样了。"。

6 此句川版作"（走了两步，望望华丽的客厅，向四凤）这两年——我倒觉得你变了。"。

7 "**鲁四凤**　你的话我有点不懂"以下川版无。

8 川版无"向大海"。

个。[1]我看，我们先下去坐坐吧。

鲁大海　那我还是自己进去。[2]

鲁　贵　（拦住他）干什么？

鲁四凤　不，不。[3]

鲁大海　也好，不要叫他看见[4]我们工人不懂礼节[5]。

鲁　贵　你看你这点穷骨头。老头说不见就不见，在下房再等一等，算什么？我跟你走，这么大院子，你别胡闯乱闯走错了。（走向中门，回头）四凤，你先别走，我就回来，你听见没有？

鲁四凤　你去吧。

〔鲁贵，大海同下。

鲁四凤　（厌倦地摸着前额，[6]自语）哦，妈呀！

〔外面花园里听见一个年轻的轻快的声音，唤着“四凤！”疾步中夹杂着跳跃[7]，渐渐移近中间门口。

鲁四凤　（有点惊慌）哦，二少爷。

〔门口的声音。

〔声：四凤！四凤！你在哪儿？

---

1 “我正要说话，接着又来一个。”川版作“我正要回话，又来一位。（向大海）”。

2 此句川版作“那我先进去跟他谈谈。（要向书房门走）”。

3 此句川版作“不，不，哥哥，你先——”。

4 “看见”原刊作“看”。

5 “懂礼节”川版作“讲道理”。

6 原刊无“厌倦地摸着前额，”。

7 “疾步中夹杂着跳跃”原刊作“快的步伐搀杂着”。

〔四凤慌忙躲在沙发背后。

〔声：四凤，你在这屋子里么？

〔周冲进。他身体很小，却有着大的心，也有着一切孩子似的空想。他年轻，才十七岁，[1]他已经幻想过许多许多不可能的事实，他是在美的梦里活着的。现在他的眼睛欣喜地闪动着，脸色通红，冒着汗，他在笑。[2]左腋下[3]挟着一只球拍，右手正用白毛巾擦汗，他[4]穿着打球的白衣服。他低声唤着四凤[5]。

周　冲　四凤！四凤！（四面望一望[6]）咦，她上哪儿去了？[7]（蹑足走向右边的饭厅，开开门，低声）四凤你出来，四凤，我告诉你一件事。四凤，一件喜事[8]。（他[9]又轻轻地走到书房门口，更低声）四凤。

〔里面的声音：（严峻地）是冲儿么？

---

1 "周冲进"以下川版作"周冲——周朴园的小儿子——进，他年轻，才十七岁。"。

2 "他身体很小"以下原刊作"他身体很小，高兴得永远是十分快活，有着孩子样的一切空想。他年轻（他才十七岁），他已经幻想着许多许多不可能的事实，他是在美的梦里活着的。现在他的眼睛快活地闪动，脸色通红，冒着汗，他在笑着"。

3 "左腋下"原刊作"左手"。

4 原刊无"他"。

5 "唤着四凤"川版作"唤着四凤进来"。

6 "四面望一望"川版作"四面张望"。

7 "她上哪儿去了？"川版作"不在这儿。"。

8 "喜事"川版作"好事"。

9 川版无"他"。

周　冲　（胆怯地）是我，爸爸。

〔里面的声音：你在干什么？

周　冲　嗯，我叫四凤呢。

〔里面的声音：（命令地）快去，她不在这儿。

〔周冲把头由门口缩回来，做了一个鬼脸。

周　冲　咦，奇怪。

〔他失望地向右边的饭厅走去，一路低低唤着四凤。

鲁四凤　（看见周冲已走，呼出一口气）他走了！（焦灼地望着通花园的门）

〔鲁贵由中门进。

鲁　贵　（向四凤）刚才是谁在喊你？

鲁四凤　二少爷。

鲁　贵　他叫你干什么？

鲁四凤　谁知道。

鲁　贵　（责备地）你为什么不理他？

鲁四凤　哦，我（擦眼泪）——不是您叫我等着么？

鲁　贵　（安慰地）怎么，你哭了么[1]？

鲁四凤　我没哭。

鲁　贵　孩子，哭什么，这有什么难过？（仿佛在做戏[2]）谁叫我们穷呢？穷人没有什么讲究。没法子，什么事都忍着点，谁都

1　“你哭了么”川版作“哭了”。

2　“做戏”原刊作“做着戏”。

知道我的孩子是个好孩子。

鲁四凤　（抬起头）得了，您痛痛快快说话好不好。

鲁　贵　（不好意思）你看，刚才我走到下房，这些王八蛋就跑到公馆跟我要账[1]，当着上上下下的人，我看没有二十块钱，简直圆不下这个脸。

鲁四凤　（拿出钱来）我的都在这儿。这是我回头预备给妈买衣服的，现在你先拿去用吧。

鲁　贵　（佯辞）那你不是没有花的了么？

鲁四凤　得了，您别这样客气啦。

鲁　贵　（笑着接下钱，数）只[2]十二块？

鲁四凤　（坦白地）现钱我只有这么一点。

鲁　贵　那么，这堵着周公馆跟我要账的，怎么打发呢？

鲁四凤　（忍着气）您叫他们晚上到我们家里要吧。回头，见着妈，再想别的法子，这钱，您留着自己用吧。

鲁　贵　（高兴地）这给我啦，那我只当着你这是孝敬父亲的。——哦，好孩子，我早知道你是个孝顺孩子。

鲁四凤　（没有办法）这样，您让我上楼去吧。[3]

鲁　贵　你看，谁管过你啦。去吧，跟太太说一声，说鲁贵直惦记太太的病。

1　“要账”原刊作“要开账”。

2　“只”川版作“就”。

3　此句川版作“现在您该让我上楼去吧。”。

鲁四凤 知道，忘不了。（拿药走）

鲁　贵 （得意）对了，四凤，我还告诉你一件事。

鲁四凤 您留着以后再说吧，我可得给太太送药去了。

鲁　贵 （暗示着）你看，这是你自己的事。（假笑）

鲁四凤 （沉下脸）我又有什么事？（放下药碗）好，我们今天都算清楚再走。

鲁　贵 你瞧瞧，又急了。真快成小姐了，耍脾气倒是刮刮叫啊。

鲁四凤 我沉得住气[1]，您尽管说吧。

鲁　贵 孩子，你别这样，（正经地）我劝你小心点。

鲁四凤 （嘲弄地）我现在钱也没有了，还用得着小心干什么？

鲁　贵 我跟你说，太太这两天的神气有点不老对的[2]。

鲁四凤 太太的神气不对有我的什么？

鲁　贵 我怕太太看见你才有点不痛快。

鲁四凤 为什么？

鲁　贵 为什么？我先提你个醒[3]。老爷比太太岁数大得多，太太跟老爷不好。大少爷不是这位太太生的，他比太太的岁数差得也有限。

鲁四凤 这我都知道。

鲁　贵 可是太太疼大少爷比疼自己的孩子还热，还好。

---

1 “我沉得住气”原刊作“我沉住了气”。

2 “不老对的”川版作“不大对”。

3 “我先提你个醒”原刊作“我只提醒你一件事”。

鲁四凤 当后娘只好这样。

鲁　贵 你知道这屋子为什么晚上没有人来，老爷在矿上的时候，就是白天也是一个人也没有么？

鲁四凤 不是半夜里闹鬼么？

鲁　贵 你知道这鬼是什么样儿么？

鲁四凤 我[1]只听说到从前这屋子里常听见叹气的声音，有时哭，有时笑的，听说这屋子死过人，屈死鬼。

鲁　贵 鬼！一点也不错，——我可偷偷地看见啦。

鲁四凤 什么，您看见，您看见什么？鬼？

鲁　贵 （自负地）那是你爸爸的造化。

鲁四凤 您说。

鲁　贵 那时你还没有来，老爷在矿上，那么大，阴森森的院子，只有太太，二少爷，大少爷住。那时这屋子就闹鬼，二少爷小孩，胆小，叫我在他门口睡。那时是秋天，半夜里二少爷忽然把我叫起来，说客厅又闹鬼，叫我一个人去看看。二少爷的脸发青，我也直发毛。可是我是刚来的底下人，少爷说了，我怎么好不去呢[2]？

鲁四凤 您去了没有？

鲁　贵 我喝了两口烧酒，[3]穿过荷花池，就偷偷地钻到这门外的走廊

1　川版无“我”。

2　“我怎么好不去呢”原刊作“我怎么不去呢”，川版作“我还能不去”。

3　此处川版有“壮壮胆子。”。

旁边，就听见这屋子里[1]啾啾地像一个女鬼在哭。哭得惨！心里越怕，越想看。我就硬着头皮从这窗缝里，向里一望。

鲁四凤 （喘气[2]）您瞧见什么？

鲁　贵 就在这张桌上点着一支要灭不灭的洋蜡烛[3]，我恍恍惚惚地看见两个穿着黑衣裳的鬼，并排地坐着，像是一男一女，背朝着我，那个女鬼像是靠着男鬼的身边哭，那个男鬼低着头直叹气。

鲁四凤 哦，这屋子有鬼是真的。

鲁　贵 可不是？我就是乘着酒劲儿，朝着窗户缝，轻轻地咳嗽一声。就看[4]这两个鬼飕一下子分开了，都向我这边望：这一下子他们的脸清清楚楚地正对着我，这我可真见了鬼了。

鲁四凤 鬼么？什么样？（停一下，鲁贵四面望一望）谁？

鲁　贵 我这才看见那个女鬼呀，（回头，低声）——是我们的太太。

鲁四凤 太太？——[5]那个男的呢？

鲁　贵 那个男鬼，你别怕，[6]——就是大少爷。

鲁四凤 他？

鲁　贵 就是他，他同他的后娘就在这屋子里闹鬼呢。

---

1 “屋子里”川版作“屋里，”。

2 “喘气”川版作“紧张地望着他”。

3 “洋蜡烛”原刊作“白洋蜡”。

4 “就看”川版作“就见”。

5 “——”川版作“鬼？”。

6 川版无“你别怕，”。

鲁四凤 我不信，您看错了吧？[1]

鲁　贵 你别骗自己[2]。所以孩子，你看开点[3]，别糊涂，周家的人就是那么一回事。

鲁四凤 （摇头）不，不对，他不会这样。[4]

鲁　贵 你忘了，大少爷比太太只小六七岁。

鲁四凤 我不信，不，不像。[5]

鲁　贵 好，信不信都在你，反正我先告诉你，太太的神气现在对你不大对，就是因为你，因为你同——

鲁四凤 （不愿意他说出真有这件事[6]）太太知道您在门口，一定[7]不会饶您的。

鲁　贵 是啊，我吓了一身汗，我没等他们出来，我就跑了。

鲁四凤 那么，二少爷以后就不问您？

鲁　贵 他问我，我说我没有看见什么就算了。

鲁四凤 哼，太太那么一个人不会算了吧？

鲁　贵 她当然厉害，拿话套了我十几回，我一句话也没有漏出来，这两年过去，说不定他们以为那晚上真是鬼在咳嗽呢。

---

1 此句川版作“（故作不在意）我不信，准是您看错了？”。

2 此句川版作“没个错，你不用骗自己”。

3 “所以孩子，你看开点”川版作“孩子看开点”。

4 此句川版作“不，不会。”。

5 此句川版作“我不信，（摇头）不，不会。”。

6 此句川版作“连忙岔开”。

7 “一定”原刊作“一点”。

鲁四凤 （自语）不，不，我不信——就是有了这样的事，他也会告诉我的[1]。

鲁　贵 你说大少爷会告诉你。[2]你想想，[3]你是谁？他是谁？你没有个好爸爸，给人家当底下人，人家当真心地待你[4]？你又做你的小姐梦啦，[5]你，就凭你……

鲁四凤 （突然闷气地喊了一声）您别说了！（忽然站起来）妈今天回家，您看我太快活是么？您说[6]这些瞎话——这些瞎话！哦，您一边去吧。[7]

鲁　贵 你看你，告诉你真话，叫你聪明点。你反而生气了，唉，你呀！（很不经意地扫四凤一眼，他傲然地，好像满意自己这段话的效果，觉得自己是比一切人都聪明似的。他走到茶几旁，从烟筒里，抽出一支烟，预备点上，忽然想起这是周公馆，于是改了主张，很熟练地偷了几支烟卷同雪茄，放在自己的旧得露出黄铜底镀银的烟盒里）

---

1 川版无“就是有了这样的事，他也会告诉我的”。

2 此句川版作“你不信，又做你的梦啦！”。

3 “你想想，”川版作“不想想”。

4 “人家当真心地待你”原刊、初版均作“人家会真心地待你”，川版作“人家会真心待你”。

5 川版无“你又做你的小姐梦啦，”。

6 “您说”川版作“您编”。

7 川版无“哦，您一边去吧。”。

鲁四凤　（厌恶地望着鲁贵[1]做完他的偷窃的勾当，轻蔑地）哦，就这么一点事[2]么？那么，[3]我知道了。

〔四凤拿起药碗就走。

鲁　贵　你别走[4]，我的话没说完。

鲁四凤　没说完？[5]

鲁　贵　这刚到[6]正题。

鲁四凤　对不起您老人家，我不愿意[7]听了。（反身就走）

鲁　贵　（拉住她的手）你得听！

鲁四凤　放开我！（急）——我喊啦。

鲁　贵　我告诉你这一句话，你再闹。（对着四凤的耳朵）回头你妈就到这儿来找你。（放手）

鲁四凤　（变色）什么？

鲁　贵　你妈一下火车，就到这儿公馆来。

鲁四凤　妈不愿意我在公馆里帮人，您为什么叫她到这儿来找我？我每天晚上，回家的时候自然会看见她，您叫她到这儿来干什么？

---

1 “鲁贵”原刊、初版均作“她的父亲”。

2 “一点事”川版作“几句话”。

3 川版无“那么，”。

4 “走”底本作“说”，据原刊、初版、川版改。

5 此句川版作“还没说完？”。

6 “刚到”川版作“才到”。

7 川版无“愿意”。

鲁　贵　不是我，四凤小姐，是太太要我找她来的。

鲁四凤　太太要她来？

鲁　贵　嗯，（神秘地）奇怪不是，没亲没故。你看太太偏要请她来谈一谈。

鲁四凤　哦，[1]天！您别吞吞吐吐地好么？

鲁　贵　你知道太太为什么一个人在楼上，作诗写字，装着病不下来？

鲁四凤　老爷一回家，太太向来是这样。

鲁　贵　这次不对吧？

鲁四凤　那么，您快说出来[2]。

鲁　贵　你一点不觉得？——大少爷没提过什么？

鲁四凤　我知道这半年多，他跟太太不常说话的。

鲁　贵　真的么？——那么太太对你呢？

鲁四凤　这几天比往日特别地好。

鲁　贵　那就对了！——我告诉你，太太知道我不愿意你离开这儿。这次，她自己要对你妈说，叫她带着你卷铺盖，滚蛋！

鲁四凤　（低声）她要我走——可是——为什么？

鲁　贵　哼！那你自己明白吧。——还有——

鲁四凤　（低声）要妈来干什么？

鲁　贵　对了，她要告诉你妈一件很要紧的事。

鲁四凤　（突然明白）哦，爸爸，无论如何，我在这儿的事，不能让

1　川版无“哦，”。

2　“出来”川版作“出来吧”。

妈知道的。（惧悔交集，大恸）哦，爸爸，您想，妈前年离开我的时候，她嘱咐过您，好好地看着我，不许您送我到公馆帮人。您不听，您要我来。妈不知道这些事，妈疼我，妈爱我，我是妈的好孩子，我死也不能叫妈知道这儿这些事情的。（扑在桌上）我的[1]妈呀！

鲁　贵　孩子！（他知道他的戏到什么情形应当怎么做，他轻轻地抚着四凤[2]）你看现在才是爸爸好了吧，爸疼你，不要怕！不要怕！她不敢怎么样，她不会辞你的。

鲁四凤　她为什么不？她恨我，她恨我。

鲁　贵　她恨你。可是，哼，她不会不知道这儿有一个人叫她怕的。

鲁四凤　她会怕谁？

鲁　贵　哼，她怕你的爸爸！你忘了我告诉你那两个鬼哪。你爸爸会抓鬼。昨天晚上我替你告假，她说你妈来的时候，要我叫你妈来。我看她那两天的神气，我就猜了一半，我顺便就把那天半夜的事提了两句，她是机伶人，不会不懂的。——哼，她要是跟我装蒜，现在老爷在家，我们就是个麻烦；我知道她是个厉害人，可是谁欺负了我的女儿，我就跟谁拼了。

鲁四凤　爸爸，（抬起头）您可不要胡来！

鲁　贵　这家除了老头，我谁也看不上眼。别着急，有你爸爸。再

1　川版无“我的”。

2　“四凤”原刊、初版均作“他的女儿”。

说，也许是我瞎猜，她原来就许没有这意思。她外面倒是跟我说，因为听说你妈会读书写字[1]，才想见见谈谈。

鲁四凤 （忽然谛听）爸，别说话，我听见好像有人在饭厅（指左边[2]）咳嗽似的。

鲁　贵 （听一下）别是太太吧？（走到通饭厅的门前，由锁眼窥视，忙回来）可不是她，奇怪，她下楼来了。

鲁四凤 （擦眼泪）爸爸，擦干了么？

鲁　贵 别慌，别露相，什么话也别提。我走了。

鲁四凤 嗯，妈来了，您先告诉我一声。

鲁　贵 对了，见着你妈，就当什么都不知道，听见了没有？（走到中门，又回头）别忘了，跟太太说鲁贵惦记着太太的病。

〔鲁贵慌忙由中门下。四凤端着药碗向饭厅门，至门前，[3]周蘩漪进。她一望就知道是个果敢阴鸷的女人：她的脸色苍白，只有嘴唇微红，她的大而灰暗的眼睛同高鼻梁[4]令人觉得有些可怕[5]。但是眉目间看出来她是忧郁的，在那静静的长的睫毛的下面[6]，有时为心中的郁积的火燃烧着，她的眼光

---

1 “读书写字”川版作“读个书，写个字”。

2 “左边”原刊、初版均作“左”，“指”川版作“望”。

3 “至门前，”川版作“到门前。”。

4 “高鼻梁”原刊作“高鼻子”，川版作“高高的鼻梁”。

5 “令人觉得有些可怕”川版作“令人觉得很美，又有些可怕”。

6 “下面”原刊作“底下”，“但是眉目间”以下川版作“在眉目间，在那静静的长的睫毛中看出来她是忧郁的”。

会[1]充满了一个年轻妇人失望后的痛苦与怨望。她的嘴角向后略弯，显出一个受抑制的女人在管制着自己。她那雪白细长的手，时常在她轻轻咳嗽的时候，按着自己瘦弱的胸。直等自己喘出一口气来，她才摸摸自己胀得红红的面颊[2]。她是一个中国旧式女人，有她的文弱，她的哀静，她的明慧，——她对诗文[3]的爱好，但是她也有更原始的一点野性：在她的心，她的胆量，她的狂热的思想，在她莫名其妙的决断时忽然来的力量[4]。整个地来看她，她似乎是一个水晶，只能给男人精神的安慰，她的明亮的前额表现出深沉的理解[5]，像只是可以供清谈的[6]；但是当她陷于情感的冥想中[7]，忽然愉快地笑着；当着她见着她所爱的，红晕的颜色为快乐散布[8]在脸上，两颊的笑涡也显露出来的时节[9]，你才觉得出她是能被人爱的，应当被人爱的，你才知道她到底是一个

---

1 “眼光会”原刊作“眼光便会”，川版作“眼神”。

2 此处底本有“，喘出一口气”，据原刊、川版改。

3 “诗文”原刊作“文诗”。

4 “力量”川版作“力量里”。

5 “深沉的理解”原刊作“沉深的理智”。

6 川版无“，像只是可以供清谈的”。

7 “当她陷于情感的冥想中”原刊作“当她陷于冥想中”，川版作“当她陷在情感的冥想中”。

8 “散布”原刊作“摇布”，“红晕的颜色为快乐散布”川版作“快乐的红晕散布”。

9 “两颊的笑涡也显露出来的时节”原刊作“一对笑涡在心里深深的一笑之后显露出来的时节”。

女人，跟一切年轻的女人一样。她会爱你如一只饿了三天的狗[1]咬着它最喜欢的骨头，她恨起你来也会像只恶狗狺狺地，不，多不声不响地恨恨地吃了你的。[2]然而她的外形是沉静的，忧烦的，她会如秋天傍晚的树叶轻轻落在你的身旁，她觉得自己的夏天已经过去，[3]西天的晚霞早暗下来了。〔她通身是黑色[4]。旗袍镶着灰银色的花边[5]。她拿着一把团扇，挂在手指下，走进来。她的眼眶略微有点塌进，很自然地望着四凤。

鲁四凤 （奇怪地）太太！怎么您下楼来啦？我正预备[6]给您送药去呢！

周蘩漪 （咳）老爷在书房里么？

鲁四凤 老爷在书房里会客呢。

周蘩漪 谁来？[7]

---

1 “狗”原刊作“恶狗”。

2 “她恨起你来”以下原刊作“不喜欢你，便恨起你来也会像只恶狗，狺狺地狂吠着一个陌生人。不，多半她就会不声不响地恨恨地吃了你的。”，“她会爱你”以下川版作“她会爱你来像一团火，那样热烈，她恨起你来，也会像一团火，把你烧毁的。”。

3 此处原刊有“自己是支残萎的玫瑰在秋风里摇落了，”。

4 “黑色”川版作“暗色”。

5 “镶着灰银色的花边”原刊作“素静，镶着灰银色的花边”。

6 “预备”川版作“准备”。

7 此句川版作“谁来了？”。

鲁四凤 刚才是盖新房子的工程师[1]，现在不知道是谁。您预备见他？

周蘩漪 不。——老妈子告诉我说，这房子已经卖给一个教堂做医院，是么？

鲁四凤 是的，老爷叫把小东西都收一收，大家具有些已经搬到新房子里去了。

周蘩漪 谁说要搬房子？

鲁四凤 老爷回来就催着要搬。

周蘩漪 （停一下，忽然）怎么不告诉我一声？

鲁四凤 老爷说太太不舒服，怕您听着嫌麻烦。

周蘩漪 （又停一下，看看四面）[2]两礼拜没下来，这屋子改了样子了。

鲁四凤 是的，老爷说原来的样子不好看，又把您添的新家具搬了几件走[3]。这是老爷自己摆的。

周蘩漪 （看看右面的衣柜[4]）这是他顶喜欢的衣柜[5]，又拿来了。（叹气[6]）什么事自然[7]要依着他，他是什么都不肯将就的[8]。（咳，[9]

---

1 “盖新房子的工程师”川版作“警察局长”。

2 “**周蘩漪** 不。”以下川版作“**周蘩漪** 不。（又停一下，望望四面）”。

3 “搬了几件走”原刊作“叫搬走了”。

4 “衣柜”原刊作“衣服柜”。

5 “衣柜”原刊作“柜”，“这是他顶喜欢的衣柜”川版作“这旧木柜”。

6 “叹气”川版作“叹气自语”。

7 “自然要”川版作“都要”。

8 原刊无“的”。

9 原刊无“咳，”。

坐下[1]）

鲁四凤 太太，您脸上像是发烧，您还是到楼上歇着吧。

周蘩漪 不，楼上太热。（咳[2]）

鲁四凤 老爷说太太的病很重[3]，嘱咐过请您好好地在楼上躺着。

周蘩漪 我不愿意躺在床上。——喂，我忘了，老爷哪一天从矿上回来的？

鲁四凤 前天晚上。老爷见着您发烧很厉害[4]，叫我们别惊醒您，就一个人在楼下睡的。

周蘩漪 白天我像是没见过老爷来。

鲁四凤 嗯，这两天老爷天天忙着跟矿上的董事们[5]开会，到晚上才上楼看您。可是您又把门锁上了。

周蘩漪 （不经意地）哦，哦[6]——怎么，楼下也这么闷热。

鲁四凤 对了，闷得很。一早晨黑云就遮满了天，也许今儿个会下一场大雨。

周蘩漪 你换一把大点的团扇，我简直有点喘不过气来。

〔四凤拿一把团扇给她，她望着四凤，又故意地转过头去。

周蘩漪 怎么这两天没见着大少爷？

---

1 “坐下”原刊、初版均作“坐沙发”。

2 原刊无“咳”。

3 “太太的病很重”川版作“太太有病”。

4 “发烧很厉害”川版作“烧得厉害”。

5 “跟矿上的董事们”川版作“到省政府”。

6 “哦，哦”川版作“哦”。

鲁四凤　大概是很忙。

周蘩漪　听说他也要到矿上去是么？

鲁四凤　我不知道。

周蘩漪　你没有听见说么？

鲁四凤　倒是伺候大少爷的下人这两天尽忙着给他检衣裳。

周蘩漪　你父亲干什么呢？

鲁四凤　大概跟老爷买檀香去啦。——他说，他问太太的病。

周蘩漪　他倒是惦记着我。（停一下忽然）他现在还没起来么？

鲁四凤　谁？

周蘩漪　（没有想到四凤这样问，忙收敛一下）嗯，——自然是大少爷。

鲁四凤　我不知道。

周蘩漪　（看了她一眼）嗯？

鲁四凤　这一早晨我没有见着他[1]。

周蘩漪　他昨天晚上什么时候回来的？

鲁四凤　（红脸）您想，我每天晚上总是回家睡觉，我怎么知道。

周蘩漪　（不自主地，尖酸[2]）哦，你每天晚上回家睡！（觉得失言）老爷回来，家里没有人会伺候他，你怎么天天要回家呢？

鲁四凤　太太，不是您吩咐过，叫我回去睡么？

1　“见着他”川版作“看见大少爷”。

2　原刊无“不自主地，尖酸”。

周蘩漪 那时是老爷不在家[1]。

鲁四凤 我怕老爷念经吃素，不喜欢我们伺候他，听说老爷一向是讨厌女人家的。

周蘩漪 哦，（看四凤，想着自己的经历）嗯，（低语）难说得很。[2]（忽而抬起头来，眼睛张开[3]）这么说，他在这几天就走，究竟到什么地方去呢？

鲁四凤 （胆怯地[4]）您说的是大少爷？

周蘩漪 （斜着看[5]四凤）嗯！

鲁四凤 我没听见。（嗫嚅地[6]）他，他总是两三点钟回家，我早晨像是听见我父亲叨叨说下半夜跟他开的门来着。

周蘩漪 他又喝醉了么？

鲁四凤 我不清楚。——（想找一个新题目）太太，您吃药吧。

周蘩漪 谁说我要吃药？

鲁四凤 老爷吩咐的。

周蘩漪 我并没请医生，哪里来的药？

鲁四凤 老爷说您犯的是肝郁，今天早上想起从前您吃的老方子，

---

1 “不在家”原刊作“正在家”。

2 “（低语）难说得很。”川版作“……”。

3 川版无“眼睛张开”。

4 原刊无“胆怯地”。

5 “斜着看”川版作“注视”。

6 原刊无“嗫嚅地”。

就叫抓一服[1]。说太太一醒，就给您煎上。

周蘩漪　煎好了没有？

鲁四凤　煎好[2]，凉在这儿好半天啦。

〔四凤端过药碗来。

鲁四凤　您喝吧。

周蘩漪　（喝一口）苦得很。谁煎的？

鲁四凤　我。

周蘩漪　太不好喝，倒了它吧[3]！

鲁四凤　倒了它[4]？

周蘩漪　嗯？好，（想起朴园严厉的脸[5]）要不，你先把它放在那儿。不，（厌恶[6]）你还是倒了它。

鲁四凤　（犹豫）嗯。

周蘩漪　这些年喝这种苦药，我大概是喝够了。

鲁四凤　（拿着药碗）您忍一忍喝了吧。还是苦药能够治病。

周蘩漪　（心里忽然恨起她来[7]）谁要你劝我？倒掉！（自己觉得失了身

1　“一服”底本作“一付”，据川版改。

2　“煎好”川版作“煎好了”。

3　“倒了它吧”川版作“倒了它”。

4　川版无“它”。

5　原刊无此句。

6　原刊无“厌恶”。

7　此句川版作“忽然恨起来”。

份）这次老爷回来，我听老妈子[1]说瘦了。

鲁四凤 嗯，瘦多了，也黑多了。听说矿上正在罢工，老爷很着急的。

周蘩漪 老爷很不高兴么？

鲁四凤 老爷还是那样。除了会客，念念经，打打坐，在家里一句话也不说。

周蘩漪 没有跟少爷们说话么？

鲁四凤 见了大少爷只点一点头，没说话，倒是问了二少爷学堂的事。——对了，二少爷今天早上还问您的病呢。

周蘩漪 我现在不怎么愿意说话，你告诉他我很好就是了。——回头叫账房拿四十块钱给二少爷，说这是给他买书的钱。

鲁四凤 二少爷总想见见您。

周蘩漪 那就叫他到楼上来见我。——（站起来，踱了两步）哦，这老房子永远是[2]这样闷气，家具都发了霉，人们也都是鬼里鬼气[3]的！

鲁四凤 （想想）太太，今天我想跟您告假。

周蘩漪 是你母亲从济南[4]回来么？——嗯，[5]你父亲说过来着。

〔花园里，周冲又在喊：四凤！四凤！

---

1 “老妈子”原刊作“老妈”。

2 “老房子永远是”川版作“屋子怎么”。

3 “鬼里鬼气”原刊作“冒鬼气”。

4 “济南”原刊作“北平”。

5 川版无“——嗯，”。

周蘩漪 你去看看，二少爷在喊你。

〔周冲在喊："四凤。"

鲁四凤 在这儿。

〔周冲由中门进，穿一套白西服上身。

周　冲 （进门只看见四凤）四凤，我找你一早晨。（看见蘩漪[1]）妈，怎么您下楼来了？

周蘩漪 冲儿，你的脸怎么这样红？[2]

周　冲 我刚同一个同学打网球。（亲热地）我正有许多话要跟您说。您好一点儿没有？（坐在蘩漪[3]身旁）这两天我到楼上看您，您怎么[4]总把门关上？

周蘩漪 我想清净清净。你看我的气色怎么样？四凤，你给二少爷拿一瓶汽水。你看你的脸通红。

〔四凤由饭厅门口下。

周　冲 （高兴地）谢谢您。让我看看您。我看您很好，没有一点病。为什么他们总说您有病呢？您一个人躲在房里头，您看，父亲回家三天[5]，您都没有见着他。

周蘩漪 （忧郁地看着冲）我心里不舒服。

---

1 "蘩漪"川版作"周蘩漪"。

2 "你的脸怎么这样红？"川版作"你的脸怎么啦？一脸汗。"

3 "蘩漪"原刊、初版均作"母亲"。

4 "您怎么"原刊作"怎么"。

5 "三天"川版作"三天了"。

周　冲　哦，妈，不要这样。父亲对不起您，可是他老了，我是您的将来，我要娶一个顶好的人，妈，您跟我们一块住，那我们一定会叫您快活的。

周蘩漪　（脸上闪出一丝微笑的影子）快活？（忽然）冲儿，你是十七了吧？

周　冲　（喜欢他的母亲有时这样奇突）妈，您看，您要再忘了我的岁数，我一定得跟您生气啦！

周蘩漪　妈不是个好母亲。有时候自己都忘了自己在哪儿。（沉思）——哦，十八年了，在这老房子里[1]，你看，妈老了吧？

周　冲　不，妈，您想什么？

周蘩漪　我不想什么。

周　冲　妈，您知道我们要搬家么？新房子。父亲昨天对我说后天就搬过去。

周蘩漪　你知道父亲为什么要搬房子？

周　冲　您想父亲哪一次做事先告诉过我们？——不过我想他老了，他说过以后要不做矿上的事，加上这旧房子不吉利。——哦，妈，您不知道这房子闹鬼么？前年秋天，半夜里，我像是听见什么似的。

周蘩漪　你不要再说了。

周　冲　妈，您也信这些话么？

周蘩漪　我不相信，不过这老房子很怪，我很喜欢它，我总觉得这

1　“在这老房子里”川版作“在这个家里”。

房子有点灵气，它拉着我，不让我走。

周　冲　（忽然高兴地）妈。——[1]

〔四凤拿汽水上。

鲁四凤　二少爷。

周　冲　（站起来）谢谢你。（四凤红脸）

〔四凤倒汽水。

周　冲　你给太太再拿一个杯子来，好么？（四凤下）

周蘩漪　（目不转睛地看着他们）冲儿，你们为什么这样客气？

周　冲　（喝水）妈，我就想告诉您，那是因为，——（四凤进）——回头我告诉您。妈，您跟我画的扇面呢？

周蘩漪　你忘了我不是病了么？

周　冲　对了，您原谅我。我，我，[2]——怎么这屋子这样热？

周蘩漪　大概是窗户没有开。

周　冲　让我来开。

鲁四凤　老爷说过不叫开，说外面比屋里热。

周蘩漪　不，四凤，开开它。[3]他在外头一去就是两年不回家，这屋子里的死气他是不知道的。（四凤拉开壁龛前的帷幔）

周　冲　（见四凤很费力[4]地移动窗前的花盆）四凤，你不要动。让我

---

1 “**周　冲**　妈，您知道我们要搬家么？”以下川版无。

2 川版无“我，我，”。

3 “开开它。”川版作“打开！”。

4 “很费力”川版作“费力”。

来。（走过去）

鲁四凤 我一个人成，二少爷。

周　冲 （争执着）让我。（二人拿起花盆，放下时压了四凤的手，四凤轻轻叫了一声痛）怎么样，[1]四凤？（拿着她的手）

鲁四凤 （抽出自己的手）没有什么，二少爷。

周　冲 不要紧，我给你拿点橡皮膏。

周蘩漪 冲儿，不用了。——（转头向四凤）你到厨房去看一看，问问跟老爷做的素菜都做完了没有[2]？

〔四凤由中门下，冲望着她下去。

周蘩漪 冲儿，（冲回来）坐下。你说吧。

周　冲 （看着蘩漪[3]，带了希冀和快乐的神色）妈[4]，我这两天很快活。

周蘩漪 在这家里，你能快活，自然是好现象[5]。

周　冲 妈，我一向什么都不肯瞒过您，[6]您不是一个平常的母亲，您最大胆，最有想象[7]，又，最同情我的思想的。

周蘩漪 那我很欢喜[8]。

---

1 “怎么样，”川版作“怎么啦？”。

2 此句川版作“问问给老爷做的什么素菜？做好了没有”。

3 “蘩漪”原刊、初版均作“他的母亲”。

4 “妈”原刊作“母亲”。

5 川版无“现象”。

6 “瞒过您，”川版作“瞒着您。”。

7 “想象”原刊作“想象力”。

8 “欢喜”川版作“喜欢”。

周　冲　妈，我要告诉您一件事，——不，我要[1]跟您商量一件事。

周蘩漪　你先说给我听听。

周　冲　妈，（神秘地）您不说我么？

周蘩漪　我[2]不说你，孩子，你说吧。

周　冲　（高兴地）哦，妈——（又停下了，迟疑着）不，不，不，[3]我不说了。

周蘩漪　（笑了）为什么？

周　冲　我，我怕您生气。（停）我说了以后，你还是一样地喜欢我么？

周蘩漪　傻孩子，妈永远是喜欢你的。

周　冲　（笑）我的好妈妈。真的，您还喜欢我？不生气？

周蘩漪　嗯，真的——你说吧。

周　冲　妈，说完以后我还不许您笑话我[4]。

周蘩漪　嗯，我不笑话你。

周　冲　真的？

周蘩漪　真的！

周　冲　妈，我现在喜欢一个人。

周蘩漪　哦！（证实了她的疑惧）哦！[5]

---

1 “我要”原刊作“我是要”。

2 川版无“我”。

3 “不，不，不，”川版作“不，”。

4 此句川版作“妈，说完了，不许您笑话我”。

5 “哦！（证实了她的疑惧）哦！”原刊作“哦！哦！（证实了她的疑惧）”，川版作“（证实了她的疑惧）哦！”。

周　冲　（望着蘩漪的凝视的眼睛）妈，您看，您的神气又好像说我不应该似的。

周蘩漪　不，不，你这句话叫我想起来，——叫我觉得我自己……——哦，不，不，不。你说吧。[1]这个女孩子是谁？

周　冲　她是世界上最——（看一看蘩漪）不，妈，您看您又要笑话我[2]。反正她是我认为最满意的女孩子。她心地单纯，她懂得活着的快乐，她知道同情，她明白劳动有意义。最好的，她不是小姐堆里娇生惯养出来的人。

周蘩漪　可是你不是喜欢受过教育的人么？她念过书么？

周　冲　自然没念过书。这是她，也可说是她唯一的缺点，然而这并不怪她。

周蘩漪　哦。（眼睛暗下来，不得不问下一句，沉重地）冲儿，你说的不是——四凤？

周　冲　是，妈妈。——妈，我知道旁人会笑话我，您不会不同情我的。

周蘩漪　（惊愕，停，[3]自语）怎么，我自己的孩子也……[4]

周　冲　（焦灼）您不愿意么？您以为我做错了么？

周蘩漪　不，不，那倒不。我怕她这样的孩子不会给你幸福的。

周　冲　不，她是个聪明有感情的人，并且她懂得我。

1　“不，不，你这句话叫我想起来”以下川版作“（摇头）没有啊，没有。哦，不，你说吧，”。

2　“不，妈，您看您又要笑话我”川版作“您看您，又要笑话我”。

3　川版无“停，”。

4　“我自己的孩子也……”川版作“我自己的孩子？——真是怪事。”。

周蘩漪　你不怕父亲不满意你么？

周　冲　这是我自己的事情。

周蘩漪　别人知道了说闲话呢？

周　冲　那我更不放在心上。

周蘩漪　这倒像我自己的孩子。不过我怕你走错了。第一，她始终是个没受过教育的下等人。你要是喜欢她，她当然以为这是她的幸运[1]。

周　冲　妈，您以为她没有主张么？

周蘩漪　冲儿，你把什么人都看得太高了。

周　冲　妈，我认为您这句话对她用是不合适的。她是最纯洁，最有主张的好孩子，昨天我跟她求婚——

周蘩漪　（更惊愕）什么？求婚？（这两个字叫她想笑）你跟她求婚？

周　冲　（很正经地，不喜欢母亲这样的态度）不，妈，您不要笑！她拒绝我了。——可是我很高兴，这样我觉得她更高贵了。她说她不愿意嫁给我。[2]

周蘩漪　哦，拒绝！（这两个字也觉得十分可笑）她还"拒绝"你。[3]——哼，我明白她。

---

1 "幸运"川版作"福气"。

2 此句川版作"她不愿意嫁给我。她拒绝我了。"。

3 "哦，拒绝！"以下川版作"拒绝？（这两个字太可笑了）她还'拒绝'你？"。

周　冲　你以为她不答应我，是故意地虚伪么[1]？不，不，[2]她说，她心里另外有一个人。

周蘩漪　她没有说谁？[3]

周　冲　我没有问。总是她的邻居，常见的人吧。——不过真的爱情免不了波折，我爱她，她会渐渐地明白我，喜欢我的。

周蘩漪　[4]我的儿子要娶也不能娶她。

周　冲　妈妈，您为什么这样厌恶她？四凤是个好女孩子，她背地总是很佩服您，敬重您的。

周蘩漪　你现在预备怎么样？

周　冲　我预备把这个意思告诉父亲。

周蘩漪　你忘了你父亲是什么样一个人啦！

周　冲　我一定要告诉他的。我将来并不一定跟她结婚。如果她不愿意我，我仍然是尊重她，帮助她的。但是我希望她现在受教育，我希望父亲允许我把我的教育费分给她一半上学。

周蘩漪　你真是个孩子。

周　冲　（不高兴地）我不是孩子。我不是孩子。[5]

周蘩漪　你父亲一句话就把你所有的梦打破了。

1　“是故意地虚伪么”原刊作“是故意地造作，虚伪么”。

2　“不，不，”川版作“不，”。

3　此句川版作“谁？她说？”。

4　此处川版有“（抑制不住）”。

5　原刊无此句。

周　冲　我不相信。——（有点沮丧）得了，妈，我们不谈这个吧。哦，昨天我见着哥哥，他说他这次可要到矿上去做事了，他明天就走，他说他太忙，他叫我告诉您一声，他不上楼见您了。您不会怪他吧？

周蘩漪　为什么？怪他？

周　冲　我总觉得您同哥哥的感情不如以前那样似的。妈，您想，他自幼就没有母亲，性情自然容易古怪。我想他的母亲一定也感情很盛的[1]，哥哥就是一个很有感情的人。

周蘩漪　你父亲回来了，你少说哥哥的母亲，免得你父亲又板起脸，叫一家子不高兴。

周　冲　妈，可是哥哥现在真有点怪，他喝酒喝得很多，脾气很暴，有时他还到外国教堂去，不知干什么？

周蘩漪　他还怎么样？

周　冲　前三天他喝得太醉了。他拉着我的手，跟我说，他恨他自己，说了许多我不大明白的话。

周蘩漪　哦！

周　冲　最后他忽然说，他从前爱过一个他决不应该爱的女人！

周蘩漪　（自语）从前？

周　冲　说完就大哭，当时就逼着我，要我离开他的屋子。

周蘩漪　他还说什么话来[2]么？

1　此句川版作“我想他的母亲，一定也感情很重的”。

2　川版无“来”。

周　冲　没有，他很寂寞的样子，我替他很难过，他到现在为什么还不结婚呢？

周蘩漪　（喃喃地）谁知道呢？谁知道呢？

周　冲　（听见门外脚步的声音，回头看）咦，哥哥进来了。

〔中门大开，周萍进。他约莫有二十八九[1]，颜色苍白，躯干比[2]他的弟弟略微长些。他的面目清秀，甚至于可以说美，但不是一看就使女人醉心的那种男子。他有宽而黑的眉毛，有厚的耳垂，粗大的手掌，乍一看，有时会令人觉得他有些戆气的；不过，若是你再长久地同他坐一坐，会感到他的气味不是你所想的那样纯朴可喜，他是经过了雕琢的，[3]虽然性格上那些粗涩的滓渣经过了教育的提炼，成为精细而优美了；但是一种可以炼钢熔铁，火炽的，不成形的原始人生活中所有的那种"蛮"力，也就因为郁闷，长久离开了空气的原因，[4]成为怀疑的，怯弱的，莫名其妙的了。[5]和他谈两三句话，便知道这也是[6]一个美丽的空形，如生在田野的麦苗移植在暖室里，虽然也开花结实，但是空虚脆弱[7]，

---

1 "二十八九"川版作"二十八岁"。

2 "比"原刊作"较"。

3 "他是经过了雕琢的，"川版作"他是经过斫丧的人。"。

4 此处原刊有"于是"。

5 "虽然性格上那些粗涩的"以下川版作"畸形的生活和矛盾使他怀疑、怯弱、郁闷。"。

6 "也是"原刊作"亦是"。

7 "如生在田野的麦苗"以下川版作"如同暖室里的花"。

经不起现实的风霜。在他灰暗的眼神里，你看见了不定，犹疑，怯弱同冲突。当他的眼神暗下来，瞳人微微地在闪烁的时候，你知道他在审阅自己的内心过误，而又怕人窥探出他是这样无能，只讨生活于自己的内心的小圈子里。但是你以为他是做不出惊人的事情，没有男子的胆量么？不，在他感情的潮涌起来的时候，——哦，你单看他眼角[1]间一条时时刻刻地变动的刺激人的圆线，极冲动而敏锐的红而厚的嘴唇，你便知道在这种时候，他会贸然地做出自己终身诅咒的事，而他生活是不会有计划的。[2]他的唇角松弛地垂下来。一点疲乏会使他眸子发呆，叫你觉得他不能克制自己，也不能有规律地终身做一件事。然而[3]他明白自己的病，他在改，不，不如说在悔，永远地在悔恨自己过去由直觉铸成的[4]错误；因为[5]当着一个新的冲动来时，他的热情，他的欲望，整个如潮水似的冲上来，淹没了他。他一星星[6]的理智，只是一段枯枝卷在漩涡里，他昏迷似地做

---

1 “眼角”原刊作“两角”。

2 “当他的眼神暗下来”以下川版作“他在反省自己的内心过误，又怕人窥探出来。他在自己的内心生活的圈子里彷徨。但在他混乱的感情潮涌起来的时候，他会贸然地做出自己终身诅咒的事。从来他的生活是没有计划的。”。

3 川版无“然而”。

4 “铸成的”原刊作“铸成来的”，“过去由直觉铸成的”川版作“在过去铸成的”。

5 川版无“因为”。

6 “一星星”原刊作“一星”。

出自己认为不应该做的事。这样很自然地一个大错跟着一个更大的错。所以他是有道德观念的，有情爱的，但同时又是渴望着生活，觉得自己是个有肉体的人。于是他痛苦了，他恨自己，他羡慕一切没有顾忌，敢做坏事的人，于是他会同情鲁贵。[1]他又钦羡一切能抱着一件事业向前做，能依循着一般人所谓的道德生活下去[2]，为模范市民模范家长的人，于是[3]他佩服他的父亲。他的父亲在他的见闻里，除了一点倔强冷酷[4],——但是这个也是他喜欢的，因为这两种性格他都没有——是一个无瑕的男子。他觉得他在那一方面欺骗他的父亲是不对了，并不是因为他怎么爱他的父亲（固然他不能说不[5]爱他），他觉得这样是卑鄙，像老鼠在狮子睡着的时候偷咬一口的[6]行为，同时如一切好内省而又冲动的人，在他的直觉过去，理智冷回来的时候，他更刻毒地恨自己，更深地觉得这是反人性，一切的犯了罪的痛苦

1 “所以他是有道德观念的”以下川版作“但他认为他是有道德观念的，有感情的。同时，又渴想着生活，于是他痛苦，他恨自己。他羡慕一切没有顾忌，敢做坏事的人；”。

2 原刊无“生活下去”。

3 川版无“于是”。

4 此处川版有“之外”。

5 “不能说不”原刊作“不能不说”。

6 “一口的”原刊作“一口”。

都牵到自己身上。[1]他要把自己拯救起来，他需要新的力，无论是什么，只要能帮助他[2]，把他由冲突的苦海中救出来，他愿意找。他见着四凤，当时就觉得她新鲜，她的“活”！他发现他最需要的那一点东西，是充满地流动着在四凤的身里。她有“青春[3]”，有“美”，有充溢着的血[4]，固然他也看到她是[5]粗，但是他直觉到这才是他要[6]的，渐渐[7]地他厌恶一切忧郁过分的女人，忧郁已经蚀尽了他的心；他也恨一切经过[8]教育陶冶的女人（因为她们会提醒他的缺点），同一切细致的情绪，[9]他觉得“腻”！

〔然而这种感情的波纹是在他心里隐约地流荡着[10]，潜伏着；他自己只是顺着自己之情感的流在走，他不能用理智再冷酷地剖析自己，他怕，他有时是怕看自己内心的残疾的。[11]

---

1 “并不是因为他怎么爱他的父亲”以下川版无。

2 “帮助他”原刊作“助一把”。

3 “青春”原刊作“年轻”。

4 “充溢着的血”川版作“热情”。

5 川版无“是”。

6 “要”川版作“需要”。

7 “渐渐”原刊作“突然”。

8 “经过”底本作“经些”，据原刊、初版、川版改。

9 “他也恨一切”以下川版作“他不喜欢那些经过教育陶冶的女人，因为她们会提醒他的往事与缺点。他厌恶那些文雅细致的情绪。”。

10 “流荡着”原刊作“颤抖着”。

11 “然而这种感情”以下川版作“他怕，他怕看自己内心的残疾。”。

现在他不得不爱四凤了[1]，他要死心塌地地爱她[2]，他想这样忘了自己[3]。当然他也明白，[4]他这次的爱不只是为求自己心灵的药，他还有一个地方是渴。但是在这一层他并不感觉得从前的冲突，他想好好地待她，心里觉得这样也说得过去了。经过她那有处女香的温热的气息后，豁然地他觉出心地的清朗，他看见了自己心内的太阳，他想："能拯救他的女人[5]大概是她吧！"于是就把生命交给这个女孩子，然而昔日的记忆如巨大的铁掌抓住了他的心，不时地，尤其是在蘩漪面前，他[6]感觉一丝一丝刺心的疚痛；于是他要[7]离开这个地方——这个能引起人的无边噩梦似的老房子，走到任何地方。而在未打开[8]这个狭的笼之先，[9]四凤不能了解也不能安慰他的疚伤的时候，便不自主地纵于酒，于[10]热烈的狂欢，

---

1 此句川版作"他不得不爱四凤"。

2 "他要死心塌地地爱她"原刊作"他的得救将在她身上，他要死心塌地地爱"。

3 此处川版有"的疚痛"。

4 "当然他也明白，"原刊作"他要动，要生，拉着四凤的衣裾，随着她上无羁绊的岸，同时，他在四凤面前有时的确忘了自己，在她像小孩的圆脸前，时常把从前的疚错轻轻地放开，然而他也明白，"，川版作"然而，依然有一种不满的感情的波纹在他心里隐约地流荡着，潜伏着。"。

5 "能拯救他的女人"原刊作"这个"。

6 原刊无"他"。

7 "于是他要"原刊作"他便要"。

8 "未打开"原刊作"来打开"。

9 此处川版有"当他认为"。

10 "于"川版作"纵于"。

于[1]一切外面的刺激之中。于是他精神颓丧，永远成了不安定的神情。

〔现在他穿一件藏青的绸袍，西服裤，漆皮鞋，没有修脸。整个是不整齐，他打着呵欠。

周　冲　哥哥。

周　萍　你在这儿。

周蘩漪　（觉得没有理她[2]）萍！

周　萍　哦？（低了头，又抬起[3]）您——您也在这儿。

周蘩漪　我刚下楼来。

周　萍　（转头问冲）父亲没有出去吧？

周　冲　没有，你预备见他么？

周　萍　我想在临走以前跟父亲谈一次。（一直走向书房）

周　冲　你不要去。

周　萍　他老人家干什么呢？

周　冲　他大概跟一个人谈公事。我刚才见着他，他说他一会儿会到这儿来，叫我们在这儿等他。

周　萍　那我先回到我屋子里写封信。（要走）

周　冲　不，哥哥，母亲说好久不见你。你不愿意一齐坐一坐，谈谈么？

1　“于”川版作“沉湎在”。

2　此句川版作“近来一直感觉萍对她的烦厌，执拗地”。

3　“抬起”川版作“望望她”。

周蘩漪 你看，你让哥哥歇一歇，他愿意一个人坐[1]着的。

周 萍 （有些烦）那也不见得，我总怕父亲回来，您很忙，所以——

周 冲 你不知道母亲病了么？

周蘩漪 你哥哥怎么会把我的病放在心上？

周 冲 妈！

周 萍 您好一点了么？

周蘩漪 谢谢你，我刚刚下楼。

周 萍 对了，我预备明天离开家里到矿上去。

周蘩漪 哦，（停）好得很。——什么时候回来呢？

周 萍 不一定，也许两年，也许三年。哦，这屋子怎么闷气得很。

周 冲 窗户已经打开了。——我想，大概是大雨要来了。

周蘩漪 （停一停）你在矿上做什么呢？

周 冲 妈，你忘了，哥哥是专门学矿科的。

周蘩漪 这是理由么，萍？

周 萍 （拿起报纸看，遮掩自己）说不出来，像是家里住得太久了，烦得很。

周蘩漪 （笑）我怕你是胆小吧？

周 萍 怎么讲？

周蘩漪 这屋子曾经闹过鬼，你忘了。

周 萍 没有忘。但是这儿我住厌了。

周蘩漪 （笑）假若我是你，这周围的人我都会厌恶，我也离开这个

---

1 “坐”川版作“呆”。

死地方的。

周　冲　妈，我不要您这样说话。

周　萍　（忧郁地[1]）哼，我自己对自己都恨不够，我还配说厌恶别人？——（叹一口气）弟弟，我想回屋去了[2]。（起立）

〔书房门开。

周　冲　别走，这大概是爸爸来了。

〔里面[3]的声音：（书房门开一半，周朴园进，向内露着半个身子说话[4]）我的意思是这么办，没有问题了，很好，再见吧，不送。

〔门大开，周朴园进，他约莫有五六十岁，鬓发已经斑白，戴着椭圆形的金边眼镜，一对沉鸷的眼在底[5]下闪烁着。像一切起家立业的人物，他的威严在儿孙[6]面前格外显得峻厉。他穿的衣服，还是二十年前的新装，一件团花的官纱大褂，底下是白纺绸的衬衫[7]，长衫的领扣松散着，露着颈上的肉。[8]

1　原刊无“忧郁地”。

2　“（叹一口气）”以下原刊作“得了，我还是回屋去吧”。

3　“里面”川版作“周朴园”。

4　“周朴园进，向内露着半个身子说话”川版作“周朴园向内半转身说话”。

5　“底”川版作“镜”。

6　“儿孙”川版作“儿子”。

7　“衬衫”原刊、初版均作“衬衣”。

8　“长衫的领扣松散着，露着颈上的肉。”川版作“长袍的领袢系好，几乎箍住脖颈。”。

他的衣服很舒展地贴在身上[1]，整洁[2]，没有一些[3]尘垢。他有些胖，背微微地伛偻，面色苍白，腮肉松弛[4]地垂下来，眼眶略微下陷，眸子闪闪地放着光彩，时常[5]也倦怠地闭着眼皮。他的脸带着多年的世故和劳碌[6]，一种冷峭的目光和偶然在嘴角逼出的冷笑，看出他平日的专横、自是和倔强。年轻时一切的冒失、狂妄已经为脸上的皱纹深深避盖着，再也寻不着一点痕迹，只有他的半白的头发还保持昔日的丰采，很润泽地分梳到后面。在阳光底下，他的脸呈着银白色，一般人说这就是[7]贵人的特征，所以他才有这样大的矿产。他的下颏的胡须已经灰白，常用一只象牙的小梳梳理。[8]他的大指套着一个扳指。[9]

〔他现在精神很饱满，沉重地走出来。

周　萍
周　冲　（同时）爸。

1 “贴在身上”原刊作“在他身上”。

2 “整洁”原刊作“却依然是严整”。

3 “一些”原刊、初版均作“一丝”。

4 “松弛”原刊作“很松驰。”。

5 “时常”川版作“有时”。

6 此句原刊作“他的整个脸带着多年的世故同劳碌”。

7 “一般人说这就是”原刊作“这一般人说就是”。

8 此处原刊有“，却依然企翘着”。

9 此句川版作“他的右手大指套着一个翡翠扳指。”。

周　冲　客走了？

周朴园　（点头，转向蘩漪）你怎么今天下楼来了，完全好了么？

周蘩漪　病原来不很重[1]——回来身体好么？

周朴园　还好。——你应当[2]再到楼上去休息。冲儿，你看你母亲的气色比以前怎么样？

周　冲　母亲原来就没有什么病。

周朴园　（不喜欢儿子们这样答复老人的话，沉重地，眼翻上来）谁告诉你的？我不在的时候，你常来问你母亲的病么？（坐在沙发上[3]）

周蘩漪　（怕他又来[4]教训）朴园，你的样子像有点瘦了似的。——矿上的罢工究竟怎么样？

周朴园　昨天早上已经复工，不成问题。

周　冲　爸爸，怎么鲁大海还在这儿等着要见您呢？

周朴园　谁是鲁大海？

周　冲　鲁贵的儿子。前年荐进去，这次当代表的。

周朴园　这个人！我想这个人有背景，厂方[5]已经把他开除了。

周　冲　开除！爸爸，这个人脑筋很清楚，我方才跟这个人谈了一

---

1 “不很重”川版作“不重”。

2 “你应当”原刊作“可是你还应当”。

3 “坐在沙发上”原刊、初版均作“坐沙发”。

4 “又来”原刊、初版均作“又开庭”。

5 “厂方”川版作“矿上”。

回。做了罢工工人的代表[1]，并不见得就该开除。

周朴园 哼，现在一般青年人，跟工人谈谈，说两三句不关痛痒，同情的话，像是一件很时髦的事情！

周　冲 我以为这些人替自己的一群努力，我们应当同情的。并且我们这样享福，同他们争饭吃，是不对的。这不是时髦不时髦的事。

周朴园 （眼翻上来）你知道社会是什么？你读过几本关于社会经济的书？我记得我在德国念书的时候，对于这方面，我自命比你这种半瓶醋的社会思想要彻底得多！

周　冲 （被压制下去，然而鼓起余勇[2]）爸，我听说矿上对于这次受伤的工人不给一点抚恤金。

周朴园 （头扬起来）我认为你这次说话说得太多。（向蘩漪）这两年他学得很像你了。（看钟）十分钟后我还有一个客来，嗯，你们关于[3]自己有什么话说么？

周　萍 爸，刚才我就想见您。

周朴园 哦，什么事？

周　萍 我想明天就到矿上去。

周朴园 这边公司的事，你交代完了么？

周　萍 差不多完了。我想请父亲给我点实在的事情做，我不想看

1　此句原刊、初版均作“代表罢工的工人”。

2　原刊、初版均无“鼓起余勇”。

3　原刊无“关于”。

看就完事。

周朴园 （停一下，看萍）苦的事你成么？要做就做到底。我不愿意我的儿子叫旁人说闲话的。

周　萍 这两年在这儿做事太舒服，心里很想在内地乡下走走。

周朴园 让我想想。——（停）你可以明天起身，做哪一类事情，到了矿上我再打电报给你。

〔四风由饭厅门入，端了碗普洱茶。

周　冲 （犹豫地）爸爸。

周朴园 （知道他又有新花样[1]）嗯，你？

周　冲 我现在想跟爸爸商量一件很重要的事。

周朴园 什么？

周　冲 （低下头[2]）我想把我的学费的一部分分出来。

周朴园 哦。

周　冲 （鼓起勇气[3]）把我的学费拿出一部分送给——

周朴园 （四风端茶，放朴园前）[4]四风，——（向冲）你先等一等。——（向四风）叫你给太太煎的药呢？

鲁四风 煎好了。

周朴园 为什么不拿来？

---

1 原刊无此句。

2 原刊无“低下头”。

3 原刊无“鼓起勇气”。

4 此处原刊有“哦。”。

鲁四凤 （看蘩漪，不说话）

周蘩漪 （觉出四周的征兆有些恶相[1]）她刚才跟我倒来了，我没有喝。

周朴园 为什么？（停，向四凤）药呢？

周蘩漪 （快说）倒了，我叫四凤倒了。

周朴园 （慢）倒了？哦？（更慢）倒了！——（向四凤）药还有么？

鲁四凤 药罐里还有一点。

周朴园 （低而缓地[2]）倒了来。

周蘩漪 （反抗地）我不愿意喝这种苦东西。

周朴园 （向四凤，高声）倒了来。

〔四凤走到[3]左面倒药。

周　冲 爸[4]，妈不愿意，您何必这样强迫呢？

周朴园 你同你母亲都不知道自己的病在哪儿。（向蘩漪低声）你喝了，就会完全好的。（见四凤犹豫，指药）送到太太那里去。

周蘩漪 （顺忍地[5]）好，先放在这儿。

周朴园 （不高兴地[6]）不。你最好现在喝了它吧。

周蘩漪 （忽然）四凤，你把它拿走。

---

1 原刊无此句。

2 原刊无“低而缓地”。

3 “走到”原刊作“在”。

4 “爸”原刊作“哦”。

5 原刊无“顺忍地”。

6 原刊无“不高兴地”。

周朴园 （忽然严厉地[1]）喝了它，不要任性，当着这么大的孩子。

周蘩漪 （声颤）我不想喝。

周朴园 冲儿，你把药端到母亲面前去。

周　冲 （反抗地）爸！

周朴园 （怒视）去！

〔冲只好把药端到蘩漪面前。

周朴园 说，请母亲喝。

周　冲 （拿着药碗，手发颤，回头，高声）爸，您不要[2]这样。

周朴园 （高声地）我要你说。

周　萍 （低头，至冲前，低声）听父亲的话吧，父亲的脾气你是知道的。

周　冲 （无法，含着泪，向着母亲）您喝吧，为我喝一点吧，要不然，父亲的气是不会消的。

周蘩漪 （恳求地[3]）哦，留着我晚上喝不成么？

周朴园 （冷峻地[4]）蘩漪，当了母亲的人，处处应当替孩子着想，就是自己不保重身体，也应当替孩子做个服从的榜样。

周蘩漪 （四面看一看，[5]望望朴园，又望望萍。拿起药，落下眼泪[6]，

---

1 原刊无“忽然严厉地”。

2 “不要”原刊作“不该”。

3 原刊无“恳求地”。

4 原刊无“冷峻地”。

5 川版无“四面看一看，”。

6 “落下眼泪”原刊作“泪落”，川版无“落下眼泪，”。

忽而又放下）哦，不！我喝不下！[1]

周朴园 萍儿，劝你母亲喝下去。

周　萍 爸！我——

周朴园 去，走到母亲面前！跪下，劝你的母亲。

〔萍走至蘩漪前。

周　萍 （求恕地）哦，爸爸！

周朴园 （高声[2]）跪下！（萍望蘩漪和冲[3]；蘩漪泪痕满面，冲身体发抖）叫你跪下！（萍正向下跪）[4]

周蘩漪 （望着萍，不等萍跪下，急促地）[5]我喝，我现在喝！（拿碗[6]，喝了两口，气得眼泪又涌出来，她望一望朴园的峻厉的眼和苦恼着的萍，咽下愤恨[7]，一气喝下！）哦……[8]（哭着[9]，由右边饭厅跑下）

---

1 原刊无“我喝不下！”，川版无“哦，”。

2 川版无“高声”。

3 “蘩漪和冲”原刊作“蘩及冲”。

4 “（萍望蘩漪和冲”以下川版作“〔萍望蘩漪和冲；蘩漪泪痕满面，周冲气得发抖。**周朴园** （高声）叫你跪下！〔周萍正要下跪。”。

5 “（望着萍，不等萍跪下，急促地）”原刊作“好，”。

6 “拿碗”原刊作“拿起碗”。

7 “喝了两口”以下原刊无，川版作“喝了两口，眼泪又涌出来，望一望周朴园的峻厉的眼和苦恼着的周萍，咽下愤恨”。

8 “哦……”原刊、初版均作“哦，天哪！”。

9 “哭着”川版作“蘩漪哭着”。

〔半晌[1]。

周朴园 （看表）还有三分钟。（向冲）你刚才说的事呢？

周　冲 （抬头，慢慢地）什么？

周朴园 你说把你的学费分出一部分？——嗯，是怎么样？

周　冲 （低声[2]）我现在没有什么事情啦。

周朴园 真没有什么新鲜的问题啦么？

周　冲 （哭声）没有什么，没有什么，——妈[3]的话是对的。（跑向饭厅）

周朴园 冲儿，上哪儿去？

周　冲 到楼上去看看妈。

周朴园 就这么跑了么？

周　冲 （抑制着自己，走回去）是，爸[4]，我要走了，您有事吩咐[5]么？

周朴园 去吧。（冲向饭厅走了两步）回来。

周　冲 爸爸。

周朴园 你告诉你的母亲，说我已经请德国的克大夫来，跟她看病。

周　冲 妈不是已经吃了您的药了么？

周朴园 我看你的母亲，精神有点失常，病像是[6]不轻。（回头向萍）

---

1 “半晌”川版作“沉默”。

2 川版无“低声”。

3 “妈”原刊作“母亲”。

4 “爸”原刊作“父亲”。

5 原刊无“吩咐”。

6 川版无“是”。

我看，你也是一样。

周　萍　爸，我想下去，歇一回。

周朴园　不，你不要走。我有话跟你说。（向冲）你告诉她，说克大夫是个有名的脑病专家，我在德国认识的。来了，叫她一定看一看，听见了没有？

周　冲　听见了。（走了两步）爸，没有事啦？

周朴园　上去吧。

〔冲[1]由饭厅下。

周朴园　（回头向四凤）四凤，我记得我告诉过你，这个房子你们没有事就得走的。

鲁四凤　是，老爷。（也[2]由饭厅下）

〔鲁贵由书房上。

鲁　贵　（见着老爷，便不自主地好像说不出话来）老，老[3]，老爷。客，客来了！

周朴园　哦，先请到大客厅里去。

鲁　贵　是，老爷。（鲁贵[4]下）

周朴园　怎么这窗户谁开开了？

周　萍　弟弟跟我开的。

1　"冲"川版作"周冲"。

2　"也"原刊作"亦"。

3　"老，老"川版作"老"。

4　此处川版有"由书房"。

周朴园 关上，（擦眼镜）这屋子不要底下人随便进来，回头我预备一个人在这里休息的。

周　萍 是。

周朴园 （擦着眼镜，看周围的家具）这间屋子的家具多半是[1]你生母顶喜欢的东西。我从南边移到北边，搬了多少次家，总是不肯丢下的。（戴上眼镜，咳嗽一声）这屋子排[2]的样子，我愿意总是三十年前的老样子，这叫我的眼看着舒服一点。（踱到桌前，看桌上的相片）你的生母永远喜欢夏天把窗户关上的。

周　萍 （强笑着）不过，爸爸，纪念母亲也不必——

周朴园 （突然抬起头来）我听人说你现在做了一件很对不起自己的事情。

周　萍 （惊）什——什么？

周朴园 （低声走到萍的面前）你知道你现在做的事是对不起你的父亲么？并且——（停）——对不起你的母亲么？

周　萍 （失措）爸爸。

周朴园 （仁慈地，拿着萍的手）你是我的长子，我不愿意当着人谈这件事。（停，喘一口气严厉地[3]）我听说我在外边的时候，你这两年来在家里很不规矩。

---

1 “多半是”原刊作“都是”。

2 “排”川版作“摆”。

3 此句川版作“稍停，严厉地”。

周　萍　（更惊恐）爸，没有的事，没有，没有。

周朴园　一个人敢做一件事就要当一件事。[1]

周　萍　（失色）爸！

周朴园　公司的人说你总是在跳舞场里鬼混，尤其是这两三个月，喝酒，赌钱，整夜地不回家。

周　萍　哦，（喘出一口气[2]）您说的是——

周朴园　这些事是真的么？（半晌[3]）说实话！

周　萍　真的，爸爸。（红了脸）

周朴园　将近三十的人应当懂得"自爱"！——你还记得你的名为什么叫萍吗？

周　萍　记得。

周朴园　你自己说一遍。

周　萍　那是因为母亲叫侍萍，母亲临死，自己替我起的名字。

周朴园　那我请你为你的生母，你把现在的行为完全改过来。

周　萍　是，爸爸，那是我一时的荒唐。

〔鲁贵由书房上。[4]

鲁　贵　老，老，老爷。客，——等，等，等了好半天啦。[5]

1　此句原刊作"一个人敢做一件事就要敢当"，川版作"一个人敢做，就要敢当"。

2　此句川版作"放下心"。

3　"半晌"川版作"顿"。

4　此句原刊作"鲁贵上，由书房。"。

5　"老，老，"以下川版作"老爷。客人，——等，等了好半天啦。"。

周朴园　知道。

〔鲁贵退。

周朴园　我的家庭是我认为最圆满，最有秩序的家庭，我的儿子我也认为都还是健全的子弟，我教育出来的孩子，我绝对不愿[1]叫任何人说他们一点闲话的。

周　萍　是，爸爸。

周朴园　来人啦。（自语）哦，我有点累啦。（萍[2]扶他至沙发坐）

〔鲁贵上。

鲁　贵　老爷。

周朴园　你请客[3]到这边来坐。

鲁　贵　是，老爷。

周　萍　不，——爸，您歇一会吧。

周朴园　不，你不要管。（向鲁贵）去，请进来。

鲁　贵　是，老爷。

〔鲁贵下，朴园拿出一支雪茄，萍[4]为他点上，朴园徐徐抽烟，端坐。

——幕落

---

1 “我绝对不愿”原刊作“我是很不愿意”。

2 “萍”川版作“周萍”。

3 “客”川版作“客人”。

4 “萍”川版作“周萍”。

第二幕

午饭后，天气很阴沉[1]，更郁热，湿潮的空气，低压着在屋内的人，使人成为烦躁的了[2]。周萍一个人由饭厅走上来，望望花园，冷清清的，没有一个人。偷偷走到书房门口，书房里是空的，也没有人。忽然想起父亲在别的地方会客，他放下心，又走到窗户前[3]开窗门，看着外面绿荫荫的树丛。低低地吹出[4]一种奇怪的哨声，中间他低沉地叫了两三声“四凤!”，不一时，好像听见远处有哨声在回应[5]，渐移渐近，[6]他又[7]缓缓地叫一声“凤儿!”，门外有一个女人的声音，“萍，是你么?”萍就把窗门关上。

四凤由外面[8]轻轻地跑进来。

---

1 “很阴沉”原刊作“更阴沉”。

2 “使人成为烦躁的了”川版作“使人烦躁”。

3 原刊无“前”。

4 “吹出”原刊作“他吹出”。

5 “在回应”川版作“回声”。

6 川版无“渐移渐近,”。

7 川版无“又”。

8 “外面”川版作“中门”。

周　萍　（回头，望着中门，四凤正从中门进，[1]低声，热烈地）凤儿！（走近，[2]拉着她的手）

鲁四凤　不，（推开他）不，不[3]。（谛听，四面望）看看，有人！

周　萍　没有，凤，你坐下。（推她到沙发坐下）

鲁四凤　（不安地）老爷呢？

周　萍　在大客厅会客呢。

鲁四凤　（坐下，叹一口长气。望着）总是这样偷偷摸摸的。

周　萍　嗯。

鲁四凤　你连叫我都不敢叫。

周　萍　所以我要离开这儿哪。

鲁四凤　（想一下）哦，太太怪可怜的。为什么老爷回来，头一次见太太就发这么大的脾气？

周　萍　父亲就是这个样，他的话，向来不能改的。他的意见就是法律。

鲁四凤　（怯懦地[4]）我——我怕得很。

周　萍　怕什么？

鲁四凤　我怕万一老爷知道了，我怕。有一天，你说过，要把我们的事情告诉老爷的。

1　川版无“望着中门，四凤正从中门进，”。

2　川版无“走近，”。

3　“不，不”川版作“不”。

4　原刊无“怯懦地”。

周　萍　（摇头，深沉地[1]）可怕的事不在这儿。

鲁四凤　还有什么？

周　萍　（忽然地[2]）你没有听见什么话？

鲁四凤　什么？（停）没有。

周　萍　关于我[3]，你没有听见什么？

鲁四凤　没有。

周　萍　从来没听见过什么？

鲁四凤　（不愿提[4]）没有——你说什么？

周　萍　那——没什么！没什么！

鲁四凤　（真挚地[5]）我信你，我相信你以后永远不会骗我。这我就够了。——刚才，我听你说，你明天就要到矿上去。

周　萍　我昨天晚上已经跟你说过了。

鲁四凤　（爽直[6]地）你为什么不带我去？

周　萍　因为（笑）因为我不想带你去。

鲁四凤　这边的事我早晚是要走的。——太太，说不定今天要辞掉我。

1　原刊无“摇头，深沉地”。

2　原刊无“忽然地”。

3　“我”原刊作“我的”。

4　原刊无“不愿提”。

5　原刊无“真挚地”。

6　“爽直”川版作“直爽”。

周　萍　（没想到[1]）她要辞掉你，——为什么？

鲁四凤　你不要问。

周　萍　不，我要知道。

鲁四凤　自然[2]因为我做错了事。我想，太太大概没有这个意思。也许是我瞎猜。[3]（停）萍，你带我去好不好？

周　萍　不。

鲁四凤　（温柔地）萍，我好好地侍候你，你要这么一个人。我跟你缝衣服[4]，烧饭做菜，我都做得好，只要你叫我跟你在一块儿。

周　萍　哦，我还要一个女人，跟着我，侍候我，叫我享福？难道，这些年，在家里，这种生活我还不够么？

鲁四凤　我知道你一个人在外头是不成的。

周　萍　凤，你看不出来现在，我怎么能带你出去？——你这不是孩子话吗？

鲁四凤　萍，你带我走！我不连累你，要是外面因为我，说你的坏话，我立刻就走。你——你不要怕。

周　萍　（急躁地[5]）凤，你以为我这么自私自利么？你不应该这么想

1　原刊无“没想到”。

2　此处川版有“（笑）”。

3　此句原刊作“为了我，你别提这件事好吧。”。

4　“我跟你缝衣服”原刊作“我跟你抄东西，缝衣服”。

5　原刊无“急躁地”。

我。——哼，我怕，我怕什么？（管不住自己[1]）这些年，我做出这许多的……哼，我的心都死了。我恨极了我自己。现在我的心刚刚有点生气了[2]，我能放开胆子喜欢一个女人[3]，我反而怕人家骂？哼，让大家说吧，周家大少爷看上他家里面的女下人，怕什么，我喜欢她。

鲁四凤 （安慰地[4]）萍，不要难过。你做了什么，我也不怨你的。（想）

周　萍 （平静下来[5]）你现在想什么？

鲁四凤 我想，你走了以后，我怎么样？

周　萍 你等着我。

鲁四凤 （苦笑[6]）可是你忘了一个人。

周　萍 谁？

鲁四凤 他总不放松我。

周　萍 哦，他呀——他又怎么样？

鲁四凤 他又把前一月的话跟我提了。

周　萍 他说，他要你？

鲁四凤 不，他问我肯嫁他不肯。

---

1 原刊无“管不住自己”。

2 “生气了”原刊作“生气的”。

3 “女人”原刊作“女的”。

4 原刊无“安慰地”。

5 原刊无“平静下来”。

6 原刊无“苦笑”。

周　萍　你呢？

鲁四凤　我先没有说什么，后来他逼着问我，我只好告诉他实话。

周　萍　实话？

鲁四凤　我没有说旁的。我只提我已经许了人家。

周　萍　他没有问旁的？

鲁四凤　没有，他倒说，他要供给我上学。

周　萍　上学？（笑）他真呆气！[1]——可是，谁知道，你听了他的话，也许很喜欢的[2]。

鲁四凤　你知道我不喜欢，我愿意老陪着你。

周　萍　可是我已经快三十了，你才十八，我也不比他的将来有希望，并且我做过许多[3]见不得人的事。

鲁四凤　萍，你不要同我瞎扯，我现在心里很难过。你得想出法子[4]，他是个孩子，老是这样装着腔，对付他，我实在不喜欢。你又不许我跟他说明白。

周　萍　我没有叫你不跟他说。

鲁四凤　可是你每次见我跟他在一块儿，你的神气，偏偏——

周　萍　我的神气那自然是不快活的。我看见我最喜欢的女人时常跟别人在一块儿，哪怕他是我的弟弟，我也不情愿的。

1　“他真呆气！”川版作“这孩子，”。

2　“很喜欢的”川版作“很喜欢”。

3　此处川版有“——”。

4　“想出法子”川版作“想法子”。

鲁四凤 你看你又扯到别处。萍，你不要扯，你现在到底对我怎么样？你要跟我说明白。

周　萍 我对你怎么样？（他笑了。他不愿意说[1]，他觉女人们都有些呆气，这一句话似乎有一个女人也这样问过他，他心里隐隐有些痛[2]）要我说出来？（笑）那么，你要我怎么说呢？

鲁四凤 （苦恼地）萍，你别这样待我好不好？你明明知道我现在什么都是你的，你还——你还这样欺负人。

周　萍 （他不喜欢这样，同时又以为她究竟有些不明白[3]）哦！（叹一口气）天哪！

鲁四凤 萍，我父亲只会跟人[4]要钱，我哥哥瞧不起我，说我没有志气，我母亲如果[5]知道了这件事，她一定恨[6]我。哦，萍，没有你就没有我[7]。我父亲，我哥哥，我母亲[8]，他们也许有一天会不理我，你不能够的，你不能够的。（抽咽）

周　萍 四凤，不，不，别这样，你让我好好地想一想。

---

1 “不愿意说”川版作“讲不出来”。

2 川版无“，他心里隐隐有些痛”。

3 “不明白”原刊、初版均作“不明白他”。此句川版作“他不喜欢她这样，同时，还以为她究竟有些明白他”。

4 “跟人”原刊作“跟我”。

5 “如果”原刊作“果若”。

6 “恨”川版作“不要”。

7 “没有我”原刊作“没有了我”。

8 “我父亲，我哥哥，我母亲”原刊、初版均作“你是我的父亲，我的哥哥，我的母亲”。

鲁四凤 我的妈最疼我，我的妈不愿意我在公馆里做事，我怕她万一看出我的谎话，知道我在这里做了事，并且同你……如果你又不是真心的，[1]……那我——那我就伤了我妈[2]的心了。（哭）还有，……

周 萍 不，凤，你不该这样疑心我。我告诉你，今天晚上我预备到你那里去。

鲁四凤 不，我妈今天回来。

周 萍 那么，我们在外面会一会好么？

鲁四凤 不成，我妈晚上一定会跟我谈话的。

周 萍 不过，我明天早车就要走了。

鲁四凤 你真不预备带我走么？

周 萍 孩子！那怎么成？

鲁四凤 那么，你——你叫我想想。

周 萍 我先要一个人离开家，过后，再想法子，跟父亲说明白，把你接出来。

鲁四凤 （看着他）也好，那么今天晚上你只好到我家里来。我想，那两间房子，爸爸跟妈一定在外房[3]睡，哥哥总是不在家睡觉，我的房子在半夜里一定是空的。

周 萍 那么，我来还是先吹哨，（吹一声）你听得清楚吧？

---

1 “我怕她万一”以下川版作“我怕她万一看出你同我的事，……你又不是真正，”。

2 “我妈”原刊作“我母亲”。

3 “外房”原刊作“外屋”。

鲁四凤　嗯，我要是叫你来，我的窗上[1]一定有个红灯，要是没有灯，那你千万不要来。

周　萍　不要来？

鲁四凤　那就是我改了主意，家里一定有许多人。

周　萍　好，就这样。十一点钟。

鲁四凤　嗯，十一点。

〔鲁贵由中门上，见四凤和周萍[2]在这里，突然停止，故意地做出懂事的假笑。[3]

鲁　贵　哦！（向四凤）我正要找你。（向萍）大少爷，您刚吃完饭？

鲁四凤　找我有什么事？

鲁　贵　你妈来了。

鲁四凤　（喜形于色）妈来了，在哪儿？

鲁　贵　在门房，跟你哥哥刚见面，说着话呢[4]。

〔四凤跑向中门。

周　萍　四凤，见着你妈，跟我问问好。

鲁四凤　谢谢您，回头见。（凤下[5]）

鲁　贵　大少爷，您是明天起身么？

---

1 “窗上”原刊、初版均作“窗户”。

2 “周萍”原刊、初版均作“大少爷”。

3 “突然停止”以下川版作“懂事地笑着。”。

4 原刊无“，说着话呢”。

5 “凤下”川版作“四凤由中门下”。

周　萍　嗯。

鲁　贵　让我送送您。

周　萍　不用，谢谢你。

鲁　贵　平时总是您心好，照顾着我们。您这一走，我同我这丫头都得惦记着您了。

周　萍　（笑）你又没钱了吧？

鲁　贵　（奸笑）大少爷，您这可是开玩笑了。——我说的是实话，四凤知道，我总是背后说大少爷好的。

周　萍　好吧。——你没有事么？

鲁　贵　没事，没事，我只跟您商量点闲拌儿。您知道，四凤的妈来了，楼上的太太要见她……

〔蘩漪由饭厅门上，鲁贵一眼看见，话说成[1]一半，又吞进去。

鲁　贵　哦，太太下来了！太太，您病完全好啦？（蘩漪点一点头）鲁贵直惦记着。

周蘩漪　好，你下去吧。

〔鲁贵鞠躬由中门下。

周蘩漪　（向萍）他上哪儿去了？

周　萍　（莫名其妙[2]）谁？

周蘩漪　你父亲。

周　萍　他有事情，见客，一会儿就回来。弟弟呢？

1　“话说成”原刊、初版、川版均作“话说了”。

2　原刊无“莫名其妙”。

周蘩漪　他只会哭，他走了。

周　萍　（怕和她一同在这间屋里[1]）哦。（停）我要走了，我现在要收拾东西去。（走向饭厅）

周蘩漪　回来，（萍停步）我请你略微坐一坐。

周　萍　什么事。

周蘩漪　（阴沉地[2]）有话说。

周　萍　（看出她的神色）你像是有很重要的话跟我谈似的。[3]

周蘩漪　嗯。

周　萍　说吧。

周蘩漪　我希望你明白方才的情形。这不是一天的事情。

周　萍　（躲避地[4]）父亲一向是那样，他说一句就是一句的。

周蘩漪　可是人家说一句，我就要听一句，那是违背我的本性的。

周　萍　我明白你。（强笑[5]）那么你顶好不听他的话就得了[6]。

周蘩漪　萍，我盼望你还是从前那样诚恳的人。顶好不要学着现在一般青年人玩世不恭的态度。你知道我没有你在我面前，这样，我已经很苦了。

周　萍　所以我就要走了。不要叫我们见着，互相提醒我们最后悔

1　原刊无“怕和她一同在这间屋里”。

2　原刊无“阴沉地”。

3　此句川版作“（看出她的神色）有话说?〔周萍走回，站着不语。”。

4　原刊无“躲避地”。

5　原刊无“强笑”。

6　“得了”川版作“是了”。

的事情。

周蘩漪 我不后悔，我向来做事没有后悔过[1]。

周　萍 （不得已地[2]）我想，我很明白地对你表示过。这些日子我没有见你，我想你很明白。

周蘩漪 很明白。

周　萍 那么，我是个最糊涂，最不明白的人。我后悔，我认为我生平做错一件大事。我对不起自己，对不起弟弟，更对不起父亲。

周蘩漪 （低沉地[3]）但是你最对不起的人有一个，你反而轻轻地忘了。

周　萍 我最对不起的人，自然也有，但是我不必同你说。

周蘩漪 （冷笑）那[4]不是她！你最对不起的是我，是你曾经引诱过的后母！

周　萍 （有些怕她[5]）你疯了。

周蘩漪 你欠了我一笔债，你对我负着责任；你不能看见了新的世界，就一个人跑。

周　萍 我认为你用的这些字眼，简直可怕。这种字句不是在父亲这样——这样体面的家庭里[6]说的。

---

1 “后悔过”原刊作“后悔”。

2 原刊无“不得已地”。

3 原刊无“低沉地”。

4 川版无“那”。

5 原刊无“有些怕她”。

6 “家庭里”原刊作“家庭中”。

周蘩漪　（气极）父亲，父亲，你撇开你的父亲吧！体面？你也说体面？（冷笑）我在这样的体面家庭已经十八年啦。周家家庭里所出[1]的罪恶，我听过，我见过，我做过。我始终不是你们周家的人。我做的事，我自己负责任。不像你们的祖父，叔祖，同你们的好父亲，偷偷做出许多可怕的事情，祸移在人身上，[2]外面还是一副道德面孔，慈善家，社会上的好人物。

周　萍　蘩漪，[3]大家庭自然免不了不良分子，不过我们这一支，除了我……

周蘩漪　都一样，你父亲是第一个伪君子，他从前就引诱过一个良家的[4]姑娘。

周　萍　你不要乱说话。

周蘩漪　萍，你再听清楚点，[5]你就是你父亲的私生子！

周　萍　（惊异而无主地）你瞎说，你有什么证据？

周蘩漪　请你问你的体面父亲，这是他十五年前喝醉了的时候告诉我的。（指桌上相片）你就是这年轻的姑娘生的小孩[6]。她因为你父亲又不要她，就自己投河死了。

1　川版无“家庭里所出”。

2　川版无“祸移在人身上，”。

3　川版无“蘩漪，”。

4　“良家的”原刊作“好家的”，川版作“好人家”。

5　川版无“萍，你再听清楚点，”。

6　“小孩”川版作“孩子”。

周　萍　你，你，你简直……——好，好，(强笑)我都承认。你预备怎么样？你要跟我说什么？

周蘩漪　你父亲对不起我，他用同样[1]手段把我骗到你们家来，我逃不开，生了冲儿。十几年来像刚才一样的凶横[2]，把我渐渐地磨成了石头样的死人。你突然从家乡出来，是你，是你把我引到一条母亲不像母亲，情妇不像情妇的路上去。是[3]你引诱的我！

周　萍　引诱！我请你不要用这两个字好不好？你知道当时的情形怎么样？

周蘩漪　你忘记了在这屋子里，半夜，我哭的时候，你叹息着说的话么？你说你恨你的父亲，你说过，你愿他死，就是犯了灭伦的罪也干。

周　萍　你忘了。那是我年轻，我的热叫我[4]说出来这样糊涂的话。

周蘩漪　你忘了，我虽然比你只大几岁，那时，我总还是你的母亲，你知道你不该对我说这种话么？

周　萍　哦——(叹一口气)总之，你不该嫁到周家来，周家的空气满是罪恶。[5]

---

1 “同样”原刊作“同样的”。

2 此句原刊作“十年像刚才一样的专横压迫”。

3 原刊无“是”。

4 “我的热叫我”川版作“我一时冲动，”。

5 此处原刊、初版均有“周家有的是做过坏事杀过人的祖先。”。

周蘩漪　对了，罪恶，罪恶。你的祖宗就不曾清白过，你们家里永远是不干净。

周　萍　年轻人一时糊涂，做错了的事，你就不肯原谅么？（苦恼地皱着眉）

周蘩漪　这不是原谅不原谅的问题，我已经预备好棺材，安安静静地等死，一个人[1]偏把我救活了又不理我，撇得我枯死，慢慢地渴死。让你说，我该怎么办？

周　萍　那，那我也不知道，你来说吧！

周蘩漪　（一字一字地）我希望你不要走。

周　萍　怎么，你要我陪着你，在这样的家庭，每天想着过去的罪恶，这样活活地闷死么？

周蘩漪　你既然知道这家庭可以闷死人，你怎么肯一个人走，把我放[2]在家里？

周　萍　你没有权利说这种话，你是冲弟弟的母亲。

周蘩漪　我不是！我不是！自从我把我的性命，名誉，交给你，我什么都不顾了。我不是他的母亲，不是，不是，我也不是周朴园的妻子。

周　萍　（冷冷地）如果你以为你不是父亲的妻子，我自己还承认我是我父亲的儿子。

1　“一个人”原刊作“这个人”。

2　“放”川版作“丢”。

周蘩漪 （不曾想到他会说这一句话[1]，呆了一下）哦，你是你的父亲的儿子。——这些月，你特别不来看我，是怕你的父亲？

周　萍 也可以说是怕他，才这样的吧。

周蘩漪 你这一次到矿上去，也是学着你父亲的英雄榜样，把一个真正明白你，爱你的人丢开不管么？

周　萍 这么解释也未尝不可。

周蘩漪 （冷冷地）这么说，你到底是你父亲的儿子。（笑）父亲的儿子？（狂笑）父亲的儿子？（狂笑，忽然冷静严厉[2]地）哼，都是些没有用，胆小怕事，不值得人为他牺牲的东西！我恨着我早没有[3]知道你！

周　萍 那么你现在知道了！我对不起你，我已经同你详细解释过，我厌恶这种不自然的关系。我告诉你，我厌恶。我负起我的责任，我承认我那时的错，然而叫我犯了那样的错，你也不能完全没有责任[4]。你是我认为最聪明，最能了解人的女子，所以我想，你最后会原谅我。我的态度，你现在骂我玩世不恭也好，不负责任也好，我告诉你，我盼望这一次的[5]谈话是我们最末一次谈话了。（走向饭厅门）

---

1 此句原刊、初版均作“没想到他这一句话”。

2 川版无“严厉”。

3 “没有”原刊作“不曾”。

4 “没有责任”原刊作“无罪的”。

5 “这一次的”原刊作“你这一次的”，川版作“这一次”。

周蘩漪 （沉重的语气）站着[1]。（萍立住）我希望你明白我刚才说的话，我不是请求你。我盼望你用你的心，想一想，过去我们在这屋子说的，（停，难过）许多，许多的话。一个女子，你记着，不能受两代的欺侮，你可以想一想。

周　萍 我已经想得很透彻，我自己这些天的痛苦，我想你不是不知道，好，请你让我走吧。

〔周萍由饭厅下，蘩漪的眼泪一颗颗地流在腮上，她走到镜台前，照着自己苍白色的有皱纹的脸，便嘤嘤地扑在镜台[2]上哭起来。

〔鲁贵偷偷地由中门走进来，看见太太在哭。

鲁　贵 （低声）太太！

周蘩漪 （突然站起）你来干什么？

鲁　贵 鲁妈来了好半天啦。

周蘩漪 谁？谁来好半天啦？

鲁　贵 我家里的，太太不是说过要我叫她来见么？

周蘩漪 你为什么不早点来告诉我？

鲁　贵 （假笑）我倒是想着，可是我（低声）刚才瞧见太太跟大少爷说话，所以就没敢惊动您。

周蘩漪 啊，你，你刚才在——

鲁　贵 我？我在大客厅伺候老爷见客呢！（故意地不明白）太太有

---

1 “站着”川版作“等一等”。

2 “嘤嘤地扑在镜台”川版作“低声伏在沙发”。

什么事么?

周蘩漪 没什么，那么你叫鲁妈进来吧。

鲁　贵 （谄笑）我们家里[1]是个下等人，说话粗里粗气，您可别见怪。

周蘩漪 都是一样的人。我不过想见一见，跟她谈谈闲话。

鲁　贵 是，那是太太的恩典。对了，老爷刚才跟我说，怕明天[2]要下大雨，请太太把老爷的那一件旧雨衣拿出来，说不定老爷就要出去[3]。

周蘩漪 四凤给老爷检的衣裳，四凤不会拿么?

鲁　贵 我也是这么说啊，您不是不舒服么?可是老爷吩咐，不要四凤，还是要太太自己拿。

周蘩漪 那么，我一会儿拿来。

鲁　贵 不，[4]是[5]老爷吩咐，说现在就要拿出来。[6]

周蘩漪 哦，好，我就去吧。——你现在叫鲁妈进来，叫她在这房[7]里等一等。

鲁　贵 是，太太。

---

1 “家里”原刊作“家里的”。

2 川版无“明天”。

3 川版无“，说不定老爷就要出去”。

4 川版无“不,”。

5 原刊无“是”。

6 此处川版有“说不定老爷就要出去。”。

7 川版无“房”。

〔鲁贵下。蘩漪的脸更显得苍白，她在极力压制自己的烦郁。

周蘩漪　（把窗户打开，吸一口气，[1]自语）热极了，闷极了，这里真是再也不能住的[2]。我希望我今天变成火山的口，热烈烈地冒一次，什么我都烧个干净，当时[3]我就再掉在冰川里，冻成死灰，一生只热热地烧一次，也就算够了。我过去的是完了，希望大概也是死了的。哼，什么我都预备好了，来吧，恨我的人，来吧，叫我失望的人，叫我忌妒的人，都来吧，我在等候着你们。（[4]望着空空的前面，继而垂下头去。鲁贵上[5]）

鲁　贵　刚才小当差来，说老爷催着要。

周蘩漪　（抬头）好，你先去吧。我叫陈妈送去。

〔蘩漪由饭厅下，贵由中门下。移时鲁妈——即鲁侍萍——与四凤上。鲁妈的年纪约有四十七岁的光景，鬓发已经有点斑白，面貌白净，看上去也只有三十八九岁的样子。她的眼有些呆滞，时而呆呆地望着[6]前面，但是在那秀长的睫毛，和她圆大的眸子间，还寻得出她少年[7]时静慧的神韵。

1　川版无“把窗户打开，吸一口气，”。

2　“这里真是再也不能住的”川版作“这日子真过不下去了”。

3　“当时”川版作“登时”。

4　此处川版有“茫然”。

5　原刊无此句。

6　“望着”原刊作“望在”。

7　“少年”原刊、初版均作“年少”。

她的衣服朴素而有身份[1]，旧蓝布裤褂，很洁净地穿在身上。远远地看着，依然像大家户里落魄的妇人。[2]她的高贵的气质和她的丈夫的鄙俗，奸小，恰成一个强烈的对比。

〔她的头还[3]包着一条白布手巾，怕[4]是坐火车围着遮土[5]的，她说话总爱[6]微微地笑，尤其因为刚见着两年未见的亲儿女，神色还是快慰地闪着快乐的光彩[7]。她的声音很低，很沉稳，语音像一个南方人曾经和北方人相处很久[8]，夹杂着许多[9]模糊，轻快的南方音，但是她的字句说得很清楚。她的齿牙[10]非常整齐[11]，笑的时候在嘴角旁露出一对深深的[12]笑涡，叫[13]我

1 川版无“而有身份”。

2 “很洁净地穿在身上。”以下川版作“十分洁净，穿在身上，依然像一个大家户里落魄的妇人。”。

3 “她的头还”川版作“她头上”。

4 “怕”川版作“想”。

5 “遮土”原刊、初版均作“避土”。

6 “总爱”原刊作“总好”。

7 此句川版作“神色闪着快慰的光彩”。

8 此句川版作“语音像一个南方人在北方落户久了”。

9 “许多”川版作“一些”。

10 “齿牙”原刊、初版、川版均作“牙齿”。

11 “整齐”原刊、初版均作“齐整”。

12 “深深的”原刊作“深深”。

13 “叫”川版作“使”。

们想起来四凤笑时口旁一对浅浅的涡影[1]。

〔鲁妈拉着女儿的手，四凤就像[2]个小鸟偎在她身边走进来。后面跟着鲁贵，提着一个旧包袱。他骄傲[3]地笑着，比起来，[4]这母子的单纯的欢欣，他更是粗鄙了[5]。

鲁四凤 太太呢？

鲁　贵 就下来。

鲁四凤 妈，您坐下。（鲁妈坐）您累么？

鲁侍萍 不累。

鲁四凤 （高兴地）妈，您坐一坐。我给您倒一杯冰镇的凉水[6]。

鲁侍萍 不，不要走，我不热。

鲁　贵 凤儿，你给你妈拿一瓶汽水来，（向鲁妈）这儿公馆什么没有？一到夏天，柠檬水，果子露，西瓜汤，橘子，香蕉，鲜荔枝，你要什么，就有什么。

鲁侍萍 不，不，你别听你爸爸的话。这是人家的东西。你在我身旁跟我多坐一回，回头跟我同——同这位周太太谈谈，比喝什么都强。

鲁　贵 太太就会下来，你看你，那块白包头，总舍不得拿下来。

---

1 “涡影”原刊作“涡的影子”。

2 “四凤就像”川版作“四凤像”。

3 “骄傲”川版作“倨傲”。

4 “比起来，”川版作“比起”。

5 “他更是粗鄙了”川版作“他更显得粗鄙”。

6 “凉水”川版作“开水”。

鲁侍萍 （和蔼地笑着）真的，说了那么半天。（笑望着四凤）连我在火车上搭的[1]白手巾都忘了解啦。（要解它[2]）

鲁四凤 （笑着）妈，您让我替您解开吧。（走过去解。这里，鲁贵走到小茶几旁，又偷偷地把烟放在自己的烟盒里）

鲁侍萍 （解下白手巾）[3]你看我的脸脏么？火车上尽是土，你看我的头发，不要叫人家笑。

鲁四凤 不，不，一点都不脏。两年没见您，您还是那个样。

鲁侍萍 哦，凤儿，你看我的记性。谈了这半天，我忘记把你顶喜欢的东西跟你拿出来啦。

鲁四凤 什么？妈。

鲁侍萍 （由身上拿出一个小包来）你看，你一定喜欢的。

鲁四凤 不，您先别给我看，让我猜猜。

鲁侍萍 好，你猜吧。

鲁四凤 小石娃娃？[4]

鲁侍萍 （摇头）不对，你太大了。

鲁四凤 小粉扑子。

鲁侍萍 （摇头）给你那个有什么用？

鲁四凤 哦，那一定是小针线盒。

---

1 原刊无“搭的”。

2 “要解它”原刊、初版均作“要解”。

3 “（要解它）”以下川版作“（解下白毛巾）”。

4 此句原刊作“小石猴？”。

鲁侍萍　（笑）差不多。

鲁四凤　那您叫我打开吧。（忙[1]打开纸包）哦，妈！顶针，银顶针！爸，您看，您看！（给鲁贵看）

鲁　贵　（随声说）好！好！

鲁四凤　这顶针太好看了，上面还镶着宝石。

鲁　贵　什么？（走两步，拿来细看）给我看看。

鲁侍萍　这是学校校长的太太送给我的。校长丢了个要紧的钱包，叫我拾着了，还给他。校长的太太就非要送给我东西，拿出一大堆小首饰，叫我挑，送给我的女儿。我就拣出这一件，拿来送给你，你看好不好？

鲁四凤　好，妈，我正要这个呢。

鲁　贵　咦，哼，（把顶针交给四凤）得了吧，这宝石是假的，你挑的真好。

鲁四凤　（见着母亲特别欢喜[2]说话，轻蔑地）哼，您呀，真宝石到了您的手里也是假的。

鲁侍萍　凤儿，不许这样跟爸爸说话。

鲁四凤　（撒娇）妈，您不知道，您不在这儿，爸爸就拿我一个人撒气，尽欺负我。[3]

1　"忙"原刊作"忙忙"。

2　"欢喜"原刊、初版均作"喜欢"。

3　"**鲁侍萍**　哦，凤儿，你看我的记性"以下川版无。

鲁　贵　（看不惯他妻女这样“乡气”，于是[1]轻蔑地）你看你们这点穷相，走到大家公馆，不来看看人家的阔排场，尽在一边闲扯。四凤，你先把你这两年做的衣裳给你妈看看。

鲁四凤　（白眼）妈不稀罕这个。

鲁　贵　你不也有点首饰么？你拿出来给你妈开开眼[2]。看看还是我对，还是把女儿关在家里对？

鲁侍萍　（向鲁贵）我走的时候嘱咐过你，这两年写信的时候也总不断地提醒过你，我说过我不愿意把我的女儿送到一个阔公馆，叫人家使唤[3]。你偏——（忽然觉得这不是谈家事的地方，回头向四凤）你哥哥呢？

鲁四凤　不是在门房里等着我们么？

鲁　贵　不是等着你们，人家等着见老爷呢。（向鲁妈）去年我叫人给你捎个信，告诉你大海也当了矿上的工头[4]，那都是我在这儿嘀咕上的。

鲁四凤　（厌恶她父亲又表白自己的本领）爸爸，您看哥哥去吧。他的脾气有点不好，怕他等急了，跟张爷刘爷们闹起来。

鲁　贵　真他妈的。这孩子的狗脾气我倒忘了，（走向中门，回头）你们好好在这屋子坐一会，别乱动，太太一会儿就下来。

1　川版无“于是”。

2　“开开眼”原刊作“开眼”。

3　“送到一个阔公馆，叫人家使唤”川版作“送到大公馆给人家使唤”。

4　“当了矿上的工头”川版作“在矿上找上事了”。

〔鲁贵下。母女见鲁贵走后，如同犯人望见看守[1]走了一样，舒展地吐出一口气来[2]。母女二人相对凄然地笑了一笑，刹那间，她们脸上[3]又浮出欢欣，这次是由衷心升起来愉快的笑[4]。

鲁侍萍 （伸出手来，向四凤）哦，孩子，让我看看你。

〔四凤走到母亲面前。跪下。

鲁四凤 妈，您不怪我吧？您不怪我这次没听您的话，跑到周公馆做事吧？

鲁侍萍 不，不，做了就做了。——不过为什么这两年你一个字也不告诉我，我下车走到家里，才听见张大婶告诉我，说我的女儿[5]在这儿。

鲁四凤 妈，我怕您生气，我怕您难过，我不敢告诉您。[6]——其实，妈，我们也不是什么富贵人家，就是像我这样帮人。我想也没有什么关系。

鲁侍萍 不，你以为妈怕穷么？怕人家笑我们穷么？不，孩子，妈最知道认命，妈最看得开，不过，孩子，我怕你太年轻，容易一阵子犯糊涂，妈受过苦，妈知道的。你不懂，你

---

1 “看守”原刊、初版均作“狱丁”。

2 “如同犯人望见”以下川版作“都舒展多了”。

3 “她们脸上”原刊作“她们的脸”。

4 “刹那间”以下川版无。

5 “我的女儿”川版作“你”。

6 此句川版作“我怕您生气，不敢告诉您。”。

不知道这世界太——人的心太——（叹一口气）好，我们先不提这个。（站起来）这家的太太真怪！她要见我干什么？

鲁四凤 嗯，嗯，[1]是啊。（她的恐惧来了，但是她愿意[2]向好的一面想）不，妈，这边太太没有多少朋友，她听说妈也会写字，念书[3]，也许觉着很相近，所以想请妈来谈谈。

鲁侍萍 （不信地）哦？（慢慢看这屋子的摆设，指着有镜台的柜）这屋子倒是很雅致的。就是家具太旧了点。这是——？[4]

鲁四凤 这是老爷用的红木书桌，现在做摆饰用了。听说这是三十年前的老东西，老爷偏偏喜欢用，到哪儿带到哪儿。

鲁侍萍 那个（指着有镜台的柜）是什么？

鲁四凤 那也是件老东西，从前的第一个太太，就是大少爷的母亲，顶爱的东西。[5]您看，从前的家具多笨哪。

鲁侍萍 咦，奇怪。——为什么窗户还关上呢？

鲁四凤 您也觉奇怪不是？这是我们老爷的怪脾气，夏天反而要关窗户[6]。

---

1 川版无“嗯，嗯，”。

2 “愿意”川版作“仍愿”。

3 “念书”原刊作“读书”。

4 川版无“这是——？”。

5 “这是老爷用的红木书桌”以下川版作“可不是，都是三十年前的老东西。听说是从前的第一个太太，就是大少爷的母亲，顶爱的东西。”。

6 “夏天反而要关窗户”川版作“一到夏天，就要关窗户”。

鲁侍萍 （回想）凤儿，这屋子我像是在哪儿见过似的。

鲁四凤 （笑）真的？您大概是想我想的梦里到过这儿。

鲁侍萍 对了，梦似的。——奇怪，这地方怪得很，这地方忽然叫我想起了许多许多事情。[1]（低下头，坐下）

鲁四凤 （慌）妈，您怎么脸上发白？您别是受了暑，我跟您拿一杯冷水[2]吧？

鲁侍萍 不，不是，你别去——我怕得很，这屋子有鬼怪！[3]

鲁四凤 妈，您怎么啦？

鲁侍萍 我怕得很，忽然我把三十年前的事情一件一件地都想起来了，已经忘了许多年的人又在我心里转。四凤，你摸摸我的手。[4]

鲁四凤 （摸鲁妈的手）冰凉，妈，您可别吓坏我。[5]我胆子小，妈，妈，——这屋子从前可闹过鬼的！

鲁侍萍 孩子，你别怕[6]，妈不怎么样。不过，四凤[7]，我好像我的魂来过这儿似的。

---

1 “这地方怪得很”以下川版作“这地方好眼熟。”。

2 “冷水”原刊作“凉水”。

3 “有鬼怪！”原刊作“有点怪！”。此句川版作“不，不是，你别去。”。

4 “我怕得很”以下川版作“（注意看着房中的一切，沉思着）奇怪。（伸手拉着四凤）四凤！”。

5 此句川版作“您手冰凉，妈，你可别吓我。”。

6 “别怕”原刊作“不怕”。“孩子，你别怕”川版作“不要紧的”。

7 “不过，四凤”川版作“真是，真”。

鲁四凤 妈，您别瞎说啦，您怎么来过？他们二十年前才搬到这儿北方来，那时候，您不是还在南方么？

鲁侍萍 不，不，我来过。这些家具，我想不起来——我在哪儿见过。

鲁四凤 妈，您的眼不要直瞪瞪地望着，我怕。

鲁侍萍 别怕，孩子，别怕。[1]孩子。（声音愈低，她用力地想，她整个的人，缩，缩到记忆的最下层深处）

鲁四凤 妈，您看那个柜干什么？那就是从前死了的第一个[2]太太的东西。

鲁侍萍 （突然低声颤颤地向四凤[3]）凤儿，你去看，你去看，那只柜子靠右第三个抽屉里，有没有一只小孩穿的绣花虎头鞋。

鲁四凤 妈，您怎么啦？不要这样疑神疑鬼的。

鲁侍萍 凤儿，你去，你去看一看。我心里有点怯，我有点走不动，你去！

鲁四凤 好，我去看[4]。

〔她走到柜前，拉开抽斗，看[5]。

鲁侍萍 （急问）有没有？

鲁四凤 没有，妈。

1 此句原刊作“不怕，孩子，不怕。”。

2 原刊、初版均无“第一个”。

3 “向四凤”原刊、初版均作“向四凤说”。

4 “我去看”原刊作“我看”。

5 “看”原刊作“察看”。

鲁侍萍 你看清楚了？

鲁四凤 没有，里面空空地就是些茶碗。

鲁侍萍 哦，那大概是我在做梦了。

鲁四凤 （怜惜她的母亲）别多说话了，妈，静一静吧。妈，您在外受了委曲了，（落泪）从前，您不是这样神魂颠倒的。可怜的妈呀，（抱着她）好一点了么？[1]

鲁侍萍 不要紧的。——刚才我在门房听见这家里还有两位少爷？

鲁四凤 嗯妈，都很好，[2]都很和气的。

鲁侍萍 （自言自语地）不，我的女儿说什么也不能在这儿多呆。不成。不成。

鲁四凤 妈，您说什么？这儿上上下下都待我很好。妈，这里老爷太太向来不骂底下人，两位少爷都很和气的。这周家不但是活着的人心好，就是死了的人样子也是挺厚道的。[3]

鲁侍萍 周？这家里姓周？

鲁四凤 妈，您看您，您刚才不是问着周家的门进来的么？怎么会忘了？（笑）妈，我明白了，您还是路上受热了。我先给你拿着

---

1 “**鲁四凤** 妈，您的眼不要直瞪瞪地”以下川版作：

四 凤 妈，您看什么？

鲁 妈 （突然低声，颤颤地向四凤）那个柜，那个柜。（努力回想着）

四 凤 那——那是从前死了的太太的东西。

鲁 妈 （自语）不能够，不能够。

四 凤 （怜惜母亲）别多说话了，妈，歇一会儿吧。

2 此处川版有“周家的人”。

3 “**鲁侍萍** （自言自语地）”以下川版无。

周家第一个[1]太太的相片，给您看。我再跟你拿点水来喝。[2]

〔四凤在镜台上拿了相片过来[3]，站在鲁妈[4]背后，给她看。

鲁侍萍　（拿着相片，看）哦！（惊愕得说不出话来，手发颤[5]）

鲁四凤　（站在鲁妈背后[6]）您看她多好看，这就是大少爷的母亲，笑得多美，[7]他们说还有点像我呢。可惜，她死了，要不然，——[8]（觉得鲁妈头[9]向前倒）哦，妈，您怎么啦？您怎么？[10]

鲁侍萍　不，不，我头晕，我想喝水。

鲁四凤　（慌，掐着鲁妈的手指，搓她的头）妈，您到这边来！[11]（扶鲁妈到一个大的沙发前[12]，鲁妈手里还[13]紧紧地拿着相片）妈，

---

1 “第一个”原刊、初版均作“从前那位”。

2 “妈，我明白了，”以下川版作“妈，您准是路上受热了。我给您拿点水喝。（走过柜前）妈，您看这就是周家第一个太太的相片。”。

3 “拿了相片过来”原刊、初版均作“拿来相片”。“在镜台上拿了相片过来”川版作“拿相片过来”。

4 “鲁妈”原刊、初版均作“母亲”。

5 川版无“，手发颤”。

6 此句原刊、初版均作“在母亲背后”。

7 川版无“笑得多美，”。

8 川版无“要不然，——”。

9 “鲁妈头”原刊作“妈的头”。

10 川版无“您怎么？”。

11 “（慌，”以下川版无。

12 “沙发前”原刊、初版均作“沙发”。

13 川版无“手里还”。

您在这儿躺一躺[1]。我跟您拿水去。

〔四凤由饭厅门忙跑下。

鲁侍萍 哦，天哪。我是死了的人！这是真的么？这张相片？这些家具？怎么会？——哦，天底下地方大得很，怎么？熬过这几十年偏偏又把我这个可怜的孩子[2]，放回到他——他的家里？哦，好不公平的天哪！（哭泣[3]）

〔四凤拿水上，鲁妈忙擦眼泪[4]。

鲁四凤 （持水杯，向鲁妈）妈，您喝一口，不，再喝几口[5]。（鲁妈饮[6]）好一点了么？

鲁侍萍 嗯，好，好啦。孩子，你现在就跟我回家。

鲁四凤 （惊讶）妈，您怎么啦？

〔由饭厅传出蘩漪[7]喊“四凤”的声音。

鲁侍萍 谁喊你？

鲁四凤 太太。

〔蘩漪声：四凤！

鲁四凤 嗳。

---

1 “躺一躺”川版作“靠一靠”。

2 “孩子”原刊、初版均作“小孩子”。

3 川版无“哭泣”。

4 川版无“，鲁妈忙擦眼泪”。

5 “不，再喝几口”川版作“再喝两口”。

6 “饮”川版作“喝水”。

7 “蘩漪”原刊、初版均作“周太太”。

〔蘩漪声：四凤，你来，老爷的雨衣你给放在哪儿啦？

鲁四凤 （喊[1]）我就来。（向鲁妈）妈等一等，我就回来。

鲁侍萍 好，你去吧。

〔四凤下。鲁妈周围望望，走到柜前，抚摩着她从前的家具，低头[2]沉思。忽然听见屋外花园里走路的声音，她转过身来，等候着。

〔鲁贵由中门上。

鲁　贵 四凤呢？

鲁侍萍 这儿的太太叫了去啦。

鲁　贵 你回头告诉太太，说找着雨衣，老爷自己到这儿来穿，还要跟太太说几句话。

鲁侍萍 老爷要到这屋里来？

鲁　贵 嗯，你告诉清楚了，别回头老爷来到这儿，太太不在，老头儿又发脾气了。

鲁侍萍 你跟太太说吧。

鲁　贵 这上上下下许多底下人都得我支派，我忙不开，我可不能等。

鲁侍萍 我要回家去，我不见太太了。

鲁　贵 为什么？这次太太叫你来，我告诉你，就许有点什么很要紧的事跟你谈谈[3]。

---

1 “喊”川版作“大声”。

2 川版无“低头”。

3 “就许有点什么很要紧的事跟你谈谈”川版作“这是赏我们的脸”。

鲁侍萍　我预备带着凤儿回去，叫她辞了这儿的事。

鲁　贵　什么？你看你这点——

〔周蘩漪[1]由饭厅上。

鲁　贵　太太。

周蘩漪　（向门内）四凤，你先把那两套也拿出来，问问老爷要哪一件。（里面[2]答应）哦，（吐出一口气，向鲁妈）[3]这就是四凤的妈吧？叫你久等了。

鲁　贵　等太太是应当的。太太准她来跟您请安就是老大的面子。

（四凤由饭厅出，拿雨衣进[4]）

周蘩漪　请坐！你来了好半天啦。（鲁妈只在打量着，没有坐下）

鲁侍萍　不多一会，太太。

鲁四凤　太太。把这三件雨衣都送给老爷那边去么？

鲁　贵　老爷说就放在这儿，老爷自己来拿，还请太太等一会，老爷见您有话说呢。

周蘩漪　知道了。（向四凤）你先到厨房，把晚饭的菜看看，告诉厨房一下。

鲁四凤　是，太太。（望着鲁贵，又疑惧地望着蘩漪[5]由中门下）[6]

---

1 “周蘩漪”原刊、初版均作“周太太”。

2 “里面”原刊、初版均作“内面”。

3 “（里面答应）”以下川版作“（里面答应。蘩漪转向鲁妈）哦，”。

4 “拿雨衣进”川版作“拿着雨衣”。

5 “蘩漪”原刊、初版均作“太太”。

6 此句川版作“（疑惧地看着蘩漪）〔四凤由中门下。”。

周蘩漪 鲁贵，告诉老爷，说我同四凤的母亲谈话，回头再请他到这儿来。

鲁　贵 是，太太。（但不走）

周蘩漪 （见鲁贵不走）你有什么事么？

鲁　贵 太太，今天早上老爷吩咐[1]德国克大夫来。

周蘩漪 二少爷告诉过我了。

鲁　贵 老爷刚才吩咐，说来了就请太太去看。

周蘩漪 我知道了。好，你去吧。

〔鲁贵由中门下。

周蘩漪 （向鲁妈）坐下谈，不要客气。（自己坐在沙发上）

鲁侍萍 （坐在旁边一张椅子上）我刚下火车，就听见太太这边吩咐，要我来见见您。

周蘩漪 我常听四凤提到你，说你念过书[2]，从前也是很好的门第。

鲁侍萍 （不愿提起从前的事）四凤这孩子很傻，不懂规矩，这两年叫您多生气啦。

周蘩漪 不，她非常聪明，我也很喜欢她。这孩子不应当叫她伺候人，应当替她找一个正当的出路。

鲁侍萍 太太多夸奖她了。我倒是不愿意这孩子帮人。

周蘩漪 这一点我很明白。我知道你是个知书达礼的人，一见面，彼此都觉得性情是直爽的，所以我就不妨把请你来的原因

---

1 “吩咐”原刊作“吩咐我请”。

2 “念过书”原刊作“读过书”。

现在[1]跟你说一说。

鲁侍萍　（忍不住）太太，是不是我这小孩平时的举动有点叫人说闲话？

周蘩漪　（笑着，故为很肯定地说[2]）不，不是。[3]

〔鲁贵由中门上。

鲁　贵　太太。

周蘩漪　什么事？

鲁　贵　克大夫已经来了，刚才汽车夫接来的，现时在小客厅等着呢。

周蘩漪　我有客。

鲁　贵　客？——老爷说请太太就去。

周蘩漪　我知道，你先去吧。

〔鲁贵下。

周蘩漪　（向鲁妈）我先把我家里的情形说一说。第一我家里的女人很少。

鲁侍萍　是，太太[4]。

周蘩漪　我一个人是个女人，两个少爷，一位老爷，除了一两个老

---

1 “现在”原刊作“现在就”。

2 原刊无此句。

3 “**鲁侍萍**　（忍不住）”以下川版作：

鲁　妈　（疑虑地）您说吧。

周蘩漪　（笑着）是这样地，（正往下说）——

4 “是，太太”川版作“是的”。

妈子以外[1]，其余用的都是男下人。

鲁侍萍 是，太太，我明白。[2]

周蘩漪 四凤的年纪很轻，哦，[3]她才十九岁，是不是?

鲁侍萍 不，[4]十八。

周蘩漪 那就对了，我记得好像她比我的孩子是大一岁的样子。这样年轻的孩子，在外边做事，又生得很秀气的。

鲁侍萍 太太，如果四凤有不检点的地方，请您千万不要瞒我。[5]

周蘩漪 不，不，[6]（又笑了[7]）她很好的。我只是说说这个情形。我自己有一个儿子，他才十七岁，——恐怕刚才你在花园见过—— 一个不十分懂事的孩子。

〔鲁贵自书房门上。

鲁　贵 老爷催着太太去看病。

周蘩漪 没有人陪着克大夫么?

鲁　贵 王局长[8]刚走，老爷自己在陪着呢。

---

1 “我一个人是个女人”以下川版作“老爷，两个少爷，除了我和一两个老妈子以外”。

2 此句川版作“哦。”。

3 川版无“哦，”。

4 川版无“不，”。

5 此句川版作“太太，您有什么话，您就直说吧。”。

6 川版无“不，不，”。

7 原刊无“又笑了”。

8 “王局长”川版作“张局长”。

鲁侍萍 太太，您先看去。我在这儿等着不要紧。[1]

周蘩漪 不，我话还没说完。[2]（向鲁贵）你跟老爷说，说我没有病，我自己并没要请医生来。[3]

鲁　贵 是，太太。（但不走）

周蘩漪 （看鲁贵）你在干什么？

鲁　贵 我等太太还有什么旁的[4]事要吩咐。

周蘩漪 （忽然想起来[5]）有，你跟老爷回完话之后，你出去叫一个电灯匠来[6]，刚才我听说花园藤萝架上的旧电线落下来了[7]，走电，叫他赶快收拾一下，不要电了人[8]。

鲁　贵 是，太太。

〔鲁贵由中门下。

周蘩漪 （见鲁妈立起）鲁奶奶，你还是坐呀。哦，这屋子又闷热

---

1 “太太，您先看去”以下川版作“（立起，望着蘩漪）”。

2 川版无此句。

3 此句川版作“（向鲁贵）我说着话呢。你告诉老爷，我没有病，我自己并没请医生来。”。

4 川版无“旁的”。

5 原刊无“想起来”。

6 “你跟老爷回完话之后”以下川版作“你跟老爷回完话，你去叫个电灯匠来”。

7 “刚才我听说花园藤萝架上的旧电线落下来了”原刊作“我听说花园藤萝架上的旧电线”，初版作“刚才我听说花园藤萝架上的旧电线落了”，川版作“听说花园藤萝架上的旧电线掉下来了”。

8 “电了人”原刊、初版均作“电死人”。

起来啦。(走到窗前[1]，把窗户打开，回来，坐[2])这些天我就看着我这孩子奇怪，谁知这两天，他忽然跟我说他很喜欢四凤。

鲁侍萍　什么[3]？

周蘩漪　也许预备[4]要帮助她学费，叫她上学。

鲁侍萍　太太，这是笑话。

周蘩漪　我这孩子还想四凤嫁给他[5]。

鲁侍萍　太太，请您不必往下说，我都明白了。

周蘩漪　（追一步[6]）四凤比我的孩子大，四凤又是很聪明的女孩子，这种情形——

鲁侍萍　（不喜欢蘩漪的暧昧[7]的口气）我的女儿，我总相信[8]是个懂事，明白大体的孩子。我向来不愿意[9]她到大公馆帮人，可是我信得过，我的女儿就帮这儿两年，她总[10]不会做出一点

---

1 "窗前"原刊、初版均作"窗户"。

2 川版无"，坐"。

3 "什么"川版作"呵"。

4 "也许预备"川版作"他"。

5 此句川版作"(笑)这孩子！他还想四凤嫁给他"。

6 川版无"追一步"。

7 "暧昧"原刊、初版均作"暗示"。

8 "我总相信"川版作"我相信"。

9 "愿意"原刊作"主张"。

10 川版无"就帮这儿两年，她总"。

糊涂事的。

周蘩漪 鲁奶奶，我也知道四凤是个明白的孩子，不过有了这种不幸的情形，我的意思，是非常容易叫人发生误会的。

鲁侍萍 （叹气）今天我到这儿来是万没想到的事，回头我就预备把她带走，现在我就请太太准了她的长假。

周蘩漪 哦，哦，[1]——如果你以为这样办好，我也觉得很妥当的。不过有一层，我怕，我的孩子有点傻气，他还是会找到你家里见四凤的。

鲁侍萍 您放心。我后悔得很，我不该把这个孩子一个人交给她父亲管的。明天，我准离开此地[2]，我会远远地带她走，不会见着周家的人。太太，我想现在[3]带着我的女儿走。

周蘩漪 那么，也好，回头我叫账房把工钱算出来。她自己的东西，我可以派人送去，我有一箱子旧衣服，也可以带着去，留着她以后在家里穿。

鲁侍萍 （自语）凤儿，我的可怜的孩子！（坐在沙发上落泪）天哪。[4]

周蘩漪 （走到鲁妈面前）不要伤心[5]，鲁奶奶。如果钱上有什么问题，尽管到我这儿来，一定有办法。好好地带她回去，有你这

1 “哦，哦，”川版作“哦，”。

2 “明天，我准离开此地”川版作“大后天，我就要离开此地”。

3 此处原刊有“就”。

4 “（自语）”以下川版作“（不语）”。

5 “伤心”川版作“难过”。

样一个母亲教育她，自然比在这儿好的。

〔朴园由书房上。

周朴园 蘩漪！（蘩漪抬头。鲁妈站起，忙躲在一旁，神色大变，观察他[1]）你怎么还不去？

周蘩漪 （故意地）上哪儿？

周朴园 克大夫在等着你，你不知道么？

周蘩漪 克大夫？谁是克大夫？

周朴园 跟你从前看病[2]的克大夫。

周蘩漪 我的药喝[3]够了，我不预备再喝[4]了。

周朴园 那么你的病……

周蘩漪 我没有病。

周朴园 （忍耐[5]）克大夫是我在德国的好朋友，对于妇科很有研究[6]。你的神经有点失常，他一定治得好。

周蘩漪 [7]谁说我的神经失常？你们为什么这样咒我，我没有病，我没有病，我告诉你，我没有病！

---

1 “蘩漪抬头”以下川版作“蘩漪转身，鲁妈避在一旁”。

2 “跟你从前看病”川版作“从前给你看病”。

3 “喝”原刊作“吃”。

4 “喝”原刊作“吃”。

5 “忍耐”原刊、初版均作“忍一下”。

6 “很有研究”原刊作“是很好的”。“妇科”川版作“脑科”。

7 此处川版有“（爆发）”。

周朴园　（冷酷地[1]）你当着人这样胡喊乱闹，你自己有病，偏偏要讳病忌医，不肯叫医生治，这不就是神经上的病态么？

周蘩漪　哼，我假若是有病，也不是医生治得好的。（向饭厅门走）

周朴园　（大声喊）站住！你上哪儿去？

周蘩漪　（不在意地）到楼上去。

周朴园　（命令地[2]）你应当听话。

周蘩漪　（好像不明白地）哦！（停，不经意地打量他）你看你！（尖声笑两声）[3]你简直叫我想笑。（轻蔑地笑[4]）你忘了你自己是怎么样一个人啦！（又大笑，由饭厅跑下，重重地关上门[5]）

周朴园　来人！

〔仆人[6]上。

仆　人　老爷！

周朴园　太太现在在楼上。你叫大少爷陪着克大夫到楼上去跟[7]太太看病。

仆　人　是，老爷。

1　“冷酷地”原刊作“冷厉地”。

2　原刊无“命令地”。

3　“你看你！（尖声笑两声）”川版作“你看你，”。

4　“轻蔑地笑”原刊、初版均作“笑，轻蔑地笑着说”。

5　“重重地关上门”原刊作“门重重地关上”。“又大笑”以下川版作“径自由饭厅下”。

6　“仆人”原刊、初版均作“男仆人”。

7　“去跟”川版作“，给”。

周朴园 你告诉大少爷，太太现在神经病很重，叫他小心点，叫楼上老妈子好好地看着[1]太太。

仆　人 是，老爷。

周朴园 还有，[2]叫大少爷告诉克大夫，说我有点累，不陪他了。

仆　人[3] 是，老爷。

〔仆人下。朴园点着一支吕宋烟，看见桌上的雨衣。

周朴园 （向鲁妈）这是太太找出来的雨衣吗？

鲁侍萍 （看着他）大概是的。

周朴园 （拿起看看）不对，不对，这都是新的。我要我的旧雨衣，你回头跟太太说。

鲁侍萍 嗯。

周朴园 （看她不走）你不知道这间房子底下人不准随便进来么？

鲁侍萍 （看着他）不知道，老爷。

周朴园 你是新来的下人？

鲁侍萍 不是的，我找我的女儿来的。

周朴园 你的女儿？

鲁侍萍 四凤是我的女儿。

周朴园 那你走错屋子了。

鲁侍萍 哦。——老爷没有事了？

---

1 “看着”川版作“照护”。

2 川版无“还有，”。

3 “**仆　人**　老爷！”以下四处“仆人”原刊、初版均作“男仆”。

周朴园　（指窗）窗户谁叫打开的？

鲁侍萍　哦。（很自然地走到窗前，关上窗户，慢慢地走向中门）

周朴园　（看她关好窗门，忽然觉得她很奇怪）你站一站，（鲁妈停[1]）你——你贵姓？

鲁侍萍　我姓鲁。

周朴园　姓鲁。你的口音不像北方人。

鲁侍萍　对了，我不是，我是江苏的。

周朴园　你好像有点无锡口音。

鲁侍萍　我自小就在无锡长大的。

周朴园　（沉思）无锡？嗯，无锡，（忽而）你在无锡是什么时候？

鲁侍萍　光绪二十年，离现在有三十多年了。

周朴园　哦，三十年前你在无锡[2]？

鲁侍萍　是的，三十多年前呢，那时候我记得我们还没有用洋火呢。

周朴园　（沉思）三十多年前，是的，很远啦，我想想，我大概是二十多岁的时候。那时候我还在无锡呢。

鲁侍萍　老爷是那个地方的人？

周朴园　嗯，（沉吟）无锡是个好地方。

鲁侍萍　哦[3]，好地方。

1　“鲁妈停”川版作“鲁妈停下”。

2　“在无锡”原刊作“到过无锡”。

3　“哦”原刊作“嗯”。

周朴园 你三十年前在无锡[1]么?

鲁侍萍 是，老爷。

周朴园 三十年前，在无锡有一件很出名的事情——

鲁侍萍 哦。

周朴园 你知道么?

鲁侍萍 也许记得，不知道老爷说的是哪一件?

周朴园 哦，很远的[2]，提起来大家都忘了。

鲁侍萍 说不定，也许记得的。

周朴园 我问过许多那个时候到过无锡的人，我想打听打听。可是那个时候在无锡的人，到现在不是老了就是死了，活着的多半是不知道的，或者忘了。

鲁侍萍 如若老爷想打听的话，无论什么事，无锡那边我还有认识的人，虽然许久不通音信，托他们打听点事情总还可以的[3]。

周朴园 我派人到无锡打听过——不过也许凑巧你会知道。三十年前在无锡有一家姓梅的。

鲁侍萍 姓梅的?

周朴园 梅家的一个年轻小姐，很贤慧，也很规矩，有一天夜里，忽然地投水死了，后来，后来，——你知道么?

---

1 “你三十年前在无锡”原刊作“你是三十年前到过无锡”。

2 “很远的”川版作“很远了”。

3 “如若老爷想打听的话”以下川版作“老爷想要打听，无锡那边我还有认识的人，托托他们还是可以的”。

鲁侍萍 不敢说。

周朴园 哦。

鲁侍萍 我倒认识一个年轻的姑娘姓梅的。

周朴园 哦？你说说看。

鲁侍萍 可是她不是小姐，她也不贤慧，并且听说是不大规矩的。

周朴园 也许，也许你弄错了，不过你不妨说说看。

鲁侍萍 这个梅姑娘倒是有一天晚上跳的河，可是不是一个，她手里抱着一个刚生下三天的男孩。听人说[1]她生前是不规矩的。

周朴园 （苦痛）哦！

鲁侍萍 她是个下等人，不很守本分的。听说她跟那时周公馆的少爷有点不清白，生了两个儿子。生了第二个，才过三天，忽然周少爷不要她了[2]，大孩子就放在周公馆，刚生的孩子她抱在怀里，在年三十夜里投河死的。

周朴园 （汗涔涔地）哦。

鲁侍萍 她不是小姐，她是无锡周公馆梅妈的女儿，她叫侍萍。

周朴园 （抬起头来）你姓什么？

鲁侍萍 我姓鲁，老爷。

周朴园 （喘出一口气，沉思地）侍萍，侍萍，对了。这个女孩子的尸首，说是有一个穷人见着埋了。你可以打听得[3]她的坟在

---

1 “听人说”原刊作“人们说”。

2 “不要她了”底本作“不要了她”，据川版改。

3 “得”川版作“到”。

哪儿么？

鲁侍萍　老爷问这些闲事干什么？

周朴园　这个人跟我们有点亲戚。

鲁侍萍　亲戚？

周朴园　嗯，——我们想把她的坟墓修一修。

鲁侍萍　哦——那用不着了。

周朴园　怎么？

鲁侍萍　这个人现在还活着。

周朴园　（惊愕）什么？

鲁侍萍　她没有死。

周朴园　她还在？不会吧？我看见她河边上的衣服，里面有她的绝命书[1]。

鲁侍萍　[2]不过[3]她被一个慈善的人救活了。

周朴园　哦，救活啦？

鲁侍萍　以后无锡的人是没见着她，以为她那夜晚死了。

周朴园　那么，她呢？

鲁侍萍　一个人在外乡活着。

周朴园　那个小孩呢？

鲁侍萍　也活着。

1　原刊无"，里面有她的绝命书"。

2　此处原刊有"里面有她的绝命书，"。

3　川版无"不过"。

周朴园 （忽然立起）你是谁？

鲁侍萍 我是这儿四凤的妈，老爷。

周朴园 哦。

鲁侍萍 她现在老了，嫁给一个下等人，又生了个女孩，境况很不好。

周朴园 你知道她现在在哪儿？

鲁侍萍 我前几天还见着她！

周朴园 什么？她就在这儿？此地？

鲁侍萍 嗯，就在此地。

周朴园 哦！

鲁侍萍 老爷，您想见一见她么。

周朴园 [1]不，不。谢谢你。

鲁侍萍 她的命很苦。离开了周家，周家少爷就娶了一位有钱有门第的小姐。她一个单身人，无亲无故，带着一个孩子在外乡什么事都做。讨[2]饭，缝衣服，当老妈[3]，在学校里伺候人。

周朴园 她为什么不再找到周家？

鲁侍萍 大概她是不愿意吧？[4]为着她自己的孩子，她嫁过两次。

周朴园 嗯，以后她又嫁过两次。

鲁侍萍 嗯，都是很下等的人。她遇人都很不如意，老爷想帮一帮

---

1 此处川版有“（连忙）”。

2 “讨”原刊作“要”。

3 “老妈”川版作“老妈子”。

4 “？”川版作“。”。

她么？

周朴园 好，你先下去。让我想一想。[1]

鲁侍萍 老爷，没有事了？（望着朴园，眼[2]泪要涌出）老爷，您那雨衣，我怎么说？

周朴园 你去[3]告诉四凤，叫她把我樟木箱子里那件旧雨衣拿出来，顺便把那箱子里的几件旧衬衣也检出来。

鲁侍萍 旧衬衣？

周朴园 你告诉她在我那顶老的箱子里，纺绸的衬衣，没有领子的。

鲁侍萍 老爷那种绸衬衣不是一共有五件？您要哪一件？

周朴园 要哪一件？

鲁侍萍 不是有一件，在右袖襟上有个烧破的窟窿，后来用丝线绣成一朵梅花补上的？还有一件，——

周朴园 （惊愕）梅花？

鲁侍萍 还有一件绸衬衣，左袖襟也绣着一朵梅花，旁边还绣着一个萍字。还有一件，——

周朴园 （徐徐立起）哦，你，你，你是——

鲁侍萍 我是从前伺候过老爷的下人。

周朴园 哦，侍萍！（低声）怎么，是你？

鲁侍萍 你自然想不到，侍萍的相貌有一天也会老得连你都不认识了。

---

1 “好，”以下川版作“好，你先下去吧。”。

2 川版无“眼”。

3 “你去”原刊、初版均作“你可”。

周朴园　你——侍萍？[1]（不觉地望望[2]柜上的相片，又望[3]鲁妈）

鲁侍萍　朴园，[4]你找侍萍么？侍萍在这儿。[5]

周朴园　（忽然严厉地）你来干什么？

鲁侍萍　不是我要来的。

周朴园　谁指使你来的？

鲁侍萍　（悲愤）命！不公平的命指使我来的。

周朴园　（冷冷地）三十年的工夫你还是找到这儿来了。

鲁侍萍　（愤怨）我没有找你，我没有找你，我以为你早死了。我今天没想到到这儿来，这是天要我在这儿又碰见你。

周朴园　你可以冷静点。现在你我都是有子女的人，如果你觉得心里有委曲，这么大年纪，我们先可以不必哭哭啼啼的。

鲁侍萍　哭？哼，我的眼泪早哭干了，我没有委曲，我有的是恨，是悔，是三十年一天一天我自己受的苦。你大概已经忘了你做的事了！三十年前，过年三十的晚上我生下你的第二个儿子才三天，你为了要赶紧娶那位有钱有门第的小姐，你们逼着我冒着大雪出去，要我离开你们周家的门。

周朴园　从前的旧恩怨，过了几十年，又何必再提呢？

1　川版无“你——侍萍？”。

2　“望望”原刊、初版均作“望”。

3　“望”原刊、初版均作“望着”。

4　川版无“朴园，”。

5　此处川版另起一行，有“〔停顿。”。

鲁侍萍 那是因为周大少爷一帆风顺，现在也是社会上的好人物。可是自从我被你们家赶出来以后[1]，我没有死成，我把我的母亲可给气死了，我亲生的两个孩子你们家里逼着我留在你们家里。

周朴园 你的第二个孩子你不是已经抱走了么？

鲁侍萍 那是你们老太太看着孩子快死了，才叫我带走的。（自语）哦，天哪，我觉得我像在做梦。

周朴园 我看过去的事不必再提起来吧。

鲁侍萍 我要提，我要提，我闷了三十年了！你结了婚，就搬了家，我以为这一辈子也见不着你了；谁知道我自己的孩子偏偏命定[2]要跑到周家来，又做我从前在你们家里做过的事。

周朴园 怪不得四凤这样像你。

鲁侍萍 我伺候你，我的孩子再伺候你生的少爷们。这是我的报应，我的报应。

周朴园 你静一静。把脑子放清醒点。你不要以为我的心是死了，你以为一个人做了一件于心不忍[3]的事就会忘了么？你看这些家具都是你从前顶喜欢的东西，多少年我总是留着，为着纪念你。

鲁侍萍 （低头）哦。

---

1 “以后”原刊作“之后”。

2 川版无“命定”。

3 “一件于心不忍”原刊作“亏心”。

周朴园 你的生日——四月十八——每年我总记得。一切都照着你是正式嫁过周家的人看，甚至于你因为生萍儿，受了病，总要关窗户，这些习惯我都保留着，为的是不忘你，弥补我的罪过[1]。

鲁侍萍 （叹一口气）现在我们都是上了年纪的人，这些傻话请你也不必说了。

周朴园 那更好了。那么我们可以明明白白地谈一谈。

鲁侍萍 不过我觉得没有什么可谈的。

周朴园 话很多。我看你的性情好像没有大改，——鲁贵像是个很不老实的人。

鲁侍萍 你不要怕。他永远不会知道的。

周朴园 那双方面都好。再有，我要问你的，你自己带走的儿子在哪儿？

鲁侍萍 他在你的矿上做工。

周朴园 我问，他现在在哪儿？

鲁侍萍 就在门房等着见你呢。

周朴园 什么？鲁大海？他！我的儿子？

鲁侍萍 他的脚指头[2]因为你的不小心，现在还是少一个的。[3]

周朴园 （冷笑）这么说，我自己的骨肉在矿上鼓动罢工，反对我！

1　原刊无“，弥补我的罪过”。

2　“脚指头”原刊作“小指头”。

3　此句川版作“就是他！他现在跟你完完全全是两样的人。”。

鲁侍萍　他跟你现在完完全全是两样的人。

周朴园　（沉静）他还是我的儿子。[1]

鲁侍萍　你不要以为他还会认你做父亲。

周朴园　（忽然）好！痛痛快快地！你现在要多少钱吧？

鲁侍萍　什么？

周朴园　留着你养老。

鲁侍萍　（苦笑）哼，你还以为我是故意来敲诈你，才来的么？

周朴园　也好，我们暂且不提这一层。那么，我先说我的意思。你听着，鲁贵我现在要辞退的，四凤也要回家。不过——

鲁侍萍　你不要怕，你以为我会用这种关系来敲诈你么？你放心，我不会的。大后天我就带着四凤回到我原来的地方。这是一场梦，这地方我绝对不会再住下去。

周朴园　好得很，那么一切路费，用费，都归我担负。

鲁侍萍　什么？

周朴园　这于我的心也安一点。

鲁侍萍　你？（笑）三十年我一个人都过了，现在我反而要你的钱？

周朴园　好，好，好，那么，你现在要什么？

鲁侍萍　（停一停）我，我要点东西。

周朴园　什么？说吧？

鲁侍萍　（泪满眼）我——我——我只要见见我的萍儿。

周朴园　你想见他？

---

1 “**鲁侍萍**　他跟你现在完完全全是两样的人”以下川版无。

鲁侍萍 嗯，他在哪儿？

周朴园 他现在在楼上陪着他的母亲看病。我叫他，他就可以下来见你。不过是——

鲁侍萍 不过是什么？

周朴园 他很大了。

鲁侍萍 （追忆）他大概是二十八了吧？我记得他比大海只大一岁。

周朴园 并且他以为他母亲[1]早就死了的。

鲁侍萍 哦，你以为我会哭哭啼啼地叫他认母亲么？我不会那样傻的。我难道不知道这样的母亲只给自己的儿子丢人么？我明白他的地位，他的教育，不容他承认这样的母亲。这些年我也学乖了，我只想看看他，他究竟是我生的孩子。你不要怕，我就是告诉他，白白地增加他的烦恼，他自己也不愿意认我的。

周朴园 那么，我们就这样解决了。我叫他下来，你看一看他，以后鲁家的人永远不许再到周家来。

鲁侍萍 好，我希望这一生不至于再见你。

周朴园 （由衣内取出皮夹的支票签好）很好，这是一张五千块钱的支票[2]，你可以先拿去用。算是弥补我一点罪过。

鲁侍萍 （接过支票）谢谢你。（慢慢撕碎支票[3]）

---

1 “他母亲”原刊、初版均作“他的母亲”。

2 “五千块钱的支票”原刊作“五千块拿钱支票”。

3 此句川版作“把支票撕了”。

周朴园 侍萍。

鲁侍萍 我这些年的苦不是你拿钱算得清的。

周朴园 可是你——

〔外面争吵声。鲁大海的声音："放开我，我要进去。"三四男仆声："不成，不成，老爷睡觉呢。"门外有男仆等与鲁大海挣扎声。

周朴园 （走至中门）来人！（仆人[1]由中门进）谁在吵？

仆　人[2] 就是那个工人[3]鲁大海！他不讲理，非见老爷不可。

周朴园 哦。（沉吟）那你就叫他进来吧。等一等，叫人到楼上请大少爷下来，我有话问他。

仆　人 是，老爷。

〔仆人由中门下。

周朴园 （向鲁妈）侍萍，你不要太固执。这一点钱你不收下，将来你会后悔的。

鲁侍萍 （望着他，一句话也不说）

〔仆人领鲁大海进，大海站在左边[4]，三四仆人[5]立一旁。

鲁大海 （见鲁妈）妈，您还在这儿？

---

1 "仆人"原刊、初版均作"男仆"。

2 "仆人"原刊、初版均作"男仆"。

3 "工人"原刊、初版均作"工头"。

4 "站在左边"原刊、初版均作"站左"。

5 "仆人"原刊、初版均作"男仆"。

周朴园 （打量鲁大海）你叫什么名字？

鲁大海 （大笑）董事长，[1]您不要同我摆架子，您难道不知道我是谁么？

周朴园 你？[2]我只知道你是罢工闹得最凶的工人代表[3]。

鲁大海 对了，一点儿也不错，所以才来拜望拜望您。

周朴园 你有什么事吧？

鲁大海 董事长当然知道我是为什么来的。

周朴园 （摇头）我不知道。[4]

鲁大海 我们老远从矿上来，今天我又在您府上大门房里从早上六点钟一直等到现在，我就是要问问董事长，对于我们工人的条件，究竟是允许不允许？

周朴园 哦，——那么，那三个代表呢？

鲁大海 我跟你[5]说吧，他们现在正在联络旁的工会呢。

周朴园 哦，——他们没有告诉你旁的事情么？

鲁大海 告诉不告诉于你[6]没有关系。——我问你[7]，你的[8]意思，忽而

---

1 川版无“（大笑）董事长，”。

2 川版无“你？”。

3 “工人代表”原刊、初版均作“工头”。

4 此句原刊作“我不知道。（摇头）”。

5 “跟你”原刊作“跟您”。

6 “于你”原刊作“于您”，川版作“对你”。

7 “问你”原刊作“问您”。

8 “你的”原刊作“您的”。

软，忽而硬，究竟是怎么回子事？

〔周萍由饭厅上，见有人，即想退回。

周朴园 （看萍）不要走，萍儿！（视鲁妈，鲁妈知萍为其子，眼泪汪汪地望着他[1]）

周　萍 是，爸爸。

周朴园 （指身侧）萍儿，你站在这儿。（向大海）你这么只凭意气是不能交涉事情的。

鲁大海 哼，你们的手段，我都明白。你们这样拖延时候，不过是想去[2]花钱收买少数不要脸的败类[3]，暂时把我们骗在这儿。

周朴园 你的见地也不是没有道理。

鲁大海 可是你完全错了。我们这次罢工是有团结的，[4]有组织的。我们代表这次来并不是来求你们。你听清楚，不求你们。你们允许就允许；不允许[5]，我们一直罢工到底，我们知道你们不到两个月整个地就要关门的。

周朴园 你以为你们那些代表们，那些领袖们都可靠吗？

鲁大海 至少比你们只认识洋钱的结合要可靠得多。

1　此句川版作“望了一下鲁妈。鲁妈泪汪汪地望着周萍”。

2　川版无“去”。

3　“花钱收买少数不要脸的败类”原刊、初版均作“疏通那些不要脸的工人”。

4　此处川版有“是”。

5　“你们允许就允许；不允许”川版作“你们答应就答应，不答应”。

周朴园　那么我给你一件东西看。

〔朴园在桌上[1]找电报[2]，仆人递给他；此时[3]周冲[4]偷偷由左书房进，在旁谛听。

周朴园　（给大海电报）这是昨天从矿上来的电报。

鲁大海　（拿过去[5]读）什么？他们又上工了。[6]（放下电报）不会，不会[7]。

周朴园　矿上的工人已经在昨天早上复工，你当代表的反而不知道么？

鲁大海　（惊，怒[8]）怎么矿上警察开枪打死三十个工人就白打[9]了么？[10]（又看电报，忽然笑起来[11]）哼，这是假的。你们自己假作的电报来离间我们的。（笑）哼，你们这种卑鄙无赖的行为！

周　萍　（忍不住）你是谁？敢在这儿胡说？

---

1 “在桌上”原刊作“由桌上”。

2 “在桌上找电报”川版作“伸手要电报”。

3 川版无“此时”。

4 “周冲”原刊、初版均作“二少爷”。

5 “去”川版作“来”。

6 “。”川版作“？”。

7 “不会，不会”川版作“不会”。

8 原刊无“惊，怒”，“惊，怒”川版作“惊疑，怒冲冲”。

9 “打”川版作“死”。

10 此处原刊、初版均有“这群没有骨头只怕饿的东西，就会把我们四个代表不管了么？”。

11 川版无“，忽然笑起来”。

周朴园 萍儿！没有你的话。（低声[1]向大海）你就这样相信你那同来的几个代表么？

鲁大海 你不用多说，我明白你这些话的用意。

周朴园 好，那我把那复工的合同给你瞧瞧。

鲁大海 （笑）你不要骗小孩子[2]，复工的合同没有我们代表的签字是不生效力的。

周朴园 哦，（向仆）合同！（仆由桌上拿合同递他[3]）你看，这是他们三个人签字的合同。[4]

鲁大海 （看合同）什么？（慢慢地，低声[5]）他们三个人签了字。他们怎么会[6]不告诉我，自己就签了字呢？他们就这样把我不理啦？[7]

周朴园 对了，傻小子，没有经验只会胡喊是不成的。

鲁大海 那三个代表呢？

周朴园 昨天晚车就回去了。

鲁大海 （如梦初醒）他们三个就骗了我了，这三个没有骨头的东西，

---

1 川版无“低声”。

2 “小孩子”原刊、初版均作“小孩了”。

3 “拿合同递他”原刊作“递合同”。此句川版作“仆进书房拿合同给周朴园”。

4 此处川版另起一行有“〔仆人给大海看合同。”。

5 原刊、川版无“，低声”。

6 川版无“会”。

7 此处川版另起一行有“〔仆人顺手抽回合同，交给周朴园。”。

他们就把矿上的工人们卖了[1]。哼，你们这些不要脸的董事长[2]，你们的钱这次又灵了。

周　萍　（怒[3]）你混账！

周朴园　不许多说话。（回头向大海）鲁大海，你现在没有资格跟我说话——矿上已经把你开除了。

鲁大海　开除了！?

周　冲　爸爸，这是不公平的。

周朴园　（向冲）你少多嘴，出去！

〔冲由中门气下。

鲁大海　哦，[4]好，好，（切齿）你的手段我早就领教过，只要你能弄钱，你什么都做得出来。你叫警察杀了矿上许多工人，你还——

周朴园　你胡说！

鲁侍萍　（至大海前）别说了，走吧。

鲁大海　哼，你的来历我都知道，你从前在哈尔滨包修江桥，故意叫江堤出险，——

周朴园　（厉声）下去！

〔仆人[5]等拉他，说："走！走！"

---

1 "这三个"以下原刊、初版均作"这些矿上没有勇气的工人们就卖了我了"。

2 "董事长"原刊、初版、川版均作"董事们"。

3 原刊无"怒"。

4 川版无"哦，"。

5 "仆人"原刊、初版、川版均作"男仆"。

鲁大海　（对仆人）你们这些[1]混账东西，放开我。我要说，[2]你故意淹死了两千二百个小工，每一个小工的性命[3]你扣三百块钱！姓周的，你发的是绝子绝孙的昧心财！你现在还——

周　萍　（忍不住气[4]，走到大海面前，重重地打他两个[5]嘴巴）你这种混账东西！（大海立刻要还手，但是被周宅的仆人们拉住[6]）打他。

鲁大海　（向萍高声）你，你！（正要骂，仆人一起打大海。大海头流血。鲁妈哭喊着护[7]大海）[8]

周朴园　（厉声）不要打人！（仆人们停止打大海[9]，仍拉着大海[10]的手）[11]

鲁大海　放开我，你们这一群强盗！

周　萍　（向仆人[12]们）把他拉下去。

1　原刊无“这些”。

2　“（对仆人）”以下川版作“（向周朴园）”。

3　“性命”原刊作“人命”。

4　“忍不住气”原刊作“气忍不住”，川版无“忍不住气”。

5　“两个”川版作“一下”。

6　此句川版作“大海还手，被仆人们拉住”。

7　“哭喊着护”原刊、初版均作“哭喊护着”。

8　“（向萍高声）”以下川版作“你！〔仆人一起打大海。大海流了血。”。

9　此句原刊、初版均作“男仆们始停”。

10　“大海”原刊、初版均作“他”。

11　此句川版作“〔仆人们住手，仍拉着大海。”。

12　“仆人”原刊、初版均作“男仆”。

鲁侍萍　（大哭起来[1]）哦，这真是一群强盗！（走至萍面前，抽咽[2]）你是萍，——凭，——凭什么打我的儿子？[3]

周　萍　你是谁？

鲁侍萍　我是你的——你打的这个人的妈。

鲁大海　妈，别理这东西，您小心吃了他们的亏。

鲁侍萍　（呆呆地看着萍的脸，忽而又大哭起来[4]）大海，[5]走吧，我们走吧。（抱着大海受伤的头哭[6]）

〔大海为仆人拥下，鲁妈亦下。台上只有[7]朴园与萍。

周　萍　（过意不去地）父亲。

周朴园　你太莽撞了。

周　萍　可是这个人不应该乱侮辱父亲的名誉啊。

〔半晌[8]。

周朴园　克大夫给你母亲看过了么？

周　萍　看完了，没有什么。

周朴园　哦，（沉吟，忽然）来人！

1　川版无“起来”。

2　川版无“，抽咽”。

3　“你是萍”以下原刊、初版均作“你是萍儿，萍，凭，凭什么打我的孩子？”。

4　此处原刊有“，转过向大海”。“忽而又大哭起来”川版作“又哭起来”。

5　此处原刊、初版均有“我的儿子，”。

6　川版无“哭”。

7　“只有”原刊作“惟”。

8　川版作“静默”。

〔仆人[1]由中门上。

周朴园 你告诉太太，叫她把鲁贵跟四凤的工钱算清楚，我已经把他们辞了。

仆　人[2] 是，老爷。

周　萍 怎么？他们两个怎么样了？

周朴园 你不知道刚才这个工人也姓鲁，他就是四凤的哥哥么？

周　萍 哦，[3]这个人就是四凤的哥哥[4]？不过，爸爸——

周朴园 （向下人[5]）跟太太说，叫账房给鲁贵同四凤多算两个月的工钱，叫他们今天就去[6]。去吧。

〔仆人由饭厅下。

周　萍 爸爸，不过四凤同鲁贵在家里都很好。很忠诚的。

周朴园 哦，（呵欠）我很累了。我预备到书房歇一下。你叫他们送一碗浓一点的普洱茶来。

周　萍 是，爸爸。

〔朴园由书房下。

周　萍 （叹一口气）嗨！（急向中门下，冲适由中门上）

---

1 “仆人”原刊、初版均作“男仆”。

2 “仆人”原刊、初版均作“男仆”。

3 “哦，”川版作“（惊）”。

4 “四凤的哥哥”原刊作“鲁大海”。

5 “下人”川版作“仆人”。

6 “就去”川版作“就走”。

周　冲　（着急地[1]）哥哥，四凤呢？

周　萍　我不知道。

周　冲　是父亲要辞退四凤么？

周　萍　嗯，还有鲁贵。

周　冲　即便是[2]她的哥哥得罪了父亲，我们不是把人家打了么？为什么[3]欺负这么一个女孩子干什么？

周　萍　你可问父亲去[4]。

周　冲　这太不讲理了。

周　萍　我也这样想。

周　冲　父亲在哪儿？

周　萍　在书房里。

〔冲至书房，萍在屋里踱来踱去。四凤由中门走进，颜色苍白，泪还垂在眼角[5]。

周　萍　（忙走至四凤前）四凤，我对不起你，我实在不认识他。

鲁四凤　（用手摇一摇，满腹说不出的话）

周　萍　可是你哥哥也不应该那样乱说话。

鲁四凤　不必提了，错得很。（即向饭厅去）

1　原刊无“着急地”。

2　“即便是”原刊作“即便”。

3　川版无“为什么”。

4　此句川版作“你去问父亲去”。

5　“泪还垂在眼角”原刊作“泪还在眼边”。

周　萍　你干什么去？

鲁四凤　我收拾我自己的东西去。再见吧，明天你走，我怕不能看你了[1]。

周　萍　不，你不要去。（拦住她）

鲁四凤　不，不，你放开我。你不知道我们已经叫你们辞了么？

周　萍　（难过）凤，你——你饶恕[2]我么？

鲁四凤　不，你不要这样。[3]我并不怨你，我知道早晚是有这么一天的，不过，[4]今天晚上你千万不要来找我。

周　萍　可是，以后呢？

鲁四凤　那——再说吧！

周　萍　不，四凤，我要见你，今天晚上，我一定要见你，我有许多话要同你说。四凤，你……

鲁四凤　不，无论如何，你不要来。

周　萍　那你想旁的法子来见我。

鲁四凤　没有旁的法子。你难道看不出这是什么情形么？

周　萍　要这样，我是一定要来的。

鲁四凤　不，不，你不要胡闹。你千万不……

〔蘩漪由饭厅上。

1　“明天你走，我怕不能看你了”原刊作“我祝你明天一路平安”。

2　“饶恕”川版作“不怪”。

3　此处原刊、初版均有“让我们拉一拉手。”。

4　“不过，”川版作“可”。

鲁四凤 哦，太太。

周蘩漪 你们在这儿啊！（向四凤）等一会儿，你的父亲叫电灯匠就回来。什么东西，我可以交给他带回去[1]。也许我派人跟你送去。——你家住在什么地方？

鲁四凤 杏花巷十号。

周蘩漪 你不要难过，没事可以常来找我。送给你的衣服[2]，我回头叫人送到你那里去。是杏花巷十号吧？

鲁四凤 是，谢谢太太。

〔鲁妈在外面叫："四凤！四凤！"

鲁四凤 妈，我在这儿。

〔鲁妈由中门上。

鲁侍萍 四凤，收拾收拾零碎的东西，我们先走吧。快下大雨了。

〔风声，雷声渐起。

鲁四凤 是，妈妈。

鲁侍萍 （向蘩漪）太太我们走了。（向四凤）四凤，你跟太太谢谢[3]。

鲁四凤 （向太太请安）太太，谢谢！（含着眼泪看萍，萍缓缓地转过头去）

〔鲁妈与四凤由中门下，风雷声更大[4]。

---

1 "带回去"川版作"带去"。

2 "送给你的衣服"川版作"东西"。

3 "四凤，你跟太太谢谢"原刊作"跟太太谢谢"。

4 川版无"，风雷声更大"。

周蘩漪　萍，你刚才同四凤说的什么？

周　萍　你没有权利问。

周蘩漪　萍，你不要以为她会了解你。

周　萍　你这是什么意思？

周蘩漪　你不要再骗我，我问你，你说要到哪儿去？

周　萍　用不着你问。请你自己放尊重一点。

周蘩漪　你说，你今天晚上预备上哪儿去？

周　萍　我——（突然）我找她。你怎么样？

周蘩漪　（恫吓地[1]）你知道她是谁，你是谁么？

周　萍　我不知道。我只知道我现在真喜欢她，她也喜欢我。过去这些日子，我知道你早明白得很，现在你既然愿意说破，我当然不必瞒你。

周蘩漪　你受过这样高等教育的人现在同这么一个底下人的女儿，这是[2]一个下等女人——

周　萍　（爆烈[3]）你胡说！你不配说她下等，你不配！她不像你，她——

周蘩漪　（冷笑）小心，小心！你不要把一个失望的女人逼得太狠了，她是什么事都做得出来的。

周　萍　我已经打算好了。

1　原刊无“恫吓地”。

2　“这是”原刊、初版均作“这么”，川版作“这样”。

3　“爆烈”底本作“爆裂”，据川版改。

周蘩漪　好，你去吧！小心，现在（望窗外，自语，暗示着恶兆地[1]）风暴就要起来了！

周　萍　（领悟地）谢谢你，我知道。

〔朴园由书房上。

周朴园　你们在这儿说什么？

周　萍　我正跟母亲说刚才的事情呢。

周朴园　他们走了么？

周蘩漪　走了。

周朴园　蘩漪，冲儿又叫我说哭了，你叫他出来，安慰安慰他。

周蘩漪　（走到书房门口）冲儿。冲儿！（不听见[2]里面答应的声音，便走进去）

〔外面风雷大作。

周朴园　（走到窗前望外面[3]，风声甚烈，花盆落地打碎的声音）萍儿，花盆叫大风吹倒了，你叫下人快把这窗[4]关上。大概是暴雨就要下来了。

周　萍　是，爸爸！（由中门下）[5]

〔朴园在窗前，望着外面的闪电。

——幕落

1　原刊无“，暗示着恶兆地”。

2　“不听见”川版作“听不见”。

3　“望外面”原刊作“向外望”，川版无“望外面”。

4　“这窗”原刊、初版均作“雨窗”。

5　“（由中门下）”川版作“〔周萍由中门下。”。

第三幕

——杏花巷十号，在鲁贵家里。——[1]

下面是鲁家屋外的情形：

车站的钟打了十下，杏花巷的老少还沿着那白天蒸发着臭气，只有半夜才从租界区域吹来一阵好凉风的水塘边上乘凉[2]。虽然方才落了一阵暴雨，天气还是郁热难堪，天空黑漆漆地布满了恶相的黑云，人们都像晒在太阳下的小草，虽然半夜里沾了点露水，心里还是热燥燥的，期望着再来一次的雷雨[3]。倒是躲在池塘芦苇根下的青蛙叫得起劲，一直不停，闲人谈话的声音有一阵没一阵地。无星的天空时而打着没有雷的闪电，蓝森森地一晃，闪露出来池塘边的垂柳在水面颤动着。闪光过去，还是黑黝黝的一片。

渐渐乘凉的人散了，四周围静下来，雷又隐隐地响着，青蛙像是吓得不敢多叫，风又吹起来，柳叶沙沙地[4]。在深巷里，野狗寂寞地狂吠着。

以后闪电更亮得蓝森森地可怕，雷也更凶恶似的隆隆地滚着，四

---

1 此处原刊另起一行有“景：”。

2 “半夜”川版作“夜晚”，“好凉风”川版作“风”。

3 “再来一次的雷雨”川版作“再来一次雷雨”。

4 “沙沙地”原刊作“沙沙地响着”，川版作“沙沙地响”。

周却更沉闷地静下来，偶尔听见几声青蛙叫和[1]更大的木梆声，野狗的吠声更稀少，狂雨[2]就快要来了。

最后暴风暴雨，一直到闭幕。

不过观众看见的还是四凤的屋子，（即鲁贵两间房的内屋）前面的叙述除了声音只能由屋子中间一扇木窗户显出来。

在四凤的屋子里面呢：

鲁家现在才吃完晚饭，每个人的心绪都是烦恶的。各人有各人的心思，在一个屋角，鲁大海一个人在擦什么东西。鲁妈同四凤一句话也不说，大家静默着。鲁妈低着头在屋子中间的圆桌旁收拾筷子碗，鲁贵坐在左边[3]一张破靠椅上，喝得醉醺醺地，眼睛发了红丝，像个猴子，半身倚着靠背，望着鲁妈打着噎。他的赤脚忽然放在椅子上，忽然又平拖在地上，两条腿像人字似地排开[4]。他穿一件白汗衫，半臂[5]已经汗透了，贴在身上，他不住地摇着芭蕉扇。

四凤在中间窗户前面站着：背朝着观众，面向窗外不安地望着，窗外池塘边有乘凉的人们说着闲话，有青蛙的叫声。她时而不安地像听见了什么似的，时而又转过头看了看鲁贵[6]，又烦厌地迅速转过去[7]。

---

1 “和”原刊作“同”。

2 “狂雨”川版作“暴雨”。

3 此处原刊有“靠中墙”。

4 “排开”川版作“摆开”。

5 “半臂”川版作“背臂”。

6 “鲁贵”原刊、初版均作“她的父亲”。

7 “转过去”原刊作“转回去”。

在她旁边靠左墙[1]是一张搭好的木板床，上面铺着凉席，一床很干净的夹被，一个凉草枕和一把蒲扇，很整齐地，放在上面[2]。

屋子[3]很小，像一切穷人的房子[4]，屋顶低低地压在头上。床头上挂着一张烟草公司的广告画，在左边的墙上贴着过年时粘上的旧画[5]，已经破烂许多地方。靠着鲁贵坐的唯一的一张椅子立了[6]一张小方桌，上面有镜子，梳子，女人用的几件平常[7]的化妆品，那大概就是四凤的梳妆台了。在左墙[8]有一条板凳，在中间[9]圆桌旁边孤另另地立着一个圆凳子，在右边四凤的床下正排着[10]两三双很时髦的鞋。鞋的下头[11]，有一只箱子，上面铺着一块白布，放着一个瓷壶同两三个粗的碗。小圆桌上放着一盏洋油灯，上面罩一个鲜红美丽的纸灯罩；还有几件[12]零碎的小东西；在暗淡的灯影里，零碎的小东西虽看不清楚，却依然令人觉得这大概是一个女人的住房。

---

1 “靠左墙”原刊作“靠右墙”。

2 “很整齐地，放在上面”原刊作“很洁净地放在上面”。

3 “屋子”川版作“房间”。

4 “房子”川版作“屋子”。

5 “过年时粘上的旧画”原刊作“过年时的旧剧彩画”。

6 “椅子立了”原刊作“椅子立”，川版作“椅子边，立了”。

7 “平常”原刊作“极粗”。

8 “在左墙”川版作“左墙边”。

9 “在中间”川版作“中间”。

10 “正排着”川版作“摆着”。

11 “鞋的下头”原刊、初版均作“床的下头”，川版作“床头”。

12 原刊无“还有几件”。

这屋子有两个门，在左边——就是有木床的一边——开着一个小门，外面挂着一幅[1]强烈的有花的红幔帐。里面存着煤，一两件旧家具，四凤为着自己换衣服用的。右边有一个破旧的木门，通着鲁家的外间，外面是鲁贵住的地方，是今晚鲁贵夫妇睡的处所。那外间屋的门就通着池塘边泥泞的小道。这里间与外间相通的木门，旁边侧立[2]一副铺板。

开幕时正是鲁贵兴致淋漓地刚刚倒完了半咒骂式的家庭训话。屋内都是沉默而紧张[3]的。沉闷中听得出池塘边唱着淫荡的春曲，掺杂着乘凉人们的谈话。各人在想各人的心思，低着头不做声。鲁贵满身是汗，因为喝酒喝得太多，说话也过于费了力气，嘴里流着涎水，脸红得吓人，他好像很得意自己在家里面的位置同威风，拿着那把破芭蕉扇，挥着，舞着，指着。为汗水浸透了似的肥脑袋探向前面，眼睛迷腾腾地，在各个人[4]的身上扫来扫去。

大海依旧擦他的手枪[5]，两个女人都不做声[6]，等着鲁贵继续嘶喊[7]。这时青蛙同卖唱的叫声传了过来[8]。

---

1 此处川版有“色调”。

2 “侧立”川版作“靠立着”。

3 “沉默而紧张”原刊作“沉默着紧张”。

4 “各个人”原刊作“每个人”。

5 “手枪”原刊、初版均作“枪筒”。

6 “做声”原刊作“理他”。

7 “等着鲁贵继续嘶喊”原刊作“等着他再继续嘶喊”。

8 “传了过来”原刊作“传过来”。

四凤立在窗户前，偶尔深深地叹着气。

鲁　贵　（咳嗽起来）他妈的！（一口痰吐在地上[1]，兴奋地问着）你们想，你们哪一个对得起我？（向四凤同大海）你们不要不愿意听，你们哪一个人不是我辛辛苦苦养到大，可是现在你们哪一件事做的对得起我？（先向左，对大海）你说？（忽向右，对四凤）你说？（对着站在中间圆桌旁的鲁妈，胜利地）你也说说，这都是你的好孩子啊！（啪，又一口痰）

〔静默。听外面胡琴，同唱声。

鲁大海　（向四凤）这是谁？快十点半还在唱？

鲁四凤　（随意地）一个瞎子同他老婆，每天在这儿卖唱的。（挥着扇，微微叹一口气）

鲁　贵　我是一辈子犯小人，不走运。刚在周家混了两年，孩子都安置好了，就叫你（指鲁妈）连累下去了。你回家一次就出一次事。刚才是怎么回事？我叫完电灯匠[2]回公馆，凤儿的事没有了，连我的老根子也拔了。妈的，你不来，（指鲁妈）我能倒这样的霉？（又一口痰）

鲁大海　（放下手枪[3]）你要骂我就骂我。别指东说西，欺负妈好说话。

鲁　贵　我骂你？你是少爷！我骂你？你连人家有钱的人都当着面

---

1 “地上”川版作“破痰盂里”。

2 “叫完电灯匠”原刊作“办完了事”。

3 原刊、川版均无“放下手枪”，初版作“放下枪”。

骂了，我敢骂你？

鲁大海 （不耐烦）你喝了不到两盅酒，就叨叨叨，叨叨叨，这半点钟你够不够？

鲁　贵 够？哼，我一肚子的冤屈，一肚子的火，我没个够！当初你爸爸也不是没叫人伺候过，吃喝玩乐，我哪一样没讲究过！自从娶了你的妈，我是家败人亡，一天不如一天。一天不如一天……

鲁四凤 那不是你自己赌钱输光的！

鲁大海 你别理他。让他说。

鲁　贵 （只顾嘴头说得畅快，如同自己是唯一的牺牲者一样）我告诉你，我是家败人亡，一天不如一天。我受人家的气，受你们的气。现在好，连想受人家的气也不成了，我跟你们一块儿饿着肚子等死。你们想想，你们是哪一件事对得起我？（忽而觉得自己的腿没处放，面向鲁妈）侍萍，把那凳子拿过来。我放放大腿。

鲁大海 （看着鲁妈，叫她不要管[1]）妈！（然而[2]鲁妈还是拿了[3]那唯一的圆凳子过来，放在鲁贵的脚下。他把腿放好）

鲁　贵 （望着大海）可是这怪谁？你把人家骂了，人家一气，当然就把我们辞了。谁叫我是你的爸爸呢？大海，你心里想想，

---

1 “不要管”原刊作“不管”。

2 川版无“然而”。

3 “拿了”原刊作“拿过来”。

我这么大年纪，要跟着你饿死；我要是饿死，你是哪一点对得起我？我问问你，我要是这样死了？

鲁大海 （忍不住，立起，大声）你死就死了，你算老几！

鲁　贵 （吓醒了一点）妈的，这孩子！

鲁侍萍 大海！

鲁四凤 [1]哥哥！

（同时惊恐地喊出[2]）

鲁　贵 （看见大海那副魁梧的身体，同手里拿着的枪，心里有点怕，笑着）你看看，这孩子这点小脾气！——（又接着说）咳，说回来，这也不能就怪大海，周家的人从上到下就没有一个好东西。我伺候他们两年，他们那点出息我哪一样不知道？反正有钱的人顶方便，做了坏事，外面比做了好事装得还体面[3]；文明词越用得多，心里头越男盗女娼。王八蛋！别看今天我走的时候，老爷太太装模作样地跟我尽打官话，好东西，明儿[4]见！他们家里这点出息当我不知道？

鲁四凤 （怕他胡闹）爸！你可，你可千万别去周家！[5]

鲁　贵 （不觉骄傲起来）哼，明天，我把周家太太大少爷这点老底子给它一个宣布，就连老头这老王八蛋也得给我跪下磕头。

1　此处川版有“（同时）”。

2　此句原刊作“同时惊讶地喊出”。川版无此句。

3　“外面比做了好事装得还体面”原刊作“容易装得就像做了好事一样”。“外面”川版作“面儿上”。

4　“明儿”原刊作“明天”。

5　原刊、川版无“（怕他胡闹）”。此句川版作“得了，爸，别扯了。”。

忘恩负义的东西！（得意地咳嗽起来）他妈的！（啪地又一口痰吐在地上[1]，向四风）茶呢？

鲁四凤 爸，你真是喝醉了么？刚才不给你放在桌子上么？

鲁　贵 （端起杯子，对四凤）这是白水，小姐！（泼在地上）

鲁四凤 （冷冷地）本来是白水，没有茶。

鲁　贵 （因为她打断他的兴头[2]，向四凤）混账。我吃完饭总要喝杯好茶，你还不知道么？

鲁大海 （故意地）哦，爸爸吃完饭还要喝茶的。（向四凤）四凤，你怎么不把那一两四块八的龙井沏上，尽叫爸爸[3]生气！

鲁四凤 龙井？家里连茶叶末也没有[4]。

鲁大海 （向鲁贵）听见了没有？你就将就将就喝杯开水吧，别这样穷讲究啦。（拿一杯白开水，放在他身旁桌上，走开）

鲁　贵 这是我的家。你要看着不顺眼，你可以滚开。

鲁大海 （上前）你，你——

鲁侍萍 （阻大海）别，别，好孩子。看在妈的份上，别[5]同他闹。

鲁　贵 你自己觉得挺不错，你到家不到两天，就闹这么大的乱子，我没有说你，你还要打我么？你给我滚！

---

1 川版无“吐在地上”。

2 此句川版作“翻着白眼”。

3 “爸爸”原刊作“你爸爸”。

4 “没有”原刊作“没有啊”。

5 “别”原刊作“不要”。

鲁大海　（忍着）妈，他这样子我实在看不下去。妈，我走了。

鲁侍萍　胡说。就要下雨，你上哪儿去？

鲁大海　我有点事。办不好，也许到车厂拉车去。

鲁侍萍　大海，你——

鲁　贵　走，走，让他走。这孩子就是这点穷骨头。叫他滚，滚，滚！

鲁大海　你小心点。你少惹我的火。

鲁　贵　（赖皮[1]）你妈在这儿。你敢把你的爹怎么样？你这杂种！

鲁大海　什么，你骂谁？

鲁　贵　我骂你。你这——

鲁侍萍　（向鲁贵）你别不要脸，你少说话！

鲁　贵　我不要脸？我没有在家养私孩子，还带着个（指大海）嫁人。

鲁侍萍　（心痛极）哦，天！[2]

鲁大海　（抽出手枪）我——我打死你这老东西！（对鲁贵）

〔鲁贵叫，站起。急到里间[3]，僵立不动。

鲁　贵　（喊）枪，枪，枪。

鲁四凤　（跑到大海[4]的面前，抱着他的手）哥哥。

1　原刊无“赖皮”。

2　此句川版作“（又痛又恨）你！”。

3　川版无“。急到里间”。

4　“大海”原刊、初版均作“哥哥”。

鲁侍萍 大海，你放下。

鲁大海 （对鲁贵）你跟妈说，说自己错了，以后永远不再乱说话，乱骂人。

鲁　贵 哦——

鲁大海 （进一步）说呀！

鲁　贵 （被胁[1]）你，你——你先放下。

鲁大海 （气愤地）不，你先说。

鲁　贵 好。（向鲁妈）我说错了，我以后永远不乱说，不骂人了。

鲁大海 （指那唯一的圆椅）还坐在那儿！

鲁　贵 （颓唐地坐在椅上，低着头咕噜着）这小杂种！

鲁大海 哼，你不值得我卖这么大的力气。

鲁侍萍 放下。大海，你把手枪[2]放下。

鲁大海 （放下手枪[3]，笑）妈，妈您别怕，我是吓唬吓唬他。

鲁侍萍 给我。你这手枪[4]是哪儿弄来的？

鲁大海 从矿上带来的，警察打我们的时候掉的，我拾起来了[5]。

鲁侍萍 你现在带在身上干什么？

鲁大海 不干什么。

---

1 “被胁”川版作“指枪”。

2 “手枪”原刊、初版均作“枪”。

3 “手枪”原刊、初版均作“枪”。

4 “手枪”原刊、初版均作“枪”。

5 川版无“，我拾起来了”。

鲁侍萍 不，你要说。

鲁大海 （狞笑[1]）没有什么，周家逼着我，没有路走，这就是一条路。

鲁侍萍 胡说，交给我。

鲁大海 （不肯）妈！

鲁侍萍 刚才吃饭的时候我跟你说过，周家的事算完了，我们姓鲁的永远不提他们了。

鲁大海 （低声，缓慢地）可是我[2]在矿上流的血呢？周家大少爷刚才打在我脸上的巴掌呢？就完了么？

鲁侍萍 嗯，完了。这一本账算不清楚，报复是完不了的。什么都是天定，妈愿意你多受点苦。

鲁大海 那是妈自己，我——

鲁侍萍 （高声）大海，你是我最爱的孩子，你听着，我从来不用[3]这样的口气对你说过话。你要是伤害了周家的人，不管是那里的老爷或者少爷，你只要伤害了他们，我是一辈子也不认你的。

鲁大海 可是妈——（恳求）

鲁侍萍 （肯定地）你知道妈的脾气，你若要做了妈最怕你做的事情，妈就死在你的面前。

鲁大海 （长叹一口气）哦！妈，您——（仰头望，又低下头来）那

---

1 “狞笑”原刊作“笑”。

2 “我”川版作“我们”。

3 “不用”川版作“没用”。

我会恨——恨他们一辈子。

鲁侍萍 （叹一口气）天，那就不能怪我了。[1]（向大海）把手枪[2]给我。（大海不肯）交给我！（走近大海，把手枪拿了过来[3]）

鲁大海 （痛苦[4]）妈，您——

鲁四凤 哥哥，你给妈！

鲁大海 那么[5]您拿去吧。不过[6]您搁的地方得告诉我。

鲁侍萍 好，我放在这个箱子里。（把手枪[7]放在床头的木箱里）可是（对大海）明天一早我就报告警察，把枪交给他。[8]

鲁　贵 对极了，[9]这才是正理。

鲁大海 你少说话！

鲁侍萍 大海。不要这样同父亲说话。

鲁大海 （看鲁贵，又转头）好，[10]妈，我走了。我要看车厂子里有认识人没有[11]。

---

1 “**鲁大海** （长叹一口气）”以下川版无。

2 “手枪”原刊、初版均作“枪”。

3 此句原刊、初版均作“拿他的枪”。

4 川版无“痛苦”。

5 川版无“那么”。

6 川版无“不过”。

7 “手枪”原刊、初版均作“枪”。

8 “可是（对大海）”以下川版无，“报告”原刊作“报了”。

9 此处川版有“好好锁着，”。

10 川版无“好，”。

11 此句川版作“我看看厂子里有熟人没有”。

鲁侍萍 好，你去。不过，[1]你可得准回来。一家人不许这样怄气。

鲁大海 嗯。就回来。

〔大海由左边与外间通的房门[2]下，听见他关外房[3]的大门的声音。鲁贵立起来看着大海走出去，怀着怨气又回来站在圆桌旁。

鲁 贵 （自言自语）这个小王八蛋！（问鲁妈）刚才我叫你买茶叶，你为什么不买？

鲁侍萍 没有闲钱。

鲁 贵 可是，四凤，我的钱呢？——刚才你们从公馆领来的工钱呢？

鲁四凤 您[4]说周公馆多给的两个月的工钱？

鲁 贵 对了，一共连新加旧六十块钱。

鲁四凤 （知道早晚也要告诉他[5]）嗯，是的，还给人啦。

鲁 贵 什么，你还给人啦？

鲁四凤 刚才赵三又来堵门要你的赌账，妈就把那个钱都还给他了。

鲁 贵 （问鲁妈）六十块钱？都还了账啦？

鲁侍萍 嗯，把你这次的赌账算是还清了。

鲁 贵 （急了[6]）妈的，我的家就是叫你们这样败了的，现在是还账

---

1 川版无“不过,”。

2 “房门”川版作“屋门”。

3 “外房”川版作“外屋”。

4 “您”原刊作“你”。

5 原刊无“知道早晚也要告诉他”。

6 原刊无“急了”。

的时候么？

鲁侍萍 （沉静地[1]）都还清了好，这儿的家我预备不要了。

鲁　贵 这儿的家你不要么[2]？

鲁侍萍 我想，大后天就回济南去。

鲁　贵 你回济南，我跟四凤在这儿，这个家也得要啊。

鲁侍萍 这次我带着四凤一块儿走，不叫她一个人在这儿了。

鲁　贵 （对四凤笑[3]）四凤，你听你妈要带着你走。

鲁侍萍 上次我走的时候，我不知道我的事情怎么样。外面人地生疏，在这儿四凤有邻居张大婶照应她，我自然不带她走。现在我那边的事已经定了。四凤在这儿又没有事，我为什么不带她走？

鲁四凤 （惊[4]）您，您真要带我走？

鲁侍萍 （沉痛地[5]）嗯，妈以后说什么也不离开你了。

鲁　贵 不成，这我们得好好商量商量。

鲁侍萍 这有什么可商量的？你要愿意去，大后天一块儿走也可以。不过那儿是找不着你这一帮赌钱的朋友的。

鲁　贵 我自然不到那儿去。[6]可是你要带四凤到那儿干什么？

---

1 原刊无“沉静地”。

2 “不要么”原刊作“不要”，川版作“不要啦”。

3 原刊无“对四凤笑”。

4 原刊无“惊”,“惊”初版作“惊心”。

5 原刊无“沉痛地”。

6 此句川版作“谁到那儿去?”。

鲁侍萍 女孩子当然随着妈走，从前那是没有法子。

鲁　贵 （滔滔地[1]）四凤跟我有吃有穿，见的是场面人。你带着她，活受罪，干什么？

鲁侍萍 （对他没有办法[2]）跟你也说不明白。你问问她愿意跟我还是愿意跟你？

鲁　贵 自然是愿意跟我。

鲁侍萍 你问她！

鲁　贵 （自信一定胜利[3]）四凤，你过来，你听清楚了。你愿意怎么样？随你。跟你妈，还是跟我？（四凤转过身来，满脸的眼泪）咦，这孩子，你哭什么？

鲁侍萍 哦，[4]凤儿，我的可怜的孩子。

鲁　贵 说呀，这不是大姑娘上轿，说呀？

鲁侍萍 （安慰地）哦，凤儿，告诉我，刚才你答应得好好地，愿意跟着妈走，现在又怎么哪[5]？告诉我，好孩子。老实[6]地告诉妈，妈还是喜欢你。

鲁　贵 你说你让她走，她心里不高兴。我知道，她舍不得这个地方。（笑）

---

1 原刊无“滔滔地”。

2 原刊无“对他没有办法”。

3 原刊无“自信一定胜利”。

4 川版无“哦，”。

5 “怎么哪”川版作“怎么啦”。

6 “老实”原刊作“低低”。

鲁四凤　（向鲁贵[1]）去！（向鲁妈[2]）别问我，妈，我心里难过。妈，我的妈，我是跟您走的。妈呀！（抽咽[3]，扑在鲁妈的[4]怀里）

鲁侍萍　哦，我的孩子[5]，我的孩子今天受了委曲了。

鲁　贵　你看看，这孩子一身小姐气，她要跟你不是受罪么？

鲁侍萍　（向鲁贵）你少说话，（对四凤）妈命不好，[6]妈对不起你，别难过[7]！以后跟妈在一块儿。没有人会欺负你，哦，[8]我的心肝孩子。

〔大海由左边[9]上。

鲁大海　妈，张家大婶回来了。我刚才在路上碰见的。

鲁侍萍　你[10]，你提到我们卖家具的事么？

鲁大海　嗯，提了。她说，她能想法子。

鲁侍萍　车厂上找着认识的人么？

鲁大海　有，我还要出去：找一个保人。

---

1 “鲁贵”原刊、初版均作“父”。

2 “鲁妈”原刊、初版均作“母”。

3 “抽咽”川版作“哽咽”。

4 “鲁妈的”原刊、初版均作“母亲”。

5 “哦，我的孩子”川版作“孩子”。

6 川版无“妈命不好，”。

7 川版无“，别难过”。

8 川版无“哦，”。

9 “左边”原刊作“左边门”。

10 “你”原刊作“哦”，川版无“你，”。

鲁侍萍　那么我们一同出去吧。四凤，你等着我，我就回来！

鲁大海　（对鲁贵）再见，你酒醒了点么？（向鲁妈[1]）今天晚上我恐怕不回家睡觉[2]。

〔大海，鲁妈同下。

鲁　贵　（目送他们出去）哼，这东西！（见四凤立在窗前，便向她[3]）你妈走了，四凤。你说吧，你预备怎么样呢？

鲁四凤　（不理他，叹一口气，听外面的青蛙声同雷声[4]）

鲁　贵　（蔑视）你看，你这点心思还不浅。

鲁四凤　（掩饰[5]）什么心思？天气热，闷得难受。

鲁　贵　你不要骗我，你吃完饭眼神直瞪瞪的，你在想什么？

鲁四凤　我不想什么。

鲁　贵　（故意伤感地[6]）凤儿，你是我的明白孩子。我就有你这一个亲女儿，你跟你妈一走，那就剩我一个人在这儿哪[7]。

鲁四凤　您别说了，我心里乱得很。（外面打闪[8]）您听，远远又打雷[9]。

---

1 “鲁妈”原刊、初版均作“母”。

2 此句川版作“今天晚上我大概不回家睡觉了”。

3 “便向她”原刊、初版均作“向四凤”，川版作“走向她”。

4 “同雷声”川版作“和雷声”。

5 原刊无“掩饰”。

6 原刊无“故意伤感地”，川版无“故意”。

7 “在这儿哪”川版作“在这儿啦”。

8 原刊无“外面打闪”。

9 “远远又打雷”川版作“又打雷了”。

鲁　贵　孩子，别打岔，你真预备跟妈回济南么？

鲁四凤　嗯。（吐一口气）

鲁　贵　（无聊地唱）“花开花谢年年有，人过了个青春[1]不再来!”哎。（忽然地）四凤，人活着就是两三年好日子[2]，好机会一错过就完了。

鲁四凤　您，[3]您去吧。我困了。

鲁　贵　（徐徐诱进[4]）周家的事你不要怕。有了我，明天我们还是得回去。你真走得开,（暗指地[5]）你放得下这儿这样[6]好的地方么？你放得下周家——

鲁四凤　（怕他[7]）您不要乱说了。您睡去吧！外边乘凉的人都散了。您为什么不睡去？

鲁　贵　你不要胡思乱想。（说真心话[8]）这世界上没有一个人靠得住，只有钱是真的。唉，偏偏你同你母亲[9]不知道[10]钱的好处。

---

1 “青春”原刊作“青春啊!”。

2 “两三年好日子”川版作“两三年的好日子”。

3 川版无“您,”。

4 原刊、川版均无“徐徐诱进”。

5 原刊无“暗指地”，川版作“暗示着”。

6 “这样”川版作“这么”。

7 原刊无“怕他”。

8 原刊无“说真心话”，川版作“诚心诚意地”。

9 “母亲”川版作“妈”。

10 “知道”原刊作“懂”。

鲁四凤　听，我像是听见有人来敲门。

〔外面敲门声。

鲁　贵　快十一点，这会有谁？

鲁四凤　爸爸，您让我去看。

鲁　贵　别，让我出去。

〔鲁贵开左门一半。

鲁　贵　谁？

〔外面的声音：这儿姓鲁么？

鲁　贵　是啊，干什么？

〔外面的声音：找人。

鲁　贵　你是谁？

〔外面的声音：我姓周。

鲁　贵　（喜形于色）你看，来了不是？周家的人来了。

鲁四凤　（惊骇着，忙说[1]）不，爸爸，您说我们都出去了。

鲁　贵　咦，（乖巧地看她一眼）这叫什么话？

〔鲁贵下。

鲁四凤　（把屋子略微整理一下，不用的东西放在左边帐后的小屋里，立在右边角上，等候着客进来）

〔这时，听见周冲[2]同鲁贵说话的声音，一时鲁贵同周冲[3]上。

1　“惊骇着，忙说”川版作“惊骇”。

2　“周冲”原刊、初版均作“二少爷”。

3　“周冲”原刊、初版均作“二少爷”。

周　冲　（见着四凤高兴地）四凤！

鲁四凤　（奇怪[1]地望着）二少爷！

鲁　贵　（谄笑[2]）您别见笑，我们这儿穷地方。

周　冲　（笑）这地方真不好找。外边有一片水，很好的。

鲁　贵　二少爷。您先坐下。四凤，（指圆椅）你把那张好椅子拿过来。

周　冲　（见四凤不说话）四凤，怎么，你不舒服么？

鲁四凤　没有。——（规规矩矩地[3]）二少爷，你到这里来干什么？要是太太知道了，你——

周　冲　这是太太叫我来的。

鲁　贵　（明白了一半[4]）太太要您来的？

周　冲　嗯，我自己也想来看看你们。（问四凤）你哥哥同母亲呢？

鲁　贵　他们出去了。

鲁四凤　你怎么知道这个地方？

周　冲　（天真地[5]）母亲告诉我的。没想到这地方还有一大片水，一下雨直滑，黑天要是不小心，真容易摔下去。

鲁　贵　二少爷，您没摔着么？

---

1 “奇怪”川版作“诧异”。

2 原刊无“谄笑”。

3 原刊无“规规矩矩地”。

4 原刊无“明白了一半”。

5 原刊无“天真地”。

周　冲　（希罕地[1]）没有。[2]我坐着家里的车，很有趣的。（四面望望这屋子的摆设，很高兴地笑着，看四凤）哦，你原来在这儿！

鲁四凤　我看你赶快回家吧。

鲁　贵　什么？

周　冲　（忽然）对了，我忘了我为什么来的了。妈跟我说，你们离开我们家，她很不放心；她怕你们一时找不着事情，叫我送给你母亲一百块钱。（拿出钱）

鲁四凤　什么？

鲁　贵　（以为周家的人怕得罪他，得意地笑着，对四凤）你看人家多厚道，到底是人家有钱的人。

鲁四凤　不，二少爷，你替我谢谢太太，我们还好过日子。拿回去吧。

鲁　贵　（向四凤）你看你，哪有你这么说话的？太太叫二少爷亲自送来，这点意思我们好意思不领下么？（收下钞票）你回头跟太太回一声，我们都挺好的。请太太放心，谢谢太太。

鲁四凤　（固执地[3]）爸爸，这不成。

鲁　贵　你小孩子知道什么？

鲁四凤　您要收下，妈跟哥哥一定不答应。

鲁　贵　（不理她，向冲）谢谢您老远跑一趟。我先跟您买点鲜货吃，您同四凤在屋子里坐一坐，我失陪了。

1　原刊无“希罕地”，川版作“又希罕，又兴奋”。

2　此处原刊有“不，”。

3　原刊无“固执地”。

鲁四凤 爸，您别走！不成。

鲁　贵 别尽说话，你先跟二少爷倒一碗茶。我就回来。

〔鲁贵忙下。

周　冲 （不由衷地）让他走了也好。

鲁四凤 （厌恶地）唉，真是下作！——（不愿意地）谁叫你送钱来了？

周　冲 你，你，[1]你像是不愿意见我似的。为什么呢？我以后不再乱说话了。

鲁四凤 （找话说）老爷吃过饭了么？

周　冲 刚刚吃过。老爷在发脾气，母亲没吃完就跑到楼上生气。我劝了她半天，要不我还不会这样晚来。

鲁四凤 （故意不在心地[2]）大少爷呢？

周　冲 我没有见着他，我知道他很难过，他又在自己房里喝酒，大概是喝醉了。

鲁四凤 哦！（叹一口气）——你为什么不叫底下人替你来？何必自己跑到这穷人住的地方来[3]？

周　冲 （诚恳地）你现在怨了我们吧！——（羞愧地[4]）今天的事，我真觉得对不起你们，你千万不要以为哥哥是个坏人。他现在很后悔，你不知道他，他还很喜欢你。

---

1 “你，你，”川版作“你，”。

2 此句川版作“不在心的样子”。

3 川版无“来”。

4 川版作“羞愧”。

鲁四凤 二少爷，我现在已经不是周家的用人了。

周　冲 然而我们永远不可以算是顶好的朋友么？

鲁四凤 我预备跟我妈回济南去。

周　冲 不，你先不要走。早晚你同你父亲还可以回去的。我们搬了新房子，[1]我的父亲也许回到矿上去，那时你就回来，那时候我该多么高兴！

鲁四凤 你的心真好。

周　冲 四凤，你不要为这一点小事来忧愁。世界大的很，你应当读书，你就知道世界上有过许多人跟我们一样地忍受着痛苦，慢慢地苦干，以后又得到快乐。

鲁四凤 唉，女人究竟是女人！（忽然）你听，（蛙鸣）蛤蟆怎么不睡觉，半夜三更的还叫呢？[2]

周　冲 不，你不是个平常的女人，你有力量，你能吃苦，我们都还年轻，我们将来一定在这世界为着人类谋幸福。我恨这不平等的社会，我恨只讲强权的人，我讨厌我的父亲，我们都是被压迫的人[3]，我们是一样。——

鲁四凤 二少爷，您渴了吧，我跟您倒一杯茶[4]。（站起倒茶[5]）

---

1 川版无“我们搬了新房子，”。

2 “你听”以下川版作“你听。〔蛙鸣声。”。

3 川版无“人”。

4 “茶”川版作“水”。

5 “茶”川版作“水”。

周　冲　不，不要。

鲁四凤　不，让我再伺候伺候您。

周　冲　你不要这样说话，现在的世界是不该存在的。我从来没有把你当作我的底下人，你是我的凤姐姐，你是我引路的人，我们的真世界不在这儿。

鲁四凤　哦，你真会说话。

周　冲　有时我就忘了现在，（梦幻地[1]）忘了家，忘了你，忘了母亲，并且忘了我自己。我想，我像是在一个冬天的早晨，非常明亮的天空，……在无边的海上……哦，有一条轻得像海燕似的小帆船，在海风吹得紧，海上的空气闻得出有点腥，有点咸的时候，白色的帆张得满满地，像一只鹰的翅膀斜贴在海面上飞，飞，向着天边飞。那时天边上只淡淡地浮着两三片白云，我们坐在船头，望着前面，前面就是我们的世界。

鲁四凤　我们？

周　冲　对了，我同你，我们可以飞，飞到一个真真[2]干净，快乐的地方，那里没有争执，没有虚伪，没有不平等的，没有……（头微仰，好像眼前就是那么一个所在，忽然[3]）你说好么？[4]

1　“梦幻地”原刊、初版均作“冥想”。

2　“真真”川版作“真正”。

3　原刊无“，忽然”。

4　原刊无此句。

鲁四凤 你想得真好。

周　冲 （亲切地）你愿意同我一块儿去么？就是带着他也可以的。

鲁四凤 谁？

周　冲 你昨天告诉我的，你说你的心已经许给了他，那个人。他一定也像你，他一定是个可爱的人。[1]

〔鲁大海进。

鲁四凤 哥哥。

鲁大海 （冷冷地）这是怎么回事？

周　冲 鲁先生！

鲁四凤 周家二少爷来看我们来了。

鲁大海 哦——我[2]没想到你们现在在这儿？父亲呢？

鲁四凤 出去买东西去啦。

鲁大海 （向冲）奇怪得很！这么晚！周少爷会到我们这个穷地方来——看我们。

周　冲 我正想见你呢。你，你愿意——跟我拉拉手么？（把右手伸出去）

鲁大海 （乖戾地[3]）我不懂得外国规矩。

周　冲 （把手又缩回来）那么，让我说，我觉得我心里对你很抱歉的[4]。

---

1 “他一定是个可爱的人。”原刊作“他一定是——”。

2 川版无“我”。

3 原刊、川版均无“乖戾地”。

4 “我觉得我心里对你很抱歉的”川版作“我觉得我对你很抱歉”。

鲁大海　什么事?

周　冲　（红脸）今天下午，你在我们家里——

鲁大海　（勃然）请[1]你少提那桩事。

鲁四凤　哥哥，你不要这样。人家是好心好意来安慰我们。

鲁大海　少爷，我们用不着你的安慰，我们生成一副穷骨头，用不着你半夜[2]的时候到这儿来安慰我们。

周　冲　你大概是误会了我的意思。

鲁大海　（清楚地[3]）我没有误会。我家里没有第三个人，我妹妹在这儿，你在这儿，这是什么意思?

周　冲　我没想到你这么想。[4]

鲁大海　可是谁都这样想。（回头向四凤）出去。

鲁四凤　哥哥!

鲁大海　你先出去，我有几句话要同二少爷说。（见四凤不走）出去!

〔四凤慢慢地由左门出去。

鲁大海　二少爷，[5]我们谈过话，我知道你在你们家里还算是[6]明白点的，不过你记着，以后你要再到这儿来，来——安慰我们，

1　川版无“请”。

2　“半夜”原刊作“快半夜”。

3　原刊无“清楚地”。

4　此句川版作“我没有想到你会这么想。”。

5　川版无“二少爷,”。

6　“还算是”川版作“还算”。

（突然凶暴地）我就打断你的腿。

周　冲　打断我的腿？

鲁大海　（肯定的神态）嗯！[1]

周　冲　（笑）我想一个人无论怎样[2]总不会拒绝别人的同情吧。

鲁大海　同情不是你同我的事，也要看看地位才成。

周　冲　大海，我觉得你有时候有些偏见太重，有钱的人并不是罪人，难道说就不能同你们接近么？

鲁大海　你太年轻，多说你也不明白。痛痛快快地告诉你吧，你就不应当到这儿来，这儿不是你来的地方。

周　冲　为什么？——你今早还说过，你愿意做我的朋友，我想四凤也愿意做我的朋友，那么我就不可以来帮点忙么？

鲁大海　少爷，你不要以为这样就是仁慈。[3]我听说，你想叫四凤念书，是么？四凤是我的妹妹，我知道她！她不过是一个没有定性平平常常的女孩子，也是想穿丝袜子，想坐汽车的。

周　冲　那你看错了她。

鲁大海　我没有看错。你们有钱人的世界，她多看一眼，她就得多一番烦恼。你们的汽车，你们的跳舞，你们闲在的日子[4]，这两年已经把她的眼睛看迷了，她忘了她是从哪里来的，她

1　“（突然凶暴地”以下川版作“（突然）我就要不客气了”。

2　“怎样”原刊作“怎么”。

3　此句川版作“你不要以为这样就是好心。”。

4　“日子”原刊作“生活”。

现在回到她自己的家里看什么都不顺眼啦。可是她是个穷人的孩子[1]，她的将来是给一个工人当老婆，洗衣服，做饭，捡煤渣。哼，上学，念书，嫁给一个阔人当太太，[2]那是一个小姐的梦！这些在我们穷人连想都想不起的。[3]

周　冲　你的话固然有点道理，可是——

鲁大海　所以如果矿主的少爷真替四凤着想，那我就请少爷从今以后不要同她往来。

周　冲　我认为你的偏见太多，你不能说我的父亲是个矿主，你就要——

鲁大海　现在我警告你，（瞪起眼睛来）[4]……

周　冲　警告？

鲁大海　如果什么时候我再看见你跑到我家里，再同我的妹妹在一起，我一定——（笑，忽然态度和善些下去[5]）好，我盼望没有这事情发生。少爷[6]，时候不早了，我们要睡觉了。

周　冲　你，你那样说话，——是我想不到的，我没想到我的父亲的话还是对的[7]。

---

1 “四凤是我的妹妹”以下川版作“四凤是我的妹妹，她是个穷人的孩子”。

2 川版无“嫁给一个阔人当太太，”。

3 川版无“这些在我们穷人连想都想不起的。”。

4 此句川版作“（瞪起眼睛）现在我警告你”。

5 “笑，忽然态度和善些下去”川版作“忽然态度和缓一些”。

6 川版无“我盼望没有这事情发生。少爷，”。

7 “话还是对的”原刊作“眼力真好”。

鲁大海　（阴沉地）哼，（爆发）你的父亲是个老混蛋！

周　冲　什么？

鲁大海　你的哥哥是——

〔四凤由左门跑进。

鲁四凤　你，你别说了！（指大海）我看你，你简直变成[1]个怪物！

鲁大海　你，你简直是个糊涂虫！[2]

鲁四凤　我不跟你说话了！（向冲）你走吧，你走吧，不要同他说啦。

周　冲　（无奈地，看看大海）好，我走。（向四凤）我觉得很对不起你，来到这儿，更叫你不快活。

鲁四凤　不要提了，二少爷，你走吧，这不是你呆的地方。

周　冲　好，我走！（向大海）再见，我原谅你[3]，（温和地）我还是愿意做你的朋友。（伸出手来）你愿意同我拉一拉手么？

〔大海没有理他，把身子转进去[4]。

鲁四凤　哼！

〔周冲也不再说什么，即将[5]走下。

〔鲁贵由左门上，捧着水果，酒瓶，同酒菜，脸更红，步伐有点错乱。

---

1 “变成”川版作“是”。

2 “你，你简直是个糊涂虫！”川版作“你糊涂虫！”。

3 川版无“再见，我原谅你，”。

4 “进去”川版作“过去”。

5 原刊无“即将”。

鲁　贵　（见冲要走）怎么？

鲁大海　让开点，他要走了。

鲁　贵　别，别，二少爷为什么刚来就走？

鲁四凤　（愤愤）你问哥哥去！

鲁　贵　（明白了一半，忽然笑向着冲[1]）别理他，您坐一会。

周　冲　不，我是要走了。

鲁　贵　那二少爷吃点什么再走，我老远地跟您买的[2]鲜货，吃点，喝两盅再走。

周　冲　不，不早了，我要回家了。

鲁大海　（向四凤，指鲁贵的食物）他从哪儿弄来的钱买这些东西？

鲁　贵　（转过头向大海）我自己的，你爸爸赚的钱。

鲁四凤　不，爸爸，这是周家的钱！你又胡花了！（回头向大海）刚才周太太送给妈[3]一百块钱。妈[4]不在，爸爸不听我的话收下了。

鲁　贵　（狠狠地看四凤一眼，解释地，向大海说[5]）人家二少爷亲自送来的。我不收还像话么？

鲁大海　（走到冲面前）什么，你刚才是给我们送钱来的。

鲁四凤　（向大海）你现在才明白！

1　此句川版作“笑向周冲”。

2　“买的”原刊作“买”。

3　“送给妈”原刊作“送给妈妈”，川版作“送给妈的”。

4　“妈”原刊作“妈妈”。

5　“解释地，向大海说”川版作“向大海解释”。

鲁　贵　（向大海——脸上露了卑下的颜色[1]）你看，人家周家都是好人。

鲁大海　（掉过[2]脸来向贵）把钱给我！

鲁　贵　（疑惧地）干什么？

鲁大海　你给不给？（声色俱厉[3]）不给，你可记得住放在箱子里的是什么东西么[4]？

鲁　贵　（恐惧地）我给，我给！（把钞票掏出来交给大海）钱在这儿，一百块。

鲁大海　（数一遍）什么，少十块[5]。

鲁　贵　（强笑着）我，我，我花了。

周　冲　（不愿再看他们）再见吧，我走了。

鲁大海　（拉住他）你别走，你以为我们能上你这样的当么？[6]

周　冲　这句话怎么讲？

鲁大海　我有钱，我有钱，我口袋里刚刚剩下十块[7]钱。（拿出零票同现洋，放在一块）刚刚十块[8]。你[9]拿走吧，我们不需要你们

---

1 “脸上露了卑下的颜色”川版作“一脸谄媚的颜色”。

2 “掉过”原刊作“翻过”。

3 “声色俱厉”原刊、初版均作“立起眼睛来”。

4 川版无“么”。

5 “十块”川版作“两块”。

6 “上你这样的当么？”原刊作“上你这样的圈套。”。

7 “十块”川版作“两块”。

8 “十块”川版作“两块”。

9 川版无“你”。

可怜我们[1]。

鲁　贵　这不像话！

周　冲　你这个人真有点儿不懂人情。

鲁大海　对了，我不懂人情，我不懂你们这种虚伪，这种假慈悲，我不懂……

鲁四凤　哥哥！

鲁大海　拿走。我要你跟我滚，跟我滚蛋。

周　冲　（他的整个的幻想被打散了一半[2]，失望地立了一会，忽然拿起钱）好，我走；我走[3]，我错了。

鲁大海　我告诉你，以后你们周家无论哪一个再来，我就打死他，不管是谁！

周　冲　谢谢你。我想周家除了我不会再有人这么糊涂的，再见吧！（向右门下[4]）

鲁　贵　大海。

鲁大海　（大声）叫他滚！

鲁　贵　好好好，我给您点灯，外屋黑！

周　冲　谢谢你。

1　“你们可怜我们”原刊作“你们的怜悯”。

2　此句原刊、初版均无“他的”，川版作“他的幻想被打散了”。

3　“我走；我走”川版作“我走”。

4　此句川版作“走向右门”。

〔二人由右门下[1]。

鲁四凤 二少爷！（跑下）

鲁大海 四凤，四凤，你别去！（见四凤已下）这个糊涂孩子！[2]

〔鲁妈由右门上。

鲁大海 妈。您知道周家二少爷来了。

鲁侍萍 嗯，我看见一辆洋车在门口，我不知道是谁来，我没敢进来。

鲁大海 您知道刚才我把他赶了么？

鲁侍萍 （沉重地点一点头）知道，我刚才在门口听了一会。

鲁大海 周家的太太送了您一百块钱。

鲁侍萍 哼！[3]（愤然）不用她给钱，我[4]会带着女儿走的。

鲁大海 您走？带着四凤走？

鲁侍萍 嗯，明天就走。

鲁大海 明天？

鲁侍萍 我改主意了，明天。

鲁大海 好极啦！那我就不必说旁的话了。

鲁侍萍 什么？

---

1 “二人”川版作“鲁贵与周冲”，“由右门下”原刊作“自右门下”。

2 “四凤，四凤，”以下川版作“四凤，四凤！”。

3 川版无“哼！”。

4 此处川版有“明天就”。

鲁大海 （暗晦地[1]）没有什么，我回来的时候看见四凤跟这位二少爷谈天。

鲁侍萍 （不自主地）谈什么？

鲁大海 （暗示地[2]）不知道，像是很亲热似的。

鲁侍萍 （惊）哦？……（自语）这个糊涂孩子。

鲁大海 妈，您见着张大婶怎么样？

鲁侍萍 卖家具，已经商量好了。

鲁大海 好，[3]妈，我走了。

鲁侍萍 你上哪儿去？

鲁大海 （孤独地[4]）钱完了，我也许拉一晚上车。

鲁侍萍 干什么？不，用不着，妈这儿有钱，你在家睡觉。

鲁大海 不，您留着自己用吧，我走了。

〔大海由右门下。

鲁侍萍 （喊）大海，大海！

〔四凤上。

鲁四凤 妈，（不安地[5]）您回来了。

鲁侍萍 你忙着送周家的少爷，没有顾到看见我。

---

1 原刊无“暗晦地”。

2 原刊、川版均无“暗示地”。

3 川版无“好，”。

4 原刊、川版均无“孤独地”。

5 原刊无“不安地”。

鲁四凤 （解释地[1]）二少爷是他母亲叫他来的。

鲁侍萍 我听见你哥哥说，你们谈了半天的话吧？[2]

鲁四凤 您说我跟周家二少爷？[3]

鲁侍萍 嗯，[4]他谈了些什么？

鲁四凤 没有什么！——平平常常的话。

鲁侍萍 凤儿，真的？

鲁四凤 您听哥哥说了些什么话？哥哥是一点人情也不懂。

鲁侍萍 （严肃地[5]）凤儿，（看着她[6]，拉着她的手）你看看我，我是你的妈。是不是？

鲁四凤 妈，您怎么啦？

鲁侍萍 凤，妈是不是顶疼你？

鲁四凤 妈，您为什么说这些话？

鲁侍萍 我问你，妈是不是天底下最可怜，没有人疼的一个苦老婆子？

鲁四凤 不，妈，您别这样说话，我疼您。

鲁侍萍 凤儿，那我求你一件事。

---

1 原刊无“解释地”。

2 “你们谈了半天的话吧？”川版作“你们谈了半天了。”。

3 此处原刊有“嗯。”。

4 原刊无“嗯，”。

5 原刊无“严肃地”。

6 “看着她”川版作“盯着四凤”。

鲁四凤 妈，您说啦[1]，您说什么事！

鲁侍萍 你得告诉我，周家的少爷究竟跟你——怎么样了？

鲁四凤 哥总是瞎说八道的——他跟您说了什么？

鲁侍萍 不是哥，他[2]没说什么，妈[3]要问你！

〔远处隐雷。[4]

鲁四凤 妈，您为什么问这个？我不跟您说过吗？一点也没什么。妈，没什么！

〔远处隐雷。[5]

鲁侍萍 你听，外面打着雷。妈妈是个可怜人，我的女儿在这些事上不能再骗我！

鲁四凤 （顿）妈，我不骗您！我不是跟您说过，这两年——

〔鲁贵的声音：（在外屋）侍萍，快来睡觉吧，不早了。

鲁侍萍 别管我，你先睡你的。

〔鲁贵：你来！

鲁侍萍 你别管我！——（对四凤）你说什么？

鲁四凤 我不是跟你说过，这两年，我天天晚上——回家的？

鲁侍萍 孩子，你可要说实话，妈经不起再大的事啦。

---

1 “说啦”原刊、川版均作“说吧”。

2 “他”原刊作“哥哥”。

3 “妈”原刊作“妈妈”。

4 原刊无此句。

5 原刊无此句。

鲁四凤 妈,（抽咽）妈，您为什么不信您自己的女儿呢?（扑在鲁妈怀里大哭，鲁妈抱着她[1]）

鲁侍萍 （落眼泪）凤儿，可怜的孩子，不是我不相信你，我太爱你，我生怕外人欺负了你,（沉痛地）我太不敢相信世界上的人了。傻孩子，你不懂妈的心，妈的苦多少年是说不出来的，你妈就是在年轻的时候没有人来提醒[2],——可怜[3]，妈就是一步走错，就步步走错了。孩子，我就生了[4]你这么一个女儿，我的女儿不能再像她妈似的。人的心都靠不住，我并不是说人坏，我就是恨人性太弱，太容易变了。孩子，你是我的，你是我唯一的宝贝，你永远疼我！你要是再骗我，那就是杀了我了，我的苦命的孩子!

鲁四凤 不，妈，不，我以后永远是妈的了。

鲁侍萍 （忽然[5]）凤儿，我在这儿一天耽心一天，我们明天一定走，离开这儿。

鲁四凤 （立起）什么，明天就走?

鲁侍萍 （果断地）嗯。我改主意了，我们明天就走。永远不回这儿来了。

---

1 “抱着她”原刊、初版均作“抱四凤”。

2 “你妈”原刊作“妈妈”,“来提醒”原刊作“提醒我”。

3 “可怜”原刊作“可怜的孩子”。

4 “生了”原刊作“生”。

5 原刊无“忽然”。

鲁四凤 我们永远不回到这儿来了。妈，不，为什么这么早就走？

鲁侍萍 孩子，你要干什么？

鲁四凤 （踌躇地[1]）我，我——

鲁侍萍 不愿意早一点儿跟妈走？

鲁四凤 （叹一口气，苦笑）也好，我们明天走吧。

鲁侍萍 （忽然疑心地）孩子，你还有什么事瞒着我。

鲁四凤 （擦着眼泪[2]）妈，没有什么。

鲁侍萍 （慈祥地[3]）好孩子，你记住妈刚才说的话么？

鲁四凤 记得住！

鲁侍萍 凤儿，我要你永远不见周家的人！

鲁四凤 好，妈！

鲁侍萍 （沉重地）不，要起誓。

〔[4]畏怯地望着鲁妈[5]的严厉的脸。

鲁四凤 哦，这何必呢？

鲁侍萍 （依然严肃地）不，你要说。

鲁四凤 （跪下）妈，（扑在鲁妈[6]身上）不，妈，我——我说不了。

鲁侍萍 （眼泪流下来）你愿意让妈伤心么？你忘记妈三年前为着你

---

1 原刊无“踌躇地”。

2 原刊无“擦着眼泪”。

3 原刊无“慈祥地”。

4 此处川版有“四凤”。

5 “鲁妈”原刊、初版均作“妈”。

6 “鲁妈”原刊、初版均作“母亲”。

的病几乎死了么？现在你——（回头泣）

鲁四凤 妈，我说，我说。

鲁侍萍 （立起）你就这样跪下说。

鲁四凤 妈，我答应您，以后我永远不见周家的人。

〔雷声轰地滚过去。

鲁侍萍 孩子，天上在打着雷，你要是以后忘了妈的话，见了周家的人呢？

鲁四凤 （畏怯地）妈，我不会的，我不会的。

鲁侍萍 孩子，你要说，你要说。假若你忘了妈[1]的话，——

〔外面的雷声。

鲁四凤 （不顾一切地）那——那天上的雷劈了我。（扑在鲁妈[2]怀里）哦，我的妈呀！（哭出声）

〔雷声轰地滚过去。[3]

鲁侍萍 （抱着女儿，大哭）可怜的孩子，妈不好，妈造的孽，妈对不起你，是[4]妈对不起你。（泣）

〔鲁贵由右门上。脱去短衫，他只有一件线坎肩[5]，满身肥肉，脸上冒着油，唱着春调，眼迷迷地望着鲁妈同四凤。

---

1 “妈”原刊作“妈妈”。

2 “鲁妈”原刊、初版均作“母亲”。

3 原刊无此句。

4 原刊无“是”。

5 “脱去”以下川版作“脱去汗衫，搭拉一条汗巾”。

鲁　贵　（向鲁妈）这么晚还不睡？你说点子什么？

鲁侍萍　你别管，你一个人去睡吧。我今天晚上就跟四凤一块儿睡了。

鲁　贵　什么？

鲁四凤　不，妈，您去吧。让我一个人在这儿。

鲁　贵　侍萍，凤儿这孩子难过一天了，你搅她干什么？

鲁侍萍　孩子，你真不要妈陪着你么？

鲁四凤　妈，您让我一个人在屋子里歇着吧。

鲁　贵　来吧，干什么？你叫这孩子好好地歇一会儿吧：她总是一个人睡的。我先走了[1]。

〔鲁贵下。

鲁侍萍　也好，凤儿，你好好地睡[2]，过一会儿我再来看你。

鲁四凤　嗯，妈[3]！

〔鲁妈下。

〔四凤把右边门关上，隔壁鲁贵又唱“花开花谢年年有，人过了个青春不再来”的春调。她到[4]圆桌前面，把洋灯的火捻小了，这时听见外面的蛙声同狗叫。她坐[5]在床边，换了

---

1 “走了”原刊作“去了”。

2 “凤儿，你好好地睡”原刊作“孩子好好地睡”。

3 “妈”原刊作“妈妈”。

4 “她到”原刊作“走到”。

5 原刊无“坐”。

一双拖鞋，立起解开几个扣子[1]，走两步，却[2]又回来坐在床边，深深地叹一口气倒在床上。外屋鲁贵还低声在唱，母亲像是低声在劝他不要闹。屋外敲着一声一声的梆子。四凤又由床上坐起，拿起蒲扇用力地挥着。闷极了，她把窗户打开，立在窗前，散开自己的头发，深深吸一口长气，轻轻只把窗户关上一半。她还是烦，她想起许多许多的事。她拿手绢擦一擦脸上的汗，走到圆桌旁[3]，又听见鲁贵说话同唱的声音。她苦闷地叫了一声[4]"天！"，忽然拿起酒瓶，放在口里喝一口[5]。她摸摸自己的胸，觉得心里在发烧，便在桌旁坐下[6]。

〔鲁贵由左门上，赤足，拖着鞋。

鲁　贵　你怎么还不睡？

鲁四凤　（望望他）嗯。

鲁　贵　（看她还拿着酒瓶）谁叫你喝酒啦？（拿起酒瓶同酒菜，笑着）快睡吧。

鲁四凤　（失神地）嗯。

鲁　贵　（走到门口）不早了，你妈都睡着了。

---

1 "扣子"川版作"钮扣"。

2 川版无"却"。

3 "圆桌旁"原刊作"圆桌上"。

4 原刊无"叫了一声"。

5 原刊无"忽然"，"放在口里喝一口"川版作"喝了一口"。

6 "便在桌旁坐下"原刊作"坐桌旁"。

〔鲁贵下。

〔四凤到右门口[1]，把门关上，立在右门旁一会，听见鲁贵同鲁妈说话的声音。走到圆桌旁[2]，长叹一声，低而重地捶着桌子，扑在桌上抽咽。“天哪！”外面有口哨声，远远地。四凤突然立起，畏惧地屏住气息谛听，忽然把桌上的灯转明[3]，跑到窗前，开窗探头向外望，过后她立刻关上，背倚着窗户，惧怕，胸间起伏不定粗重地呼吸。但是口哨的声音更清楚，[4]她把一张红纸罩了[5]灯，放在窗前，她的脸发白，在喘。口哨愈近，远远一阵雷，她怕了，她又把灯拿回去。她[6]把灯转暗，倚在桌上谛听[7]着。窗外面有脚步的声音[8]，一两声咳嗽。四凤轻轻走到窗前，脸向着观众，倚在窗上。

〔外面的声音：（敲着窗户）

鲁四凤　（颤声）哦！

---

1 “四凤到右门口”原刊作“又走到右门口”。

2 “走到圆桌旁”原刊作“她走到圆桌旁”。

3 “四凤突然立起”以下原刊作“四凤突然地把桌上的灯转明”，川版作“四凤突然惊起，畏惧地屏住气息，谛听。忽然把桌上的灯捻亮”。

4 “开窗探头”以下原刊作“开窗向外望，看完她立刻关上，背倚着窗户惧怕地胸间起伏不定，粗声地喘气，口哨的声音更清楚，”，川版作“开窗探望一下又关上，倚着窗户，犹豫，惧怕，粗重地喘息着。口哨的声音更清楚。”。

5 “罩了”川版作“罩着”。

6 川版无“她”。

7 “谛听”川版作“听”。

8 “窗外面有脚步的声音”川版作“窗外有脚步声”。

〔外面的声音：（敲着窗户，低声）喂！开！开！

鲁四凤　谁？

〔外面的声音：（含糊地）你猜！

鲁四凤　（颤声）你，你来干什么？

〔外面的声音：（暗晦地[1]）你猜猜！

鲁四凤　我现在不能见你。（脸色灰白[2]，声音打着战）

〔外面的声音：（含糊的笑声）这是你心里的话么？

鲁四凤　（急切地[3]）我妈在家里。

〔外面的声音：（带着诱意[4]）不用骗我！她睡着了。

鲁四凤　（关心地[5]）你小心，我哥哥恨透了你。

〔外面的声音：（漠然[6]）他不在家，我知道。

鲁四凤　（转身，背向观众[7]）你走！

〔外面的声音：我不！（外面向里用力推窗门，四凤用力挡住）

鲁四凤　（焦急地[8]）不，不，你不要进来。

〔外面的声音：（低声）四凤，我求你，你开开！

1　原刊无“暗晦地”。

2　川版无“脸色灰白，”。

3　原刊无“急切地”。

4　原刊、川版均无“带着诱意”。

5　原刊无“关心地”，川版作“急切”。

6　原刊无“漠然”。

7　“背向观众”川版作“背倚着窗户”。

8　原刊无“焦急地”，川版作“焦急”。

鲁四凤 不，不！已经到了半夜，我的衣服都脱了。

〔外面的声音：（急迫地）什么，你衣服脱了[1]？

鲁四凤 （点头[2]）嗯，我已经在床上睡着了！[3]

〔外面的声音：（颤声）那……那……我就……我。（叹一口长气）

鲁四凤 （恳求地）那你不要进来吧[4]，好不好？

〔外面的声音：（转了口气[5]）好，也好，我就走，（又急切地[6]）可是你先打开窗门[7]，叫我……

鲁四凤 不，不，你赶快走[8]！

〔外面的声音：（急切地恳求[9]）不，四凤，你只叫我……啊……只叫我亲一回吧[10]。

鲁四凤 （苦痛地）啊，大少爷，这不是你的公馆，你饶了我吧。

〔外面的声音：（怨恨地）那么你忘了我了，你不再想……

---

1 川版无“，你衣服脱了”。

2 原刊、川版均无“点头”。

3 此句川版作“我已经在床上睡了！”。

4 “不要进来吧”川版作“走吧”。

5 原刊无“转了口气”。

6 原刊无“又急切地”。

7 “窗门”川版作“窗户”。

8 “你赶快走”川版作“你就走”。

9 原刊无“急切地恳求”，川版作“急切地”。

10 “啊……”以下川版作“只叫我亲亲你”。

鲁四凤　（决心地）对了。（转过身，面向观众，苦痛地[1]）我忘了你了。你走吧。

〔外面的声音：（忽然地）是不是刚才我的弟弟来了？

鲁四凤　嗯，（踌躇地[2]）……他……他……[3]他来了！

〔外面的声音：（尖酸地）哦！（长长叹一口气）那就怪不得你，你现在这样了。

鲁四凤　（没有办法[4]）你明明知道我是不喜欢他的。

〔外面的声音：（狠毒地[5]）哼，没有心肝，只要你变了心，小心我……（冷笑）[6]

鲁四凤　谁变了心？

〔外面的声音：（恶躁地[7]）那你为什么不打开门[8]，让我进来？你不知道我是真爱你么？我没有你不成么？[9]

鲁四凤　（哀诉地[10]）哦，大少爷，[11]你别再缠我好不好？今天一天你

1　原刊无"，苦痛地"。此句川版作"痛苦地转过身，面向观众"。

2　原刊无"踌躇地"。

3　川版无"……他……他……"。

4　原刊无"没有办法"。

5　"狠毒地"川版作"恶声恶气"。

6　"小心我……（冷笑）"川版作"……"。

7　原刊无"恶躁地"，川版作"急躁地"。

8　"门"川版作"窗户"。

9　川版无此句。

10　"哀诉地"原刊作"恳求地"。

11　川版无"哦，大少爷，"。

替[1]我们闹出许多事，你还不够么？

〔外面的声音：（真挚地[2]）那我知道错了，不过，现在我要见你，对了，我要见你[3]。

鲁四凤　（叹一口气）好，那明天说吧！明天我依你，什么都成！

〔外面的声音：（恳切地[4]）明天？

鲁四凤　（苦笑，眼泪落了下来，擦眼泪[5]）明天！对了，明天。

〔外面的声音：（犹疑地[6]）明天，真的？

鲁四凤　嗯，真的，我没有骗过你[7]。

〔外面的声音：好吧，就这样吧，明天，你不要冤我。

〔足步声。

鲁四凤　你走了？

〔外面的声音[8]：嗯，走了。

〔足步声渐远。

鲁四凤　（心里一块石头落下来，[9]自语）他走了！哦，[10]（摸自己的胸）

---

1 “替”川版作“给”。

2 原刊无“真挚地”。

3 “对了，我要见你”川版作“要见你”。

4 原刊无“恳切地”。

5 原刊无“，擦眼泪”。

6 原刊无“犹疑地”。

7 “我没有骗过你”川版作“我不骗你”。

8 “〔外面的声音：（敲着窗户，低声）”以下“外面的声音”川版作“外面的人”。

9 原刊无“心里一块石头落下来，”。

10 川版无“哦，”。

这样闷，这样热。（把窗户打开，立窗前，风吹进来，她摸自己火热的面孔[1]，深深[2]叹一口气）唉！

〔周萍忽然立在窗口。

鲁四凤 哦，妈呀！（忙关窗门，萍已推开一点[3]，二人挣扎）

周　萍 （手[4]推着窗门）这次你赶不走我了。

鲁四凤 （用力关）你……你……你走！（二人一推一拒相持中[5]）

〔萍到底越过窗进来，他满身泥泞，右半脸沾着鲜红的血。[6]

周　萍 你看我还是进来了。

鲁四凤 （退后）你又喝醉了！

周　萍 不，（乞怜地[7]）四凤，你为什么躲我？你今天变了，我明天一早就走，你骗我，你要我明天见你。我能见你就是这一点时候[8]，你为什么害怕不敢见我？（右半血脸转过来[9]）

---

1 “面孔”原刊作“面颊”。

2 川版无“深深”。

3 “已推开一点”川版作“推开一点”，原刊作“已推开”。

4 川版无“手”。

5 原刊无此句。“相持中”川版作“相持着”。

6 此句原刊作“萍已越窗进，他的脸很红，脚步有点乱。”，“右半脸”川版作“脸上”。

7 原刊无“乞怜地”，川版作“怨望地”。

8 “你今天变了”以下川版作“你变了，我明天一早就走，我能见你，就是这么一点点时候”。

9 原刊无此句。

鲁四凤 （怕[1]）你的脸怎么啦?（指萍的血脸）

周　萍 （摸脸，一手的血[2]）为着找你，我路上摔的。（挨近[3]四凤）

鲁四凤 不，不，你走吧，我求你，你走吧。

周　萍 （奇怪地[4]笑着）不，我得好好地看看你。（拉住她的手[5]）

〔雷声大作。

鲁四凤 （躲开[6]）不，你听，雷，雷，你跟我[7]关上窗户。

〔萍关上窗户。

周　萍 （挨近[8]）你怕什么?

鲁四凤 （颤声[9]）我怕你,（退后[10]）你的样子难看[11]，你的脸满是血。……我不认识你……你是……

周　萍 （怪样地笑[12]）你以为我是谁?傻孩子?（拉她的手[13]）

---

1 原刊无“怕”。

2 原刊无“摸脸，一手的血”。

3 “挨近”原刊作“走近”。

4 原刊无“奇怪地”。

5 原刊无此句。

6 川版无“躲开”。

7 川版无“你跟我”。

8 原刊无“挨近”。

9 原刊无“颤声”。

10 原刊无“退后”。

11 川版无“你的样子难看,”。

12 原刊无“怪样地笑”。

13 原刊无“拉她的手”。

〔外面有女人叹气的声音，敲窗户。

鲁四凤 （推开他[1]）你[2]听，这是什么？像是[3]有人在敲窗户。

周　萍 （听）胡说，没有什么！

鲁四凤 有，有，你听，像有个女人在叹气。[4]

周　萍 （听）没有，没有，（忽然笑）你大概见了鬼。[5]

〔雷声大作，一声霹雳。

鲁四凤 （低声）哦，妈。（跑[6]到萍怀里）我怕！（躲在角落里[7]）

〔雷声轰轰，大雨下，舞台渐暗。一阵风吹开窗户[8]，外面黑黝黝的。忽然一片蓝森森的闪电，照见了蘩漪的惨白发死青[9]的脸露在窗台上面。她像个死尸，任着一条一条的雨水向散乱的头发上淋。她痉挛地不出声地苦笑[10]，泪水流到眼角下，望着里面只顾拥抱的人们。闪电止了，窗外又是黑漆漆的。再闪时，见她伸进手，拉着窗扇，慢慢地由外面关

---

1 原刊无“推开他”。

2 川版无“你”。

3 川版无“像是”。

4 原刊无此句。“有，有”川版作“有”。

5 原刊无此句。

6 “跑”川版作“扑”。

7 原刊无此句。

8 “一阵风吹开窗户”川版作“窗户推开了”。

9 “发死青”川版作“铁青”。

10 “苦笑”川版作“笑”。

上[1]。雷更隆隆地响着，屋子整个黑下来。黑暗里，只听见四凤低声说话。[2]

鲁四凤 （低声[3]）你抱紧我，我怕极了。[4]

〔舞台黑暗一时[5]，只露着圆桌上的洋灯，和窗外蓝森森的闪电[6]。听见屋外大海叫门的声音，大海进门的声音。舞台渐明，萍坐在圆椅上，四凤在旁立，床上微乱。

周　萍 （谛听）这是谁？

鲁四凤 你别作声！

〔鲁妈的声音：怎么回来了，大海[7]？

〔大海的声音：雨下得太大，车厂的房子塌了。

鲁四凤 （低声而急促地[8]）哥哥来了，你走，你赶快走[9]。

周萍忙至窗前，推窗。

周　萍 （推不动）奇怪！

鲁四凤 怎么？

---

1 此句川版作“再闪时，见她拉下窗外的护窗板，慢慢由外面关牢。”。

2 “雷声轰轰”以下原刊作“雷声轰轰，大雨下。舞台更暗，黑暗中听见。”。

3 原刊无“低声”，川版作“听到雷声”。

4 此句原刊作“你抱着我，我怕。”，初版作“你抱紧了我，我怕极了。”。

5 此句川版作“黑暗中”。

6 “窗外蓝森森的闪电”原刊作“窗外的闪电蓝森森地”。

7 原刊无“，大海”。

8 此句川版作“低声，急促地”。

9 “你赶快走”原刊作“你赶快点”。

周　萍　（急迫地[1]）窗户外面有人关上了。

鲁四凤　（怕[2]）真的，那会是谁？

周　萍　（再推）不成，开不动[3]。

鲁四凤　你别作声音[4]，他们就在门口。

〔大海的声音：铺板呢？

〔鲁妈的声音：在四凤屋里。

鲁四凤　哦，萍，他们要进来。你藏，你藏起来。

〔四凤正引萍入左门，大海持灯推门进。

鲁大海　（慢，嘘声[5]）什么？（见四凤同萍，二人俱[6]僵立不动，静默，哑声[7]）妈，您快进来，我见了鬼！

〔鲁妈跑进。

鲁侍萍　（喑哑[8]）天！

鲁四凤　（见鲁妈进，即由右门跑出，苦痛地[9]）啊！[10]

1　原刊无"急迫地"。

2　原刊无"怕"。

3　"开不动"川版作"推不动"。

4　"声音"川版作"声"。

5　原刊无"慢，嘘声"，川版无"，嘘声"。

6　川版无"俱"。

7　原刊无"，静默，哑声"，川版无"，哑声"。

8　原刊无"喑哑"。

9　"见鲁妈进"以下原刊作"见鲁妈进，当由右门跑出"，川版作"一眼见妈，夺门而出"。

10　"啊！"原刊作"哦，天！"。

〔鲁妈扶着门闩，几晕倒。

鲁大海 哦，原来是你！[1]（拾起桌上铁刀，奔向萍。鲁妈用力拉着他的衣襟[2]）

鲁侍萍 [3]大海，你别动，你动，妈就死在你的面前。

鲁大海 您放下我，您放下我！（急得跺脚）

鲁侍萍 （见萍惊立不动，顿足）糊涂东西，你还不跑？

〔萍由右门跑下。

鲁大海 （喊）抓住他！爸，抓住他[4]。（大海被母亲拖着，他想追，把她在地上拖了几步[5]）

鲁侍萍 （见萍已跑远，坐在地上发呆）哦，天！[6]

鲁大海 （跺足）妈！妈！[7]你好糊涂！

〔鲁贵上。

鲁　贵 他走了？咦，可是四凤呢？

鲁大海 不要脸的东西，她跑了。

鲁侍萍 哦，我的孩子，我的孩子，外面的河涨了水，我的孩子。

---

1 此句原刊作“哦，原来是周家大少爷呀？”。

2 川版无“鲁妈用力拉着他的衣襟”。

3 此处川版有“（死命拉着他的褂子）”。

4 “爸，抓住他”原刊作“爸，爸，抓着他”。

5 “她”原刊作“母亲”。此句川版作“大海被母亲拼命拖着，大海追赶，竟把她在地上拖了几步”。

6 此句川版作“（见周萍跑远，瘫在地上发呆）天！”。

7 “妈！妈！”川版作“妈！”。

你千万别糊涂！四凤！[1]（跑）

鲁大海 （拉着她）你上哪儿？

鲁侍萍 这么大的雨她跑出去，我要找她。

鲁大海 好，[2]我也去。

鲁侍萍 我等不了！（跑下，喊“四凤！”声音愈走愈远）[3]

〔鲁贵忽然也戴上帽子跑出，大海一人立在圆桌前不动，他走到箱子那里，把手枪[4]取出来，看一看，[5]揣在怀里，快步走下。外面是暴风雨的声音，同鲁妈喊四凤的声音。[6]

——幕急落

---

1 “四凤！”川版作“啊，孩子！”。

2 川版无“好，”。

3 “我等不了！”以下川版作“我等不了。（喊）四凤！〔鲁妈连声喊着，追下。”。

4 “手枪”原刊作“枪”。

5 “大海一人”以下川版作“大海走到箱子那里，取出手枪，”。

6 此句川版作“外面暴风雨声，鲁妈喊四凤的声音。”。

第四幕

景——[1]周宅客厅内。半夜两点钟的光景。

开幕时，周朴园一人坐在沙发上，读文件[2]；旁边燃着一个立灯[3]，四周是黑暗的。

外面还隐隐滚着雷声，[4]雨声淅沥可闻，窗前帷幕垂下来了，中间的门紧紧地掩了[5]，由门上玻璃望出去[6]，花园的景物都掩埋在黑暗里，除了偶尔天空闪过一片耀目的电光[7]，蓝森森的看见树同电线杆[8]，一瞬又是黑漆漆的。

周朴园　（放下文件[9]，呵欠，[10]疲倦地伸一伸腰）来人啦[11]！（取眼镜，擦

---

1 川版无“景——”。

2 “坐在沙发上”原刊作“坐沙发”，“文件”原刊作“一束公文”，川版作“报”。

3 “燃着一个立灯”川版作“一盏立灯亮着”。

4 川版无“还隐隐滚着雷声，”。

5 “紧紧地掩了”川版作“紧紧掩起”。

6 “望出去”原刊作“望出”。

7 “耀目”川版作“耀眼”，“电光”原刊作“电”。

8 “电线杆”川版作“藤萝架”。

9 “文件”原刊作“公文”，川版作“报”。

10 川版无“呵欠，”。

11 “来人啦”原刊作“来人哪”。

目，声略高[1]）来人！（擦着眼镜，走到左边饭厅门口，又恢复平常的声调[2]）这儿有人么？（外面闪电，停，[3]走到右边柜前，按铃。无意中又[4]望见侍萍的相片，拿起，戴上眼镜看）

〔仆人上。

仆　人　老爷！

周朴园　我叫了你半天。

仆　人　外面下雨，听不见。

周朴园　（指钟）钟怎么停了？

仆　人　（解释地）每次总是四凤上的，今天她走了，这件事就忘了。

周朴园　什么时候了？

仆　人　嗯，——大概有两点钟了。

周朴园　刚才[5]我叫账房汇一笔钱到济南去，他们弄清楚了没有？

仆　人　您说寄给济南一个，一个姓鲁的，是么？

周朴园　嗯。

仆　人　预备好了。

〔外面闪电，朴园回头望花园。

周朴园　藤萝架那边的电线，太太叫人来修理了么？

---

1 “擦目，声略高”川版作“揉揉眼睛”。

2 川版无“，又恢复平常的声调”。

3 “停，”川版作“他”。

4 川版无“又”。

5 “刚才”川版作“晚上”。

仆　人　叫了，电灯匠说下着大雨不好修理，明天再来。

周朴园　那不危险么？

仆　人　可不是么？刚才大少爷的狗走过那儿，碰着那根电线[1]，就给电死了。现在那儿已经用绳子圈起来，没有人走那儿。

周朴园　哦。——什么，现在几点了？

仆　人　两点多了。老爷要睡觉么？

周朴园　你请太太下来。

仆　人　太太睡觉了。

周朴园　（无意地）二少爷呢？

仆　人　早睡了。

周朴园　那么，你看看大少爷。

仆　人　大少爷吃完饭出去，还没有回来。

〔沉默半晌[2]。

周朴园　（走回沙发前坐下[3]，寂寞地）怎么这屋子一个人也没有？

仆　人　是，老爷，一个人也没有。[4]

周朴园　今天早上[5]没有一个客来。

仆　人　是，老爷。外面下着很大的雨，有家的都在家里待着。[6]

1　“电线”原刊作“走电的电线”。

2　川版无“半晌”。

3　“走回沙发前坐下”原刊作“走回沙发坐”。

4　此句川版作“是，差不多都睡了。”。

5　“早上”原刊作“晚上”。

6　“**周朴园**　今天早上没有一个客来”以下川版无。

周朴园　（呵欠，感到更深的空洞）家里的人也[1]只有我一个人还在醒着。

仆　人　是，差不多都睡了。

周朴园　好，你去吧。

仆　人　您不要什么东西么？

周朴园　我[2]不要什么。

〔仆人由中门下。朴园站起来[3]，在厅中来回沉闷地踱着，又停在右边柜前，拿起侍萍的相片。开了中间的灯[4]。

〔冲由饭厅上。

周　冲　（没想到父亲在这儿）爸！

周朴园　（露喜色）你——你没有睡？

周　冲　嗯。

周朴园　找我么？

周　冲　不，我以为母亲在这儿。

周朴园　（失望）哦——你母亲在楼上。

周　冲　没有吧，我在她的门上敲了半天，她的门锁着。——是的，那也许。——爸，我走了。

1　川版无“也”。

2　川版无“我”。

3　“站起来”原刊、初版均作“立起”。

4　“拿起”以下川版作“沉思地望着侍萍的相片”。

周朴园　冲儿，（冲立[1]）不要走。

周　冲　爸，您有事？

周朴园　没有。（慈爱地）你现在怎么还不睡？

周　冲　（服从地）是，爸，我睡晚了，我就睡。

周朴园　你今天吃完饭把克大夫给的药吃了么？

周　冲　吃了。

周朴园　打了球没有？

周　冲　嗯。

周朴园　快活么？

周　冲　嗯。

周朴园　（立起，拉起他[2]的手）为什么，你怕我么？

周　冲　是，爸爸。

周朴园　（干涩地）你像是有点不满意我，是么？

周　冲　（窘迫）我，我说不出来，爸。

〔半晌[3]。

〔朴园走回沙发，坐下叹一口气。招冲来，冲走近。

周朴园　（寂寞地）今天——呃，爸爸有一点觉得自己老了。（停）你知道么[4]？

---

1 此句川版作“周冲站住”。

2 “他”川版作“周冲”。

3 此句川版作“沉默”。

4 “你知道么”原刊作“你知道什么”。

周　冲　（冷淡地[1]）不，不知道，爸。

周朴园　（忽然）你怕[2]你爸爸有一天死了，没有人照拂你，你不怕么？

周　冲　（无表情地）嗯，怕。

周朴园　（想自己的儿子亲近他，可亲地）你[3]今天早上说要拿你的学费帮一个人，你说说看，我也许答应你。

周　冲　（悔怨地[4]）那是我糊涂，以后我不会这样说话了。

〔半晌[5]。

周朴园　（恳求地）后天我们就搬新房子，你不喜欢么？

周　冲　嗯。

〔半晌。[6]

周朴园　（责备地望着冲）你对我说话很少。

周　冲　（无神地）嗯，我——我说不出，您平时总像不愿意见我们似的。（嗫嚅地）您今天有点奇怪，我——我——[7]

周朴园　（不愿他向下说）嗯，你去吧！

周　冲　是，爸爸。

---

1 “冷淡地”川版作“冷淡”。

2 “你怕”川版作“如果”。

3 原刊无“你”。

4 川版无“悔怨地”。

5 “半晌”川版作“静默”。

6 “**周朴园**　（恳求地）”以下川版无。

7 “您今天”以下川版作“您今天有点……有点奇怪，您，……”。

〔冲由饭厅下。

〔朴园失望[1]地看着他儿子下去[2]，立起，[3]拿起侍萍的照片，寂寞地呆望着四周。关上立灯，面向[4]书房。

〔蘩漪由中门上。不做声地走进来，雨衣上的水[5]还在往下滴，发鬓有些湿[6]。颜色是很惨白，整个面部像石膏的塑像[7]。高而白的鼻梁，薄而红的嘴唇死死地刻在脸上，如刻在一个严峻的假面上，整个脸庞[8]是无表情的，只有她的眼睛烧着心内的疯狂的火[9]，然而也是冷酷的，爱和恨烧尽了女人一切的仪态，她像是厌弃了一切，只有计算着如何报复的心念在心中起伏。[10]

〔她看见[11]朴园，他惊愕地望着她[12]。

---

1 “失望”原刊作“怨望”。

2 “下去”川版作“走出”。

3 “立起，”川版作“又”。

4 “面向”川版作“正要走进”。

5 “雨衣上的水”原刊、初版均作“雨衣的水”。

6 “发鬓有些湿”川版作“鬓发湿漉漉的”。

7 此句川版作“颜色惨白，面部像石膏的塑像”。

8 “脸庞”原刊作“神色”。

9 “疯狂的火”原刊作“疯狂的怒火”。

10 “高而白”以下川版作“高高的鼻梁，红红的嘴唇刻在脸上，如刻在假面上。她没有表情，她的眼睛烧着火。爱和恨烧尽了女人一切的仪态，她像是厌弃了一切。”。

11 “看见”原刊、初版均作“望见”。

12 此句川版作“她打开灯，看见朴园。周朴园惊愕地望着她”。

周蘩漪 （毫不奇怪地）还没有睡?（立在中门前，不动）

周朴园 你?（走近她，粗而低的声音[1]）你上哪儿去了?（望着她，停[2]）冲儿找你一晚上。

周蘩漪 （平常地）我出去走走。

周朴园 这样大的雨，你出去走?

周蘩漪 嗯，——（忽然报复地）我有神经病。

周朴园 我问你，你刚才在哪儿?

周蘩漪 （厌恶地）你不用管。

周朴园 （打量她）你的衣服都湿了，还不脱了它?

周蘩漪 （冷冷地，有意义地[3]）我心里发热，我要在外面冰一冰。

周朴园 （不耐烦地[4]）不要胡言乱语的[5]，你刚才究竟上哪儿去了?

周蘩漪 （无神地望着他，清楚地[6]）在你的[7]家里!

周朴园 （烦恶地）在我的[8]家里?

周蘩漪 （觉得报复的快感，微笑）嗯，在花园里赏雨。

---

1 川版无“，粗而低的声音”。

2 川版无“，停”。

3 川版无“，有意义地”。

4 川版无“地”。

5 原刊无“的”。

6 此句川版作“望着他，一字一字地”。

7 原刊无“的”。

8 原刊无“的”。

周朴园　一夜晚[1]？

周蘩漪　（快意地）嗯，淋了一夜晚[2]。

〔半晌，[3]朴园惊疑[4]地望着她，蘩漪像一座石像地[5]仍站在门前。

周朴园　蘩漪，我看你上楼去歇一歇吧。

周蘩漪　（冷冷地）不，不，[6]（忽然[7]）你拿的什么？（轻蔑地）哼，又是那个女人的相片！（伸手拿）

周朴园　你可以不看，萍儿母亲的。

周蘩漪　（抢过去了，前走了两步[8]，就向[9]灯下看）萍儿的母亲很好看。

〔朴园没有理她，在沙发上坐下[10]。

周蘩漪　我问你，是不是？

周朴园　嗯。

1　“一夜晚”原刊作“一晚上”。

2　“一夜晚”原刊作“一晚上”。

3　“半晌，”川版作“停顿。”。

4　“惊疑”原刊、初版均作“怪惧”。

5　“像一座石像地”原刊、初版均作“像个石像”，川版作“像一座石像”。

6　“不，不，”川版作“不！”。

7　“忽然”原刊、初版均作“忽然地”。

8　“前走了两步”川版作“走两步”。

9　“就向”原刊作“就”，川版作“就近”。

10　“在沙发上坐下”原刊作“坐下沙发”。

周蘩漪　样子很温存的。

周朴园　（眼睛望着前面[1]）

周蘩漪　也[2]很聪明。

周朴园　（冥想）嗯。

周蘩漪　（高兴地[3]）真年轻。

周朴园　（不自觉地）不，老了。

周蘩漪　（想起）她不是早死了么？

周朴园　嗯，对了，她早死了。[4]

周蘩漪　（放下相片）奇怪，我像是在哪儿见过似的。

周朴园　（抬起头，疑惑地）不，不会吧。——你在哪儿见过她吗？[5]

周蘩漪　（忽然）她的名字很雅致，侍萍，侍萍，就是有点丫头气。

周朴园　好，我看你睡去吧。（立起，把相片拿起来）

周蘩漪　拿这个做什么？

周朴园　后天搬家，我怕掉了。[6]

周蘩漪　不，不，（从他手中取过来）放在这儿一晚上，[7]（怪样地笑[8]）

1　此句川版作“周朴园不理她”。

2　“也”川版作“她”。

3　“高兴地”川版作“欣赏地”。

4　“不，老了”以下川版作“嗯，年轻”。

5　“不，不会吧”以下川版作“不会。——你在哪儿见过她？”。

6　“**周蘩漪**　拿这个做什么？”以下川版无。

7　“不，不，”以下川版作“（从周朴园手中取过来）放在这儿！”。

8　原刊无“怪样地笑”。

不会掉的，我替你守着她。(放在桌上)

周朴园　不要装疯！你现在有点胡闹！

周蘩漪　我是疯了。请你不用管我。

周朴园　(愠怒)好，你上楼去吧，我要一个人在这儿歇一歇。

周蘩漪　不，我要一个人在这儿歇一歇，我要你给我出去。

周朴园　(严肃地)蘩漪，你走，我叫你上楼去！

周蘩漪　(轻蔑地)不，我不愿意。我告诉你，(暴躁地)我不愿意。

〔半晌[1]。

周朴园　(低声)你要注意这儿(指头)，记着克大夫的话，他要你静静地，少说话。明天克大夫还来，我已经替你请好了。

周蘩漪　谢谢你！[2](望着前面[3])明天？哼！

〔萍低头由饭厅走出，神色忧郁，走向书房。

周朴园　萍儿。

周　萍　(抬头，惊讶)爸！您还没有睡。

周朴园　(责备地)怎么，现在才回来？

周　萍　不，爸，我早回来，我出去买东西去了。

周朴园　你现在做什么？

周　萍　我到书房，看看爸写的介绍信在那儿没有。

周朴园　你不是明天早车走么？

1　“半晌”川版作“静默”。

2　川版无此句。

3　原刊无“望着前面”。

周　萍　我忽然想起今天夜晚两点半有一趟车，我预备现在就走。

周蘩漪　（忽然）现在？

周　萍　嗯。

周蘩漪　（有意义地）心里就这样急么？[1]

周　萍　是，母亲。

周朴园　（慈爱地[2]）外面下着大雨，半夜走不大方便吧？

周　萍　这时走，明天一早[3]到，找人方便些。

周朴园　信就在书房书桌上，你要现在走也好。（萍点头，走向书房）你不用去！（向蘩漪）你到书房把信替他拿来。

周蘩漪　（看朴园，不信任地）嗯！

〔蘩漪进书房。

周朴园　（望蘩出，谨慎地）她不愿[4]上楼，回头你先陪她到楼上去，叫底下人好好地伺候她睡觉。

周　萍　（无法地[5]）是，爸爸。

周朴园　（更小心）你过来！（萍走近，低声）告诉底下人，叫他们小心点，（烦恶地）我看她的病更重，刚才她忽然一个人出去了。

1　此句川版作"**周蘩漪**　就这样急么？"。

2　原刊无"慈爱地"，川版作"和蔼地"。

3　"一早"底本作"日初"，据川版改。

4　"不愿"川版作"不愿意"。

5　"无法地"原刊作"无法子地"，川版作"答应着"。

周　萍　出去了？

周朴园　嗯。（严重地）在外面淋了一夜晚[1]的雨，说话也非常奇怪[2]，我怕这不是好现象。——（觉得[3]恶兆来了似的）我老了，我愿意家里平平安安地……

周　萍　（不安地）我想爸爸只要把事不看得太严重了，事情就会过去的。

周朴园　（畏缩地）不，不，有些事简直是想不到的。天意很——有点古怪，今天一天叫我忽然悟到为人太——太冒险，太——太荒唐，（疲倦地）我累得很。（如释重负）今天大概是过去了。（自慰地）我想以后——不该，再有什么风波。（不寒而栗地）不，不该！[4]

〔蘩漪持信上。

周蘩漪　（嫌恶地）信在这儿！

周朴园　（如梦初醒，向萍）好，你走吧，我也想睡了。（振起喜色）嗯！后天我们一定搬新房子，你好好地休息两天。[5]

1　“一夜晚”原刊作“一晚上”。

2　“非常奇怪”原刊作“非常地怪”。

3　此处原刊有“不好”。

4　“今天一天”以下川版作“今天一天，叫我忽然悟到做人不容易，太不容易。（疲倦地）你肯到矿上去磨炼一下，这很好。有一样东西，你可以带去。（领周萍到方桌前，取出钥匙，打开抽屉，给他看）但是，只为着保护自己，不要拿它来闯祸。（把抽屉锁上）拿着钥匙！走的时候，不要忘了带着。（把钥匙交给周萍）”。

5　“（振起喜色）”以下川版作“蘩漪，你也好好地休息一下。”。

周蘩漪 （盼望他走）嗯，好。

〔朴园由书房下。

周蘩漪 （见朴园走出，阴沉地）这么说你是一定要走了。

周　萍 （声略带愤[1]）嗯。

周蘩漪 （忽然急躁地[2]）刚才你父亲对你说什么？

周　萍 （闪避地[3]）他说要我陪你上楼去，请你睡觉。

周蘩漪 （冷笑）他应当叫几个人把我拉上去，关起来。

周　萍 （故意装作不明白）你这是什么意思？

周蘩漪 （迸发）你不用瞒我。我知道，我知道，（辛酸地）他说我是神经病，疯子，我知道他，要你这样看我，他要什么人都这样看我。

周　萍 （心悸）不，你不要这样想。

周蘩漪 （奇怪的神色）你？你也骗我？（低声，[4]阴郁地）我从你们的眼神看出来，你们父子都愿我[5]快成疯子！（刻毒地）你们——父亲同儿子——偷偷在我背后说冷话，说我，笑我，在我背后计算着我。

周　萍 （镇静自己[6]）你不要神经过敏，我送你上楼去。

---

1 "声略带愤"原刊作"声略愤"。川版无此句。

2 川版无"急躁地"。

3 川版无"地"。

4 川版无"低声，"。

5 "愿我"原刊作"想我"，川版作"盼望我"。

6 川版无"自己"。

周蘩漪　（突然地，高声[1]）我不要你送，走开！（抑制着，恨恶地，低声[2]）我还用不着你父亲偷偷地，背着我，叫你小心，送一个疯子上楼。

周　萍　（抑制着自己的烦嫌）那么，你把信给我，让我自己走吧。

周蘩漪　（不明白地）你上哪儿？

周　萍　（不得已地[3]）我要走，我要收拾收拾我的东西。

周蘩漪　（忽然[4]冷静地）我问你，你今天晚上上哪儿去了？

周　萍　（敌对地）你不用问，你自己知道。

周蘩漪　（低声，[5]恐吓地）到底你还是到她那儿去了。

〔半晌[6]，蘩漪望萍，萍低头。

周　萍　（断然，阴沉地）嗯，我去了，我去了，（挑战地）你要怎么样？

周蘩漪　（软下来[7]）不怎么样。（强笑）今天下午的话我说错了，你不要怪我。我只问你走了以后，你预备把她怎么样？

周　萍　以后？——（冒然地[8]）我娶她！

1　此句川版作“突然”。

2　此句川版作“抑制自己，低声”。

3　川版无“地”。

4　川版无“忽然”。

5　川版无“低声，”。

6　“半晌”川版作“停顿”。

7　“软下来”原刊作“软和下来”。

8　川版无“地”。

周蘩漪　（突如其来地）娶她？

周　萍　（决定地）嗯。

周蘩漪　（刺心地）父亲呢？

周　萍　（淡然）以后再说。

周蘩漪　（神秘地）萍，我现在给你一个机会。

周　萍　（不明白）什么？

周蘩漪　（劝诱地[1]）如果今天你不走，你父亲那儿我可以替你想法子。

周　萍　不必，这件事我认为光明正大，我可以跟任何人谈。——她——她不过就是穷点。

周蘩漪　（愤然）你现在说话很像你的弟弟。——（忧郁地）萍！

周　萍　干什么？

周蘩漪　（阴郁地[2]）你知道你走了以后，我会怎么样？

周　萍　不知道。

周蘩漪　（恐惧地[3]）你看看你的父亲，你难道想象不出？

周　萍　我不明白你的话。

周蘩漪　（指自己的头）就在这儿；你不知道么？

周　萍　（似懂非懂地）怎么讲？

周蘩漪　（好像[4]在叙述别人的事情）第一，那位专家，克大夫免不了

1　原刊无“劝诱地”。

2　原刊无“阴郁地”。

3　原刊无“恐惧地”。

4　“好像”原刊、初版均作“如若”。

会天天来的，要我吃药，逼我吃药。吃药，吃药，吃药！渐渐伺候着我的人一定多，守着我，像看个怪物似的守着我。他们——

周　萍　（烦）我劝你，不要这样胡想，好不好？

周蘩漪　（不顾地[1]）他们渐渐学会了你父亲的话，“小心，小心点，她有点疯病！”到处都偷偷地在我背后低着声音说话，叽咕着。慢慢地无论谁都要小心点，不敢见我[2]，最后铁链子锁着我，那我真就成了疯子了。

周　萍　（无办法）唉！（看表）不早了，给我信吧，我还要收拾东西呢。

周蘩漪　（恳求地）萍，这不是不可能的。（乞怜地[3]）萍，你想一想，你就一点——就一点无动于衷么？

周　萍　你——（故意恶狠地）你自己要走这一条路，我有什么办法？

周蘩漪　（愤怒地）什么，你忘记你自己的母亲也是被你父亲气死的么？

周　萍　（一了百了，更[4]狠毒地激惹她）我母亲不像你，她懂得爱！她爱她自己的儿子，她没有对不起我父亲。

1　“不顾地”川版作“不顾一切”。

2　“不敢见我”原刊作“不准见”。

3　原刊无“乞怜地”。

4　川版无“更”。

周蘩漪　（爆发，[1]眼睛[2]射出疯狂的火）你有权利说这种话么？你忘了就在这屋子，三年前的你么？你忘了你自己才是个罪人；你忘了，我们——（突停，压制自己，冷笑[3]）哦，这是过去的事，我不提了。（萍低头，身发颤，[4]坐沙发上，悔恨抓着他的心，面上筋肉成不自然的拘挛[5]。她[6]转向他，哭声，失望地说着[7]）哦，萍，好了。这一次我求你，最后一次求你。我从来不肯对人这样低声下气说话，现在我求你可怜可怜我，这家我再也忍受不住[8]了。（哀婉地诉出）今天这一天我受的罪过你都看见了，这样子以后不是一天，是整月，整年地，以至到我死，才算完。他厌恶我，你的父亲；他知道我明白他的底细，他怕我。他愿意人人看我是怪物，是疯子，萍！——

周　萍　（心乱）你，你别说了。

周蘩漪　（急迫[9]地）萍，我没有亲戚，没有朋友，没有一个可信的

1　川版无“爆发，”。

2　“眼睛”原刊作“眼神”。

3　川版无“，冷笑”。

4　川版无“身发颤，”。

5　此句川版作“面上筋肉几乎拘挛”。

6　“她”原刊作“蘩”。

7　此句川版作“转向周萍，苦苦地求着”。

8　“忍受不住”原刊作“忍不住”。

9　“急迫”川版作“切迫”。

人，我现在求你，你先不要走——

周　萍　（躲闪地）不，不成。

周蘩漪　（恳求[1]地）即使你要走，你带我也离开这儿——

周　萍　（恐惧地）什么。你简直胡说！

周蘩漪　（恳求地）不，不，你带我走，——带我离开这儿，（不顾一切地）日后，甚至于你要把四凤接来——一块儿住，我都可以，只要，（热烈地）只要你不离开我。

周　萍　（惊惧地望着她，退后，半晌，颤声[2]）我——我怕你真疯了！

周蘩漪　（安慰地）不，你不要这样说话。只有我明白你，我知道你的弱点，你也知道我的。你什么我都清楚。（诱惑地笑[3]，向周萍奇怪地招着手，更诱惑地笑[4]）你过来，你——你怕什么？

周　萍　（望着她，忍不住地狂喊[5]出来）哦，我不要你这样笑！（更重[6]）不要你这样对我笑！[7]（苦恼地打着自己的头）哦，我恨我自己，我恨，我恨我为什么要活着。

1　“恳求”原刊作“切迫”。

2　“半晌，颤声”川版作“微顿”。

3　“诱惑地笑”川版作“忽然那样诱惑地笑”。

4　“向周萍”以下原刊作“招手”。

5　“狂喊”川版作“喊”。

6　原刊无“更重”。

7　原刊无此句。

周蘩漪　（酸楚地）我这样累你么？然而你知道我活不到几年了。

周　萍　（痛苦地）你难道不知道这种关系谁听着都厌恶么？你明白我每天喝酒胡闹就因为自己恨——恨我自己么？

周蘩漪　（冷冷地）我跟你说过多少遍，我不这样看，我的良心不是这样做[1]的。（郑重地）萍，今天我做错了，如果你现在听我的话，不离开家；我可以再叫四凤回来。

周　萍　什么？

周蘩漪　（清清楚楚地[2]）叫她回来还来得及。

周　萍　（走到她面前，声沉重，慢说[3]）你跟我滚开！

周蘩漪　（顿，又缓缓地[4]）什么？

周　萍　你现在不像明白人，你上楼睡觉去吧。

周蘩漪　（明白自己的命运）那么，完了。

周　萍　（疲倦地）嗯，你去吧。

周蘩漪　（绝望，沉郁地）刚才我在鲁家看见你同四凤。

周　萍　（惊）什么，你刚才是到鲁家去了？

周蘩漪　（坐下）嗯，我在他们家附近站了半天。

周　萍　（悔惧）什么时候你在那里？

周蘩漪　（低头）我看着你从窗户进去。

1　川版无“做”。

2　原刊无“清清楚楚地”。

3　“声沉重，慢说”川版作“沉重地”。

4　原刊无此句，川版作“缓缓地”。

周　萍　（急切）你呢？

周蘩漪　（无神地望着前面[1]）就走到窗户前面站着[2]。

周　萍　那么有一个女人叹气的声音是你么？

周蘩漪　嗯。[3]

周　萍　后来，你又在那里站多半天？

周蘩漪　（慢而清朗地[4]）大概是直等到你走。

周　萍　哦！（走到她身旁，低声）那窗户是你关上的，是么？[5]

周蘩漪　（更低的声音，阴沉地）嗯，我。

周　萍　（恨极，恶毒地）你是我想不到的一个怪物！

周蘩漪　（抬起头）什么？

周　萍　（暴烈地）你真是一个疯子！

周蘩漪　（无表情地望着他）你要怎么样？

周　萍　（狠恶地）我要你死！再见吧！[6]

〔萍由饭厅急走下，门猝然[7]地关上。

周蘩漪　（呆滞地坐了一下，望着饭厅的门。瞥见侍萍的相片，拿在手上，低声，阴郁地）这是你的孩子！（缓缓扯下硬卡片贴

1　原刊无“无神地望着前面”，“无神”川版作“失神”。

2　此句原刊作“我就走到窗户前面站着”。

3　“周　萍　那么有一个女人”以下川版无。

4　“慢而清朗地”川版作“清朗地”。

5　“哦！”以下川版作“（走到她身旁）那窗户是你关上的。”。

6　川版无“再见吧！”。

7　“猝然”原刊作“砰然”。

的相纸，一片一片地撕碎。沉静地立起来，走了两步）奇怪，心里静得很！[1]

〔中门轻轻推开，蘩漪回头，鲁贵缓缓地走进来[2]。他的狡黠的眼睛[3]，望着她[4]笑着。

鲁　贵　（鞠躬，身略弯[5]）太太，您好。

周蘩漪　（略惊）你来做什么？

鲁　贵　（假笑）给您请安来了。我在门口等了半天。

周蘩漪　（镇静）哦，你刚才在门口？

鲁　贵　（低声[6]）对了。（更[7]秘密地）我看见大少爷正跟您打架，我——（假笑[8]）我就没敢进来。

周蘩漪　（沉静地，不为所迫）你原来[9]要做什么？

鲁　贵　（有把握地）原来我倒是想报告给太太，说大少爷今天晚上喝醉了，跑到我们家里去。现在太太既然是[10]也去了，那我

---

1 “（呆滞地坐了一下”以下川版作“（呆滞地坐着。望着饭厅的门。瞥见侍萍的相片，拿起又放下。她沉静地立起来，走了两步）奇怪，我要干什么？”。

2 “走进来”原刊作“踱进来”。

3 “眼睛”原刊作“眼”。

4 “她”原刊作“周太太”。

5 “鞠躬，身略弯”川版作“弯了弯腰”。

6 川版无“低声”。

7 川版无“更”。

8 “假笑”川版作“微笑”。

9 “原来”川版作“来”。

10 “既然是”原刊作“显然”。

就不必多说了。

周蘩漪　（嫌恶地）你现在想怎么样？

鲁　贵　（倨傲地）我想见见老爷。

周蘩漪　老爷睡觉了，你要见他什么事？

鲁　贵　没有什么，要是太太愿意办，不找老爷也可以。——（着重，有意义地）都看太太要怎么样。[1]

周蘩漪　（半晌[2]，忍下来[3]）你说吧，我也许可以帮你的忙。

鲁　贵　（重复一遍，狡黠地）要是太太愿意做主，不叫我见老爷，多麻烦，（假笑[4]）那就[5]大家都省事了。

周蘩漪　（仍不露声色）什么，你说吧。

鲁　贵　（谄媚地）太太做了主，那就是您积德了。——我们只是求太太还赏饭吃。

周蘩漪　（不高兴地）你，你以为我——（转缓和）好，那也[6]没有什么。

鲁　贵　（得意地）谢谢太太。（伶俐地）那么就请太太赏个准日子吧。

周蘩漪　（爽快地）你们在搬了新房子后一天来吧。[7]

1　“（着重，有意义地）”以下川版作“（意在言外地）都看太太怎么办了？”。

2　“半晌”川版作“停顿”。

3　“忍下来”原刊作“忍着笑”。

4　“假笑”川版作“巧笑”。

5　“那就”原刊作“那是”。

6　川版无“也”。

7　此句川版作“那就后天来吧。”。

鲁　贵　（行礼）谢谢太太恩典！（忽然）我忘了，太太，您没见着二少爷么？[1]

周蘩漪　没有。

鲁　贵　您刚才不是叫二少爷赏给我们一百块钱么？

周蘩漪　（烦厌地）嗯？

鲁　贵　（婉转地）可是，可是都叫我们少爷回了。[2]

周蘩漪　你们少爷？

鲁　贵　（解释地）就是大海——我那个狗食的[3]儿子。

周蘩漪　怎么样？

鲁　贵　（很文雅地）我们的侍萍，实在还不知道呢。

周蘩漪　（惊，低声）侍萍？（沉下脸）谁是侍萍？

鲁　贵　（以为自己被轻视了，侮慢地）侍萍就是侍萍，我的家里的——，就是鲁妈。

周蘩漪　你说鲁妈，她叫侍萍？

鲁　贵　（自夸地）她也念过书。名字是很雅气的。

周蘩漪　“侍萍”，那两个字怎么写，你知道么？

鲁　贵　我，我，（为难，勉强笑出来）我记不得了。反正那个萍字跟大少爷名字的萍我记得是一样的。

周蘩漪　哦！（忽然把地上撕破的相片碎片拿起来对上，给他看）你

1　“（忽然）”以下川版无。

2　此句原刊作“可是，可是都叫我，我们少爷回了。”。

3　“狗食的”原刊作“狗食”，初版作“狗养”。

看看，这个人你认识不认识？

鲁　贵　（看了一会，抬起头）不认识，太太。

周蘩漪　（急切地）你认识的人没有一个像她的么？（略停）你想想看，往近处想。

鲁　贵　（摇头）没有一个，太太，没有一个。（突然疑惧地）太太，您怎么？

周蘩漪　（回思，自己疑惑）多半我是胡思乱想。（坐下）

鲁　贵　（贪婪地）啊，太太，您刚才不是赏我们一百块么？可是我们大海[1]又把钱回了，您想，——[2]

〔中门渐渐推开。

鲁　贵　（回头）谁？

〔大海由中门进，衣服俱湿，脸色阴沉，眼不安地向四面望，疲倦，憎恨在他举动里显明地露出来[3]。蘩漪惊讶地望着他[4]。

鲁大海　（向鲁贵）你在这儿！

鲁　贵　（讨厌他的儿子）嗯，[5]你怎么进来的？

鲁大海　（冰冷地）铁门关着，叫不开，我爬墙进来的。

1　“大海”原刊、初版均作“少爷”。

2　“**周蘩漪**　没有。”以下川版无。

3　“举动里”原刊作“举动”，“眼不安地”以下川版无。

4　“他”原刊作“鲁大海”。

5　川版无“（讨厌他的儿子）嗯，”。

鲁　贵　你现在来这儿干什么？你为什么不看看你妈找四凤怎么样了？[1]

鲁大海　（用一块湿手巾擦着脸上的雨水）四凤没找着，妈在门外等着呢。（沉重地[2]）你看见四凤了么[3]？

鲁　贵　（轻蔑[4]）没有，我没有看见[5]。（觉得大海小题大做，烦恶地皱着眉毛）不要管她，她一会儿就会回家。[6]（走近大海）你跟我回去。周家的事情也妥了，都完了，走吧！

鲁大海　我不走。

鲁　贵　你要干什么？

鲁大海　你也别走[7]，——你先给我把这儿大少爷叫出来，我找不着他。

鲁　贵　（疑惧地，摸着自己的下巴）你要怎么样？我刚弄好，你是又要惹祸？[8]

鲁大海　（冷静地）没有什么，我只想跟他谈谈。[9]

---

1 “你现在来”以下川版作“你来干什么？四凤怎么样了？”。

2 川版无“地”。

3 “么”川版作“吗”。

4 川版无“轻蔑”。

5 川版无“，我没有看见”。

6 此句川版作“别管啦，四凤一会儿就会回家。”。

7 “**鲁大海**　我不走”以下川版作“**鲁大海**　别走”。

8 “（疑惧地”以下川版作“（疑惧地）你又要怎么样？”。

9 此句川版作“（冷冷地）没什么，跟他谈谈。”。

鲁　贵　（不信地）我看你不对，你大概又要——[1]

鲁大海　（暴躁地，抓着鲁贵的领口[2]）你找不找？

鲁　贵　（怯弱地）我找，我找，你先放下我[3]。

鲁大海　好，（放开他）你去吧。

鲁　贵　大海，你，你得答应我，你可是就跟大少爷说两句话，你不会——[4]

鲁大海　嗯，我告诉你，我不是打架来的。

鲁　贵　真的？

鲁大海　（可怕地[5]走到鲁贵的面前，低声）你去不去？

鲁　贵　我，我，大海，你，你——

周蘩漪　（镇静地）鲁贵，你去叫他出来，我在这儿，不要紧的。

鲁　贵　也好，（向大海）可是我请完大少爷，我就从那门走了，我，（笑）我有点事。

鲁大海　（命令地）你叫他们把门开开，让妈进来，领她在房里避一避雨。

鲁　贵　好，好，（向饭厅下）完了，我可有事。我就走了。[6]

1　此句川版作"（不信地）你又要怎么样？"。

2　"暴躁地，抓着鲁贵的领口"原刊、初版均作"暴烈地，抓着鲁贵的胸襟"，川版作"盯视"。

3　此句川版作"（怯弱地）你又要给我捅漏子。"。

4　"**鲁大海**　好，（放开他）"以下川版无。

5　川版无"可怕地"。

6　"**鲁贵**　也好，（向大海）"以下川版作"**鲁贵**　也好。（向饭厅走）"。

鲁大海　站住！（走前一步，低声）你进去，要是不找他出来就一人跑了，你可小心我回头在家里，——哼！[1]

鲁　贵　（生气）你，你，你——（低声，自语）这个小王八蛋！（没法子，走进饭厅下）[2]

周蘩漪　（立起）你是谁？

鲁大海　（粗卤地[3]）四凤的哥哥。

周蘩漪　（柔声）你是到这儿来找她么？[4]你要见我们大少爷么？

鲁大海　嗯。[5]

周蘩漪　（眼色阴沉地）我怕他会不见你。

鲁大海　（冷静地）那倒许。[6]

周蘩漪　（缓缓地）听说他现在就要上车。

鲁大海　（回头）什么！

周蘩漪　（阴沉的暗示[7]）他现在就要走。

1　"站住！"以下川版作"要是不找他出来，你就跑了，你可小心！你叫他们打开门，让妈进来。"。

2　原刊无"（低声，自语）这个小王八蛋！"。"（生气）"以下川版作"好，好。完了，我可就这么走了。（自语）这个小王八蛋！〔鲁贵进饭厅，下。"。

3　川版无"粗卤地"。

4　川版无"（柔声）你是到这儿来找她么？"。

5　"你要见我们大少爷么？"以下原刊、初版作：

鲁大海　（忽然）你问这个干什么？

周蘩漪　我也姓周。——你要见我们大少爷么？

鲁大海　嗯。

6　"**周蘩漪**　（眼色阴沉地）"以下川版无。

7　原刊无"阴沉的暗示"，川版作"阴沉地"。

鲁大海 （愤怒地）他要跑了，他——

周蘩漪 嗯，他——

〔萍由饭厅上，脸上有些慌，他看见大海，勉强地点一点头，声音略有点颤，他极力在镇静自己。[1]

周　萍 （向大海）哦！

鲁大海 好。你还在这儿，（回头）你叫这位太太走开，我有话要跟你一个人说。

周　萍 （望着蘩漪，她不动，再[2]走到她面前）请您[3]上楼去吧。

周蘩漪 好！（昂首由饭厅下）

〔半晌。二人都紧紧地握着拳，大海愤愤地望着他，二人不动[4]。

周　萍 （耐不住，声略颤[5]）没想到你现在到这儿来。[6]

鲁大海 （阴沉沉）听说你要走。

周　萍 （惊，略镇静，[7]强笑）不过现在也赶得上，你来得还是时候，你预备怎么样？我已经准备好了。

---

1 “萍由饭厅上”以下川版作“周萍由饭厅上，一眼就看见大海，他极力镇静。”。

2 川版无“再”。

3 “您”原刊作“你”。

4 “半晌”以下川版作“停顿。大海愤恨地望着周萍。”。

5 川版无“，声略颤”。

6 此句川版作“没想到你到这儿来了。”。

7 川版无“惊，略镇静，”。

鲁大海　（狠恶地笑一笑[1]）你准备好了？

周　萍　（沉郁地[2]望着他）嗯。

鲁大海　（走到他[3]面前）你！（用力地击着萍的脸，方才的创伤又破，血向下流[4]）

周　萍　（握着拳抑制自己）你，你，——（忍下去，由袋内抽出白绸手绢擦脸上的血）[5]

鲁大海　（切齿地）哼？现在你要跑了！

〔半晌[6]。

周　萍　（压下自己的怒气，辩白地，故意用低沉的声音[7]）我早有这个计划。

鲁大海　（恶狠地笑）早有这个计划？

周　萍　（平静下来）我以为我们中间误会太多。

鲁大海　误会？（看自己手上的血，擦在身上[8]）我对你没有误会，我

1　川版无“笑一笑”。

2　川版无“沉郁地”。

3　“他”川版作“周萍”。

4　此句川版作“用力击掴周萍的脸”。

5　“（握着拳抑制自己”以下川版作“你，你，——（脸上的血流下来，由袋内抽出手绢，擦脸上的血）”。

6　“半晌”川版作“沉默”。

7　“辩白地”以下川版作“辩白”。

8　川版无“，擦在身上”。

知道你是没有血性，只顾自己的一个十足的混蛋。[1]

周　萍　（柔和地[2]）我们两次见面，都是我性子最坏的时候，叫你得着一个最坏的印象。

鲁大海　（轻蔑地）不用推托，你是个少爷，你心地混账！你们都是吃饭太容易，有劲儿不知道怎样使，就拿着穷人家的女儿开开心，完了事可以不负一点儿责任。

周　萍　（看出大海的神气，失望地）现在我想辩白是没有用的。我知道你是有目的而来的。（平静地[3]）你把你的枪或者刀拿出来吧。我愿意任你收拾我。

鲁大海　（侮蔑地）你会这样大方，——在你家里，你很聪明！哼，可是你不值得我这样，我现在还不愿意拿我这条有用的命换你这半死的[4]东西。

周　萍　（直视大海，有勇气地[5]）我想你以为我现在是怕你。你错了，与其说我怕你，不如说我怕我自己；我现在做错了一件事，我不愿做错第二件事[6]。

鲁大海　（嘲笑地[7]）我看像你这种人，活着就错了。刚才要不是我的

1　“我知道”以下川版作“我知道你是没有一点人气，就顾自己的混蛋。”。

2　川版无“柔和地”。

3　“平静地”川版作“心虚地”。

4　“这半死的”原刊作“这等于半死的”。

5　“直视大海，有勇气地”川版作“强辩”。

6　“第二件事”川版作“第二件”。

7　“嘲笑地”川版作“冷笑”。

母亲，我当时就宰了你！（恐吓地[1]）现在你的命还在我的手心里。

周　萍　我死了，那是我的福气。（辛酸地[2]）你以为我怕死，我不，我不，我恨活着，我欢迎你来。我够了，我是活厌了的人。

鲁大海　（厌恨地[3]）哦，你——活厌了，可是你还拉着我年轻的糊涂妹妹陪着你，陪着你。

周　萍　（无法，[4]强笑）你说我自私么？你以为我是真没有心肝，跟她开开心就完了么？你问问你的妹妹，她知道我是真爱她。她现在就是我能活着的一点生机。[5]

鲁大海　你倒说得很好！（突然）那你为什么——为什么不娶她？[6]

周　萍　（略顿[7]）那[8]就是我最恨的事情。我的环境太坏。你想想我这样的家庭怎么[9]允许有这样的事。

鲁大海　（辛辣地）哦，所以你就可以一面表示你是真心爱她，跟她做出什么不要脸的事都可以，一面你还得想着你的家庭，

1　川版无“恐吓地”。

2　川版无“辛酸地”。

3　川版无“厌恨地”。

4　川版无“无法，”。

5　“她知道”以下川版作“她知道现在我活着，就为着她。我是真爱他。”。

6　“（突然）”以下川版作“（讽刺地）那你为什么不对你董事长爸爸说说呢？”。

7　川版无“略顿”。

8　“那”川版作“这”。

9　“怎么”原刊作“怎么能”。

你的董事长[1]爸爸。他们叫你随便[2]就丢掉她，再娶一个门当户对的阔小姐来配你，对不对？[3]

周　萍　（忍耐不下）我要你问问四凤，她知道我这次出去，是离开了家庭，设法脱离了父亲，有机会好跟她结婚的。

鲁大海　（嘲弄）你推得很好。那么像你深更半夜的，刚才跑到我家里，你怎样推托呢？[4]

周　萍　（迸发，激烈地）我所说的话不是推托，我也用不着跟你推托，[5]我现在[6]看你是四凤的哥哥，我才这样说。我爱四凤，她也爱我，我们都年轻，我们都是人，两个人天天在一起，结果免不了有点荒唐。然而[7]我相信我以后会对得起她，我会娶她做我的太太，我没有一点亏心的地方。

鲁大海　这么，你反而很有理了。可是，董事长[8]大少爷，谁相信你会爱上一个工人的妹妹，一个当老妈子的穷女儿？

周　萍　（略顿，嗫嚅）那，那——那我也可以告诉你。有一个女人

1　“董事长”原刊作“矿长”。

2　“随便”原刊作“随时”。

3　“（辛辣地）”以下川版作“哦，所以你可以表示你是真心爱她，跟她做出什么事都可以，你还是想着你的家庭，你的爸爸，日后就丢掉她，再娶一个门当户对的阔小姐来配你。”。

4　“**周　萍**　（忍耐不下）”以下川版无。

5　“（迸发，激烈地）”以下川版作“我没这样想过，”。

6　川版无“现在”。

7　川版无“然而”。

8　“董事长”原刊作“矿长”。

逼着我，激成我这样的。

鲁大海　（紧张地，低声）什么，还有一个女人？

周　萍　嗯，就是你刚才见过的那位太太。

鲁大海　她？

周　萍　（苦恼地）她是我的后母！——哦，我压在心里多少年，我当谁也不敢说——她念过书，她受了很好[1]的教育，她，她，——她看见我就跟我发生感情，她要我——（突停）那自然我也要负一部分责任。

鲁大海　四凤知道么？

周　萍　她知道，我知道她知道。（含着苦痛[2]的眼泪，苦闷地）那时我太糊涂，以后我越过越怕，越恨，越厌恶。我恨这种不自然的关系，你懂么？我要离开她，然而她不放松我。她拉着我，不放我。她是个鬼，她什么都不顾忌[3]。我真活厌了，你明白么？我喝酒，胡闹，我只要离开她，我死都愿意。她叫我恨一切受过好教育，外面都装得很正经的女人。过后我见着四凤，四凤叫我明白，叫我又活了一年。

鲁大海　（不觉吐出一口气）哦。

周　萍　这些话多少年我对谁也说不出的，然而——（缓慢地[4]）奇

---

1 “很好”原刊作“很高”。

2 “苦痛”原刊作“痛”。

3 “不顾忌”原刊作“不顾忌的”。

4 原刊无“缓慢地”。

怪[1]，我忽然跟你说了。

鲁大海 （阴沉地）那大概是你父亲的报应[2]。

周　萍 （没想到，厌恶地）你，你胡说！（觉得方才太冲动，对一个这么不相识的人说出心中的话。半晌，镇静下，自己想方才突口说出的原因，忽然，慢慢地）我告诉你，因为我认你是四凤的哥哥[3]，我要你相信我的诚心，我没有一点骗她。[4]

鲁大海 （略露善意）那么你真预备要四凤么？你知道四凤是个傻孩子，她不会再嫁第二个人。

周　萍 （诚恳地）嗯，我今天走了，过了一二个月，我就来接她。

鲁大海 可是董事长[5]少爷，这样的话叫人相信么？

周　萍 （由衣袋[6]取出一封信）你可以看这封信，这是我刚才写给她的，就说的这件事。

鲁大海 （故意闪避地）用不着给我看，我——没有工夫[7]！

周　萍 （半晌，抬头）那我现在再没有什么旁的保证，你口袋里那

1 “奇怪”原刊作“很奇怪”。

2 此句原刊作“哼，你大概是你父亲的报应”。

3 “哥哥”原刊作“亲戚”。

4 “**周　萍** （略顿，嗫嚅）那，那——”以下川版作“**周　萍** 我跟你说的是真话，你要相信我，我一点没有骗她。”。

5 “董事长”原刊作“矿长”。

6 “衣袋”原刊作“口袋”。

7 “我——没有工夫”原刊作“我——我不认识字”，初版作“我不——认识字”。

件杀人的家伙是我的担保。你再不相信我，我现在人还是在你手里。

鲁大海 （辛酸地）周大少爷，你想想这样我就完了么？（恶狠地）你觉得我真愿意我的妹妹嫁给你这种东西么？（忽然拿出自己的手枪来）

周　萍 （惊慌）你要怎么样？

鲁大海 （恨恶地）我要杀了你。你父亲虽坏，看着还顺眼。你真是世界上最用不着，最没有劲的东西。

周　萍 哦。好，你来吧！（骇惧地闭上目）

鲁大海 可是——（叹一口气，递手枪[1]与萍）你还是拿去吧。这是你们矿上的东西[2]。

周　萍 （莫名其妙地）怎么？（接下枪）

鲁大海 （苦闷地）没有什么。老太太们最糊涂。我知道我的妈。我妹妹是她的命，只要你能够多叫四凤好好地活着，我只好不提什么了。

〔萍还想说话，大海挥手，叫他不必再说，萍沉郁地到桌前把枪放好。

鲁大海 （命令地[3]）那么请你把我的妹妹叫出来吧。[4]

---

1 “手枪”原刊、初版均作“枪”。

2 “东西”原刊、初版均作“枪”。

3 “命令地”原刊作“任命地”。

4 “**鲁大海** （略露善意）那么你真预备要四凤么？”以下川版作“**鲁大海** （厉声）不要再说了，你把我妹妹叫出来。”。

周　萍　（奇怪）什么？

鲁大海　四凤啊——[1]她自然在你这儿。

周　萍　没有，没有。我以为她在你们家里呢。

鲁大海　（疑惑地）那奇怪，我同我妈在雨里找了她两个钟头，不见她。我想自然在这儿。

周　萍　（担心）她在雨里走了两个钟头，她——她没有到旁的地方去么？

鲁大海　（肯定地）半夜里她会到哪儿去？

周　萍　（突然[2]恐惧）啊，她不会——（坐下呆望）

鲁大海　（明白）你以为——不，她不会，（轻蔑地）不，我想她没有这个胆量。

周　萍　（颤抖地）不，她会的。你不知道她。她爱脸[3]，她性子强[4]，她——不过她应当先见我，她（仿佛已经看见她溺在河里）不该这样冒失。

〔半晌。

鲁大海　（忽然）哼，你装得好，你想骗过我，你？——她在你这

1　“四凤啊——”川版作“四凤，”。

2　“突然”原刊作“突”。

3　“爱脸”原刊作“要脸”。

4　“性子强”原刊作“性很强”。

儿！她在你这儿！[1]

〔外面远处[2]口哨声。

周　萍　（以手止之）不，你不要嚷。（哨声近，喜色）她，她来了！我听见她！[3]

鲁大海　什么？

周　萍　这是她的声音，我们每次见面，是这样的。

鲁大海　她在哪儿？

鲁大海　大概就在花园里？

〔萍开窗吹哨，应声更近。

周　萍　（回头，眼含着眼泪，笑）她来了！

〔中门敲门声。

周　萍　（向大海）你先暂时在旁边屋子躲一躲，她没想到你在这儿。我想她再受不得惊了。[4]

〔忙引大海至饭厅门，大海下。

---

1 “**鲁大海**　（疑惑地）那奇怪”以下川版作：

鲁大海　（厌恶地）我没这么大工夫跟你扯，我们跟你们有的是没了的账！你以为矿上那笔血债我们就算完了吗？……跟你说这些，也是废话。你先把我妹妹交出来，我还有要紧的事。

周　萍　她，她不在这儿。

鲁大海　（切齿地）你这是真的不想活了！（掏出枪对着周萍）

2 川版无“远处”。

3 “（以手止之）”以下川版作“她，她来了。”。

4 “**周　萍**　这是她的声音，”以下川版作“**周　萍**　（颤抖地）这是她。我们每次见面都是这样。（急切地）请你先在旁边屋子待一会儿。她没想到你在这儿。我想，她再受不得惊了。”

〔外面的声音：（低）萍！

周　萍　（忙跑至中门）凤儿！（开门）进来！

〔四凤由中门进，头发散乱，衣服湿透，眼泪同雨水流在脸上，眼角粘着淋漓[1]的鬓发，衣裳贴着皮肤，雨后的寒冷逼着她发抖，她的牙齿上下地震战着。她见萍如同失路的孩子再见着母亲，呆呆地望着他。[2]

鲁四凤　萍！

周　萍　（感动地[3]）凤。

鲁四凤　（胆怯地）没有人吧。

周　萍　（难过，怜悯地[4]）没有。（拉着[5]她的手）

鲁四凤　（放开胆[6]）哦！萍！（抱着萍抽咽[7]）

周　萍　（如[8]许久未见她）你怎么，[9]你怎么会这样？你怎么会[10]找着我？（止不住地）你怎么进来的？

1　“淋漓”原刊作“淋湿”。

2　川版无此句。

3　川版无“地”。

4　川版无“难过，怜悯地”。

5　“拉着”川版作“紧紧拉着”。

6　“放开胆”川版作“放心”。

7　“抽咽”川版作“抽泣”。

8　“如”川版作“像”。

9　川版无“你怎么，”。

10　川版无“会”。

鲁四凤 我从小门偷进来的。

周　萍 凤，你的手冰凉，你先换一换衣服。

鲁四凤 不；萍，（抽咽）让我先看看你。

周　萍 （引她到沙发，坐在自己一旁，热烈地）你，你上哪儿去了，凤？

鲁四凤 [1]（看看他，含着眼泪微笑[2]）萍，你还在这儿，我好像隔了多年[3]一样。

周　萍 （顺手拿起沙发上的一床紫线毯给她围上[4]）我可怜的凤儿[5]，你怎么这样傻，你上哪儿去了？我的傻孩子！[6]

鲁四凤 （擦着眼泪，拉着萍的手，萍蹲在旁边）我一个人在雨里跑，不知道自己在哪儿。天上打着雷，前面我只看见模模糊糊的一片；我什么都忘了，我像是听见妈在喊我，可是我怕，我拼命地跑，[7]我想找着我们门口那一条河跳。

周　萍 （紧握着四凤的手）凤！

鲁四凤 ——可是不知怎么绕来绕去我总找不着。

周　萍 哦，凤，我对不起你，原谅我，是我叫你这样，你原谅我，

---

1 此处川版有“不！”。

2 “微笑”原刊、初版均作“笑着”。

3 “多年”川版作“几年”。

4 此句原刊作“顺手拿起沙发一床紫线毯围上她”。

5 “凤儿”原刊、初版均作“凤”。

6 川版无此句。

7 此处川版有“我不好。”。

你不要怨我。[1]

鲁四凤 萍[2]，我怎么也不会怨你的。[3]我糊糊涂涂又碰到这儿，走到花园那电线杆底下，我忽然想死了[4]。我知道一碰那根电线，我就可以什么都忘了。我爱我的母亲，我怕我刚才对她起的誓，我怕她说我这么一声坏女儿，我情愿不活着。[5]可是，我刚要碰那根电线，我[6]忽然看见你窗户的灯，我想到你在屋子里。哦，萍，[7]我突然觉得，我不能这样就死，我不能一个人死，我丢不了你。我想起来，世界大的很[8]，我们可以走，我们只要一块儿离开这儿。萍啊，你——[9]

周　萍 （沉重地）[10]我们一块儿离开这儿？

鲁四凤 （急切地）就是这一条路，萍，我现在已经没有家，（辛酸地）哥哥恨死我，母亲[11]我是没有脸见的。我现在什么都没

1 “此句川版作“凤，我对不起你，原谅我，我不好。”。

2 “萍”原刊、初版均作“我原谅你”。

3 川版无此句。

4 “我忽然想死了”川版作“我想死了算了”。

5 川版无此句。

6 川版无“我”。

7 川版无“哦，萍，”。

8 “世界大的很”原刊作“‘世界大的很’”。

9 “我想起来”以下川版作“我想，我们还是可以走，只要一块儿离开这儿。”。

10 此处川版有“嗯，”。

11 “母亲”川版作“妈妈”。

有，我没有亲戚，没有朋友，我只有你，萍，（哀告地[1]）你明天带我去吧。

〔半晌[2]。

周　萍　（沉重地摇着头）不，不——

鲁四凤　（失望地）萍。

周　萍　（望着她，沉重地）不，不——我们现在就走。

鲁四凤　（不相信地[3]）现在就走？

周　萍　（怜惜地）嗯，我原来打算一个人现在走，以后再来接你，不过现在不必了。

鲁四凤　（不信地）真的，一块儿走么？

周　萍　嗯，真的。

鲁四凤　（狂喜地[4]，扔下线毯，立起，亲萍的手，一面擦着眼泪）真的，真的，真的，萍，你是我的救星，你是天底下顶好的人，你是我——哦，我爱你！（在他身下流泪[5]）

周　萍　（感动地，[6]用手绢擦着眼泪）凤，以后我们永远在一块儿了，不分开了。

1　川版无“哀告地”。

2　“半晌”川版作“静默”。

3　川版无“地”。

4　川版无“地”。

5　此句原刊作“跪在他身下流泪”。

6　川版无“感动地，”。

鲁四凤　（自慰地，在萍的怀里[1]）嗯，我们离开这儿了，不分开了。

周　萍　（约束自己[2]）好，[3]凤，走以前我们先见见[4]一个人。见完他我们就走。

鲁四凤　一个人？

周　萍　你哥哥。

鲁四凤　哥哥？

周　萍　他找你，他就在饭厅里头。

鲁四凤　（恐惧地[5]）不，不，你不要见他，他恨你，他会害你的。走吧，我们就走吧。

周　萍　（安慰地[6]）我已经见过他。——我们现在一定要见他一面，（不可挽回地）不然我们也走不了的。

鲁四凤　（胆怯）可是，萍，你——

〔萍走到饭厅门口，开门。

周　萍　（叫）鲁大海！鲁大海！——咦，他不在这儿，奇怪，也许他从饭厅的门出去了。（望着四凤）

鲁四凤　（走到萍面前，哀告地[7]）萍。不要管他，我们走吧。（拉他向

---

1 “自慰地，在萍的怀里”川版作“偎在萍的怀里”。

2 “约束自己”川版作“忽然清醒”。

3 川版无“好，”。

4 “见见”川版作“见”。

5 川版无“地”。

6 川版无“地”。

7 川版无“地”。

中门走）我们就这样走吧。

〔四凤拉萍至中门，中门开，鲁妈与大海进。

〔两钟点[1]内鲁妈的样子另变了一个人。声音因为在雨里叫喊哭号[2]已经喑哑，眼皮失望地向下垂，前额的皱纹很深地刻在上面，过度的刺激使着她变成了呆滞，整个激成刻板的痛苦的模型。她的衣服像是已烘干了一部，头发还有些湿，[3]鬓角凌乱地贴着湿的头发。她的手在颤，很小心地走进来。

鲁四凤 （惊惧）妈！（畏缩）

〔略顿，鲁妈哀怜地望着四凤。

鲁侍萍 （伸出手向四凤，哀痛地[4]）凤儿，来！

〔四凤跑至母亲面前，跪下。[5]

鲁四凤 妈！（抱着母亲的膝）

鲁侍萍 （抚摸四凤的头顶，痛惜地）孩子，我的可怜的孩子。

鲁四凤 （泣不成声地[6]）妈，饶了我吧，饶了我吧，我忘了您的话了。

鲁侍萍 （扶起四凤）你为什么早不告诉我？

鲁四凤 （低头）我疼您，妈，我怕，我不愿意有一点叫您不喜欢我，

---

1 “两钟点”原刊、初版、川版均作“两点钟”。

2 “叫喊哭号”原刊作“叫喊同哭嚎”。

3 “眼皮失望地向下垂”以下川版作“前额的皱纹更深了，过度的刺激使着她变成了呆滞，刻板。她似乎老了许多。”。

4 川版无“地”。

5 此句原刊作“四凤至母亲面前，跪下抽咽。”。

6 川版无“地”。

看不起我，我不敢告诉您。

鲁侍萍 （沉痛地）这还是你的妈太糊涂了，我早该想到的。（酸苦地）然而天，这谁又料得到，天底下会有这种事，偏偏又叫我的孩子们遇着呢？哦，你们妈的命太苦，我们的命也太苦了。

鲁大海 （冷淡地）妈，我们走吧，四凤先跟我们回去。——我已经跟他（指萍）商量好了，他先走，以后他再接四凤。

鲁侍萍 （迷惑地）谁说的？谁说的？

鲁大海 （冷冷地望着鲁妈）妈，我知道您的意思，自然只有这么办。所以，周家的事我以后也不提了，让他们去吧。

鲁侍萍 （迷惑，坐下）什么？让他们去？

周　萍 （嗫嚅）鲁奶奶，请您相信我，我一定好好地待她，我们现在决定就走。[1]

鲁侍萍 （拉着四凤的手，颤抖地）凤，你，你要跟他走？

鲁四凤 （低头，不得已紧握着鲁妈的手）妈，我只好先离开您了。

---

1 “**鲁大海** （冷淡地）妈，”以下川版作：

鲁大海 （直耐着性子等着，劝慰地）妈，您别说这些话了，我还得走呢。您带着四凤先回去吧。

鲁　妈 （困惑地）大海，怎么你还是非走不可？

鲁大海 （温和地）妈，要走的。我先给您雇车去。（转身）

鲁　妈 大海！

〔鲁大海由中门下。

周　萍 （望鲁大海走出，嗫嚅）鲁奶奶，我跟四凤，我们现在决定就走。

鲁　妈 （不明白）什么？

周　萍 （又加重一句）鲁奶奶，我一定好好待她。

鲁侍萍　（忍不住）你们不能够在一块儿！[1]

鲁大海　（奇怪地）妈，您怎么？

鲁侍萍　（站起）不，不成！[2]

鲁四凤　（着急）妈！

鲁侍萍　（不顾她，拉着她的手）我们走吧。（向大海）你出去叫一辆洋车，四凤大概走不动了。[3]我们走，赶快走。

鲁四凤　（死命地退缩）妈，您不能这样做。

鲁侍萍　不，不成！（呆滞地，单调地）走，走。

鲁四凤　（哀求）妈，您愿您的女儿急得要死在您的眼前么？

周　萍　（走向[4]鲁妈前）鲁奶奶，我知道我对不起你。不过我能尽我的力量补我的错，现在事情已经做到这一步，您——

鲁大海　妈，（不懂地）您这一次，我可不明白了！[5]

鲁侍萍　（不得已，严厉地）你先去雇车去！[6]（向四凤）凤儿，你听着，我情愿你没有，我不能叫你跟他在一块儿。——走吧！[7]

1　此处川版有“（站起）不，不成！”。

2　“**鲁大海**　（奇怪地）”以下川版无。

3　“（向大海）”以下川版作“四凤，你大概走不动了，”。

4　“走向”原刊作“走”。

5　川版无此句。

6　“你先去雇车去”川版作“走！”

7　此处川版有“（立刻拉住四凤，向门口走）”。

〔大海刚至门口[1]，四凤喊一声。

鲁四凤 （喊[2]）啊，妈，妈！（晕倒[3]在母亲怀里）

鲁侍萍 （抱着四凤）我的孩子，你——

周　萍 （急）她晕过去了。

〔鲁妈按着她的前额，低声唤“四凤”，忍不住地泣下。

〔萍向饭厅跑。

鲁大海 不用去——不要紧，一点凉水就好。她小时就这样。[4]

〔萍拿凉水洒在她面上，四凤渐醒，面呈死白色[5]。

鲁侍萍 （拿凉水灌四凤）凤儿，好孩子。你回来，你回来。——我的苦命的孩子。

鲁四凤 （口渐张，眼睁开，喘出一口气）啊，妈！

鲁侍萍 （安慰地）孩子，你不要怪妈心狠，妈的苦说不出。

鲁四凤 （叹出一口气）妈！

鲁侍萍 什么？凤儿。

鲁四凤 [6]我，我不能不告诉你，萍！

周　萍 凤，你好点了没有？

鲁四凤 萍，我，总是瞒着你；也不肯告诉您（乞怜地望着鲁妈）妈，

---

1 此句川版作“刚到门口”。

2 川版无“喊”。

3 “晕倒”原刊作“晕”。

4 “**鲁大海**　不用去”以下川版无。

5 “面呈死白色”川版作“面如死灰”。

6 此处川版有“（向周萍）”。

您——[1]

鲁侍萍 什么，孩子，快说。

鲁四凤 （抽咽）我，我——（放胆）我跟他现在已经有……（大哭）

鲁侍萍 （切迫地）怎么，你说你有——（过受打击，不动）

周　萍 （拉起四凤的手）四凤！怎么，真的，你——

鲁四凤 （哭）嗯。

周　萍 （悲喜交集）什么时候？什么时候？

鲁四凤 （低头）大概已经三个月。

周　萍 （快慰地）哦，四凤，你为什么不告诉我，我，我的——

鲁侍萍 （低声）天哪。

周　萍 （走向鲁）鲁奶奶，您无论如何不要再固执哪，都是我错了：我[2]求你！（跪下）我求你放了她吧。我敢保我以后对得起她，对得起你。

鲁四凤 （立起，走到鲁妈面前跪下[3]）妈，您可怜可怜我们，答应我们，让我们走吧。

鲁侍萍 （不做声，坐着，发痴）我是在做梦。我的儿女，我自己生的儿女，三十年工夫——哦，天哪，（掩面哭，挥手）你们走吧，我不认得你们。（转过头去）

---

1 “也不肯告诉您”以下川版作“（乞怜地望着鲁妈）也不肯告诉您。妈，您——”。

2 原刊无“我”。

3 “走到鲁妈面前跪下”原刊作“在母亲面前跪下”，初版作“走在母亲面前跪下”。

周　萍　谢谢你!（立起）我们走吧。凤!（四凤起[1]）

鲁侍萍　（回头，不自主地）不，不能够!

〔四凤又跪下。

鲁四凤　（哀求）妈，您，您是怎么？我的心定了。不管他是富，是穷，不管他是谁，我是他的了。我心里第一个许了他，我看得见的只有他，妈，[2]我现在到了这一步：他到哪儿我也到哪儿；他是什么，我也跟他是什么。妈，您难道不明白，我——

鲁侍萍　（指手[3]令她不要向下说，苦痛地）孩子。

鲁大海　妈，妹妹既然是闹到这样，让她去了也好。[4]

周　萍　（阴沉地[5]）鲁奶奶，您心里要是一定不放她，我们只好不顺从您的话，自己走了。凤!

鲁四凤　（摇头）萍!（还望着鲁妈）妈!

鲁侍萍　（沉重的悲伤，低声）啊，天知道谁犯了罪，谁造的这种孽！——他们都是可怜的孩子，不知道自己做的是什么。天哪，如果要罚，也罚在我一个人身上；我一个人有罪，我先走错了一步。（伤心地）如今我明白了，我明白了，事

1　此处川版有“，走了两步”。

2　此处原刊、初版均有“我不知道他是谁，姓什么，叫什么，”。

3　“指手”川版作“挥手”。

4　川版无此句。

5　“阴沉地”川版作“不得已”。

情已经做了的，不必再怨这不公平的天；人犯了一次罪过，第二次也就自然地[1]跟着来。——（摸着四凤的头）他们是我的干净孩子，他们应当好好地活着，享着福。冤孽是在我心里头，苦也应当我一个人尝。他们快活，谁晓得就是罪过？他们年轻，他们自己并没有成心做了什么错。（立[2]，望着天）今天晚上，是我让他们一块儿走，这罪过我知道，可是罪过我现在替他们犯了；[3]所有的罪孽都是我一个人惹的，我的儿女们都是好孩子，心地干净的，那么，天，真有了什么，也就让我一个人担待吧。（回过头）凤儿，——

鲁四凤　（不安地）妈，您心里难过，——我不明白您说的什么。

鲁侍萍　（回转头。和蔼地）没有什么。（微笑[4]）你起来，凤儿[5]，你们一块儿走吧。

鲁四凤　（立起，感动地，抱着她的母亲）妈！

周　萍　去，[6]（看表）不早了，还只有二十五分钟，叫他们把汽车开出，来，走吧。

鲁侍萍　（沉静地）不，你们这次走，是在黑地里走，不要惊动旁人。

1　川版无“地”。

2　“立”原刊、初版均作“立起”。

3　此处原刊有“所以，天哪，”。

4　“微笑”川版作“苦笑”。

5　“凤儿”原刊作“凤”。

6　原刊无“去，”。

（向大海）大海，你出去叫车去[1]，我要回去，你送他们到车站。

鲁大海 嗯。

〔大海由中门下。[2]

鲁侍萍 （向四凤哀婉地）过来，我的孩子，让我好好地亲一亲。（四凤过来抱母[3]；鲁妈向萍）你也来，让我也看你一下。（萍至前，低头，鲁妈望他，擦眼泪）好，你们走吧[4]！——我要你们两个在未走[5]以前答应我一件事。

周　萍 您说吧。

鲁侍萍 你们不答应，我还是不要四凤走的。

鲁四凤 妈，您说吧，我答应。

鲁侍萍 （看他们两人）你们这次走，最好越走越远，不要回头。今天离开，你们无论生死，永远也不许见我。

鲁四凤 （难过）妈，那不——

周　萍 （眼色，低声）她现在很难过，才说这样的话，过后，她就会好了的。

鲁四凤 嗯，也好，——妈，那我们走吧[6]。

---

1 “你出去叫车去”底本作“你出叫车去”，据原刊改。

2 “（向大海）大海”以下川版作“〔周萍与四凤望着鲁侍萍。”。

3 “抱母”原刊作“吻母”。

4 “走吧”原刊作“走了”。

5 “未走”川版作“没走”。

6 “走吧”川版作“走啦”。

〔四凤[1]跪下，向鲁妈[2]叩头，四凤落泪，鲁妈竭力忍着。

鲁侍萍 （挥手）走吧！

周　萍 我们从饭厅里出去吧，饭厅里还放着我几件东西。

〔三人——萍，四凤，鲁妈——走到饭厅门口，饭厅门开。蘩漪走出，三人俱惊视。

鲁四凤 （失声）太太！

周蘩漪 （沉稳地）咦，你们到哪儿去？外面还打着雷呢！

周　萍 （向蘩漪[3]）怎么你一个人在外面偷听！

周蘩漪 嗯，不只我，还有人呢。（向饭厅上[4]）出来呀，你！

〔冲由饭厅上，畏缩地。

鲁四凤 （惊愕）二少爷！

周　冲 （不安地）四凤！

周　萍 （不高兴，向弟）弟弟，你怎么这样不懂事？

周　冲 （莫名其妙地）妈叫我来的，我不知道你们这是干什么。

周蘩漪 （冷冷地）现在你就明白了。

周　萍 （焦躁，向蘩漪）你这是干什么？

周蘩漪 （嘲弄地）我叫你弟弟来跟你们送行。

周　萍 （气愤）你真卑——

---

1 此处川版有“忽然跑回”。

2 “鲁妈”原刊、初版均作“母”。此处川版有“连连”。

3 “向蘩漪”原刊作“气愤”。

4 “向饭厅上”原刊、初版均作“向饭厅门”，川版作“向饭厅走”。

周　冲　哥哥！

周　萍　弟弟，我对不起！——（突向蘩漪[1]）不过世界上没有像你这样的母亲！

周　冲　（迷惑地）妈，这是怎么回事？

周蘩漪　你看哪！（向四凤）四凤，你预备上哪儿去？

鲁四凤　（嗫嚅）我……我？……

周　萍　不要说一句瞎话。告诉他们，挺起胸来告诉他们，说我们预备一块儿走。

周　冲　（明白）什么，四凤，你预备跟他一块儿走？

鲁四凤　嗯，二少爷，我，我是——

周　冲　（半质问地）你为什么早不告诉我？

鲁四凤　[2]我不是不告诉你；我跟你说过，叫你不要找我，因为我——我已经不是个好女人。[3]

周　萍　（向四凤）不，你为什么说自己不好？[4]你告诉他们！（指蘩漪）告诉他们，说你就要嫁我！

周　冲　（略惊）四凤，你——

周蘩漪　（向冲）现在你明白了。（冲低头）

1　原刊无“突向蘩漪”。

2　此处原刊、初版均有“（解脱地）”。

3　“我已经不是个好女人。”以下川版作“我已经不是个——”。

4　川版无“你为什么说自己不好？”。

周　萍　（突向蘩漪，刻毒地）你真没有一点心肝[1]！你以为你的儿子会替——会破坏么？冲弟弟，你说，你现在有什么意思，你说，你预备对我怎么样？说！哥哥都会原谅你。

〔冲望蘩漪，又望四凤，自己低头。

周蘩漪　冲儿，说呀！（半晌，急促[2]）冲儿，你为什么不说话呀？你为什么不抓着四凤问？你为什么不抓着你哥哥说话呀？（又顿。[3]众人俱看[4]冲，冲不语）冲儿你说呀，你怎么，你难道是个死人？哑巴？是个糊涂孩子？你难道见着自己心上喜欢的人叫人抢去，一点儿都不动气么？

周　冲　（抬头，羔羊[5]似地）不，不，妈！（又望四凤，低头）只要四凤愿意，我没有一句话可说。

周　萍　（走到冲面前，拉着他的手）哦，我的好弟弟，我的明白弟弟！

周　冲　（疑惑地，思考地）不，不，我忽然发现……我觉得……我好像我并不是真爱四凤；（渺渺茫茫地）以前——我，我，我——大概是胡闹！

周　萍　（感激地）不过，弟弟——

1 “心肝”原刊作“心”。

2 “半晌，急促”川版作“急促地”。

3 川版无“又顿。”。

4 “众人俱看”原刊作“俱看”，川版作“众人都看”。

5 “羔羊”原刊、初版均作“小羊”。

周　冲　（望着萍热烈的神色，退缩地）不，你把她带走吧，只要你好好地待她！

周蘩漪　（整个消灭，失望[1]）哦，你呀！（忽然[2]，气愤）你不是我的儿子；你不像我，你——你简直是条死猪！

周　冲　（受侮地）妈！

周　萍　（惊）你是怎么回事？

周蘩漪　（昏乱地）你真没有点男子气，我要是你，我就打了她，烧了她，杀了她。你真[3]是糊涂虫，没有一点生气的[4]。你还是你父亲养的，你父亲的小绵羊。我看错你了——你不是我的，你不是我的儿子。

周　萍　（不平地）你是冲弟弟的母亲么？你这样说话。

周蘩漪　（痛苦地[5]）萍，你说，你说出来；我不怕，你告诉他，我现在已经不是他的母亲？

周　冲　（难过地）妈，您怎么？

周蘩漪　（丢弃了拘束[6]）我叫他来的时候[7]，我早已忘了我自己，（向

---

1 “整个消灭，失望”川版作“整个消失了，绝望了”。

2 “忽然”川版作“猛然”。

3 川版无“真”。

4 川版无“的”。

5 “痛苦地”川版作“大声地”。

6 “丢弃了拘束”川版作“丢弃一切拘束”。

7 川版无“的时候”。

冲，半疯狂地[1]）你不要以为我是你的母亲[2]，（高声）你的母亲早死了，早叫你父亲压死了，闷死了。现在我不是你的母亲。她是见着周萍又活了的女人，（不顾一切地）她也是要一个男人真爱她，要真真活着的女人！

周　冲　（心痛地）哦，妈。

周　萍　（眼色向冲）她病了。（向蘩漪）你跟我上楼去吧！你大概该歇一歇。

周蘩漪　胡说！我没有病，我没有病，我神经上没有一点病。你们不要以为我说胡话。（揩眼泪，[3]哀痛地）我忍了多少年了，我在这个死地方，监狱似的周公馆，陪着一个阎王十八年了，我的心并没有死；你的父亲只叫我生了冲儿，然而我的心，我这个人还是我的。（指萍）就只有他才要了我整个的人，可是他现在不要我，又不要我了。

周　冲　（痛极）妈，我最爱的妈，您这是怎么回事？

周　萍　你先不要管她，她在发疯！

周蘩漪　（激烈地）不要学你的父亲。没有疯——我这是[4]没有疯！我要你说，我要你告诉他们——这是我最后的一口气！

---

1 “半疯狂地”原刊、初版均作“半狂地”。

2 “你不要以为我是你的母亲”川版作“你不要把我当做你的母亲”。

3 原刊无“揩眼泪，”。

4 川版无“这是”。

周　萍　（狼狈地[1]）你叫我说什么？我看你上楼睡去吧。

周蘩漪　（冷笑）你不要装！你告诉他们，我并不是你的后母。

〔大家俱惊，略顿。

周　冲　（无可奈何地）妈！

周蘩漪　（不顾地[2]）告诉他们，告诉四凤，告诉她！

鲁四凤　（忍不住）妈呀！（投入[3]鲁妈怀）

周　萍　（望着弟弟，转向蘩漪）你这是何苦！过去的事你何必说呢？叫弟弟一生不快活。

周蘩漪　（失了母性，喊着）我没有孩子，我没有丈夫，我没有家，我什么都没有，我只要你说：我——我是你的。[4]

周　萍　（苦恼）哦，弟弟！你看弟弟可怜的样子，你要是有一点母亲的心——[5]

周蘩漪　（报复地）你现在也学会你的父亲了，你这虚伪的东西，你记着，是你才欺骗了你的弟弟，是你欺骗我，是你才欺骗了你的父亲！

周　萍　（愤怒）你胡说，我没有，我没有欺骗他！父亲是个好人，父亲一生是有道德的，（蘩漪冷笑）——（向四凤）不要理她，

1　川版无“狼狈地”。

2　“不顾地”川版作“执拗地”。

3　“投入”原刊作“入”。

4　“我——我是你的。”原刊作“你——你爱我！”。

5　“你要是有一点母亲的心——”原刊、初版均作“你要是有一点母亲的心在心里头！”。

她疯了，我们走吧。

周蘩漪 不用走，大门锁了。你父亲就下来，我派人叫他来的。

鲁侍萍 哦，太太！

周　萍 你这是干什么？

周蘩漪 （冷冷地）我要你父亲见见他将来的好媳妇[1]你们再走。（喊）朴园，朴园！……

周　冲 妈，您不要！

周　萍 （走到蘩漪面前）疯子，你敢再喊！

〔蘩漪跑到书房门口，喊。[2]

鲁侍萍 （慌）四凤，我们出去。

周蘩漪 不，他来了！

〔朴园由书房进，大家俱不动，静寂若死。

周朴园 （在门口）你叫什么？你还不上楼去睡。

周蘩漪 （倨傲地）我请你见见你的好亲戚。

周朴园 （见鲁妈，四凤在一起，惊）啊，你，你[3]——你们这是做什么？

周蘩漪 （拉四凤向朴园[4]）这是你的媳妇[5]，你见见。（指着朴园向四

---

1 “媳妇”原刊、初版均作“女儿”。

2 “喊。”川版作“喊：朴园！朴园！”。

3 “你，你”川版作“你”。

4 原刊、初版均无“向朴园”。

5 “媳妇”原刊、初版均作“女儿”。

凤[1]）叫他爸爸！（指着鲁妈向朴园）你也认识认识这位老太太。

鲁侍萍　太太！

周蘩漪　萍，过来！当着你的父亲，过来，跟这个妈叩头。

周　萍　（难堪）爸爸，我，我——

周朴园　（明白地）怎么——（向鲁妈）侍萍，你到底还是回来了。

周蘩漪　（惊）什么？

鲁侍萍　（慌）不，不，您弄错了。

周朴园　（悔恨地）侍萍，我想你也会回来的。

鲁侍萍　不，不！（低头）啊！天！

周蘩漪　（惊愕地）侍萍？什么，她是侍萍？

周朴园　嗯。[2]（烦厌地）蘩你不必再故意地问我[3]，她就是萍儿的母亲，三十年前死了的。

周蘩漪　天哪！

〔半晌[4]。四凤苦闷地叫了一声，看着她的母亲，鲁妈苦痛地低着头[5]。萍脑筋昏乱，[6]迷惑地望着父亲，同鲁妈。这时蘩漪

1　“指着朴园向四凤”原刊作“向凤指朴”。

2　川版无“嗯。”。

3　“蘩你不必再故意地问我”川版作“蘩漪，你不必再故意问我”。

4　“半晌”川版作“停顿”。

5　“鲁妈苦痛地低着头”原刊作“惊慌地望着”。

6　“萍脑筋昏乱，”川版作“周萍”。

渐渐移到周冲[1]身边，现在她突然发见一个更悲惨的命运，逐渐地使她同情萍，她觉出自己方才的疯狂，这使她很快[2]地恢复原来平常母亲的情感。她不自主地愧恨地望着自己的冲儿。

周朴园（沉痛地）萍儿，你过来。你的生母并没有死，她还在世上。

周　萍（半狂地）不是她！爸，您告诉我，不是她！

周朴园（严厉地）混账！萍儿，不许胡说。她没有什么好身世，也是你的母亲。

周　萍（痛苦万分）哦，爸！

周朴园（尊重地）不要以为你跟四凤同母，觉得脸上不好看，你就忘了人伦天性。

鲁四凤（向母）哦，妈！（痛苦地）

周朴园（沉重地）萍儿，你原谅我。我一生就做错了这一件事。我万没有想到她今天还在，今天找到这儿。我想这只能说是天命[3]。（向鲁妈叹口气）我老了，刚才我叫你走，我很后悔，我预备寄给你两万块钱。现在你既然来了，我想萍儿是个孝顺孩子，他会好好地侍奉你。我对不起你的地方，他会补上的。

周　萍（向鲁妈）您——您是我的——

---

1 “周冲”原刊作“冲儿”。

2 “很快”川版作“逐渐”。

3 “天命”川版作“天意”。

鲁侍萍　（不自主地）萍——（回头抽咽）

周朴园　跪下，萍儿！不要以为自己是在做梦，这是你的生母。

鲁四凤　（昏乱地）妈，这不会是真的。

鲁侍萍　（不语，抽咽）

周蘩漪　（走向萍[1]，悔恨地）萍，我，我万想不到是——是这样，萍——

周　萍　（怪笑，向朴）父亲！（怪笑，向鲁妈）母亲！（看四凤，指她）你——

鲁四凤　（与萍[2]互视怪笑，忽然忍不住）啊，天！（[3]由中门跑下，萍扑在沙发上，鲁妈死气沉沉[4]地立着）

周蘩漪　（急喊）四凤！四凤！（转向冲）冲儿，她的样子不大对，你赶快出去看她。

〔冲由中门跑下，喊四凤。

周朴园　（至萍前）萍儿，这是怎么回事？

周　萍　（突然）爸，您不该生我！（跑，由饭厅下[5]）

〔远处听见四凤的惨叫声，冲狂呼四凤，过后冲也发出惨叫。[6]

---

1 “走向萍”底本作“笑向萍”，据原刊、初版改，川版无“走向萍”。

2 “与萍”原刊作“二人”。

3 此处川版有“四凤”。

4 “死气沉沉”原刊、初版均作“死森森”。

5 “跑，由饭厅下”川版作“周萍由饭厅跑下”。

6 此句原刊、初版均作“远处听见四凤惨听声，冲狂呼四凤，继冲惨叫一声。”，川版作“远处听见周冲狂呼：‘四凤！’突然寂静无声。”。

鲁侍萍　（同时叫）四凤，你怎么啦！

周蘩漪　（同时叫）我的孩子，我的冲儿！

〔二人同由中门跑出。

周朴园　（急走至窗前拉开窗幕，颤声）怎么？怎么？

〔仆由中门跑上。

仆　人　（喘）老爷！

周朴园　快说，怎么啦？

仆　人　（急不成声[1]）四凤……死了……[2]

周朴园　（急）二少爷呢？

仆　人　也……也死了。

周朴园　（颤声）不，不，怎……么？

仆　人　四凤碰着那条走电的电线。二少爷不知道，赶紧拉了一把，两个人一块儿中[3]电死了。

周朴园　（几晕）这不会。这，这——这不能够，不能够！

〔朴园与仆人跑下。

〔萍由饭厅出，颜色惨白，但是神气沉静的。他走到那张放鲁大海[4]的手枪的桌前，抽开抽屉，取出手枪，手微颤，[5]慢

1　原刊无“急不成声”。

2　“四凤……死了……”原刊作“四凤死了，电死啦！”。

3　川版无“中”。

4　“鲁大海”川版作“周朴园”。

5　川版无“手微颤，”。

慢走进右边书房。

〔外面人声嘈乱，哭声，叫声，吵声，混成一片。鲁妈由中门上，脸更呆滞，如石膏人像[1]。老年仆人跟在后面，拿着电筒[2]。

〔鲁妈一声不响地立在台中。

老　仆　（安慰地）老太太，您别发呆！这不成，您得哭，您得好好哭一场。

鲁侍萍　（无神地）我哭不出来！

老　仆　这是天意：没有法子。——可是您自己得哭。

鲁侍萍　不，我想静一静。[3]（呆立）

〔中门大开，许多仆人围着蘩漪，蘩漪不知是在哭在笑。

仆　人　（在外面）进去吧，太太，别看哪。

周蘩漪　（为人拥至中门，倚门怪笑）冲儿，你这么张着嘴？你的样子怎么直对我笑？——冲儿，你这个糊涂孩子。[4]

周朴园　（走在中门中，眼泪在面上）[5]蘩漪[6]，进来！我的手发木，你也别看了。

1　“石膏人像”川版作“石像”。

2　此句原刊作“老年仆随在后，执手电筒”，初版作“老年仆随在后，执着电筒”。

3　“不，我想静一静”川版作“我哭，我哭……”。

4　此处川版另起一行有“〔周朴园由中门进。”。

5　川版无此句。

6　“蘩漪”原刊、初版均作“蘩”。

老　仆　太太，进来吧。人已经叫电火烧焦了，没有法子办了。[1]

周蘩漪　（进来，[2]干哭[3]）冲儿，我的好孩子。刚才还是好好的，你怎么会死，你怎么会死得这样惨？（呆立）

周朴园　（已进来[4]）你要静一静。（擦眼泪）

周蘩漪　（狂笑）冲儿，你该死，该死！你有了这样的母亲，你该死！

〔外面仆人与鲁大海打架声。

周朴园　这是谁？谁在这时候打架。

〔老仆下问，立时另一仆人上。

周朴园　外面是怎么回事？

仆　人　今天早上那个鲁大海，他这时又来了，跟我们打架。

周朴园　叫他进来！

仆　人　老爷[5]，他连踢带打地伤了我们好几个，他已经从小门跑了[6]。

周朴园　跑了？

仆　人　是，老爷。

周朴园　（略顿，[7]忽然）追他去，跟我追他去。

1　此处川版另起一行有“〔周蘩漪由中门进。”。

2　川版无“进来，”。

3　“干哭”原刊作“咽干哭”。

4　川版无“已进来”。

5　“老爷”川版作“把门的要下他的枪”。

6　“他已经从小门跑了”川版作“他又带着枪跑了”。

7　川版无“略顿，”。

仆　人　是，老爷。

〔仆人一齐下。屋中只有朴园，鲁妈，蘩漪三人。

周朴园　（哀伤地）我丢了一个儿子，不能再丢第二个了。（三人都坐下来[1]）

鲁侍萍　[2]都去吧！让他去了也好，我知道这孩子。他恨你，我知道，他不会回来见你的。[3]

周朴园　（寂静，自己觉得奇怪）年轻的反而走我们前头了，现在就剩下我们这些老——（忽然）萍儿呢？大少爷呢？萍儿，萍儿！（无人应）来人呀！来人！（无人应）你们跟我找呀，我的大儿子呢？

〔书房枪声，屋内死一般的静默[4]。

周蘩漪　（忽然[5]）啊！（跑下书房，朴园呆立不动，立时蘩漪狂喊跑出）他……他……[6]

1　原刊、初版均无此句。

2　此处原刊有"（叹，都坐沙发）"。

3　"都去吧！"以下川版作"他恨你！他不会来的。"。

4　原刊无"，屋内死一般的静默"。

5　原刊无"忽然"。

6　"他……他……"原刊作"快来！快来！他……他……也死了。用……用矿上的手枪！"。"（忽然）啊！"以下川版作：

周蘩漪　（忽然）啊！（跑进书房）

〔周朴园呆立不动。

周蘩漪　（狂喊跑出）他……他……

周朴园 他……他……[1]

〔朴园与蘩漪一同跑下，进书房。

〔鲁妈立起，向书房颠踬了两步，至台中，渐向下倒，跪在地上，如序幕[2]结尾老妇人倒下的样子。

〔舞台渐暗[3]，奏序幕之音乐（High Mass–Bach），若在远处奏起，至完全黑暗时最响，与序幕末尾音乐声同。幕落，即开，接尾声[4]。

---

1 “他……他……”原刊、初版均作“天！”。

2 “序幕”原刊作“第一幕第一景”，川版无“如序幕”以下内容，剧本至此完结。

3 此处原刊有“至完全黑暗时”。

4 “尾声”原刊作“最末一景”。

尾声

〔开幕时舞台黑暗。只听见远处教堂合唱弥撒声同大风琴声，序幕姊弟的声音：

〔弟弟声：姐姐，你去问她。

〔姊姊声：（低声）不，弟弟你问她，你问她。

〔舞台渐明，景同序幕，又回到十年后腊月三十日的下午。老妇[1]（鲁妈）还在台中歪倒着，姊弟在旁。

姊　姊　你问她，她知道。

弟　弟　我不，我怕，你，你去（推姊姊，外面合唱声止）

〔姑乙由中门进，见老妇倒地上，大惊愕，忙扶起她。

姑　乙　（扶她）起来吧，鲁奶奶！起来吧！（扶她至右边火炉旁坐，忙走至姊弟前，安慰地）弟弟，你没有吓着吧！快去吧，妈就在外边等着你们，姐姐，你领弟弟去吧。

姊　姊　谢谢您，姑奶奶。（替弟弟穿衣服）

姑　乙　外面冷的很，你们都把衣服穿好。

姊　姊　嗯，再见！

姑　乙　再见。（姊领弟弟出中门）

〔姑乙忙走到壁炉前，照护老妇人。

〔姑甲由右门饭厅进。

---

1 “老妇”原刊、初版均作“老妇人”。

姑　乙　嘘,（指鲁妈）她出来了。

姑　甲　（低声）周先生就下来看她，你照护照护。我要出去。

姑　乙　好，你等一等,（从墙角拿一把雨伞[1]）外头怕要下雪，你要[2]这一把伞吧。

姑　甲　（和蔼地）谢谢你。（拿着雨伞由中门出去）

〔老人由左边厅出，立门口，望着。

姑　乙　（指鲁妈，向老翁）她在这儿！

老　人　哦！

〔半晌。

老　人　（关心地，向姑乙）她现在怎么样？

姑　乙　（轻叹）还是那样！

老　人　吃饭还好么？

姑　乙　不多。

老　人　（指头）她这儿？

姑　乙　（摇头）不，还是不认识人。

〔半晌。

姑　乙　楼上您的太太，看见了？

老　人　（呆滞地）嗯。

姑　乙　（鼓励地）这两人，她倒好。

老　人　是的。——（指鲁妈）这些天没有人看她么？

1 “从墙角拿一把雨伞”原刊、初版均作“由墙角拿一把伞”。

2 “你要”原刊作“你用”。

姑　乙　您说她的儿子，是么？

老　人　嗯。一个姓鲁叫大海的。

姑　乙　（同情地）没有。可怜，她就是想着儿子；每到节期[1]总在窗前望一晚上。

老　人　（叹气，绝望地，自语）我怕，我怕他是死了。

姑　乙　（希望地）不会吧？

老　人　（摇头）我找了十年了，——没有一点影子。

姑　乙　唉，我想她的儿子回家，她一定会明白的。

老　人　（走到炉前，低头）侍萍！

〔老妇[2]回头，呆呆地望着他，若不认识，起来，面上无一丝表情，一时，她走向前窗。

老　人　（低声）侍萍！侍——

姑　乙　（向老人摆手，低声）让她走，不要叫她！

〔老妇至窗前，慢吞吞地拉开帷幔，痴呆地望着窗外。

〔老人绝望地转过头，望着炉中的火光，外面忽而闹着小孩们的欢笑声，同足步声。中门大开，姊弟进。

姊　姊　（向弟）在这儿？一定在这儿？

弟　弟　（落泪，点着头）嗯！嗯！

姑　乙　（喜欢他们来打破这沉静）弟弟。你怎么哭了？

弟　弟　（抽咽）我的手套丢了！外面下雪，我的手套，我的新手套

1　“每到节期”原刊作“每年三十”。

2　“老妇”原刊、初版均作“老妇人”。

丢了。

姑　乙　不要嚷，弟弟，我跟你找。

姊　姊　弟弟，我们找。

〔三个人在左角找手套。

姑　乙　（向姊）有么？

姊　姊　没有！

弟　弟　（钻到沙发背后，忽然跳出来）在这儿，在这儿！（舞着手套）妈，在这儿！（跑出去）

姑　乙　（羡慕地）好了，去吧。

姊　姊　谢谢，姑奶奶！

〔姊由中门下，姑乙关上门。

〔半晌。

老　人　（抬头）什么？外头又下雪了？

姑　乙　（沉静地点头）嗯。

〔老人又望一望立在窗前的老妇[1]，转身坐在炉旁的圈椅上，呆呆地望着火，这时姑乙在左边长沙发上坐下，拿了一本《圣经》读着[2]。

〔舞台渐暗。

——幕落

1　“老妇”原刊、初版均作“老妇人”。

2　“读着”原刊、初版均作“来读”。

雷雨

1951开明版

【题注】据1951年8月开明书店“新文学选集”《曹禺选集》初版排印。

人　物

周朴园——某煤矿公司董事长，五十五岁。

周蘩漪——其妻，三十五岁。

周萍——其前妻生子，年二十八。

周冲——蘩漪生子，年十七。

鲁贵——周宅仆人，年四十八。

鲁侍萍——其妻，某校女佣，年四十七。

鲁大海——侍萍前夫之子，煤矿工人，年二十七。

鲁四凤——鲁贵与侍萍之女，年十八，周宅使女。

乔松生——省政府参议。

周宅仆人等——仆人甲、仆人乙……老仆。

时间和地点

第一幕　　夏天，郁热的早晨——周公馆的客厅内。

第二幕　　景同前——当天的下午。

第三幕　　在鲁家一个小套间——当天夜晚十时许。

第四幕　　周家的客厅（与第一幕同）——当天半夜后。

第一幕

一个夏天的上午，在周宅的客厅里。左右侧各有一门，一通饭厅，一通书房，中间的门开着，隔一层铁纱门，从纱门望出去，花园的树木绿荫荫的，听得见蝉叫声。右边一座大衣柜，铺着一张黄桌布，上面放着许多摆设。触目的是一张旧相片，很不调和地和这些精致东西放在一起。右边壁炉上有一只钟，墙上挂一幅油画。炉前有两把圈椅。中间靠左的玻璃柜里放满了古玩。柜前有一张小矮凳，左角摆一张长沙发，上面放着三四个缎制的厚垫子。沙发前的矮几上放着烟具等物，台中偏右两个小沙发同圆桌，桌上放着吕宋烟盒和扇子。

所有的帷幔都是崭新的，家具非常洁净，有金属的地方都放着光彩。

郁热逼人。屋中很气闷，外面没有阳光，天空灰暗，是将要落暴雨的气氛。

开幕时，四凤在靠中墙的长方桌旁，背着观众滤药，她不时地揩着脸上的汗。鲁贵（她的父亲）在沙发旁擦着矮几上的银烟具。

四凤约有十七八岁，是个健康的少女，长得相当端正，举止说话，爽利而有分寸。她穿一件旧的白纺绸上衣，山东绸的裤子，一双略旧的布鞋，收拾得非常整洁。

她的父亲——鲁贵——约莫有四十多岁，身体略胖，一副萎缩的神气。他正用一条抹布擦着东西，脚下放着一双刚刷好的黄皮鞋。时而他用自己的衣襟揩脸上的油汗。

鲁　贵　四凤！

〔四凤做不听见，依然滤她的汤药。

鲁　贵　四凤！

四　凤　喝，真热。（走向右边的柜旁，寻一把芭蕉扇扇着）

鲁　贵　（望着她，停下工作）四凤，你听见了没有？

鲁四凤　（冷冷地）干什么？爸。

鲁　贵　我问你听见我刚才说的话了么？

鲁四凤　都知道了。

鲁　贵　妈的，这孩子！

鲁四凤　（回过头来）您少说闲话吧！（挥扇，嘘出一口气）天气这样闷热，回头多半下雨。（忽然）老爷出门穿的皮鞋，您擦好了没有？（到鲁贵面前，拿起一只皮鞋不经意地）这是您擦的！这么随随便便抹了两下——老爷的脾气您可知道。

鲁　贵　（一把抢过鞋）我的事用不着你管。四凤，你听着，我再跟你说一遍，回头见着你妈，别忘了把新衣服都拿出来给她瞧瞧。

鲁四凤　（不耐烦）听见了。

鲁　贵　教她想想，还是你爸爸混事有眼力，还是她有眼力。

鲁四凤　（轻蔑地）自然您有眼力啊！

鲁　贵　你还别忘了告诉你妈，你在这儿周公馆吃的好，喝的好，就是白天侍候太太少爷，晚上还是听她的话，回家睡觉。

鲁四凤　那倒不用告诉，妈自然会问的。

鲁　贵　（得意）还有啦，钱，（贪婪地笑着）你手下也有不少钱啦！

鲁四凤　钱！？

鲁　贵　这两年的工钱，赏钱，还有那零零碎碎的，他们……

鲁四凤　那您不是一块两块都要走了么？喝了，赌了。

鲁　贵　你看，你看，你又急了，急什么？我不跟你要钱。喂，我说，我说的是——（低声）他——不是也不断地塞给你钱花么？

鲁四凤　（惊讶）他？谁呀？

鲁　贵　（索性说出来）大少爷。

鲁四凤　（红了脸）谁说大少爷给我钱？爸爸，您别又穷疯了，胡说乱道的。

鲁　贵　好，好，好，没有，没有。反正这两年你不是存点钱么？我不是跟你要钱，你放心。我说啊，等你妈来，把这些钱也给她瞧瞧，教她也开开眼。

鲁四凤　哼，妈不像您，见钱就忘了命。（回到中间茶桌滤药）

鲁　贵　（坐在长沙发上）钱不钱，你没有你爸爸成么？要不到这儿周家大公馆帮主儿，这两年尽听你妈的话，你能每天吃着喝着，大热天还穿得上小纺绸么？

鲁四凤　哼，妈是个本分人，念过书的，讲脸，舍不得把自己的女儿教人家使唤。

鲁　贵　什么脸不脸？又是你妈的那一套！你是谁家的小姐？——妈的，底下人的女儿，帮了人就失了身份啦。

鲁四凤　（厌恶地）爸，您看您那一脸的油——您把那皮鞋再擦擦吧。

鲁　贵　讲脸呢，又学你妈那点穷骨头，你看她，她要脸！跑他妈的八百里外女学堂里当老妈：为着一月八块钱，两年才回一趟家。这叫本分，还念过书呢；简直是没出息。

鲁四凤　（忍气）您倒是有个完没有？

鲁　贵　怎么着，不爱听？我谈谈家务碍着什么啦，我跟你说，你的妈……

鲁四凤　（突然）我跟您先说下，妈可是好容易才回一趟家。这次，也是看哥哥跟我来的，您要是再给她一个不痛快，我就把您这两年做的事都告诉哥哥。

鲁　贵　我，我，我做了什么事啦？（觉得在女儿面前失了身份）喝点，赌点，玩点，这三样，我快五十的人啦，还怕他么？

鲁四凤　他才懒得管您这些事呢！——可是他每月从矿上寄给妈用的钱，您偷偷地花了，他知道了，就不会答应您！

鲁　贵　那他敢怎么样？（高声地）他妈嫁给我，我就是他爸爸。

鲁四凤　小声点！这有什么喊头。

鲁　贵　哼！（滔滔地）我跟你说，我娶你妈，我还抱老大的委屈呢。你看我这么个机灵人，这周家上上下下十几口子，哪一个不说我鲁贵聒聒叫。来这里不到两个月，我的女儿就在这公馆找上事，就说你哥哥，没有我，能在周家的矿上当工人么？教你妈说，她成么？——这样，你哥哥同你妈还是一个劲儿地不赞成我。这次回来，你妈要还是那副寡妇脸子，我就当你哥哥的面上不认她，说不定就离了她，别看她替我养个女儿，外带来你这个倒霉蛋的哥哥——

鲁四凤　爸爸。您——

鲁　贵　哼，谁知道是哪个王八蛋养的儿子。

鲁四凤　哥哥哪点对不起您，您这样骂他干什么？

鲁　贵　他哪一点对得起我？当大兵，拉包月车，干机器匠，念书上学，哪一行他是好好地干过！好容易我荐他到了周家的矿上去，他又跟工头闹起来，把人家打啦。

鲁四凤　我听说，不是我们老爷先教矿上的警察开了枪，工人们才动的手么？

鲁　贵　反正这孩子混蛋，吃人家的钱粮，就得听人家的管。好好的，要罢工，现在又得靠我这老面子跟老爷求情啦！

鲁四凤　您听错了吧；哥哥是工人的代表，他今天来是老爷找他来的。

鲁　贵　老爷找他，他也得配。

鲁四凤　（轻蔑地看着她的父亲，叹了一口气）好，您歇歇吧，我要上楼给太太送药去了。（端起药碗向左边饭厅走）

鲁　贵　你先等一会儿，我再说一句话。

鲁四凤　（打岔）开午饭了，普洱茶先泡好了没有？

鲁　贵　那用不着我，他们小当差早侍候到了。

鲁四凤　哦，那我走了。

鲁　贵　（拦住她）四凤，你别忙，我跟你商量点事。

鲁四凤　什么？

鲁　贵　你听啊，昨天不是老爷的生日么？大少爷也赏给我四块钱。

鲁四凤　好极了，（口快地）我要是大少爷，我一个子儿也不给您。

鲁　贵　（鄙笑）这话有理！四块钱，够干什么的，还了点账就干了。

鲁四凤　（伶俐地）那回头您跟哥哥要吧。

鲁　贵　四凤，别——你爸爸什么时候借钱不还账？现在你手下方便，随便匀给我七块八块好么？

鲁四凤　我没有钱。（停一下）您真是还账了么？

鲁　贵　（赌咒）我跟我的亲生女儿说瞎话是王八蛋！

鲁四凤　您别骗我，说了实在的，我也好替您想想办法。

鲁　贵　真的！？——说起来这不怪我。昨天那几个零钱，还大账不够，小账剩点零，所以我就要了两把，也许赢了钱，不都还了么？谁知运气不好，连喝带输，还倒欠了十来块。

鲁四凤　这是真的？

鲁　贵　（真心地）这可一句瞎话也没有。

鲁四凤　那我实实在在地告诉您，我也没有钱！（说毕就要拿起药碗）

鲁　贵　（着急）凤儿，你这孩子是什么心思？你可是我的亲生孩子。

鲁四凤　亲生的女儿也不能间天间日地替您老人家还赌账啊！

鲁　贵　（严重地）孩子，你可放明白点，你妈疼你，只在嘴上，我可是把你的什么要紧的事情，都处处替你想。

鲁四凤　（明白他有所指）您又要说什么？

鲁　贵　（四面望了一望，逼近四凤）我说，大少爷常跟我提过你，大少爷，他说——

鲁四凤　（管不住自己）大少爷！大少爷！你疯了！——我走了，太太就要叫我呢。

鲁　贵　别走，我问你，前天我看见大少爷买衣料——

鲁四凤　（沉下脸）怎么样？

鲁　贵　（上下打量）嗯——（盯住四凤的手）这戒指，（笑着）不也是他送给你的么？

鲁四凤　（厌恶地）您看您说话的神气！

鲁　贵　你不必这样假门假事，你是我的女儿。（忽然贪婪地笑着）一个当差的女儿，收人家点东西，用人家一点钱，没有什么说不过去的，这不要紧，我都明白。

鲁四凤　您就直说吧，究竟要多少钱用？

鲁　贵　不多，三十块钱就成了。

鲁四凤　哦，那您就跟您那大少爷要去吧。

鲁　贵　（恼羞）好孩子，你以为我真装糊涂，不知道你同那混账大少爷做的事么？

鲁四凤　（压住怒气）您是父亲么？父亲有跟女儿这样说话的么？

鲁　贵　我是你的爸爸，我就要管你。我问你，前天晚上——

鲁四凤　前天晚上？

鲁　贵　我不在家，你半夜才回来，你干什么来着？

鲁四凤　（掩饰）我替太太找东西呢。

鲁　贵　为什么那么晚才回家？

鲁四凤　（轻蔑地）您这样的父亲没有资格来问我。

鲁　贵　好文明词！你就说不上你上哪儿去了。

鲁四凤　那有什么说不上！

鲁　贵　那你说！

鲁四凤　那是太太因为老爷回来了，又要我检老爷的衣服。

鲁　贵　哦,（低声，恐吓地）可是半夜送你回家的那位是谁？坐着汽车，醉醺醺，直对你说胡话的那位是谁呀？（得意地微笑）

鲁四凤　那，那——

鲁　贵　（大笑）你不用说了，那是我们鲁家的阔女婿！——哼，我们两间半破瓦房居然来了坐汽车的男朋友，找我这当差的女儿啦！（严厉）我问你，他是谁？你说。

〔四凤愣住。

〔鲁大海进——四凤的哥哥，鲁贵的半子——他身体魁伟，穿着一身蓝布工人服，手里拿着帽子。

鲁大海　凤儿！

鲁四凤　哥哥！

鲁　贵　（向四凤）你说呀！装什么哑巴。

鲁四凤　（看大海）哥哥！

鲁　贵　（不顾）你哥哥来也得说呀。

鲁大海　怎么回事？

鲁　贵　你先别管。

鲁四凤　哥哥，没什么要紧的事。（向鲁贵）好吧，爸，我们回头商量。

鲁　贵　回头商量？（再盯四凤一眼）那就这么办。（向大海，傲慢地）咦，你怎么随随便便跑进来啦？

鲁大海　（简单地）我在门房等了半天了。

鲁　贵　大海，到底你是矿上打粗的，连一点大公馆的规矩也不懂。

鲁四凤　人家不是周家的底下人。

鲁　贵　你在矿上吃的也是周家的饭哪。

鲁大海　（冷冷地）董事长在家吗？

鲁　贵　（故意地）谁？

鲁大海　董事长。

鲁　贵　老爷就是老爷，什么董事长，上我们这儿就得叫老爷。

鲁大海　你给我说一声，说矿上的工人代表来了。

鲁　贵　我看，你先回家去。（有把握地）矿上的事有你爸爸在这儿替你张罗。回头跟你妈、妹妹聚两天，等你妈走，你回到矿上，事由还是有你的。

鲁大海　我们的事你不懂，就别再操心了。

鲁四凤　（希望鲁贵走）爸，你还是看看老爷的客走了没有，再领着哥哥见老爷。

鲁　贵　（摇头）哼，我怕他不会见你吧。

鲁大海　（理直气壮）他约我们来的，怎么能不见？前天，我们就在这儿的公司见过他。

鲁　贵　（犹疑地）那我先给你问问去。

鲁四凤　你去吧。

鲁　贵　（走到老爷书房门口，转过来）他要是见你，你可少说粗话，听见了没有？（很老练地走着，自以为是阔当差的步伐，进了书房门）

鲁大海　（目送鲁贵进了书房，摇摇头）哼，这个奴才！

鲁四凤　哥哥，你别这样说，（略顿）无论如何，他总是我们的父亲。

鲁大海　他是你的，我并不认识他。

鲁四凤 （胆怯地望着哥哥）哥哥你说话小声点，老爷就在里边呢！

鲁大海 （望望她）好。妈也快回来了，我看你把周家的活儿辞了，好好回家。

鲁四凤 （诧异）为什么？

鲁大海 这不是你呆的地方。

鲁四凤 为什么？

鲁大海 这个老混蛋，你说他开煤矿，他是个官；你说他是官，他开煤矿。妈的，这两年我在矿上看够了他做的事。

鲁四凤 你看见什么？

鲁大海 （愤恨地）帝国主义是他的祖宗，他就知道巴结外国老子，压榨我们工人。

鲁四凤 （望大海）两年没见你，你跟从前不一样了。

鲁大海 这两年——（走了两步，又回身向四凤，望着她）我倒觉得你变了。

〔鲁贵由书房门上。

鲁　贵 好容易警察局长刚走，我正要说话，乔参议又来了，（向大海）我看我们先下去待一会儿吧。

鲁大海 那我就先进去跟他谈谈。（要向书房门走）

鲁　贵 （拦住他）干什么？

鲁四凤 不，不。哥哥你先——

鲁大海 好，（沉吟一下）也好。

鲁　贵 真是，到下房再等一等算什么？我跟你走，这么大院子，你别胡闯乱闯走错了。（走向中门，回头）四凤，你先别走，我就回来，你听见没有？

鲁四凤 您去吧。

〔鲁贵，大海同下。

〔四凤厌倦地坐到沙发上。

〔听见外面花园里一个年轻的轻快的声音，唤着“四凤！”渐渐移到中间门口。

鲁四凤 （有点惊慌）哦，二少爷。

〔声：四凤！四凤！

〔四凤慌忙站起躲在沙发背后。

〔周冲——周朴园的小儿子，十七岁，穿着打球的白衣服，左腋下挟着一只球拍，一面用毛巾擦汗，快步走进。

周　冲 四凤！四凤！（四面张望）咦，不在这儿。（蹑足走向右边的饭厅，开开门，低声）四凤你出来，我告诉你一件事。（又轻轻地走到书房门口，更低声）四凤。

〔里面的声音：是冲儿么？

周　冲 （胆怯地）是我，爸爸。

〔里面的声音：你在干什么？

周　冲 我找四凤。

〔里面的声音：她不在这儿。

周　冲 （把头由门口缩回来，做了一个鬼脸）咦，奇怪。（失望地向右边的饭厅走去）

〔四凤看见周冲已走，嘘出一口气。

〔鲁贵由中门进。

鲁　贵　（向四凤）刚才是谁在喊你？

鲁四凤　二少爷。

鲁　贵　他叫你干什么？

鲁四凤　谁知道。

鲁　贵　（责备）你为什么不理他？

鲁四凤　不是您教我等着么？您有话就讲吧。

鲁　贵　你看，刚才我走到下房，这些王八蛋就跑到公馆跟我要账，当着上上下下好些人，我看没有二十块钱，简直圆不下这个脸。

鲁四凤　（拿出钱来）我的都在这儿。这是我回头预备给妈买衣服的，您先拿去吧。

鲁　贵　（假意）那你不是没有花的了么？

鲁四凤　得了，您别这样客气啦。

鲁　贵　（笑着接下钱，数）就十二块？

鲁四凤　（坦白地）现钱我只有这么一点。

鲁　贵　（故作为难的样子）那这些要账的，怎么打发呢？

鲁四凤　（忍着气）您教他们晚上到我们家里要吧。回头，见着妈，再想别的法子，这钱，您留着自己用吧。

鲁　贵　（高兴地）这给我啦，那我只当着你这是孝敬父亲的——好孩子，我早知道你有这份儿孝心。

鲁四凤　（没有办法）这回您让我上楼去了吧。（端起药碗）

鲁　贵　你看，谁管过你啦。去吧，跟太太说一声，说鲁贵直惦记太太的病。

鲁四凤　知道，忘不了。

鲁　贵　（得意）对了，四凤，我还告诉你一件事。

鲁四凤　您留着以后再说吧。

鲁　贵　（暗示着）你看，这是你自己的事。（假笑）

鲁四凤　（沉下脸）我又有什么事？（放下药碗）好，我们今天都算清楚再走。

鲁　贵　你瞧瞧，又急了。真快成小姐了，要脾气倒是聒聒叫啊。

鲁四凤　您说吧。

鲁　贵　孩子，你别这样，（正经地）我劝你小心点。

鲁四凤　（嘲弄地）我现在钱也没有了，还用得着小心干什么？

鲁　贵　我跟你说，太太这两天的神气有点不大对。

鲁四凤　太太的神气不对有我什么关系？

鲁　贵　我怕太太看见你才有点不痛快。

鲁四凤　为什么？

鲁　贵　为什么？我先提你个醒。老爷比太太岁数大得多，太太跟老爷不好。大少爷不是这位太太生的，他比太太的岁数差得也有限。

鲁四凤　我都知道。

鲁　贵　可是太太疼大少爷比疼自己的孩子还热，还好。

鲁四凤　当后娘只好这样。

鲁　贵　你知道这屋子为什么晚上没有人来，老爷在矿上的时候，就是白天也是一个人也没有么？

鲁四凤　不是半夜里闹鬼么？

鲁　贵　哼，鬼？一点也不错，我可看见过。

鲁四凤　您看见来着？

鲁　贵　（自负地）嗯，这是你爸爸的造化。

鲁四凤　怎么？

鲁　贵　那时你还没有来，老爷在矿上，那么阴森森的大院子，就太太，二少爷，大少爷住。那时这屋子就闹鬼，二少爷人小胆小，教我在他门口睡。是个秋天，半夜里二少爷忽然把我叫起来，说客厅又闹鬼，硬教我去看看。我直发毛，可是我是刚来的底下人，少爷说了，我还能不去？

鲁四凤　您去了没有？

鲁　贵　我就把我随身带的烧酒喝了两口壮壮胆儿，偷偷地钻到这门外的走廊旁边，就听见这屋子里啾啾啾地像一个女鬼在哭。哭得惨！心里越怕，越想看。我就硬着头皮，从这窗缝里向里一望。

鲁四凤　（紧张地望着他）您瞧见什么？

鲁　贵　就在这张桌上点着一枝要灭不灭的洋蜡烛，我恍恍惚惚地看见两个穿着黑衣裳的鬼，并排地坐着，像是一男一女，背朝着我，这个女鬼像是靠着男鬼的身边哭，那个男鬼低着头直叹气。

鲁四凤　真的？

鲁　贵　可不是？我就乘着酒劲儿，朝着窗户缝，轻轻地咳嗽一声。这两个鬼就嗖一下子分开了，都朝我这边望：这一下子他们的脸清清楚楚地正对着我，这我可真见了鬼了。

鲁四凤　什么样？

〔停一下，鲁贵四面望一望。

鲁四凤　谁？

鲁　贵　我这才看见那个女鬼呀，（回头，低声）——是我们的太太。

鲁四凤　太太？

鲁　贵　那个男鬼——就是大少爷。

鲁四凤　他？

鲁　贵　就是他，他同他的后娘就在这屋子里闹鬼呢。

鲁四凤　（故作不在意地）我不信，准是您看错了。

鲁　贵　没个错，你不用骗自己。所以孩子，你看开点，别糊涂，周家的人就是那么一回事。

鲁四凤　不，不会。

鲁　贵　你忘了，大少爷比太太只小六七岁。

〔四凤摇头。

鲁　贵　好，信不信都在你，反正我先告诉你，太太的神气现在对你不大对，就是因为你，因为你同——

鲁四凤　（连忙岔开）太太要知道是您，一定不会饶您的。

鲁　贵　是啊，我吓了一身汗，我没等他们来，我就跑了。

鲁四凤　那么，大少爷以后就不问您？

鲁　贵　他问我，我说我没有看见什么就算了。

鲁四凤　可是太太那个人她不会算了吧？

鲁　贵　她当然厉害，拿话套了我十几回，我一句话也没有漏出来，这两年过去，说不定他们倒以为那晚上真是鬼在咳嗽呢。

鲁四凤 （自语）不，不，我不信。

鲁　贵 你不信？你又做你的梦啦，你，就凭你没有个好爸爸，人家大少爷会……

鲁四凤 （突然）您别说了。（站起来）妈今天回家，您看我太快活是么？您说这些瞎话——这些瞎话！

鲁　贵 你看你，告诉你真话，你倒生气了，唉，你呀！（傲然地扫四凤一眼，走到茶几旁，很熟练地偷了几支烟卷同雪茄，放在自己的旧烟盒里）

鲁四凤 （冷眼望着他，轻蔑地）我看您真是……（拿起药碗就走）

鲁　贵 别走，我这话还没说完，这才刚到正题。

鲁四凤 您一人说吧，我不愿意听了。（反身就走）

鲁　贵 （拉住她的手）你得听！

鲁四凤 放开我！（急）——我喊啦。

鲁　贵 我告诉你这一句话，你再闹。（低声）回头你妈就到这儿来找你。（放手）

鲁四凤 （变色）什么？

鲁　贵 你妈一下火车，就到这儿公馆来。

鲁四凤 妈不愿意我在公馆里帮人，您为什么教她到这儿来找我？反正我每天晚上回家，您教她到这儿来干什么？

鲁　贵 不是我，孩子，是太太要我找她来的。

鲁四凤 太太要她来？

鲁　贵 嗯，（神秘地）奇怪不是，没亲没故。你看太太偏要请她来谈一谈。

鲁四凤 您别吞吞吐吐地成么？

鲁　贵 你知道太太为什么一个人在楼上，装病不下来？

鲁四凤 老爷一回家，太太向来是这样。

鲁　贵 这次不对吧？

鲁四凤 有什么不对？

鲁　贵 你一点不觉得？——大少爷没提过什么？

鲁四凤 没有，我就知道这半年多，他跟太太不常说话。

鲁　贵 哦——那么太太对你呢。

鲁四凤 这几天比往日特别地好。

鲁　贵 那就对了！——我告诉你，太太知道我不愿意你离开这儿。这次，她自己要对你妈说，教她带着你卷铺盖滚蛋！

鲁四凤 （低声）她要我走——可是——为什么？

鲁　贵 哼！那你自己明白——还有——

鲁四凤 （低声）要妈来干什么？

鲁　贵 她要告诉你妈一件事。

鲁四凤 （突然明白）哦，爸爸，无论如何，我在这儿的事，不能让妈知道的。（惧悔交集，流下泪来）爸爸，您想，妈前年离开我的时候，她嘱咐过您，好好地看着我，不许您送我到公馆帮人。您不听，您要我来。妈不知道这些事，我死也不能教妈知道这儿这些事情的。（扑在桌上）妈呀！

鲁　贵 孩子！（轻轻抚着四凤）你看现在才是爸爸好了吧，爸疼你，不要怕！她不敢怎么样，她不会辞你的。她不会不知道这儿有一个人教她怕的。

鲁四凤　谁?

鲁　贵　哼，她怕你的爸爸！你忘了我告诉你那两个鬼哪。昨天晚上我替你告假，她说你妈来的时候，要我教你妈来。我看她那两天的神气，我就猜了一半，我顺便就把那天半夜的事提了两句，她是机伶人，不会不懂的。——哼，她要是跟我装蒜，现在老爷在家，我们就是个麻烦；我知道她是个厉害人，可是谁欺负了我的女儿，我就跟谁拼了。

鲁四凤　（抬起头）您可不要胡来!

鲁　贵　这家除了老头，我谁也看不上眼。别着急，有你爸爸。再说，也许是我瞎猜，她原来就许没有这意思。她外面倒是跟我说，因为听说你妈会读书写字，才想见见谈谈。

鲁四凤　（忽然谛听）您别说话，我听见好像有人在饭厅咳嗽似的。

鲁　贵　（听一下）别是太太吧?（走到通饭厅的门前，由锁眼窥视，忙回来）可不是她，奇怪，她下楼来了。别慌，什么话也别提，我走了。

鲁四凤　（擦干泪）嗯，妈来了，您先告诉我一声。

鲁　贵　对了，见着你妈，就当什么都不知道，听见了没有?（走到中门，又回头）别忘了，跟太太说鲁贵惦记着太太的病。

〔鲁贵慌忙由中门下，四凤端起药碗向饭厅门，至门前，周蘩漪进。她三十余岁，身材适中，略嫌瘦弱，她的脸色苍白，大而灰暗的眼睛，眼光时而露出一个年轻妇人失望后的痛苦与怨望。

〔她穿一身黑旗袍，拿着一把团扇，慢慢地走进来。她很自然地望着四凤。

鲁四凤 太太！怎么您下楼来啦？我正要给您把药送上去呢！

周蘩漪 老爷在书房里么？

鲁四凤 老爷在书房里会客呢。

周蘩漪 谁来？

鲁四凤 刚才是警察局长，现在不知道是谁。您要见他？

周蘩漪 不。（又停一下，看看四面）两礼拜没下来，这屋子改了样子了。

鲁四凤 是的，老爷说原来的样子不好看，又把您添的新家具搬走了几件。这是老爷自己摆的。

周蘩漪 （看看右面的衣柜）这只旧衣柜，又拿来了。（咳，坐下）

鲁四凤 太太，您还是到楼上歇着吧。

周蘩漪 不，楼上太热。（咳）

鲁四凤 老爷说太太有病，嘱咐过请您好好地在楼上躺着。

周蘩漪 我不愿意躺在床上。——哦，我忘了，老爷哪一天从矿上回来的？

鲁四凤 前天晚上。老爷看您睡了，教我们别惊醒您，就一个人在楼下睡的。

周蘩漪 白天我像是没见过老爷来。

鲁四凤 嗯，这两天老爷天天到省政府开会，到晚上才上楼看您。可是您又把门锁上了。

周蘩漪 （不经意地）哦，哦——怎么，楼下也这样闷热。

鲁四凤 对了，闷的很。一早晨乌云就遮满了天，也许今儿个会下一场大雨。

周蘩漪 换一把大点的扇子，我简直有点喘不过气来。

〔四凤拿一把大芭蕉扇给蘩漪，她望着四凤，又故意地转过头去。

周蘩漪 怎么这两天没见着大少爷？

鲁四凤 大概是很忙。

周蘩漪 听说他也要到矿上去，是么？

鲁四凤 我不知道。

周蘩漪 你没有听见说么？

鲁四凤 没有，侍候大少爷的下人这两天尽忙着给他检衣裳。

周蘩漪 你父亲干什么呢？

鲁四凤 不知道。——他说，他问太太的病。

周蘩漪 他倒是惦记着我。（停一下，忽然）他现在还没起来么？

鲁四凤 谁？

周蘩漪 （没有想到四凤这样问，忙收敛一下）嗯——大少爷。

鲁四凤 我不知道。

周蘩漪 （看了她一眼）嗯？

鲁四凤 我没看见大少爷。

周蘩漪 他昨天晚上什么时候回来的？

鲁四凤 （红脸）我每天晚上总是回家睡觉，我不知道。

周蘩漪 （不自主地）哦，你每天晚上回家睡！（觉得失言）老爷回来，家里没有人会侍候他，你怎么天天要回家呢？

鲁四凤 太太，不是您吩咐过，教我回去睡么？

周蘩漪　那时是老爷不在家。

鲁四凤　我怕老爷念经吃素，不喜欢我们侍候他。

周蘩漪　哦，（忽而抬起头来）这么说，他在这几天就走，究竟到什么地方去呢？

鲁四凤　（胆怯地）您是说大少爷？

周蘩漪　（注视四凤）嗯！

鲁四凤　我没听见。（嗫嚅地）他，他总是两三点钟回家，我早晨像是听见我父亲叨叨说下半夜给他开的门来着。

周蘩漪　他又喝醉了么？

鲁四凤　我不清楚。（想找一个新题目）——太太，您吃药吧。

周蘩漪　谁说我要吃药？

鲁四凤　老爷吩咐的。

周蘩漪　我并没请医生，哪里来的药？

鲁四凤　老爷说您犯的是肝郁，今天早上想起从前您吃的老方子，就教抓一服，给您煎上。

周蘩漪　煎好了没有？

鲁四凤　煎好了，凉在这儿好半天啦。（递药给蘩）您喝吧。

周蘩漪　（喝一口）苦的很。谁煎的？

鲁四凤　我。

周蘩漪　难喝，倒了它。

鲁四凤　倒了？

周蘩漪　先放在那儿也好。不，（厌恶）还是倒了它。

鲁四凤　（犹豫）嗯。

周蘩漪 这些年喝这种苦药，我大概是喝够了。

鲁四凤 （拿着药碗）您忍一忍喝了吧。药苦可能够治病。

周蘩漪 （忽然恨起来）谁要你劝我？倒掉!（自己觉得失了身份）这次老爷回来，我听老妈子说瘦了。

鲁四凤 嗯，瘦多了，也黑多了。听说矿上正在罢工，老爷很着急的。

周蘩漪 老爷很不高兴么？

鲁四凤 老爷还是那样。除了会客，出门，在家里一句话也没有说。

周蘩漪 没有跟少爷们说话么？

鲁四凤 见了大少爷只点一点头，没说话，倒是问了二少爷学堂的事。——对了，二少爷今天早上还问您的病呢。

周蘩漪 你告诉他我很好就是了——回头教账房拿四十块钱给二少爷，说是给他买书的。

鲁四凤 二少爷想看看您。

周蘩漪 那就教他到楼上来见我。——（站起来，踱了两步）哦，这屋子怎么这样闷气。

鲁四凤 （想想）太太，今天我想跟您告假。

周蘩漪 是你母亲从济南回来么？你父亲说过来着。

〔花园里，周冲又在喊："四凤！四凤!"

周蘩漪 你去看看，二少爷在喊你。

〔周冲在喊："四凤。"

鲁四凤 在这儿。

〔周冲由中门进。

周　冲　（进门只看见四凤）四凤，我找你一早晨。（看见蘩漪）妈，怎么您下楼来了？

周蘩漪　冲儿，你怎么啦？一脸汗。

周　冲　我刚和一个同学打网球。（亲热地）我正有许多话要跟您说。您好一点儿没有？（坐在蘩漪身旁）这两天我到楼上看您，您怎么总把门关上？

周蘩漪　我想清净清净。你看我的气色怎么样？四凤，你给二少爷拿一瓶汽水。你看你的脸通红。

〔四凤由饭厅门口下。

周　冲　（高兴地）让我瞧瞧。我瞧您挺好，没有一点病。为什么他们总说您有病呢？您一个人躲在房里，父亲回家三天了，您都没有见着他。

周蘩漪　（忧郁地看着冲）我心里不舒服。（忽然）冲儿，你是十七了吧？

周　冲　妈，您要再忘了我的岁数，我真得跟您生气啦！

周蘩漪　（笑笑）妈是不好，有时候连自己都忘了在哪儿。（沉思）——哦，十八年了，在这个家里，你看，妈老了吧？

周　冲　不，您想什么？

周蘩漪　不想什么。

〔四凤拿汽水上。

鲁四凤　二少爷。

周　冲　谢谢你。

〔四凤红脸，倒汽水。

周　冲　你给太太再拿一个杯子来，好么？

〔四凤下。

周蘩漪　（目不转睛地看着他们）冲儿，你们为什么这样客气？

周　冲　（喝水）妈，我就想告诉您，那是因为——

〔四凤进。

周　冲　——回头我跟您讲。怎么这屋子这样热？

周蘩漪　大概是窗户没有开。

周　冲　我来开。

鲁四凤　老爷说过不教开，说外面比屋里热。

周蘩漪　不，打开。他在外头一去就是两年不回家，这屋子里的死气他是不知道的。

〔四凤拉开窗前的帷幔。

周　冲　（见四凤很费力地移动窗前的花盆）四凤，你不要动。让我。（走过去）

周蘩漪　——（转向四凤）你到厨房去看一看，看看给老爷做的什么素菜。

〔四凤由中门下。

周蘩漪　冲儿！

〔冲走回来。

周蘩漪　坐下。你说吧。

周　冲　（看着蘩漪，带了希冀和快乐的神色）妈，我这两天很快活。

周蘩漪　在这家里你能快活，自然好。

周　冲　妈，我一向什么都不肯瞒着您，您不是一个平常的母亲，您最大胆，最有想象，又最同情我的思想的。

周蘩漪 嗯。

周　冲 妈，我要告诉您一件事——不，我要跟您商量商量。

周蘩漪 你先说给我听听。

周　冲 妈,（神秘地）您不说我么？

周蘩漪 不说，你讲吧。

周　冲 （高兴地）哦，妈——（迟疑着）不，我不说了。

周蘩漪 （笑了）为什么？

周　冲 我，我怕您生气。说了以后，你还是一样地喜欢我么？

周蘩漪 傻孩子，妈永远是喜欢你的。

周　冲 （笑）好妈妈。真的，您还喜欢我？不生气？

周蘩漪 当然，你说吧。

周　冲 妈，我现在喜欢一个人。

周蘩漪 哦！

周　冲 （望着蘩漪的凝视的眼睛）妈，您看，您的神气又好像说我不应该似的。

周蘩漪 没有啊，你讲吧。这个女孩子是谁？

周　冲 她是世界上最——（看一看蘩漪）反正她是我认为最满意的女孩子。她心地单纯，她知道同情，她明白劳动有意义。最好的，她……她不是个小姐。

周蘩漪 她念过书么？

周　冲 自然没有。这也可以说是她唯一的缺点，可这并不怪她。

周蘩漪 哦。（略顿）冲儿，你说的不是——四凤？

周　冲　是，妈妈。——妈，我知道旁人会笑话我，您不会不同情我的。

周蘩漪　（惊愕，自语）真是怪事。

周　冲　（焦灼）您不愿意？我做错了？

周蘩漪　你不怕父亲不满意你么？

周　冲　这是我自己的事情。

周蘩漪　别人知道了说闲话呢？

周　冲　那我更不放在心上。

周蘩漪　这倒像我的孩子。不过我怕你做错了。

周　冲　为什么？

周蘩漪　四凤……跟我的儿子……

周　冲　妈妈，您为什么这样看？四凤是个好孩子，她背地总是很佩服您，敬重您的。

周蘩漪　你现在预备怎么样？

周　冲　我预备把这个意思告诉父亲。

周蘩漪　你忘了你父亲是什么样一个人啦！

周　冲　我一定要告诉他的。我将来并不一定跟她结婚。如果她不喜欢我，我仍然是尊重她，帮助她的。但是我希望她现在受教育，我希望父亲允许我把我的教育费分一半给她上学。

周蘩漪　你真是个孩子。你父亲一句话就把你所有的梦打破了。

周　冲　（不高兴地）我不是孩子，我才不是呢。

周蘩漪　（微笑）好——你哥哥呢？

周　冲　昨天我见着他，他说这次可要到矿上去做事了，明天就走。

教我告诉您一声，他不上楼见您了。您不怪他吧？

周蘩漪　为什么怪他？

周　冲　我总觉得您同哥哥的感情不及以前那样似的。妈，您想，他自幼就没有母亲，性情自然容易古怪。我想他的母亲一定也很重感情的，哥哥就是一个很有感情的人。

周蘩漪　哼，感情！——哦，你父亲回来了，你少提哥哥的母亲，免得你父亲又板起脸，教一家子不高兴。

周　冲　我知道。（听见门外脚步的声音，回头看）哥哥来了。

〔中门大开，周萍进。他约莫有二十八九，颜色苍白，躯干比他的弟弟略微高些。他的面目清秀。神情有些颓唐不安。

周　冲　哥哥。

周　萍　你在这儿。

周蘩漪　（望着他）萍！

周　萍　哦？（搭讪）您——您也在这儿。

周蘩漪　我刚下楼来。

周　萍　（转头问冲）父亲没有出去吧？

周　冲　没有，你预备见他么？

周　萍　我想走以前跟父亲谈一次。（一直走向书房）

周　冲　你不要去。

周　萍　他老人家干什么呢？

周　冲　他正跟乔参议谈话呢。

周　萍　那我先回我屋写封信。（要走）

周　冲　不，哥哥，你不就要走了？为什么不一块坐一坐，谈谈呢？

周蘩漪　你看，你让哥哥歇一歇，他愿意一个人坐着的。

〔萍做没听见。

周　冲　母亲这几天又不舒服了。

〔蘩漪望望萍。

周　萍　您好一点了么?

周蘩漪　谢谢你，我刚刚下楼。

周　萍　对了，我预备明天离开家里到矿上去。

周蘩漪　哦,（停）好得很。——什么时候回来呢?

周　萍　不一定，也许两三年。哦，这地方真闷气。

周　冲　窗户已经打开了，——我看大概是要下大雨。

周蘩漪　（停一停）你在矿上做什么呢?

周　冲　妈，你忘了，哥哥是专门学矿科的。

周蘩漪　这是理由么，萍?

周　萍　（拿起报纸）说不出来，像是家里住得太久了，烦得很。

周蘩漪　（笑）假若我是你，这周围的人我都会厌恶，我也要离开这个死地方的。

周　冲　妈。

周　萍　——（叹一口气）我想回屋去了。（起立）

〔书房门开。

〔里面的声音：我的意思是这么办，再见吧，乔参议。

〔门大开，周朴园进，他约莫有五六十岁，体胖，背微微伛偻，鬓发已经斑白，戴着椭圆形的金边眼镜，一对沉鸷的眼在底下闪烁着。

周　萍
（同时）爸。
周　冲

周　冲　客走了？

周朴园　（点头，转向蘩漪）你怎么今天下楼来了，完全好了么？

周蘩漪　没有什么。——回来身体好么？

周朴园　还好。——你应当再到楼上去休息。冲儿，你看你母亲的气色比以前怎么样？

周　冲　母亲原来就没有什么病。

周朴园　（嫌孩子顶撞了他）谁告诉你的？我不在家的时候，你常来问你母亲的病么？（坐在沙发上）

周蘩漪　（怕他又来教训）朴园，你好像有点瘦了。——矿上罢工的事怎么样？

周朴园　跟你们一样——麻烦！

周　冲　爸爸，鲁大海还在这儿等着要见您呢。

周朴园　谁是鲁大海？

周　冲　鲁贵的儿子。前年荐进去，这次当代表的。

周朴园　这个人！我想这个人有背景，厂方已经把他开除了。

周　冲　开除！爸爸，这个人脑筋很清楚，我方才跟他谈了一回。代表罢工的工人并不见得就该开除。

周朴园　哼，现在一般青年人，跟工人谈谈，说两三句不关痛痒，同情的话，像是一件很时髦的事情！

周　冲　（被压制下去）爸，我听说矿上对于这次受伤的工人不给一点抚恤金，这样做，我认为是——

周朴园　（头扬起来）你的话说的太多了。（向蘩）这两年他学得很像你了。（看钟）十分钟后我还有一个客来，嗯，你们关于自己有什么话说么？

周　萍　爸，刚才我就想见您。

周朴园　哦，什么事？

周　萍　我想明天就到矿上去。

周朴园　这边公司的事，你交代完了么？

周　萍　差不多完了。我想请您给我点实在的事情做，我不想看看就完事。

周朴园　（停一下，看萍）矿上罢工正闹得凶，你能去么？

周　萍　这两年在这儿做事太舒服，很想在矿区磨练一下。

周朴园　要做就要做到底。（停）好，你去，明天走，动身之前，我再交代你一两件事情。

〔四凤由饭厅门入，端了碗普洱茶。

周　冲　（犹豫地）爸爸。

周朴园　（知道他又有新花样）嗯，你？

周　冲　我现在想跟爸爸商量一件很重要的事。

周朴园　什么？

周　冲　（低下头）我想把我的学费的一部分分出来。

周朴园　哦。

周　冲　（鼓起勇气）把我的学费拿出一部分送给——

〔四凤端茶，放朴园前。

周朴园　四凤——（向冲）你先等一等——（向四凤）教你给太太煎

的药呢？

鲁四凤 煎好了。

周朴园 为什么不拿来？

〔四凤看蘩漪，不说话。

周蘩漪 （感到空气紧张）她刚才给我倒来了，我没有喝。

周朴园 为什么？（向四凤）药呢？

周蘩漪 倒了，我教四凤倒了。

周朴园 （慢）倒了？哦？（向四凤）药还有么？

鲁四凤 药罐里还有一点。

周朴园 倒来。

周蘩漪 （反抗地）我不愿意喝这种苦东西。

周朴园 （向四凤）倒来。

〔四凤走到左面倒药。

周　冲 爸，妈不愿意，您何必这样强迫呢？

周朴园 你同你母亲都不知道自己的病在哪儿。（向蘩漪，低声）你喝了，就会完全好的。（见四凤犹豫，指药）送到太太那里去。

周蘩漪 （忍顺地）好，先放在这儿。

〔四凤放下药碗。

周朴园 （不高兴地）你最好现在喝了它吧。

周蘩漪 （忽然）四凤，你把它拿走。

周朴园 （忽然严厉地）喝了它，不要任性，当着这么大的孩子。

周蘩漪 （声颤）我不想喝。

周朴园　冲儿，你把药端到母亲面前去。

周　冲　（反抗地）爸！

周朴园　（怒视）去！

〔冲只好把药端到蘩漪面前。

周　冲　（拿着药碗，手发颤）爸，您不要这样。

周朴园　（高声地）你说什么？

周　萍　（至冲前，低声）听爸爸的话，爸爸的脾气你是知道的。

周蘩漪　（不耐烦地）留着我晚上喝不成么？

周朴园　（冷峻地）蘩漪，当了母亲的人，处处应当替孩子着想，就是自己不保重身体，也应当替孩子做个服从的榜样。

周蘩漪　（四面看一看，望望朴园，又望望萍）不！我喝不下！

周朴园　萍儿，劝你母亲喝下去。

周　萍　爸！我——

周蘩漪　（暴躁地）我喝就是了。（喝了两口放下，站起急步由饭厅门下）

〔萍和冲望着蘩漪走出。

〔半晌。

周朴园　（看表，向冲）你刚才说的事呢？

周　冲　什么？

周朴园　你说把你的学费分出一部分？是什么意思？

周　冲　（低声）没有什么事情。

周朴园　真没有什么新鲜的问题啦么？

周　冲　没什么，没有什么。（向饭厅走）

周朴园　冲儿，上哪儿去？

周　冲　到楼上去看看妈。

周朴园　就这么跑了么？

周　冲　（抑制着自己，走回去）爸，我走了。

周朴园　去吧。

〔冲向饭厅走了两步。

周朴园　回来。

〔冲站住。

周朴园　你告诉你的母亲，说我已经请德国的克大夫来，给她看病。

周　冲　妈不是已经吃了您的药了么？

周朴园　我看你的母亲，精神有点失常，病像是不轻。你告诉她，说克大夫是个有名的脑病专家，来了，教她一定看一看，听见了没有？

周　冲　听见了。（走了两步）爸，没有事啦？

周朴园　上去吧。

〔冲由饭厅门下。

周　萍　爸，我想回屋歇一会。

周朴园　你不要走，我有话跟你说。（回头向四凤）四凤，我记得我告诉过你，你们没有事就别待在这屋里。

鲁四凤　是，老爷。（也由饭厅门下）

〔鲁贵由书房门上。

鲁　贵　（必恭必敬）老爷，省政府贝顾问来了。

周朴园　哦，先请到大客厅里去。

鲁　贵　是老爷。（下）

周朴园　怎么这窗户谁开开了？

周　萍　弟弟跟我开的。

周朴园　关上，（擦眼镜）这屋子不要底下人随便进来，回头我预备一个人在这里休息的。

周　萍　是。

周朴园　（突然抬起头来）我听人说你现在做了一件很对不起自己的事情。

周　萍　（惊）什——什么？

周朴园　（走到萍的面前）你知道你现在做的事是对不起你的父亲么？并且——对不起你的母亲么？

周　萍　（失措）爸爸。

周朴园　你是我的长子，我不愿意当着人谈这件事。（稍停，严厉地）我听说这两年来我在外边的时候，你在家里很不规矩。

周　萍　（更惊恐）爸，没有的事，没有。

周朴园　一个人要敢做敢当。

周　萍　（失色）爸！

周朴园　公司的人说你总是在跳舞场里鬼混，尤其是这两三个月，喝酒，赌钱，整夜地不回家。

周　萍　哦，（放下心）您说的是——

周朴园　这些事是真的么？

周　萍　真的，爸爸。（低头）

周朴园　将近三十的人应当懂得“自爱”！——你还记得你的名字为

什么叫萍吗？

周　萍　记得。

周朴园　为什么？

周　萍　那是因为母亲叫侍萍，母亲临死，自己替我起的名字。

周朴园　你明天上车，把你母亲这张相片带走。

周　萍　（不解）怎么？

周朴园　（严厉地）我要你常常想着她。

周　萍　是，爸爸，为着母亲，我也要改过的。

〔鲁贵由书房门上。

鲁　贵　老，老爷。客人——等了好半天啦。

周朴园　知道。

〔鲁贵退。

周朴园　我的家庭是我认为最圆满，最有秩序的家庭，我的儿子我也认为都还是健全的子弟，我教育出来的孩子，我绝对不愿教任何人说他们一点闲话的。

周　萍　是，爸爸。

周朴园　鲁贵！（自语）哦，我有点累啦。

〔周萍扶周朴园至沙发坐。

〔鲁贵上。

鲁　贵　老爷。

周朴园　你请客人到这边来坐。

鲁　贵　是，老爷。

周　萍　爸，您先歇一会吧。

周朴园　不，你不要管。（向鲁贵）去，请进来。

鲁　贵　是，老爷。（下）

〔朴园拿出一支雪茄，萍为他点上，朴园徐徐抽烟，端坐。

——幕落

第二幕

午饭后，天气很阴沉，更郁热，湿潮的空气，低压得使人烦躁。周萍一个人由饭厅走进，望望花园，冷清清的，没有一个人。偷偷走到书房门口，书房里是空的，也没有人。忽然想起父亲在别的地方会客，他放下心，又走到窗户前开窗门，看着外面绿荫荫的树丛。他低低地叫了两三声“四凤”！

四凤由外面轻轻地跑进来。

周　萍　（回头，望着中门，四凤正从中门进，低声，热烈地）凤儿！（走近，拉着她的手）

鲁四凤　不，（推开他）不，不。（谛听，四面望）看有人！

周　萍　没有，凤，你坐下。

鲁四凤　（不安地）老爷呢？

周　萍　在大客厅会客呢。

鲁四凤　（坐下，叹一口气）总是这样偷偷摸摸的。

周　萍　哎！所以我要离开这儿哪。

鲁四凤　（想一下）哦，太太怪可怜的。为什么老爷回来，头一次见太太就发这么大的脾气？

周　萍　父亲就是这个样，他的话，向来不能改的，他的意见就是法律。

鲁四凤　（怯懦地）我——我怕得很。

周　萍　怕什么?

鲁四凤　我怕万一老爷知道了。有一次，你说过，要把我们的事情告诉老爷的。

周　萍　（摇头，沉思地）可怕的事不在这儿。

鲁四凤　还有什么?

周　萍　（忽然地）你没有听见什么话?

鲁四凤　什么?（停）没有。

周　萍　关于我，你没有听见什么？从来没听见什么?

鲁四凤　（不愿提）没有。我信你，我相信你以后永远不会丢掉我。这就够了——刚才我听你说，你明天就要到矿上去。

周　萍　我昨天晚上已经跟你说过了。

鲁四凤　你为什么不带我去?

周　萍　（笑）我不想带你去。

鲁四凤　我早晚是要走的——太太说不定今天就要辞掉我。

周　萍　（没想到）她要辞掉你——为什么?

鲁四凤　你别问啦。

周　萍　不，我要知道。

鲁四凤　自然因为我做错了事。太太大概没有这个意思。也许是我瞎猜。（停）萍，你带我去好不好?

周　萍　凤，你看不出来，现在我怎么能带你出去？——你这是孩子话。

鲁四凤　你带我走！我决不连累你，要是因为我，人家说你的坏话，我立刻就走。你不要怕。

周　萍　哼，我怕什么？我能放开胆子喜欢一个女人，我怕人家骂？哼，让大家说吧，周家大少爷看上他家里面的女用人，怕什么？

鲁四凤　萍，你不要扯，你现在到底对我怎么样？

周　萍　我对你怎么样？（笑）你要我怎么说呢？

鲁四凤　（苦恼地）萍，你别这样好不好？你明明知道我现在什么都是你的，你还——你还这样欺负人。

周　萍　欺负？

鲁四凤　萍，我父亲只会跟人要钱，我哥哥瞧不起我，说我没有志气，我母亲如果知道了这件事，她一定恨我。他们也许有一天会不理我，如果没有你……（抽咽）

周　萍　四凤，不，不，你让我好好地想一想。

鲁四凤　我的妈最疼我，她不愿意我在公馆里做事，我怕她万一看出来你同我的事……你又不是真心……那我就——我就……

周　萍　你别这样疑心。今天晚上我预备到你那里去。

鲁四凤　不，我妈今天回来。

周　萍　（低声）那么我们在外面会一会好么？

鲁四凤　不成，我妈晚上一定会跟我谈话的。

周　萍　我可明天早车就要走了。

鲁四凤　你真不预备带我？

周　萍　那怎么成？我先一个人离开家，过后，再想法子跟父亲说明白，把你接出来。

鲁四凤　（看着他）也好吧，今天晚上你到我家里来。我想，爸爸跟妈一定在外屋睡，哥哥总是不在家住的。

周　萍　那么，我来还是先吹哨，听得清楚？

鲁四凤　嗯，我要是教你进来，我的窗上一定有个红灯，要是没有灯，你可千万别进来。

周　萍　好，就这样。十一点钟。

鲁四凤　嗯，十一点。

〔鲁贵由中门上。

鲁　贵　哦！（向四凤）我正要找你。（向萍）大少爷，您刚吃完饭。

鲁四凤　找我有什么事？

鲁　贵　你妈来了。

鲁四凤　（喜形于色）妈来了，在哪儿？

鲁　贵　在门房，跟你哥哥刚见面，说着话呢。

鲁四凤　（向萍）我走了。（由中门跑下）

鲁　贵　大少爷，您是明天起身么？

周　萍　嗯。

鲁　贵　我得送送您。

周　萍　不用，谢谢你。

鲁　贵　平时总是您心好，照顾着我们。您这一走，我同我这丫头都得惦记着您了。

周　萍　又没钱了吧？

鲁　贵　大少爷，您这可是开玩笑。——我说的是实话，四凤知道，我总是背后说大少爷好的。

周　萍　好吧。——你没有事么？

鲁　贵　没事，没事，我只跟您商量点闲拌儿。您知道，四凤的妈来了，楼上的太太要见她……

〔蘩漪由饭厅门上，鲁贵一眼看见——

鲁　贵　哦，太太下来了！太太，您病完全好啦？

〔蘩漪点一点头。

鲁　贵　鲁贵直惦记着。

周蘩漪　好，你去吧。

〔鲁贵鞠躬，由中门下。

周蘩漪　（向萍）他上哪儿去了？

周　萍　（莫名其妙）谁？

周蘩漪　你父亲。

周　萍　他有事情，见客，一会儿就回来。弟弟呢？

周蘩漪　他只会哭，他走了。

周　萍　（怕和她一同在这间屋里）哦。（停）我要收拾东西去。（要走）

周蘩漪　等一会儿，我请你略微坐一坐。

周　萍　（止步）什么事？

周蘩漪　（阴沉地）有话说。

〔萍走回，站着不语。

周蘩漪　刚才你看见啦？这不是一天的事情了。

周　萍　父亲一向是那样，他说一句就是一句的。

周蘩漪　可是人家说一句，我就要听一句，那是违背我的本性的。

周　萍　我明白你。（强笑）你不要听他的话就是了。

周蘩漪 萍，我盼望你还是从前那样诚恳的人。顶好不要学着那种玩世不恭的态度。你知道我没有你在我面前，我已经很苦了。

周　萍 所以我就要走了。不要再多见面，互相提醒我们最后悔的事情。

周蘩漪 我不后悔，我向来做事没有后悔过。

周　萍 （不得已地）我想，我很明白地对你表示过。这些日子我没有见你，我想……

周蘩漪 我很明白。

周　萍 那么，我糊涂，我后悔。我对不起弟弟，对不起父亲。

周蘩漪 （低沉地）你最对不起的人，你反而轻轻地忘了。

周　萍 还有谁？

周蘩漪 （冷笑）你最对不起的是我，是你曾经引诱过的后母！

周　萍 （有些怕她）你疯了！

周蘩漪 你欠了我一笔债，你对我负着责任；你不能看见了新的世界，就一个人跑。

周　萍 你用的这些字眼，简直可怕。这种话不是在父亲这样——这样体面的家庭里说的。

周蘩漪 （气极）你撇开你的父亲吧！体面？你也说体面？（冷笑）我在这个体面家庭已经十八年啦。周家的罪恶，我听过，我见过，我做过。可我做的事，我自己负责。不像你们的祖父，同你们的好父亲，偷偷做出许多可怕的事情，表面上还是一副道德面孔，慈善家，社会上的好人物。

周　萍　大家庭里自然不能个个都是好人，可是我们这一房……

周蘩漪　都一样，你父亲是第一个伪君子，他从前就引诱过一个穷人家的姑娘。

周　萍　你不要扯这些个。

周蘩漪　你就是你父亲的私生子！

周　萍　你瞎说，你有什么证据？

周蘩漪　请你问你的体面父亲，这是他十五年前喝醉了的时候告诉我的。（指桌上相片）你就是这年轻的姑娘生的小孩。她因为你父亲把她赶走，就自己投河死了。

周　萍　你，你，你简直……——好，好，（强笑）我都承认。你预备怎么样？你要跟我说什么？

周蘩漪　你父亲对不起我，他把我骗到你们家来，我逃不开，生了冲儿。十几年来，把我渐渐磨成了石头一样的死人。你突然从家乡出来，是你，是你把我引到一条母亲不像母亲，情妇不像情妇的路上去。是你引诱的我！

周　萍　引诱！我请你不要用这两个字好不好？你知道当时的情形怎么样？

周蘩漪　你忘记了在这屋子里，半夜，你说的话么？你说你恨你的父亲，你说过，你愿他死，就是犯了灭伦的罪也干。

周　萍　那是我年轻，我的热情教我说出来这样糊涂的话。

周蘩漪　你忘了，我虽然比你只大几岁，那时，我总还是你的母亲，你知道你不该对我说这种话么？

周　萍　我一时糊涂，做错了的事，你就不肯原谅么？

周蘩漪　这不是原谅不原谅的问题，我已经安安静静地等死，一个人偏把我救活了又不理我，撇得我枯死，慢慢地渴死。让你说，我该怎么办？

周　萍　我有什么办法？

周蘩漪　我希望你不要走。

周　萍　难道你要我陪着你，活活地闷死么？

周蘩漪　你既然知道这家庭可以闷死人，你怎么能一个人走，把我丢在这里？

周　萍　我觉得你不应该说这种话，你是冲弟弟的母亲。

周蘩漪　我不是！我不是！自从我把我的性命、名誉，交给你，我什么都不顾了。我不是他的母亲，不是，不是，我也不是周朴园的妻子。

周　萍　（冷冷地）如果你以为你不是父亲的妻子，我还承认我是父亲的儿子。

周蘩漪　（不曾想到他会说这一句话）哦，你是你父亲的儿子。——这些日子，你故意不来看我，是怕你的父亲？

周　萍　随便你怎么说。

周蘩漪　你这一次到矿上去，也是学着你父亲的好榜样，把一个真正明白你，爱你的人丢开不管么？

周　萍　随便你怎么说吧。

周蘩漪　（激动，沉重地）你到底是你父亲的儿子。父亲的儿子！都是些胆小怕事，不值得人为他牺牲的东西！我恨我早没有看清楚你！

周　萍　那么你现在知道了！我已经同你详细解释过，我厌恶这种关系。你说我错，我承认。可你也不能完全没有责任。你最聪明，最能了解人，我想，你最后会原谅我。我的态度，你骂我玩世不恭也好，不负责任也好，我盼望这一次的谈话是我们最末一次谈话了。（走向饭厅门）

周蘩漪　等一等。

〔萍立住。

周蘩漪　我希望你明白我刚才说的话，我不是请求你。我要你想一想过去我们在这屋子说的，（停，难过）许多，许多的话。一个女人，你记着，不能受这样的欺侮。

周　萍　我已经想得很透彻，我也有痛苦。好，让我走吧。（由饭厅门下）

〔蘩漪望着周萍出去，流下泪来，忍不住伏在椅上哭泣。

〔鲁贵偷偷地由中门走进来。

鲁　贵　太太！

周蘩漪　（倏地站起）干什么？

鲁　贵　鲁妈来了好半天啦。

周蘩漪　谁？

鲁　贵　（恭谨地）我家里的，太太不是说过要我教她来么？

周蘩漪　你为什么不早点来告诉我？

鲁　贵　我倒是想着，可是我（低声）刚才瞧见太太跟大少爷说话，所以就没敢惊动您。

周蘩漪　啊，你，你刚才——

鲁 贵　我？我在大客厅侍候老爷见客呢！（故意地不明白）太太有什么事么？

周蘩漪　没什么，（坐下）你教鲁妈进来吧。

鲁 贵　（谄笑）我们家里是个下等人，说话粗里粗气，您可别见怪。

周蘩漪　都是一样的人。我不过想见一见，跟她谈谈闲话。

鲁 贵　是，那是太太的恩典。对了，老爷刚才跟我说，怕要下大雨，请太太把老爷的那一件旧雨衣拿出来。

周蘩漪　四凤给老爷检的衣裳，四凤不会拿么？

鲁 贵　我也是这么说啊，您不是不舒服么？可是老爷吩咐，要太太自己拿。

周蘩漪　我一会儿拿来。

鲁 贵　老爷吩咐，说现在就要，说不定老爷就要出去。

周蘩漪　我就拿去。——你现在教鲁妈进来，教她在这房里等一等。

鲁 贵　是，太太。（下）

周蘩漪　（把窗户打开吸一口气，自语）热极了，闷极了，这日子真过不下去了！（茫然望着）

〔鲁贵上。

鲁 贵　刚才小当差来，说老爷催着要雨衣。

周蘩漪　（抬头，烦躁地）你先去吧。我教陈妈送去。

〔蘩漪由饭厅下，贵由中门下。移时鲁妈——即鲁侍萍——与四凤上。鲁妈的年纪约有四十六七岁，鬓发有一点斑白，面貌白净，看上去只有三十八九岁的样子。她衣着朴素洁净，头上包着一条白手巾。

〔鲁妈拉着女儿的手，四凤亲热地偎在她身边走进来。后面跟着鲁贵，提着一个旧包袱。他仿佛很骄傲地样子。

鲁四凤 太太呢？

鲁　贵 就下来。

鲁四凤 妈，您坐下。

〔鲁妈坐。

鲁四凤 您累么？

鲁　妈 不累。

鲁四凤 （高兴地）妈，您坐一坐。我给您倒一杯冰镇的凉水。

鲁侍萍 不，你别走，我不热。

鲁　贵 凤儿，你给你妈拿一瓶汽水来，（向鲁妈）这儿公馆什么没有？一到夏天，柠檬水，果子露，西瓜汤，橘子，香蕉，你要什么，就有什么。

鲁侍萍 （拉着凤）不，不，你别听你爸爸的话。这是人家的东西。你在我旁边跟我多坐一会儿，回头跟我同——同这位周太太谈谈，比喝什么都强。

鲁　贵 太太就会下来，你看你，那块白包头，还舍不得拿下来。

鲁侍萍 （和蔼地笑着）真的，说了那么半天（笑望着四凤）在火车上搭的白手巾都忘了解啦。（要解它）

鲁四凤 （笑着）妈，您让我替您解开吧。（走过去解）

〔鲁贵乘机走到小茶几旁，又偷偷地拿了些烟放在自己的烟盒里。

鲁侍萍 （解下白手巾）你看我的脸脏么？火车上尽是土，头发不乱？不要教人家笑。

鲁四凤 不，不，一点都不脏。两年没见您，您还是那个样。

鲁　贵 （轻蔑地）你看你们这点穷相，走到大家公馆，不来看看人家的阔排场，尽在一边闲扯。四凤，你先把你这两年做的衣裳给你妈看看。

鲁四凤 妈不稀罕这个。

鲁　贵 你不也有点首饰么？你拿出来给你妈开开眼。看看还是我对，还是把女儿关在家里对？

鲁侍萍 （向鲁贵）我走的时候嘱咐过你，这两年写信的时候也总不断地提醒你，我不愿意我的女儿教人家使唤。你偏——（忽然觉得这不是谈家事的地方，回头向四凤）你哥哥呢？

鲁四凤 不是在门房里等着我们么？

鲁　贵 不是等着你们，人家等着见老爷呢。（向鲁妈）去年我教人给你捎个信，告诉你大海也当了矿上的工头，那都是我在这儿嘀咕上的。

鲁四凤 （厌恶她父亲又表白自己的本领）爸爸，别再扯了，您看看哥哥去吧。

鲁　贵 真他妈的，这孩子我倒忘了。（走向中间，回头）你们好好在这屋子坐一会，别乱动，太太一会儿就下来。（下）

〔她们见鲁贵走后，都舒展多了。母女二人相对凄然地笑了一笑。

鲁侍萍 （伸出手来，向四凤）孩子，让我好好看看你。

〔四凤走到母亲面前。

鲁四凤 妈，您不怪我吧？

鲁侍萍 不，做了就做了。——不过为什么这两年你一个字也不告诉我，我到了家，才听见张大婶告诉我，说你在这儿。

鲁四凤 我怕您生气，不敢告诉您。——其实，妈，就是像我这样帮帮人，我想也没有什么关系。

鲁侍萍 你以为妈怕穷么？怕人家笑我们穷么？不，孩子，妈最看得开，不过，我怕你太年轻，容易一阵子犯糊涂，（叹一口气）好，我们先不提这个。（站起来）这位太太真怪，她要见我干什么？

鲁四凤 是啊。（恐惧来了，但是愿意向好的一面想）不，妈，这边太太没有多少朋友，她听说妈也会写字，念书，也许觉着很相近，所以想请妈来谈谈。

鲁侍萍 哦？（慢慢看这屋子的摆设，指着有镜台的柜）这屋子倒是很雅致的。就是家具太旧了点。

鲁四凤 可不是，都是三十年前的老东西了，听说是从前的第一个太太，就是大少爷的母亲，顶爱的东西。您看，从前的家具多笨哪。

鲁侍萍 （用毛巾擦擦汗）真热，奇怪——为什么窗户还关上呢？

鲁四凤 您也觉得奇怪不是？这是我们老爷的怪脾气，夏天反而要关窗户。

鲁侍萍 （回想）凤儿，这屋子我像是在哪儿见过似的。

鲁四凤 （笑）真的？您大概是想我想的，梦里到过这儿。

鲁侍萍 对了，做梦似的。——奇怪，这地方好眼熟。（低下头）

鲁四凤　（慌）妈，您不舒服？您别是受了暑，我给您拿一杯冷水吧？

鲁侍萍　不，不是，你别去。

鲁四凤　妈，您怎么啦？

鲁侍萍　（注意看着房中的一切，沉思着）奇怪——（伸手拉四凤）四凤！

鲁四凤　（摸鲁妈的手）您手冰凉，妈。

鲁侍萍　不要紧的，妈不怎么样。真是，真好像我的魂来过这儿似的。

鲁四凤　妈，您别瞎说啦，您怎么来过？他们二十年前才搬到北方来，那时候，您不是还在南方么？

鲁侍萍　不，不，我来过。这些家具，我想不起来——我在哪儿见过。

鲁四凤　妈您看什么？

鲁侍萍　那个柜，那个柜。（声音愈低，努力地回想着）

鲁四凤　那——那是从前死了的太太的东西。

鲁侍萍　（自语）不能够，不能够。

鲁四凤　（怜惜她的母亲）别多说话了，妈，歇一会儿吧。

鲁侍萍　不要紧的。——刚才我在门房听见这家还有两位少爷？

鲁四凤　嗯，妈，都很好，周家的人都很和气的。

鲁侍萍　周？这家姓周？

鲁四凤　妈，您看您，您刚才不是问着周家的门进来的么？怎么会忘了？妈，您准是路上受热了。我给您拿点水来喝。（走过

柜前）妈，您看这就是周家第一个太太的相片。（拿相片过来；站在鲁妈背后，给她看）

鲁侍萍　（拿着相片，看）哦！（惊愕得说不出话来）

鲁四凤　（站在鲁妈背后）您看她多好看，这就是大少爷的母亲，他们说还有点像我呢。可惜她死了。

〔鲁妈拿照片的手有些发颤。

鲁四凤　妈！

鲁侍萍　给我点水喝。

鲁四凤　妈，您到这边来！（扶鲁妈到一个大的沙发前）

〔鲁妈手里还紧紧地拿着相片。

鲁四凤　妈，您在这儿躺一躺。我给您拿水去。（由饭厅门忙跑下）

鲁侍萍　哦，天哪。这会是真的么？

〔四凤拿水上。

鲁四凤　妈，您喝。

〔鲁妈饮。

鲁四凤　好一点了么？

鲁侍萍　嗯，好，好啦。孩子，你现在就跟我回家。

鲁四凤　（惊讶）干么呀，妈。

〔由饭厅传出蘩漪喊“四凤”的声音。

鲁四凤　（听）太太。

〔蘩漪声：四凤！

鲁四凤　哎。

〔蘩漪声：四凤，你来，老爷的雨衣你给放在哪儿啦？

鲁四凤　（大声）我就来。（向鲁妈）妈等一等，我就回来。

鲁侍萍　你去吧。

〔四凤下。鲁妈周围望望，走到柜前，忽然听见屋外花园里走路的声音，她转过身来，等候着。

〔鲁贵由中门上。

鲁　贵　四凤呢？

鲁侍萍　这儿的太太叫了去啦。

鲁　贵　你回头告诉太太，说找着雨衣不用送去了，老爷自己到这儿来；还有话跟太太说。

鲁侍萍　老爷要到这屋里来？

鲁　贵　嗯，你告诉清楚了，别回头老爷来了，太太不在，老头儿又发脾气了。

鲁侍萍　你跟太太说吧。

鲁　贵　这上上下下多少听差都得我支派，我忙不开，我可不能等。

鲁侍萍　我要回家去，我不见太太了。

鲁　贵　为什么？这次太太教你来，我告诉你，就许有点什么很要紧的事跟你谈谈。

鲁侍萍　我预备带着凤儿回去，教她辞了这儿的事。

鲁　贵　什么？你看你这点——

〔周蘩漪由饭厅上。

鲁　贵　太太。

周蘩漪　（向门内）四凤，你先把那两件也拿出来，问问老爷要哪一件。（向鲁妈）这就是四凤的妈吧？教你久等了。

鲁　贵　应当的。太太准她来跟您请安就是老大的面子。

〔四凤拿着雨衣由饭厅门进。

周蘩漪　请坐，你来了好半天啦。

鲁侍萍　（只在打量着，没有坐下）不多一会，太太。

鲁四凤　太太。把这三件雨衣都送给老爷那边去么?

鲁　贵　老爷说就放在这儿，老爷自己来拿，还请太太等一会，老爷见您有话说呢。

周蘩漪　知道了。（向四凤）你先到厨房，把晚饭的菜看看，告诉厨房一下。

鲁四凤　是，太太。（望着鲁贵，又疑惧地望着蘩漪，由中门下）

周蘩漪　鲁贵，告诉老爷，说我同四凤的母亲谈话，回头再请他到这儿来。

鲁　贵　是，太太。（但不走）

周蘩漪　（见鲁贵不走）你有什么事么?

鲁　贵　太太，今天早上老爷吩咐请德国克大夫来。

周蘩漪　二少爷告诉过我了。

鲁　贵　老爷刚才吩咐，说来了就请太太去看。

周蘩漪　我知道了。你去吧。

〔鲁贵由中门下。

周蘩漪　（向鲁妈）坐下谈，不要客气。（自己坐在沙发上）

鲁侍萍　（坐在旁边一张椅子上）我刚下火车，就听说您要我来见见您。

周蘩漪　我常听四凤提到你，说你念过书，从前是个很好的人家。

鲁侍萍 （不愿提起从前的事）四凤这孩子很傻，不懂事，这两年教您多操心。

周蘩漪 不，她非常聪明，我也很喜欢她。这孩子不应当教她侍候人，应当替她找一个出路才好。

鲁侍萍 是的，我一直是不愿意这孩子帮人。

周蘩漪 这一点我很明白。我知道你是个知书达礼的人，一看就看出是个直爽人，我就不妨把请你来的原因现在跟你说一说。

鲁侍萍 （疑虑地）是不是我这小孩平时的举动有点教人说闲话？

周蘩漪 （笑着，故做肯定地说）不，不是。

〔鲁贵由中门上。

鲁　贵 太太。

周蘩漪 什么事？

鲁　贵 克大夫已经接来了，现时在小客厅等着呢。

周蘩漪 我有客。

鲁　贵 客？——老爷说请太太就去。

周蘩漪 我知道，你先去吧。

〔鲁贵下。

周蘩漪 （向鲁妈）我先把我家里的情形说一说。我家里的女人很少的。

鲁侍萍 是的。

周蘩漪 老爷，两个少爷，除了我和一两个老妈子以外，其余用的都是男下人。

鲁侍萍 哦。

周蘩漪　四凤的年纪很轻，她才十九岁，是不是？

鲁侍萍　十八。

周蘩漪　（委婉地）那就对了，我记得好像她比我的孩子是大一岁的样子。这样年轻的孩子，在外边做事，又生得很秀气的。

鲁侍萍　（急切地）四凤有什么不检点的地方吗？请您千万不要瞒我。

周蘩漪　不，不，（又笑了）她很好的。我只是说说这个情形。我自己有一个儿子，他才十七岁——恐怕刚才你在花园见过——是个不大懂事的孩子。

〔鲁贵自书房门上。

鲁　贵　老爷催着太太去看病。

周蘩漪　没有人陪着克大夫么？

鲁　贵　张局长刚走，老爷自己在陪着呢。

周蘩漪　你跟老爷说，说我没有病，我自己并没要请医生来。

鲁　贵　是，太太。

周蘩漪　（看他不走）去吧。

〔贵由中门下。

周蘩漪　（见鲁妈立起）鲁奶奶，你还是坐呀。哦，这屋子又闷热起来啦。（走到窗户，把窗户打开，回来，坐）这些天我就看着我这孩子奇怪，谁知这两天，他忽然跟我说他很喜欢四凤。

鲁侍萍　（吃一惊）啊？

周蘩漪　他要帮助她学费，教她上学。他还说——（笑笑）这孩子！——要娶四凤。

鲁侍萍 您不必往下说，我都明白了。

周蘩漪 是啊，有了这种情形，我的意思，是非常容易教人发生误会的。

鲁侍萍 我这次来就是要带她跟我一块儿走，孩子太年轻，丢得远远的，我也很不放心。

周蘩漪 我也觉得这样妥当。不过有一层，我怕我的孩子有点傻气，他还是会找到你家里见四凤的。

鲁侍萍 我们就要回济南，我预备现在带四凤走。

周蘩漪 也好，回头我教账房把工钱算出来。她的东西，我可以派人给送去。

鲁侍萍 那就麻烦您了。（站起）

周蘩漪 如果钱上有什么问题，尽管到我这儿来，一定有办法。好好地带她回去，有你这样一个母亲教育她，自然比在这儿好的。

〔朴园由书房门上。

周朴园 蘩漪！

〔蘩漪转身。鲁妈闪在一旁。

周朴园 你怎么还不去？

周蘩漪 （故意地）上哪儿？

周朴园 克大夫还在等着，你不知道么？

周蘩漪 克大夫？谁是克大夫？

周朴园 从前给你看病的克大夫。

周蘩漪 我现在没有病。

周朴园　（忍耐）克大夫是个好医生，你的神经有点失常，他一定治得好。

周蘩漪　（爆发）谁说我的神经失常？你们为什么这样咒我？我没有病，告诉你，我没有病！

周朴园　（冷酷地）你当着人这样胡喊乱闹，你自己有病，偏偏要讳病忌医，不肯教医生治，这不就是神经上的病态么？

周蘩漪　哼，我假若是有病，也不是医生治得好的。（向饭厅门走）

周朴园　（大声喊）站住！你上哪儿去？

周蘩漪　（不在意地）到楼上去。

周朴园　（命令地）你应当听话。

周蘩漪　哦？（不经意地打量他）你忘了你自己是怎样一个人啦！（径自由饭厅门下）

周朴园　来人！

〔仆人上。

仆　人　老爷！

周朴园　太太现在在楼上。你教大少爷陪着克大夫到楼上去给太太看病。

仆　人　是，老爷。

周朴园　教大少爷告诉克大夫，说我有点累，不陪他了。

仆　人　是，老爷。（下）

〔朴园点着一支吕宋烟，看见桌上的雨衣。

周朴园　（向鲁妈）这是太太找出来的雨衣吗？

鲁侍萍　（看着他）大概是的。

周朴园　（拿起看看）不对，不对，这都是新的。我要我的旧雨衣，你回头跟太太说。

鲁侍萍　嗯。

周朴园　（看她不走）你不知道这间房子底下人不准随便进来么？

鲁侍萍　（看着他）不知道，老爷。

周朴园　你是新来的下人？

鲁侍萍　不是的，我找我的女儿来的。

周朴园　你的女儿？

鲁侍萍　四凤是我的女儿。

周朴园　那你走错屋子了。

鲁侍萍　哦。——您没有事了？

周朴园　（指窗）窗户谁教打开的？

鲁侍萍　哦。（很自然地走到窗前，关上窗户，慢慢地走向中门）

周朴园　（看她关好窗门，忽然觉得她很奇怪）你站一站。

〔鲁妈停。

周朴园　你——你贵姓？

鲁侍萍　我姓鲁。

周朴园　姓鲁。你的口音不像北方人。

鲁侍萍　对了，我是江苏的。

周朴园　你好像有点无锡口音。

鲁侍萍　我自小就在无锡长大的。

周朴园　无锡？嗯，无锡（忽而）你在无锡是什么时候？

鲁侍萍　光绪二十年，离现在有三十多年了。

周朴园 哦，三十年前你在无锡？

鲁侍萍 您是那个地方的人？

周朴园 嗯，（沉吟）无锡是个好地方。（忽而）你三十年前在无锡吗？

鲁侍萍 是的。

周朴园 三十年前，在无锡出过一件很多人都知道的事情——

鲁侍萍 哦。

周朴园 你知道么？

鲁侍萍 也许记得，不知道您说的是哪一件？

周朴园 那个时候在无锡的人，我倒问过，可是——

鲁侍萍 您想打听的话，无锡那边我还有认识的人。

周朴园 也许凑巧你会知道。三十年前在无锡有一家姓梅的。

鲁侍萍 姓梅的？

周朴园 梅家的一个年轻小姐，有一天夜里，忽然地投水死了，后来，后来——你知道么？

鲁侍萍 我倒认识一个年轻的姑娘姓梅的。

周朴园 哦，你说说看。

鲁侍萍 可是她不是小姐——

周朴园 也许，也许你弄错了，不过你不妨说说看。

鲁侍萍 这个梅姑娘倒是有一天晚上跳的河，可是不是一个人，她手里抱着一个刚生下三天的男孩。

周朴园 哦！

鲁侍萍 她是个下等人，听说她跟那时周公馆的少爷有点不清白，生了两个男孩，生第二个才过三天，周少爷就不要了她，大孩子放在他们家，刚生的孩子她抱在怀里，在年三十夜里投河死的。

周朴园 哦。

鲁侍萍 她不是小姐，她是无锡周公馆梅妈的女儿，她叫侍萍。

周朴园 （抬起头来）你姓什么？

鲁侍萍 我姓鲁。

周朴园 （喘出一口气，沉思地）侍萍，侍萍，对了。这个女孩子的尸首，说是有一个穷人见着埋了。你可以打听到她的坟在哪儿么？

鲁侍萍 您问这些闲事干什么？

周朴园 这个人跟我们有点亲戚。

鲁侍萍 亲戚？

周朴园 嗯——我们想把她的坟墓修一修。

鲁侍萍 哦——那用不着了。

周朴园 怎么？

鲁侍萍 这个人现在还活着。

周朴园 （惊愕）还活着？

鲁侍萍 她没有死。

周朴园 她还在？不会吧？我看见她河边上的衣服，里面有她的绝命书。

鲁侍萍 她教人救活了。

周朴园 哦，救活啦？

鲁侍萍 以后无锡的人是没见着她，都说她那夜晚死了。

周朴园 那么，她呢？

鲁侍萍 一个人在外乡。

周朴园 那个小孩呢？

鲁侍萍 也活着。

周朴园 （疑惧地）你是谁？

鲁侍萍 我是这儿四凤的妈。

周朴园 哦。——你知道她现在在哪儿？

鲁侍萍 我前几天还见着她！

周朴园 什么？她就在这儿？此地？

鲁侍萍 嗯，就在此地。您想见一见她么？

周朴园 （连忙）不，不。

鲁侍萍 她的命很苦。离开了周家，一个单身人，无亲无故，带着一个孩子在外乡什么事都做。讨饭，缝衣服，当老妈，在学校里侍候人。

周朴园 （试探地）她没想找到周家？

鲁侍萍 当然是她不愿意。

周朴园 哦。你是找四凤？

鲁侍萍 是的。

周朴园 那你去吧。

鲁侍萍 您没有事了？（望着朴园）您那雨衣，我怎么说？

周朴园 你去告诉四凤，教她把我那件旧雨衣拿出来，顺便把那箱子里的几件旧衬衣也检出来。

鲁侍萍 旧衬衣？

周朴园 你告诉她就在我那顶老的箱子里，纺绸的衬衣，没有领子的。

鲁侍萍 那种绸衬衣不是一共有五件？您要哪一件？

周朴园 要哪一件？

鲁侍萍 不是有一件，在右袖襟上有个烧破的窟窿，后来用丝线绣成一朵梅花补上的？还有一件左袖襟也绣着一朵梅花，旁边还绣着一个萍字。还有一件——

周朴园 （徐徐立起）哦，你，你，你是——

鲁侍萍 我是从前侍候过你的下人。

周朴园 （低声）怎么，是你？侍萍？

〔半晌。

鲁侍萍 你找侍萍吗？侍萍在这儿。

周朴园 （忽然严厉地）你来干什么？

鲁侍萍 不是我要来的。

周朴园 谁指使你来的？

鲁侍萍 （悲愤）你想想，有谁能指使我来？

周朴园 （冷冷地）三十年的工夫你还是找到这儿来了。

鲁侍萍 （愤怨）我没有找你，我没有找你，我今天没想到会到这儿来，我以为你早死了。

周朴园 你可以冷静点。现在你我都是有子女的人，如果你觉得心里有委屈——

鲁侍萍 我没有委屈，我有的是恨，是三十年来所受的苦。你大概已经忘了你做的事了！三十年前，过年三十的晚上我生下第二个孩子才三天，你为了要赶紧娶那位有钱有门第的小姐，你们逼着我冒着大雪出去，要我离开你们周家的门。

周朴园 从前的旧恩怨，过了几十年，又何必再提呢？

鲁侍萍 那是因为你一帆风顺，现在也是社会上的人物。可是自从我教你们家赶出来以后，我没有死成，我母亲气死了——我亲生的两个孩子你们逼着我留在你们家里。

周朴园 你的第二个孩子你不是已经抱走了吗？

鲁侍萍 那是你们老太太看着孩子快死了才教我带走的。

周朴园 我看过去的事不必再提啦。

鲁侍萍 我要提，我要提，我闷了三十年了！你结了婚，就搬了家，我以为这一辈子也见不着你了；谁知道我自己的孩子偏偏又跑到周家来，又做我从前在你们家里做过的事。

周朴园 （表白着）把脑子放清醒点。你不要以为我的心是死了，你以为一个人做了一件于心不忍的事就会忘了么？你看这些家具都是你从前顶喜欢的东西，多少年我总是留着，为着纪念你。你的生日——四月十八——每年我总记得。一切都照着你是正式嫁过周家的人看，甚至于你因为生萍儿，受了病，总要关窗户，这些习惯我都保留着，为的是不忘你，弥补我的罪过。

鲁侍萍 现在我也上了年纪，我很明白周家的人。

周朴园 那更好了。我们就明明白白地谈一谈。

鲁侍萍 我觉得没有什么可谈的。

周朴园 话很多。我看你的性情好像没有大改——鲁贵像是个很不老实的人。

鲁侍萍 他不会知道的。

周朴园 那双方面都好。你自己带走的儿子现在在哪儿?

鲁侍萍 他在你的矿上做工，现在就在门房等着见你呢。

周朴园 鲁大海?他!我的儿子?

鲁侍萍 你不要以为他还会认你做父亲。

周朴园 (忽然)好!痛痛快快地你现在要多少钱吧?

鲁侍萍 什么?

周朴园 留着你养老。

鲁侍萍 (冷笑)哼，你以为我是来跟你要钱的?

周朴园 也好，我们暂且不提这一层。那么，我先说我的意思。鲁贵我现在要辞退的，四凤也要回家。不过——

鲁侍萍 你怕我用这种关系来敲诈你么?我不会的。大后天我就带着四凤走，这地方我不会再住下去。

周朴园 好得很，那么一切路费，用费，都归我担负。

鲁侍萍 什么?

周朴园 这于我的心也安一点。

鲁侍萍 你?(切齿地)三十年我一个人都过了，现在我反而要你的钱?

周朴园 好，好，那么，你现在要什么?说吧。

鲁侍萍 我——我要见见我的萍儿。

周朴园 你想见他。

鲁侍萍 嗯，他在哪儿？

周朴园 他现在在楼上陪着他的母亲看病。教他来是可以的。不过是——

鲁侍萍 怎么？

周朴园 他以为他母亲早就死了的。

鲁侍萍 我不会哭哭啼啼地教他认母亲的，我不会那样傻。我明白他不会认我是他的母亲，我只想看看他，他究竟是我生的孩子。

周朴园 那么，我们就这样解决了。我教他下来，你看一看他，以后鲁家的人永远不要再到周家来了。

鲁侍萍 我这一辈子也不要再见你。

周朴园 （由衣内取出支票）很好，这是一张五千块钱的支票，你可以先拿去用。算是弥补我一点罪过。（递出支票）

鲁侍萍 （不屑地）你自己留着吧。

周朴园 侍萍。

鲁侍萍 我这些年的苦不是你拿钱算得清的。

周朴园 （冷冷地望着她）那么，你还不愿意这样了结这件事情。

〔仆人由中门进。

仆　人 那个姓鲁的工人还是要见老爷。他说是公司教他来的，您教他来的。

周朴园 哦。（沉吟）教他进来吧。等一等，教人到楼上请大少爷下来。

仆　人 是，老爷。（由中门下）

周朴园　（向鲁妈）侍萍，你要不肯收下这一点钱，这件事是不能了结的。

鲁侍萍　（愤极）你还要怎么样啊！

〔仆人领鲁大海进。

周朴园　（打量鲁大海）你叫什么名字？

鲁大海　鲁大海，董事长不知道？

周朴园　你？我只知道你们是最调皮捣蛋的工人。你来见我做什么？

鲁大海　不是我要来的，是公司约我们来的，董事长难道忘了？

周朴园　我的记性还好。

鲁大海　那就对了。我们老远从矿上来，交涉了这几天，前天公司既然说考虑答应我们的条件，现在请董事长告诉我们最后的答复是什么？

周朴园　哦，那么那两个代表呢？

鲁大海　他们就会来的。

周朴园　还在联络旁的工会吗？

鲁大海　我想公司没有知道这个的必要。现在我们请董事长把最后的结果告诉我们，我们要求严惩凶首，赔偿受害工人的全部损失，向全体工人正式道歉，并且答应我们要求的经济条件。

周朴园　我看可以不必再谈下去，最后的结果，公司现在一条也不能答应。

鲁大海　什么？

〔周萍由饭厅门上，见有人即想退出。

周朴园 （向萍）不要走，你在这儿等等。

〔鲁妈望着周萍，萍站在一旁未注意鲁妈。

鲁大海 又推翻了，真不知道公司讲信用不讲，你们忽而软，忽而硬，公司的手段我们是明白的，你们不过是有意拖延时间，好花钱运动，勾结那些买办军阀利用流氓来破坏我们。

周朴园 我看过你们的传单，这些话不必对我再讲。

鲁大海 可是你完全弄错了，我们这次罢工是团结的，有组织的，我们代表这次来，不是来求你们，你弄清楚，不是求你们，你们答应就答应，不答应我们一直罢工到底，我们知道用不到两个月公司就要关门。

周朴园 你以为问题解决还需要两个月吗？那么我先给你一件东西看。（把桌上的公文递给他）

〔周冲由书房门进。

周朴园 这是昨天从矿上送来的报告。

鲁大海 （接过来看）什么？

周朴园 扰乱治安，图谋不轨，矿上的县公署已经在通缉你们。

鲁大海 你们真是卑鄙无赖！

周　萍 你是谁，在这儿胡说。

周朴园 （对萍）没你的话。（向大海）而且矿上工人已经另选了代表，跟公司在接洽。

鲁大海 （指报告）这是什么代表？是地痞、流氓、包工，这些走狗可以由你们指定做工人代表吗？

周朴园 此地不是你叫嚣的地方，政府有法律，公司有章程——

鲁大海 这是什么政府，什么法律。

周朴园 而且国家要尊重条约，要顾到外国资本的利益，你们要认清楚，这是中英合办的矿，有洋人的资本。

鲁大海 什么洋人的资本？帝国主义的资本！你们这些不要脸的买办官僚，还是把你们的洋爸爸又抬出来了。

周　萍 （怒）你混账！

周朴园 不许多说话。（向大海）你现在没有资格跟我说话，矿上已经把你开除了。

鲁大海 开除？

周　冲 爸爸，这是不公平的。

周朴园 （向冲）少多嘴，出去。

〔冲愤然由中门下。

周朴园 鲁大海，你年纪轻，要想想将来，那两个代表我现在才知道是极有背景的坏分子，警察局已经把他们逮捕了。

鲁大海 把他们逮捕了？哼，你的手段我早就领教过，只要能弄钱你什么都做得出来，你打死了矿上工人，克扣我们的工钱，你还——

周朴园 你胡说。

鲁侍萍 （走向大海）走吧，别说了。

鲁大海 （仍向朴）哼，你的来历我都知道，你从前在哈尔滨包修江桥，故意教江堤出险——

周朴园 （怒极）滚出去！

鲁大海 你故意淹死了一千二百小工，每个小工的性命你扣三百块钱，姓周的，你发的是绝子绝孙的昧心财！你现在还——

周　萍 （冲向大海，打了他两个嘴巴）你这混账东西！

〔大海还手，被仆人们拉住。

周　萍 打他。

〔仆人们乱打大海，鲁妈上去拉。

鲁大海 （一面挣扎）你们这群强盗！放开。

周朴园 （厉声）不要打人！

〔仆住手，仍拉住大海。

周朴园 把他拉出去。

周　萍 把他拉出去！

鲁侍萍 （气愤）真是一群强盗！（走至萍前）你是萍——凭——凭什么打我的儿子？

周　萍 你是谁？

鲁侍萍 我是你的——你打的这个人的妈。

鲁大海 妈，别理这个东西，出来。

〔大海为仆人拥下，鲁妈亦下。台上只有朴园与萍。

周朴园 你太莽撞了。

周　萍 可是这个人不应该乱污辱父亲的名誉啊。

〔半晌。

周朴园 克大夫给你母亲看过了么？

周　萍 看完了，没有什么。

周朴园 哦，（沉吟，忽然）来人！

〔仆人由中门上。

周朴园 你告诉太太，教她把鲁贵跟四凤的工钱算清楚，我已经把他们辞了。

仆　人 是，老爷。

周　萍 怎么？他们两个怎么样了？

周朴园 你不知道刚才这个工人也姓鲁，他就是四凤的哥哥么？

周　萍 哦，这个人就是四凤的哥哥？不过，爸爸——

周朴园 （向下人）跟太太说，教账房给鲁贵同四凤多算两个月的工钱，教他们今天就走。去吧。

〔仆人由饭厅门下。

周　萍 爸爸，不过四凤同鲁贵在家里都很好。很忠诚的。

周朴园 嗯，（呵欠）我很累了。我预备到书房歇一下。你教他们送一碗浓一点的普洱茶来。

周　萍 是，爸爸。

〔朴园由书房门下。

周　萍 （叹一口气）嗨！

〔萍急向中门下，冲适由中门上。

周　冲 （着急地）哥哥，四凤呢？

周　萍 我不知道。

周　冲 是父亲要辞退四凤么？

周　萍 嗯，还有鲁贵。

周　冲 即使是她的哥哥得罪了父亲，我们不是把人家打了么？为什么欺负这么一个女孩子干什么？

周　萍　你问父亲去。

周　冲　这太不讲理了。

周　萍　（不置可否）嗯。

周　冲　父亲在哪儿？

周　萍　在书房里。

〔冲至书房，萍在屋里踱来踱去。四凤由中门走进。

周　萍　（忙走至四凤前）四凤，对不起，我实在不认识他。（半晌）可是你哥哥也不应该那样乱说话。

鲁四凤　不必提了。（向饭厅走）

周　萍　你干什么去？

鲁四凤　收拾东西。再见吧，明天你走，我怕不能见你了。

周　萍　不，你不要去。（拦住她）

鲁四凤　你不知道我们已经教你们辞了么？

周　萍　凤，你——你不怪我么？

鲁四凤　我知道早晚是有这么一天的，今天晚上你千万不要来找我。

周　萍　可是，以后呢？

鲁四凤　那——再说吧！

周　萍　不，四凤，我要见你，今天晚上，我一定要见你，我有许多话要同你说。

鲁四凤　不，无论如何，你不要来。

周　萍　那你想旁的法子来见我。

鲁四凤　没有旁的法子。你难道看不出这是什么情形么？

周　萍　我是一定要来的。

鲁四凤 不，不，你不要胡闹。你千万不……

〔蘩漪由饭厅门上。

鲁四凤 太太。

周蘩漪 你们在这儿啊!（向四凤）等一会儿，你的父亲叫电灯匠就回来。你的东西我可以交给他带回去。也许我派人给你送去。——你家住在什么地方?

鲁四凤 杏花巷十号。

周蘩漪 你不要难过，没事可以常来找我。是杏花巷十号吧?

鲁四凤 是，谢谢太太。

〔鲁妈在外面叫:“四凤！四凤!”

鲁四凤 妈，我在这儿。

〔鲁妈由中门上。

鲁侍萍 四凤，收拾收拾零碎的东西，我们先走吧。快下大雨了。

〔风声，雷声渐起。

鲁四凤 好吧，妈。

鲁侍萍 （向蘩漪）太太我们走了。

〔鲁妈与四凤由中门下。

周蘩漪 萍，你刚才同四凤说的什么?

周　萍 你没有权利问。

周蘩漪 你不要以为她会了解你。

周　萍 你这是什么意思?

周蘩漪 你不要再骗我，我问你，你说要到哪儿去?

周　萍 用不着你问。你放尊重一点。

周蘩漪 你说，你今天晚上预备上哪儿去？

周　萍 我——（突然）我找她。你怎么样？

周蘩漪 你知道她是谁，你是谁么？

周　萍 我不知道。我只知道我喜欢她，她喜欢我。过去这些日子，我想你早就明白，现在你既然愿意说破，我当然不必瞒你。

周蘩漪 你受过这样高等教育的人现在同这么一个底下人的女儿，这么一个下等女人——

周　萍 女人就是女人，没有什么上等下等。

周蘩漪 （深沉地）小心，小心！你不要把一个失望的人逼得太狠了。

周　萍 你要怎么样？

〔朴园由书房门上。

周朴园 你们在这儿说什么？

周　萍 我正跟母亲说刚才的事情呢。

周朴园 他们走了么？

周蘩漪 走了。

〔外面风雷大作。

周朴园 这些下等人最靠不住——难防的是小人。

周　萍 是，爸爸！

〔朴园在窗前，望着外面的闪电。

——幕落

第三幕

杏花巷十号，在鲁贵家里。下面是鲁家屋外的情形：

车站的钟打了十下，杏花巷的老少还沿着那白天蒸发着臭气，只有半夜才从租界区域吹来一阵好凉风的水塘边上乘凉。虽然方才落了一阵暴雨，天气还是郁热难堪，天空黑漆漆地布满了恶相的黑云，人们都像晒在太阳下的小草，虽然半夜里沾了点露水，心里还是热燥燥的，期望着再下一次透雨。倒是躲在池塘芦苇根下的青蛙叫得起劲，一直不停，闲人谈话的声音有一阵没一阵的。无星的天空时而打着没有雷的闪电，蓝森森地一晃，闪露出来池塘边的垂柳在水面颤动着。闪光过去，还是黑黝黝的一片。

渐渐乘凉的人散了，四周围静下来，雷又隐隐地响着，青蛙像是吓得不敢多叫，风又吹起来，柳叶沙沙地摆摇。

雷声、闪电，四周更沉静下来，最后暴风雨一直到闭幕。

观众看见的四凤的屋子（即鲁家的内屋）——屋子很小，屋顶低低地压在头上。在右边墙上贴着破旧的年画，旁边一张小方桌，上面有镜子、梳子、几件平常的化妆品，这大概就是四凤的梳妆台。

四凤的床靠着左墙，床头有一只箱子，上面铺着一块白布，放一个瓷壶同两三个粗碗。箱前一只破旧的竹躺椅。当中一张方桌上放着一盏洋油灯，照着一个鲜红的纸灯罩，桌边一条板凳，和一个小方凳。

这屋子有两个门，在左边有一个小门上挂一幅蓝布幔，里面放煤，放零碎东西。右边一门，通外间鲁贵的住房。外间屋的门外就是池塘边泥泞的小道。

鲁家现在才吃完饭，每个人的心绪都很烦恶，各人有各人的心思。鲁大海在近屋角处擦着什么东西。鲁妈低着头在当中方桌旁收拾筷子碗。鲁贵坐在那张旧躺椅上，喝得醉醺醺的，打着噎。他的赤脚忽然放在椅子上，忽然又平拖在地上，两条腿人字似地排开，手里不住地摇着芭蕉扇。大家静默着。

四凤在中间窗户前站着，背朝观众，不时地向窗外望。由窗外传进池塘边青蛙的叫声。她时而不安地像听见了什么似的，时而又转过头看看鲁贵，又厌烦地转回去。

开幕时正是鲁贵兴致淋漓地数道完了半咒骂式的家庭训话。屋内一片紧张沉默。鲁贵好像很得意自己在家里的地位和威风，拿着那把破芭蕉扇，挥着、舞着、指着，眼睛迷腾腾的，在每个人身上扫来扫去。

大海依旧擦他的手枪，两个女人都不作声，任着鲁贵继续嘶喊。这时青娃同卖唱的叫声传了过来。四凤立在窗户前，偶尔深深地叹着气。

鲁　贵　（咳嗽起来）他妈的！（一口痰吐在地上）你们想，你们哪一个对得起我？

〔静默。外面胡琴同唱声。

鲁大海　（向四凤）这是谁？快十点半还在唱？

鲁四凤　（随意地）一个瞎子同他老婆，每天在这儿卖唱的。（挥着扇，微微叹一口气）

鲁　贵　我是一辈子犯小人，不走运。刚在周家混了两年，孩子都安置好了，就教你（指鲁妈）连累下去了。你回家一次就出一次事。刚才是怎么回事？我出去一趟刚回来，凤儿的事没有了，连我的老根子也拔了。妈的，你不来，（指鲁妈）我能倒这样的楣？

鲁大海　（放下手枪）你要骂我就骂我。别指东说西，欺负妈好说话。

鲁　贵　我骂你？你是少爷！我骂你？你连人家有钱的人都当着面骂了，我敢骂你？

鲁大海　（不耐烦）你喝了不到两盅酒，就叨叨叨，叨叨叨，你有个够没有？

鲁　贵　够？哼，我一肚子的冤屈，一肚子的火，我没个够！当初你爸爸也不是没教人侍候过，吃喝玩乐，我哪一样没讲究过！自从娶了你的妈，我是家败人亡，一天不如一天。一天不如一天……

鲁四凤　那不是你自己赌钱输光的！

鲁大海　你别理他。让他说。

鲁　贵　（只顾嘴头说得畅快，如同自己是唯一的牺牲者一样）我告诉你，我是家败人亡，一天不如一天。我受人家的气，受你们的气。现在好，连想受人家的气也不成了，我跟你们一块儿饿着肚子等死。你们想想，你们是哪一件事对得起我？（忽而觉得自己的腿没处放）四凤把那凳子拿过来。我搁搁大腿。

鲁大海　（看着四凤，教她不要管）四凤！

〔四凤还是拿了那唯一的凳子过来，放在鲁贵的脚下。鲁贵把腿放好。

鲁　贵　（望着大海）可是这怪谁？你把人家骂了，人家一气，当然就把我们辞了。谁教我是你的爸爸呢？大海，你心里想想，我这么大年纪，要跟着你饿死；我要是饿死，你是哪一点对得起我？我问问你，我要是这样死了？

鲁大海　（大声）你死就死，你算老几！

鲁　贵　（吓醒了一半）妈的，这孩子！

鲁侍萍　大海！

鲁　贵　（望见大海那副魁梧的身体同手里的枪，心里有点怕）你看看，这孩子这点小脾气！——（又接着说）咳，说回来，这也不能就怪大海，周家的人从上到下就没有一个好东西。我侍候他们两年，他们那点出息我哪一样不知道？王八蛋！别看今天我走的时候，老爷太太装模作样地跟我尽打官话，好东西，明儿见！他们家里这点出息当我不知道？

鲁四凤　得了吧，别扯了。

鲁　贵　哼，明天，我把周家母子这点老底子给它一个宣布，就连老头这老王八蛋也得给我跪下磕头。忘恩负义的东西！（得意地咳嗽起来）他妈的！（啪地又一口痰吐在地上，向四凤）茶呢？

鲁四凤　爸，您真是喝醉了么？刚才不给您放在桌子上么？

鲁　贵　（端起杯子，对四凤）这是白水，小姐！（泼在地上）

鲁四凤　（冷冷地）本来是白水，没有茶。

鲁　贵　混账。我吃完饭总要喝杯好茶，你还不知道么？

鲁大海　哦，爸爸吃完饭还要喝茶的。（向四凤）四凤，你怎么不把那一两四块八的龙井沏上，尽教爸爸生气。

鲁四凤　龙井？家里连茶叶末也没有。

鲁大海　（向贵）听见了没有？你就将就将就喝杯开水吧，别这样穷讲究啦。（拿一杯白开水，放在贵身旁桌上，走开）

鲁　贵　这是我的家。你要看着不顺眼，你可以滚开。

鲁大海　（上前）你——

鲁侍萍　（阻大海）别，别，好孩子。看在妈的份上，别同他闹。

鲁　贵　你自己觉得挺不错，你到家不到两天，就闹这么大的乱子，我没有说你，你还要打我么？你给我滚！

鲁大海　（忍着）他这样子我实在看不下去。妈，我走了。

鲁侍萍　胡说。就要下雨，你上哪儿去？

鲁大海　我有事。我怕不能住在家里。

鲁侍萍　大海，你可得小心。

鲁　贵　走，走，让他走。这孩子就是这点穷骨头。教他滚，滚，滚！

鲁大海　你小心点。少惹我。

鲁　贵　（赖皮）你妈在这儿。你敢把你的爹怎么样？你这杂种！

鲁大海　什么，你骂谁？

鲁　贵　我骂你。你这——

鲁侍萍　（向贵）你别不要脸，你少说话！

鲁　贵　我不要脸？我没有在家养私孩子，还带着（指大海）嫁人。

鲁侍萍　（又痛又恨）你！

鲁大海　（抽出手枪）我——我打死你这老东西！

鲁　贵　（喊）枪，枪，枪。（僵立不动）

鲁四凤　（跑到大海的面前，拉着他的手）哥哥。

鲁侍萍　大海，你放下。

鲁大海　（对鲁贵）你跟妈说，错了，以后不再乱说，乱骂。

鲁　贵　哦——

鲁大海　（进一步）说呀！

鲁　贵　（被胁）你，你——你先放下。

鲁大海　（气愤地）你先说。

鲁　贵　好。（向鲁妈）我错了，我以后不乱说，不骂人。好不好？

鲁大海　（指藤椅）还坐在那儿！

鲁　贵　（颓唐地坐在椅上，低着头咕噜着）这小杂种！

鲁大海　哼。

鲁侍萍　放下，大海，把手枪放下。

鲁大海　（放下手枪，笑）您别怕，我是吓虎吓虎他。

鲁侍萍　给我。你这手枪是哪儿弄来的？

鲁大海　从矿上带来的，警察打我们的时候掉的。

鲁侍萍　（向大海）把手枪给我，交给我！

鲁大海　您——

鲁四凤　哥哥，你给妈。

鲁大海　先收起来也好。可您搁的地方得告诉我。

鲁侍萍　好，我放在这个箱子里。（把手枪放在床头的木箱里）

鲁　贵　对极了，这才是正理。

鲁大海　你少说话！

鲁侍萍　大海，别这样。

鲁大海　（看鲁贵，又转头）好，我走了。

鲁侍萍　你去吧，事情办完还是家来住。

鲁大海　好吧。（由左边与外间通的房门下）

鲁　贵　（自言自语）这个小王八蛋。（问鲁妈）刚才我教你买茶叶，你为什么不买？

鲁侍萍　没有闲钱。

鲁　贵　可是，四凤，我的钱呢？——刚才你们从公馆领来的工钱呢？

鲁四凤　您说周公馆多给的两个月的工钱？

鲁　贵　对了，一共连新带旧六十块。

鲁四凤　（知道早晚也要告诉他）嗯，是的，还给人啦。

鲁　贵　什么，你还给人啦？

鲁四凤　刚才赵三又来要你的赌账，妈就把那个钱都还给他了。

鲁　贵　（问鲁妈）六十块钱？都还了账啦？

鲁侍萍　嗯，把你这次的赌账算是还清了。

鲁　贵　（急了）妈的，我的家就是教你们这样败了的，现在是还账的时候么？

鲁侍萍　（沉静地）都还清了好。这儿的家我预备不要了。

鲁　贵　这儿的家你不要了？

鲁侍萍　嗯，大后天就回济南去。

鲁　贵　你回济南，我跟四凤在这儿，这个家也得要啊。

鲁侍萍　这次我带着四凤一块儿走，不教她一个人在这儿了。

鲁　贵　四凤，你听你妈要带着你走。

鲁侍萍　上次我走的时候，我不知道我的事情怎么样。外面人地生疏，在这儿四凤有邻居张大婶照应她，我自然不带她走。现在我那边的事已经定了。四凤在这儿又没有事，我为什么不带着她？

鲁四凤　（惊）您，您真要带我走？

鲁侍萍　嗯，跟妈一块儿走。

鲁　贵　不成，这我们得好好商量商量。

鲁侍萍　这有什么可商量的？你要愿意去，大后天一块儿走也可以。不过那儿是找不着你这一帮赌钱的朋友的。

鲁　贵　谁要到那儿去？可是你要带四凤——

鲁侍萍　女孩子当然随着妈，从前那是没有法子。

鲁　贵　四凤跟我有吃有穿，见的是场面人。你带着她活受罪，干什么？

鲁侍萍　你问问她愿意跟我还是愿意跟你？

鲁　贵　自然是愿意跟我。

鲁侍萍　你问她！

鲁　贵　（自信地）四凤，你过来，你听清楚了。你愿意怎么样？随你。跟你妈，还是跟我？

〔四凤转过身来，满脸的眼泪。

鲁　贵　咦，这孩子，你哭什么？

鲁侍萍 凤儿。

鲁 贵 说呀，这不是大姑娘上轿，说呀？

鲁侍萍 （安慰地）哦，凤儿，告诉我，刚才你答应得好好的，愿意跟着我走，现在又怎么哪？告诉我，好孩子。老实告诉我，妈还是喜欢你。

鲁 贵 你说你带她走，她心里不高兴。我知道，她舍不得这个地方。（笑）

鲁四凤 （向鲁贵）去！（向鲁妈）我心里难过。妈，妈，我是跟您走的。妈呀！（抽咽，扑在鲁妈的怀里）

鲁侍萍 孩子，我的孩子今天受了委屈了。

鲁 贵 你看看，这股子小姐脾气，她要跟你不是受罪么？

鲁侍萍 （向鲁贵）你少说话。

〔外面张家大婶叫。

〔声：鲁大婶，我们当家的回来了。

鲁侍萍 （向外）好，我就来。

鲁 贵 这时候出去干什么？

鲁侍萍 卖家具，好搬家。人家张大伯回来了，他要。（下）

鲁 贵 他妈的！（见四凤立在窗前）你妈走了，四凤。你说吧，你预备怎么样呢？

〔四凤不理他，听着外面的青蛙声。

鲁 贵 （蔑视）你看，你这点心思还不浅。

鲁四凤 什么心思？天气热，闷得难受。

鲁 贵 你不要骗我，打吃完饭你就站在那儿发愣，你想什么？

鲁四凤　不想什么。

鲁　贵　凤儿，我就有你这一个亲女儿，你跟你妈一走，那就剩我一个人在这儿了。

鲁四凤　（外面打闪）又打雷了。

鲁　贵　孩子，别打岔，你真预备跟妈回济南么？

鲁四凤　嗯。

鲁　贵　（无聊地唱）“花开花谢年年有，人过了个青春不再来！”（忽然）四凤，人活着就是两三年好日子，好机会一错过就完了。

鲁四凤　您去吧。我困了。

鲁　贵　周家的事你不要怕。有了我，明天我们还是得回去。你真走得开？真放得下这儿这么好的地方？放得下周家——

鲁四凤　您还说什么，睡去吧！

鲁　贵　别胡思乱想。这世界上没有一个人靠得住，只有钱是真的。唉，偏偏你同你母亲不知道钱的好处。

鲁四凤　听，像是有人敲门。

〔外面敲门声。

鲁　贵　快十一点，这会有谁？

鲁四凤　爸爸，您让我去看。

鲁　贵　别，让我出去。（开左门）谁？

〔外面的声音：这儿姓鲁么？

鲁　贵　是啊，干什么？

〔外面的声音：找人。

鲁　贵　你是谁？

〔外面的声音：我姓周。

鲁　贵　（喜形于色）你看，来了不是？周家的人来了。

鲁四凤　（惊骇）不，爸爸，您说我们都出去了。

鲁　贵　咦，（乖巧地看她一眼）这叫什么话？（下）

〔四凤把屋子略微整理一下，立在右边角上，等候着客进来。

〔这时，听见周冲同鲁贵说话的声音，鲁贵同周冲上。

周　冲　（高兴地）四凤！

鲁四凤　二少爷！

鲁　贵　（谄笑）您别见笑，我们这儿穷地方。

周　冲　（笑）这地方真不好找。外边有一片水，很好的。

鲁　贵　二少爷，您先坐下。四凤，你把那张躺椅拿过来。

周　冲　（见四凤不说话）四凤，怎么，你不舒服么？

鲁四凤　没有——二少爷，你到这里来干什么？要是太太知道了，你——

周　冲　是太太教我来的。

鲁　贵　（明白了一半）太太要您来的？

周　冲　嗯，我自己也想来看着你们。（问四凤）你哥哥同母亲呢？

鲁　贵　他们出去了。

鲁四凤　你怎么知道这个地方？

周　冲　（爽直地）母亲告诉我的。没想到这地方还有一大片水，一下雨真滑，黑天要是不小心，真容易摔下去。

鲁　贵　二少爷，您没摔着么？

周　冲　没有。我坐着家里的车。（四面望望这屋子的摆设，很高兴地笑着，看四凤）哦，你原来在这儿！

鲁四凤　我看您赶快回家吧。

鲁　贵　（瞪四凤）干什么你。

周　冲　（忽然）对了，我忘了我为什么来的了。妈跟我说，你们离开我们家，她很不放心；她怕你们一时找不着事情，教我送给你母亲一百块钱。（拿出钱）

鲁四凤　什么？

鲁　贵　（以为周家的人怕得罪他，得意地笑着，对四凤）你看人家多厚道，到底是人家有钱的人。

鲁四凤　不，二少爷，你替我谢谢太太，我们还好过日子。拿回去吧。

鲁　贵　（向四凤）你看你，哪有你这么说话的，太太教二少爷亲自送来，这点意思我们好意思不领下么？（收下钞票）您回头跟太太回一声，我们都挺好的。请太太放心，谢谢太太。

鲁四凤　（固执地）爸爸，这不成。

鲁　贵　你小孩子知道什么。

鲁四凤　您要收下，妈跟哥哥一定不答应。

鲁　贵　（不理她，向冲）谢谢您老远跑一趟。我先跟您买点鲜货吃，您同四凤在屋子坐一坐，我失陪了。

鲁四凤　爸，您别走！不成。

鲁　贵　别尽说话，你先给二少爷倒一碗茶。我就回来。（下）

周　冲　让他走了也好。

鲁四凤　（厌恶地）唉，真是下作！——谁教你送钱来了？

周　冲　怎么，你像是不大愿意见我？为什么呢？

鲁四凤　（找话说）老爷吃过饭了么？

周　冲　刚刚吃过。老爷在发脾气，母亲没吃完就跑到楼上生气。我劝了她半天，要不我还不会这样晚来。

鲁四凤　（不在意的样子）你的哥哥呢？

周　冲　他又在自己房里喝酒，大概是喝醉了。

鲁四凤　哦！（叹一口气）你为什么不教人替你来，何必自己跑到我们这里。

周　冲　（诚恳地）你现在恨我们了吧。——（羞惭地）今天的事我真觉得对不起你们，我不喜欢专讲强权的人，我的父亲我就不喜欢，我们都是一样，都是被压迫的。

鲁四凤　我们一样？

周　冲　不是吗？我从来没有把你当作用人看。四凤，我要告诉你，我的一个梦，一个——理想。

鲁四凤　（倒水）你喝杯水吧。

周　冲　（亲切地）你愿意听我说吗？

鲁四凤　（像是没听见）啊？

〔鲁大海进。

鲁四凤　哥哥。

鲁大海　这是怎么回事？

周　冲　鲁大海。

鲁四凤　周家二少爷来看我们来了。

鲁大海　哦——没想到。（向凤）爸爸呢？

鲁四凤　出去买东西去啦。

鲁大海　（向冲）奇怪，这么晚，周少爷会到我们这个穷地方来——看我们。

周　冲　（手缩回来）我正想见你呢，我觉得我们对你很抱歉。

鲁大海　什么事？

周　冲　（红脸）今天下午，你在我们家里——

鲁大海　（勃然）你少提那桩事。

鲁四凤　哥哥，你不要这样。人家是好心好意来安慰我们。

鲁大海　用不着你们的安慰，我们生成一副穷骨头，用不着你半夜到这儿来安慰我们。

周　冲　你大概是误会了我的意思。

鲁大海　（清楚地）我没有误会。（向四凤）出去。

鲁四凤　哥哥！

鲁大海　你先出去，我有几句话要同他说。

〔见四凤不走。

鲁大海　出去！

〔四凤由左门出。

鲁大海　（向冲）我们谈过话，在你们家里你还算是好的；不过你记着，以后你要再到这儿来，来——安慰我们，我就要不客气了。

周　冲　（笑）我想一个人无论怎样总不会拒绝别人的同情吧。

鲁大海 几句话也说不明白，告诉你，这儿不是你来的地方。你就不应当到这儿来。

周　冲 为什么？——我想四凤也愿意做我的朋友，那么我就不可以来帮点忙么？

鲁大海 你要真替四凤想，你从今以后就不要再来找她。

周　冲 我认为你的偏见太多，你不能因为我的父亲办煤矿，你就——

鲁大海 什么父亲！买办！官僚！（严厉）现在我警告你——

周　冲 警告？

鲁大海 如果什么时候再看见你到我家来，再找我的妹妹，我一定——（忽然）好，时候不早了，我们要睡觉了。

〔四凤由右门进。

鲁四凤 （向冲）你走吧，你走吧，不要同他说啦。

周　冲 （无奈地，看看大海）好，我走。（向四凤）我觉得很对不起，来到这儿更教你不快活。

鲁四凤 你走吧。

周　冲 好，我走。

〔鲁贵捧着水果、酒瓶同酒菜，由左门上。

鲁　贵 （见冲要走）怎么？

鲁大海 他要走了。

鲁　贵 别，别，二少爷为什么刚来就走？

鲁四凤 你问哥哥！

鲁　贵 （笑向着冲）别理他，您坐一会。

周　冲　不，我是要走了。

鲁　贵　那二少爷吃点什么再走，我老远地给您买的鲜货，吃点，喝两盅再走。

周　冲　不，不早了，我要回家了。

鲁大海　（向四凤）他从哪儿弄来的钱买这些东西？

鲁　贵　（转过头）我自己的，你爸爸赚的钱。

鲁四凤　这是周家的钱！你又胡花了！（回头向大海）刚才周太太送给妈一百块钱。妈不在，爸爸不听我的话收下了。

鲁　贵　（狠狠地看四凤一眼，向大海说）人家二少爷亲自送来的。我不收还像话么？

鲁大海　什么，你是给我们送钱来的。

鲁　贵　（向大海——脸上露出卑下的颜色）你看，人家周家都是好人。

鲁大海　（掉过脸来向贵）把钱给我！

鲁　贵　干什么？

鲁大海　你给不给？（声色俱厉）不给，你可记得放在箱子里的是什么东西。

鲁　贵　（恐惧地）我给，我给！（把钞票掏出来交给大海）钱在这儿，一百块。

鲁大海　（数一遍）怎么少十块。

鲁　贵　（强笑）我，我，我花了。

周　冲　（不愿再看他们）再见吧，我走了。

鲁大海　（拉住他）你别走，你以为我们能要你们这种血腥钱么？

周　冲　怎么？

鲁大海　（从口袋里拿出零票同现洋，放在一块）刚刚十块。拿走吧，我们不需要。

鲁　贵　这不像话！

周　冲　我懂了，你是不会要我们的钱的。

鲁大海　你懂就好了，拿走。

周　冲　（拿起钱）好。

鲁大海　我告诉你，以后你们周家无论哪一个再来，我就饶不了他，不管是谁！

鲁　贵　大海。

鲁大海　教他走吧。

鲁　贵　好好好，我给您点灯，外屋黑！

周　冲　谢谢你。

〔贵、冲二人由右门下。四凤随下。

〔鲁妈由右门上。

鲁大海　妈。您知道周家那个小儿子来了。

鲁侍萍　嗯。

鲁大海　我把他赶走了。

鲁侍萍　对，明天我就带着四凤走。

鲁大海　明天？

鲁侍萍　我改主意了，明天。

鲁大海　好极啦！那我就不必说别的了。

鲁侍萍　什么？

鲁大海　没有什么，我回来的时候看见四凤正跟他说话。

鲁侍萍　（不自主地）说什么？

鲁大海　不知道。

鲁侍萍　……（自语）这个糊涂孩子。

鲁大海　妈，明天我回矿上去。

鲁侍萍　干什么，你不是开除了？

鲁大海　随便他们开除？看不透！我们跟他们拼了，看谁低了头！妈，我还得出去一趟。

鲁侍萍　你上哪儿去？

鲁大海　再打听打听我们那两个代表教宪兵逮到哪儿去了。

〔四凤上。

鲁侍萍　你要小心哪！

鲁大海　知道。（由右门下）

鲁四凤　妈，（不安地）您回来了。

鲁侍萍　你忙着送周家的少爷，没有顾到看见我。

鲁四凤　（解释地）二少爷是他母亲教他来的。

鲁侍萍　我听见你哥哥说，你们谈了半天了。

鲁四凤　您说我跟周家二少爷？

鲁侍萍　嗯，他说了些什么？

鲁四凤　没有什么！——平平常常的话。

鲁侍萍　真的？

鲁四凤　您听哥哥说了些什么话？

鲁侍萍　（严肃地）凤儿！（盯着她）

鲁四凤 妈，您怎么啦？

鲁侍萍 凤儿，妈是不是顶疼你？

鲁四凤 您为什么说这些话？

鲁侍萍 那我求你一件事。

鲁四凤 妈，您说。

鲁侍萍 你告诉我，你跟周家的孩子是怎么回事？

鲁四凤 哥哥跟您说了什么？

鲁侍萍 不是，他没说什么，妈要问你！

〔远处雷声。

鲁四凤 您为什么问这个？我不跟您说过吗？没什么。

〔远处雷声。

鲁侍萍 你听，外面打着雷。我的女儿在这些事上不能再骗我！

鲁四凤 （顿）我不骗您！我不是跟您说过，这两年——

〔鲁贵在屋外的声音：侍萍，快来睡觉吧，不早了。

鲁侍萍 别管我，你先睡你的。（对四凤）你说什么？

鲁四凤 我不是跟您说过，这两年，我天天晚上——回家的？

鲁侍萍 孩子，你可要说实话，妈经不起再大的事啦。

鲁四凤 您为什么不信您自己的女儿呢？

鲁侍萍 不是我不相信你，你不懂，妈的苦是说不出来的，你妈就是在年轻的时候吃了这些强盗们的亏，我恨，我恨，我一肚子的恨！我就生了你这么一个女儿，我的女儿不能再像她妈似的，孩子，你疼我！你要是再骗我，那就是杀了我了，我的孩子！

鲁四凤 不，妈，不，我以后永远跟您在一块了。

鲁侍萍 （忽然）凤儿，我在这儿一天担心一天，我们明天一定走，离开这儿。

鲁四凤 （立起）明天就走？

鲁侍萍 （果断地）嗯。我改主意了，明天。

鲁四凤 为什么这么快！

鲁侍萍 你还要干什么？

鲁四凤 （踌躇地）我，我——

鲁侍萍 不愿意早一点儿跟妈走？

鲁四凤 （叹一口气）也好，我们明天走吧。

鲁侍萍 （忽然疑心）你还有什么事瞒着我？

鲁四凤 没有什么。

鲁侍萍 （慈祥地）好孩子，你记住妈刚才说的话么？

鲁四凤 记得住！

鲁侍萍 凤儿，我要你一辈子不见周家的人！

鲁四凤 好！

鲁侍萍 （沉重地）你起个誓。

鲁四凤 （畏怯地望着鲁妈的严厉的脸）妈，这何必呢？

鲁侍萍 （依然严肃）我要你说。

鲁四凤 妈，（扑在鲁妈身上）不。

鲁侍萍 （眼泪流下来）你是要伤妈的心么？

鲁四凤 我说，我说，我答应您，以后我永远不见周家的人。

〔雷声轰地滚过去。

鲁侍萍 你要是以后忘了妈的话，见了周家的人呢？

鲁四凤 （畏怯地）妈，我不会的，我不会的。

鲁侍萍 你要说，你要说。你要是忘了妈的话——

〔外面的雷声。

鲁四凤 （不顾一切地）那——那天上的雷劈了我。（扑在鲁妈怀里）哦，妈呀！（哭出声）

〔雷声轰地滚过去。

鲁侍萍 （抱着女儿）孩子，我的孩子。

〔鲁贵由右门上。脱去短衫，只穿一件线坎肩。

鲁　贵 （向鲁妈）这么晚还不睡？你说点子什么？

鲁侍萍 你别管。

鲁四凤 妈，您去吧。

鲁　贵 凤儿这孩子难过一天了，你搅她干什么？

鲁侍萍 不要妈陪着？

鲁四凤 您让我一个人在屋子里歇着吧。

〔鲁贵下。

鲁侍萍 那你就好好地睡吧。

鲁四凤 嗯，妈！

〔鲁妈下。

〔四凤把右边门关上，隔壁鲁贵又唱“花开花谢年年有，人过了个青春不再来”，她到圆桌前面，把洋灯的火捻小了，这时听见外面的蛙声同狗叫。她解开几个扣子，走了两步，又回来坐在床边，深深地叹一口气倒在床上。屋外一声一声的梆子。四凤又由床上坐起，拿起蒲扇用力地挥着。闷极了，她把窗户打开，立在窗前。

〔鲁贵由右门上，赤足，拖着鞋。

鲁　贵　你怎么啦？

鲁四凤　（望望他）嗯。

鲁　贵　（拿起酒瓶同酒菜）歇着吧。

鲁四凤　（失神地）嗯。

鲁　贵　（走到门口）不早了。（下）

〔四凤到右门口，把门关上，立在右门旁一会，听见鲁贵同鲁妈在说话。外面有口哨声，四凤突然惊起，把桌上的灯捻亮，跑到窗前探望一下，又关上。她倚着窗户，惶惑不安。口哨的声音更清楚，她把灯放在窗前，口哨愈近，远远一阵雷。窗外面有脚步的声音。

〔外面的声音：（敲着窗户，低声）喂！开！开！

鲁四凤　谁？

〔外面的声音：（轻声）四凤！

鲁四凤　你，你来干什么？

〔外面的声音：开开吧，凤！

鲁四凤　我现在不能见你。我妈在家里。

〔外面的声音：不用骗我！她睡着了。

鲁四凤　你小心，我哥哥恨透了你。

〔外面的声音：（漠然）他不在家，我知道。

鲁四凤　你走！

〔外面的声音：我不！

〔外面向里用力推窗门，四凤用力挡住。

鲁四凤　（焦急）你不要进来，不。

〔外面的声音：（低声）四凤，我求你，你开开。

鲁四凤　不，不！已经到了半夜，我都上床了。

〔外面的声音：哦，那……那我就……

鲁四凤　（恳求地）走吧，好不好？

〔外面的声音：也好，我走，可是你先打开窗门，教我……

鲁四凤　你就走！

〔外面的声音：教我看看你。

鲁四凤　（苦痛地）这不是你的公馆，你饶了我吧。

〔外面的声音：那么你忘了我了，你不再想……

鲁四凤　你别再缠我好不好？今天一天闹了多少事，你还不够么？

〔外面的声音：那我知道错了，可现在我要见你，要见你。

鲁四凤　那就明天说吧！明天我依你，什么都成！

〔外面的声音：明天？

鲁四凤　嗯，明天，我不骗你。

〔外面的声音：好吧，就这样吧，你别骗我。

〔足步声。

鲁四凤　你走了？

〔外面的声音：嗯，走了。

〔足步声渐远。

鲁四凤　（自语）他走了！（把窗户打开，风吹进来）唉！

〔周萍忽然立在窗口。

鲁四凤　哦，妈呀！（忙关窗门，萍已推开一点）

周　萍　（推着窗门）这次你赶不走我了。

鲁四凤　（用力关）你……你……你走！

〔萍到底越过窗进来，他满身泥泞，脸上沾着血。

周　萍　你看我还是进来了。

鲁四凤　（退后）你又喝醉了！（怕）你的脸怎么啦？

周　萍　（摸脸，一手的血）为着找你，我路上摔的。（关上窗户）

鲁四凤　不要关，你回去。

周　萍　（笑着）不，我得好好地看看你。

〔雷声轰轰，大雨下。舞台渐暗。

〔窗户推开了，外面黑黝黝的，忽然一片蓝森森的闪电，照见了蘩漪的惨白的脸，露在窗前。她僵立着，半晌，伸进手将窗子关上。

〔雷声，从木板窗缝看见一阵阵闪电。

〔舞台渐明。屋外大海叫门的声音。

周　萍　（谛听）这是谁？

鲁四凤　你别作声。

〔鲁妈声音：你怎么这么晚才回来？

〔大海声音：把枪给我，现在我就回矿上去。

鲁四凤　（急促地）哥哥回来了。

周　萍　（惊慌失措）怎么办，怎么办！

〔鲁妈声音：你的包袱呢？

〔大海声音：也在四凤屋里。

鲁四凤 妈要进来。

〔萍正想藏入左门，鲁妈持灯进。

鲁侍萍 （瞥见萍同四凤，惊呼）这是鬼呀！

〔鲁大海喊，“怎么啦？”跑上。

鲁大海 是你！（拾起桌上菜刀，奔向萍）

鲁四凤 （死命拉着大海）哥哥，哥哥！

〔萍由右门跑下。

鲁大海 放开我，放开！

鲁侍萍 （望萍跑出）这个该死的东西。

鲁大海 （甩开四凤）放开。（跑去拿枪）

鲁侍萍 （对四）你做的是什么事情？

〔四凤羞愧已极，夺门出。

鲁侍萍 （追呼）你上哪儿去，四凤！（跑下）

〔鲁贵从外屋进。

鲁　贵 怎么啦？怎么啦？

〔大海不理，持枪追下。

〔雷雨声。

第四幕

周宅客厅内。半夜。

开幕时，周朴园坐在沙发上看报。

外面隐隐雷声，雨声淅沥可闻。

周朴园 （不经心地看报，放下报，伸一伸腰）来人哪!（站起走了两步）来人!（按铃）

〔仆人上。

周朴园 （疲惫地）我叫了半天。

仆　人 外面下雨听不见。

周朴园 钟怎么停了?

仆　人 每次总是四凤上的，今天她走了，就忘了上。（走到钟前）

周朴园 你不用上了，现在什么时候?

仆　人 一点了。

周朴园 太太呢?

仆　人 大概睡了。

周朴园 （坐下）教大少爷来。

仆　人 大少爷吃完饭出去，还没有回来。

周朴园 哦。——（烦躁地）你去告诉刘秘书，教他再打电话催一下省政府的乔参议，说我还在等着他。

仆　人 是。（下）

〔周萍由外匆匆上，走向书房。

周朴园 你到哪儿去了？

周　萍 （吃了一惊）爸，您还没睡？

周朴园 你有什么事？

周　萍 到书房去拿您教我带到矿上去的信。

周朴园 （诧异）你不是明天走么？

周　萍 我想现在赶夜车走。

周朴园 什么事情，这样急？

周　萍 （吞吞吐吐地）没有什么，在家里也是睡不着，不如赶夜车，明天早一点到，还能在矿上办一点事情。

周朴园 哦，你刚才在家里？

周　萍 嗯。

周朴园 怎么用人说你出去了？

周　萍 （支吾）他们不知道，我是在家。

周朴园 （望望他）真不知道你成天搞些什么。嗯，早点去也好，（气力衰弱的样子）矿上的事很复杂，怕一时解决不了，刚才有电报来，工人们已经知道他们的代表扣押起来，又在秘密地开会，你到了矿上先去找县政府张老伯，再跟矿上的英国顾问仔细商量一下，再问问他们的意见，明天晚上给我一个电话。

周　萍 （敷衍）您也不用着急，这类事情闹一阵子就会过去的。反正是工资问题，只要花几个钱，多少对他们让一点步，事情是容易解决的。

周朴园 （翻起眼睛）你懂得什么叫让步？你退一寸人家就会进一尺，罢工要挟一开端，答应他们，工人就会更嚣张，即使我们肯，省政府不肯，英国人更不肯。一会省政府有人来，你可以在旁边听听。

周　萍 （犹疑）我怕就要上车。

周朴园 先等一下吧。（瞥见）你脸上怎么了？

周　萍 走路不小心碰的。

周朴园 又去喝酒啦？胡闹去啦？

周　萍 没有。

周朴园 （叹口气）你该放明白点了，也该拿出点志气来了。地位还能靠着父亲，名誉可要靠自己。荒唐的事情做不得，做错了一件事，要瞒住人是很费事的。我们是上等人——

周　萍 我知道。

周朴园 （意在言外）所以应该特别小心，少出乱子。

周　萍 爸爸，我怕我走了以后，鲁大海还会来的。

周朴园 他来干什么？

周　萍 也许要报复。

周朴园 有什么可报复的？

周　萍 （掩饰）我，我是这么想，我不是打了他？

周朴园 （慢吞吞地）打了他，你是我的儿子，他——

周　萍 就怕还有其他的后果！

周朴园 后果？

周　萍 也许会造些什么谣言污辱我们。

周朴园　这倒是的。（忽然）有什么谣言可造？

周　萍　那就不知道了，要毁一个人的名誉是容易的。

周朴园　是啊，（严重地）这种下等人的嘴！……不过，一个人不要太过虑，（断然）名誉的问题，哪怕亲若夫妻，义同父子，也不能相让。（忽然）怎么，你有什么短处吗？

周　萍　我？自然没有。

周朴园　那就很好。（半晌）奇怪，我不在家，你们怎么找了鲁贵这么个用人？不是个好东西！

周　萍　鲁贵来的时候您在家，刚一来您倒也说他挺好的。

周朴园　哦？我忘记了。

〔一阵沉默，窗外雨声。

〔周朴园若有所思地坐着。

〔周萍走到柜前，拿起鲁妈的相片。

周　萍　爸爸，我把母亲的相片拿走了。

周朴园　干什么？

周　萍　您早上不是教我把这张相片拿去吗？

周朴园　不必了。

〔萍望望父亲，放下相片。

〔仆人领乔参议上。

仆　人　省政府乔参议到了。（下）

乔参议　朴园先生，今天真辛苦了，到现在还在等着。

周朴园　坐，坐。省政府有什么新的消息吗？

乔参议　还没有什么。就是英国顾问今天下午又来了个电报，说对工人可以再强硬一些。此外你要的名单弄到了。（递名单给朴）大约是这几个人很有背景，至于那三个代表——

周朴园 不是已经扣起两个来了？

乔参议 是的，还有一个，听说今天下午到您府上来过。

周朴园 是的。

乔参议 英国顾问的意思，主张一个不漏。听说这个工人是您府上一个很得力的用人的儿子。

周朴园 哦，怎么？

乔参议 警察局的人托我转达一下，漏掉一个也是后患，怕的是日后对府上还有麻烦。

周朴园 我们倒想到这一层——那么，就请告诉张局长把他关起来吧。

乔参议 （十分担心的神色）不过朴园先生，矿上工人已经知道他们的代表被扣了，我们专听英国人这种高压办法也不一定很好。

周朴园 “有奶便是娘”，英国人出的钱，不照办也行不通。

乔参议 （沉吟着）我怕有麻烦，有麻烦，恐怕，还有变化。

周朴园 那就看吧。

乔参议 矿上没来长途电话吗？

周朴园 还没有。我倒是等了一会。

〔蘩漪由中门上，穿着雨衣，湿淋淋的。

周蘩漪 你们都在这儿。

周朴园 （惊疑地望着她）有客人。

〔蘩漪不理，走进。

周朴园　有客人在此地。

〔蘩漪依然不理。

周朴园　（向萍）你先陪乔参议到书房去坐坐。

乔参议　好，好，我们进去等等电话。

〔乔，萍进书房。

周朴园　（打量她）你看你这个样子，到哪里去了？

周蘩漪　出去走走。

周朴园　这么大的雨出去？

周蘩漪　我有神经病。

周朴园　真是荒唐，衣服都湿了，还不去换。

周蘩漪　我愿意。

〔周萍由书房门上。

周　萍　爸，我走了。

周朴园　你等一等，等我把信从新写一下。（回顾蘩）我劝你不要任性，赶快上楼睡去。

周蘩漪　（向萍望望，转对朴）我有事情要跟你谈谈。

周朴园　跟我谈？

周蘩漪　嗯。

周朴园　（烦恶地）我有客人，有事也明天说。（进书房）

周　萍　（不安）你有什么事，要跟他老人家谈？

周蘩漪　（冷冷地）真是父亲的儿子——要走啦？

周　萍　嗯——父亲教我现在走的。

周蘩漪　又是父亲！就这么随随便便地走么？

周　萍　（闪烁）还有什么事呢？

周蘩漪　你应该多想想吧！

周　萍　不是都谈过了吗？

周蘩漪　（有意义地）难道忘了还有人在等着你？

周　萍　（怀疑地望她一眼）我，我当然不会忘记。

周蘩漪　那么你现在一走——

周　萍　（脱口而出）我现在不得不走。——（忽然缓和地）你不要以为我是这么狠心的人，我知道你很寂寞，只要（躲闪地）只要过去这一阵，我自然会回来看你。

周蘩漪　（惊异）你说什么？

周　萍　（避开她的视线）我说你会很寂寞，我会回来的。

周蘩漪　（鄙夷地）不怕你的父亲？

周　萍　（含糊地）嗯。

周蘩漪　不怕这个家庭会闷死你吗？

周　萍　（嗫嚅地）我现在才觉得你的话是对的。

周蘩漪　我的什么话是对的？

周　萍　你的话,（顿）都是对的。

周蘩漪　（爆发）是说我劝你陪着我是对的么？是说我跟你继续这种关系是对的么？是说我陪了你父亲这么多年，再陪你这么一个卑鄙懦弱的东西是对的么？

周　萍　（困惑）你不是愿意我这样做？

周蘩漪　我现在不愿意了。我问你，你今天晚上到哪儿去了？

周　萍　（支吾）我没有到哪儿去。

周蘩漪　你刚才的胆量呢？女人就是女人，不是没有什么上等下等么？怎么，连这么一点作恶的勇气都没有了。

周　萍　（乞怜地）你要怎么样吧。

周蘩漪　（平静地）刚才我在鲁家看见你同四凤。

周　萍　（一惊）什么？你刚才是到鲁家去了？

周蘩漪　嗯，我在她们家附近站了半天。

周　萍　什么时候你在那里？

周蘩漪　我看见你从窗户进去。

周　萍　你！

周蘩漪　我就在窗户外面站着。

周　萍　什么时候走的？

周蘩漪　直等到你也走了。

周　萍　那么你——

周蘩漪　我看见你跑的那个狼狈样子——你知道么？（报复地）鲁大海要打死你。

周　萍　哦——

周蘩漪　（快意地）我看，生命要紧，名誉还在其次，这倒是个关口，怪不得你想躲过这一阵子了。

周　萍　（昏乱）蘩漪，我错了，错了，你看我该怎么办就怎么办吧。

周蘩漪　我现在还想不出怎么办你。我告诉你，四凤来了。

周　萍　（没想到）她来了？

周蘩漪　你不喜欢么？（慢条斯理地）她来找你，我给她开的门，还跟她谈了很多话，我觉得她像你母亲重活了，因为你的做法太像你父亲。

周　萍　我像父亲？

周蘩漪　这不很体面吗？（阴沉地）萍，我给你一个机会，一个机会，我要看看你下一步怎么做法。

周　萍　（恳求）请你明明白白告诉我，我该怎么做吧！

周蘩漪　（冷眼望他）这一步还要我明明白白讲么？我只告诉你一点，请你把我们当作人，不要只当作女人看。

周　萍　（忽然拉着蘩的手）蘩漪，蘩漪。

周蘩漪　（嫌恶地）别碰我，懂不懂，我是喜欢干净的。四凤，四凤。

周　萍　（慌张）不要在这屋子里好不好？我去。

周蘩漪　（敌对地）就在这里！为什么不？你父亲就在旁边，我要看看儿子同父亲有什么不同。四凤！

〔四凤由中门上，呆立在门旁。

周蘩漪　（对四凤）你好好地跟他谈一谈，知道吗？大少爷今天晚上要走了。（由中门下）

〔四凤和周萍相顾无语，片刻。

周　萍　她都知道了。

鲁四凤　你真是就要走了？

周　萍　嗯。

鲁四凤　那么我呢？

周　萍　我当然想着带你走，可是现在这种情形，你想，这种情形——

鲁四凤　现在我是完了，我没法儿再回去，哥哥恨透了我们，他饶不了我们的。

周　萍　他现在在哪里？

鲁四凤　不知道，别管他吧。你到哪里，我跟你到哪里。

周　萍　（顿足）天哪！天哪！

鲁四凤　怎么啦你？现在还拿不定主意？

周　萍　谁说我拿不定主意？谁说？你愿意跟我走，就跟我走吧。

鲁四凤　（哭起来）你这样子教我怎么跟你走？

周　萍　（烦躁）哭，还哭，现在你还哭什么？不是说了，你可以跟我一道走么？

鲁四凤　我不要，我不要，我不要这样跟你走的。我妈伤透了心，她已经不知道拿我怎么办好，刚才她说——

周　萍　什么，她也来了？

鲁四凤　她要我立刻回去，可我怎么能回去啊！我无论如何要见你一面！萍，就这样吧。妈还在等着我，我们要是决定走，立刻就走吧。

周　萍　那你不顾你妈啦？她愿意我带着你走吗？

鲁四凤　你教我怎么顾？她当然不肯放我跟你走——

周　萍　那你——

鲁四凤　我没有旁的办法，太太就会带她进来。萍！快走吧！

周　萍　可是——

鲁四凤　快一点吧！（忽然）你听，（急）我妈就要进来。

周　萍　（无可奈何）好吧，我们走，走这边。

〔周萍，四凤由侧门下。

〔蘩漪，鲁妈由中门上。

周蘩漪　这个人哪里去了？（嫌恶地）鬼似的。

鲁侍萍　我走了，我去找四凤。

周蘩漪　这屋子大，你找不着，他们走不了。

鲁侍萍　他们要一块儿走？

周蘩漪　你放心，走不了，我去教他们来见你。

鲁侍萍　不用了，你告诉我地方，我自己去找。

周蘩漪　他不会见你的。

鲁侍萍　我的孩子会不见我？

周蘩漪　我说的是这位大少爷。

鲁侍萍　你说他——（愤恨）我用不着见他。

周蘩漪　那就太便宜他了。

鲁侍萍　我没想到今天还来这一趟，忍下一件事情，又一件事情。

周蘩漪　还有什么事情？

〔鲁妈不语。

〔朴园由书房门上。

周朴园　你怎么还在这儿，萍儿呢？

周蘩漪　他有事。

周朴园　你把这封信交给他，教他带到矿上。

周蘩漪　（忽向鲁）你等一下吧，我就来。

周朴园　（瞥见鲁）啊——（追呼）蘩漪！

〔蘩漪不睬，由中门下。

周朴园　你，你到底又来了。

〔鲁妈不理。

周朴园　深更半夜到此地来，这倒是没想到的。

鲁侍萍　（冷冷地）你没想到的事情多得很。

周朴园　（蓦地疑虑起来）你说了什么？（转头望望中门）你跟她说了什么？

鲁侍萍　我还没有。

周朴园　还没有，那就很好。那我们再痛痛快快谈一次，事情总要解决的。

鲁侍萍　（沉着）你想怎么解决？到了现在，我倒要想想怎么解决。我要告诉你，今天晚上四凤——

周朴园　你先不要谈你的苦处，现在也不是谈这些话的时候，凡事都要往远处想，我们应该心平气和地把事情弄妥。

鲁侍萍　（悻悻地）你还要我心平气和？

周朴园　为什么不呢？你我都是忠厚人。

鲁侍萍　（厌烦地）忠厚人是你们周家的，我们这些下等人不懂得什么忠厚，我看透了老的，今天也看透了小的。

周朴园　不管你怎么看我们，我总要为你想想，你是个好人，我知道。我不能教你晚景可怜，我知道——

鲁侍萍　你知道什么？

周朴园　我知道你是有骨气的，你从来不喜欢谈经济问题，但是你年纪大了，不能再在外面干那些下等事情，你不是要回济南吗？很好，这是你识大体的地方。我正在打听你在济南的住址，托人照顾你，我在济南还有点房产，我正在想办法转送给你。

鲁侍萍 （抑制着）那么还有什么条件呢？

周朴园 （和颜悦色）你肯谈这个，那就太好了。你走以后，我就想到五千块钱是不足以安慰你的晚景，我后天就设法教人汇一万块钱去，我想住处有了，经济上也解决了，这总该可以过下去。至于你呢——

鲁侍萍 （盯着他）怎么样呢？

周朴园 你自然明白，人心是换人心的，我想我们都不为已甚，多存一点忠厚的心肠，人心是换人心的。

鲁侍萍 （愤愤）人心是可以拿钱买的吗？

周朴园 （笑容顿消）这就不是很好的态度了，一个人固执起来就不会有什么好处，那对你也有些不方便的。

鲁侍萍 （高声）我问你有什么不方便，有什么不方便！

周朴园 （摆摆手）你先静静，我们不需要意气用事；你也是上了年纪的，也见过些事情，我刚才的话是算数的，一个人能够这样办也就很对得起人了，如果是欺人太甚——

鲁侍萍 （一怔）欺人太甚！

周朴园 我倒要看看有什么结果。

鲁侍萍 （声色俱厉）你混账！我要看看你混到哪儿去？今天早上我来了，我看见了四凤，看见了那个混账孩子，我还以为这件事就这样了啦，再也不见你们这种人，就这样忍下去算了，可是我错了，孩子到了你的手，生在你们这种人家，就会跟你一样的坏，有你这样的父亲，就教出这样的孩子。

周朴园 我的孩子会怎么样？

鲁侍萍 你还不明白？他跟你是一模一样，做你当初一样的混账事情。他……（痛苦地）他同四凤——

周朴园 （厉声）他同四凤会怎么样？

鲁侍萍 你还装不懂？

周朴园 你说那个丫头跟他，你简直是昏了头！

〔蘩漪推着周萍由中门上。后随四凤。

周蘩漪 （气极）进去吧。

周朴园 （向蘩）你搞些什么，这是什么样子！

周蘩漪 （视萍）你问他，让他自己说。

周　萍 （低声）爸爸！

周朴园 （向蘩）不要闹，都出去！

周蘩漪 谁出去！（转向鲁妈）我告诉你，刚才他答应带着四凤一同走，可是偷偷地把他弟弟叫起来陪着四凤，他自己要从后门溜了，这个混账东西到现在还在欺侮她。

周朴园 你少多嘴！

鲁四凤 （大哭）妈！

鲁侍萍 （向朴，压住愤怒）你还不把事情弄明白吗？

周朴园 （向萍）对了，刚才她——四凤的母亲说，你同四凤，是怎么回事？

〔萍低头不语。

鲁四凤 妈，我走了。（转身要走）

鲁侍萍　四凤，待着。

周朴园　（向萍）怎么回事，快说！

〔萍不语。

周蘩漪　（对萍）你想把什么事都给你摊出来吗？

周朴园　（向萍）是真的吗？

周　萍　（低声）嗯，是的。

周朴园　（立刻打萍一个耳光）你这种下流东西！

周　萍　可是——

周朴园　可是什么？

周　萍　我并不愿意，是四凤，她——

鲁四凤　你怎么说？

周　萍　我不是这个意思，我说——

周朴园　混账，你还说什么？这是我们这样的人做出来的事情吗？你有了错还往别人身上推，这是你的忠厚吗？我多少天不回家，你们就闹得这个样子，把我的话忘得干干净净，跟这些下人在一起胡闹，你还有什么脸，还有什么脸见我！

鲁四凤　（哭）妈！

鲁侍萍　（斥责）不要哭，还哭什么。

周朴园　（对萍）你想想，做了什么事，你要认错，老老实实认错，去向四凤的母亲赔不是，你还不去！去！

鲁侍萍　算了吧，你真做得出，不要再来这一套了。

周朴园　（仍对萍）你还不快去赔罪！

鲁侍萍　你教他为谁赔罪？为他自己赔罪？为你们这一群忠厚传家

的人赔罪？还是为你赔罪？别再装糊涂了，（镇定地）我就是侍萍，跟四凤一样，吃了你们这种人的亏。

周蘩漪
周　萍　（惊愕地）啊！

鲁四凤　妈！

周朴园　（大声）不许你在此地乱讲！

鲁侍萍　我是上了年纪，见过事情，你吓不倒我。

周朴园　（没有办法，冷冷地）你们先出去。

鲁侍萍　我看不要走好，我没有枪，没有刀，没有钱，没有势，只有几句话要讲，你就这样怕吗？四凤，认明白，三十年前生了这种东西的是我，逼我，害我，教我投河的就是这个老东西。

〔四凤愤恨地望朴和萍，萍惊惧地望着鲁妈。

周朴园　你荒唐！

鲁侍萍　难道要我把你的底细都说出来吗？

鲁四凤　为什么不说！

鲁侍萍　（对四）你想得到你那个穷哥哥会有这样的父亲，你看，（视朴）你看他，他这个样子哪一点像你的哥哥，（指萍）这个东西有哪一点像我们这些老老实实受苦的人。孩子，多看看，认清楚，这就是我们的对头，（激动地）强盗，杀人不偿命的强盗！

周朴园　（威吓）你再胡说。

鲁侍萍　怎么样，难道到了现在你还堵得住我的嘴吗？

周朴园　你……

鲁侍萍　三十年前你害了我，今天你的儿子又来害我的女儿。

周朴园　你少在这里无赖！

鲁侍萍　（厉声）无赖的东西是你！

周朴园　（恼羞，高声）走，你们都走！

鲁侍萍　你吓唬谁？我知道这是你们的天下，你们有钱有势，（激昂地）可你们有钱也买不了我们这样的人，你们有势也压不住我的儿子——

〔忽然两声枪响。

周朴园　（惊）这是怎么回事，谁放枪？来人！

〔仆人由中门跑上。

周朴园　怎么啦？

仆　人　鲁大海来了，便衣队要抓他。

鲁侍萍　（切齿）你们这些没有人心的东西！

周　萍　（连忙）抓到了没有？

周朴园　没有抓着，鲁大海放了枪，便衣队不敢抓，他跑了。

鲁侍萍　走，四凤，我们走，找你哥哥去，（对朴）告诉你，周朴园，你说得对，这件事是不能了结的。（带四凤昂然下）

〔沉静。

周蘩漪　（忽然）哈哈，太可笑了，太可笑了！

周朴园　（怒极）滚开！

周蘩漪　我才不走呢，我要看看你们这两个东西是怎么死的。（由侧门下）

〔萍瘫在沙发上，失神地望着父亲。

周朴园 （焦灼，来回走着）是啊，是啊，这件事情是不能这样了结的。

〔乔参议由书房门冲进来。

乔参议 果然，长途电话来了。

周朴园 （心不在焉）有事么？

乔参议 简直是暴动！他们把英国顾问的家砸了，工潮扩大，开枪也弹压不住，弹压不住。

周朴园 （忽然狠恶地）那就杀吧，杀吧！

乔参议 杀有什么用,（露出一种无济于事的样子）别处工人也会闹起来。

〔半晌。

周朴园 （颓然）是啊，是啊，这样也是不能了结的。

——幕落

雷雨

1954人文版

【题注】据1954年6月人民文学出版社《曹禺剧本选》初版排印。

登场人物

周朴园——某煤矿公司董事长，五十五岁。

周蘩漪——其妻，三十五岁。

周萍——其前妻生子，年二十八。

周冲——蘩漪生子，年十七。

鲁贵——周宅仆人，年四十八。

鲁侍萍——其妻，某校女佣，年四十七。

鲁大海——侍萍前夫之子，煤矿工人，年二十七。

鲁四凤——鲁贵与侍萍之女，年十八，周宅使女。

周宅仆人等：仆人甲，仆人乙……老仆。

时间和地点

第一幕　　夏天，郁热的早晨。——周公馆的客厅内。

第二幕　　当天的下午。——景同第一幕。

第三幕　　当天夜晚十时许。——在鲁家一个小套间。

第四幕　　当天半夜后。——景同第一幕。

第一幕

一个夏天的上午，在周宅的客厅里。左右侧各有一门，一通饭厅，一通书房，中间的门开着，隔一层铁纱门，从纱门望出去，花园的树木绿荫荫的，听得见蝉叫声。右边一座大衣柜，铺着一张黄桌布，上面放着许多摆设。触目的是一张旧相片，很不调和地和这些精致东西放在一起。右边壁炉上有一只钟，墙上挂一幅油画。炉前有两把圈椅。中间靠左的玻璃柜里放满了古玩。柜前有一张小矮凳，左角摆一张长沙发，上面放着三四个缎制的厚垫子。沙发前的矮几上放着烟具等物，台中偏右两个小沙发同圆桌，桌上放着吕宋烟盒和扇子。

所有的帷幕都是崭新的，家具非常洁净，有金属的地方都放着光彩。

郁热逼人。屋中很气闷，外面没有阳光，天空灰暗，是将要落暴雨的气氛。

开幕时，四凤在靠中墙的长方桌旁，背着观众滤药，她不时地揩着脸上的汗。鲁贵——她的父亲——在沙发旁擦着矮几上的银烟具。

四凤约有十七八岁，脸上红润，是个健康的少女。她整个的身体都很发育，手很白很大，走起路来，过于发育的乳房很显明地在衣服底下颤动着。她穿一件旧的纺绸的裤子，一双略旧的布鞋。她全身都非常整洁，举动活泼。经过两年在周家的训练，她说话很大方，爽快，却很有分寸。她的一双大而有长睫毛的水凌凌的眼睛能够很灵敏地转动，也能敛一敛眉头，很庄严地注视着。她有大的嘴，嘴唇自然红艳艳的，很宽，很厚，当着她笑的时候，牙齿整齐地露出来，嘴旁也显着一对笑涡。然而她面部整个轮廓是很庄重地显露着诚恳。她的面色不十分白，天气热，鼻尖微微有点汗，她时时用手绢揩着。她很爱笑，她知道自己是好看的，但是她现在皱着眉头。

她的父亲——鲁贵——约莫四十多岁的样子，神气萎缩，最令人注目的是粗而乱的眉毛同肿眼皮。他的嘴唇，松弛地垂下来，和他眼下凹进去的黑圈，都表示着极端的肉欲放纵。他的身体较胖，面上的肌肉宽弛地不大动，但也能很卑贱地谄笑着。和许多大家的仆人一样，他很懂事，尤其是很懂礼节。他的背略有点伛偻，似乎永远欠着身子向他的主人答应着"是"。他的眼睛锐利，常常贪婪地窥视着，如一只狼。他很能计算的。他穿的虽然华丽，但是不整齐。现在他用一条抹布擦着东西，脚下是他刚刷好的黄皮鞋。时而，他用自己的衣襟揩脸上的油汗。

鲁　贵　四凤！

〔四凤装作不听见，依然滤她的汤药。

鲁　贵　四凤！

鲁四凤　（看了她父亲一眼）喝，真热。（走向右边的柜旁，寻一把芭蕉扇扇着）

鲁　贵　（望着她，停下工作）四凤，你听见了没有？

鲁四凤　（冷冷地）干什么？爸。

鲁　贵　我问你听见我刚才说的话了么？

鲁四凤 都知道了。

鲁　贵 （一向是这样被女儿看待的，只好是抗议似地）妈的，这孩子！

鲁四凤 （回过头来）您少说闲话吧！（挥扇，嘘出一口气）天气这样闷热，回头多半下雨。（忽然）老爷出门穿的皮鞋，您擦好了没有？（到鲁贵面前，拿起一只皮鞋，不经意地）这是您擦的！这么随随便便抹了两下——老爷的脾气您可知道。

鲁　贵 （一把抢过鞋）我的事用不着你管。四凤，你听着，我再跟你说一遍，回头见着你妈，别忘了把新衣服都拿出来给她瞧瞧。

鲁四凤 （不耐烦）听见了。

鲁　贵 叫她想想，还是你爸爸混事有眼力，还是她有眼力。

鲁四凤 （轻蔑地）自然您有眼力啊！

鲁　贵 你还别忘了告诉你妈，你在这儿周公馆吃的好，喝的好，就是白天侍候太太少爷，晚上还是听她的话，回家睡觉。

鲁四凤 那倒不用告诉，妈自然会问的。

鲁　贵 （得意）还有啦，钱，（贪婪地笑着）你手下也有不少钱啦！

鲁四凤 钱！？

鲁　贵 这两年的工钱，赏钱，（意有所指地）还有那零零碎碎的，他们……

鲁四凤 （不愿意听他要说的话）那您不是一块两块都要走了么？喝了，赌了。

鲁　贵 你看，你看，你又急了，急什么？我不跟你要钱。喂，我说，我说的是——（低声）他——不是也不断地塞给你钱花么？

鲁四凤 （惊讶）他？谁呀？

鲁　贵 （索性说出来）大少爷。

鲁四凤 （红了脸）谁说大少爷给我钱？爸爸，您别又穷疯了，胡说乱道的。

鲁　贵 好，好，好，没有，没有。反正这两年你不是存点钱么？我不是跟你要钱，你放心。我说啊，等你妈来，把这些钱也给她瞧瞧，叫她也开开眼。

鲁四凤 哼，妈不像您，见钱就忘了命。（回到中间茶桌滤药）

鲁　贵 （坐在长沙发上，得意地）钱不钱，你没有你爸爸成么？要不到这儿周家大公馆帮主儿，这两年尽听你妈的话，你能每天吃着喝着，大热天还穿得上小纺绸么？

鲁四凤 哼，妈是个本分人，念过书的，讲脸，舍不得把自己的女儿叫人家使唤。

鲁　贵 什么脸不脸？又是你妈的那一套！你是谁家的小姐？——妈的，底下人的女儿，帮了人就失了身份啦？

鲁四凤 （厌恶地）爸，您看您那一脸的油！——您把那皮鞋再擦擦吧。

鲁　贵 讲脸呢，又学你妈的那点穷骨头，你看她，她要脸！跑他妈的八百里外女学堂里当老妈。为着一月八块钱，两年才回一趟家。这叫本分？还念过书呢！简直是没出息。

鲁四凤 （忍气）您留几句回家说吧，这是人家周公馆。

鲁　贵　咦，周公馆也挡不住我跟我女儿谈家务啊！我跟你说，你的妈……

鲁四凤　（突然）我跟您先说下，妈可是好容易才回一趟家。这次，也是看哥哥跟我来的，您要是再给她一个不痛快，我就把您这两年做的事都告诉哥哥。

鲁　贵　我，我，我做了什么事啦?（觉得在女儿面前失了面子）喝点，赌点，玩点，这三样，我快五十的人啦，还怕他么?

鲁四凤　他才懒得管您这些事呢！——可是他每月从矿上寄给妈用的钱，您偷偷地花了，他知道了，就不会答应您！

鲁　贵　那他敢怎么样?（高声地）他妈嫁给我，我就是他爸爸。

鲁四凤　小声点！这有什么喊头。

鲁　贵　哼！（滔滔地）我跟你说，我娶你妈，我还抱老大的委屈呢。你看我这么个机灵人，这周家上上下下几十口子，哪一个不说我鲁贵聒聒叫。来这里不到两个月，我的女儿就在这公馆找上事，就说你哥哥，没有我，能在周家的矿上当工人么？叫你妈说，她成么？——这样，你哥哥同你妈还是一个劲儿地不赞成我。这次回来，你妈要还是那副寡妇脸子，我就当你哥哥的面上不认她，说不定就离了她，别看她替我养个女儿，外带来你这个倒霉蛋的哥哥——

鲁四凤　爸爸。您——

鲁　贵　哼，谁知道是哪个王八蛋养的儿子。

鲁四凤　哥哥哪点对不起您，您这样骂他干什么?

鲁　贵　他哪一点对得起我？当大兵，拉包月车，干机器匠，念书上学，哪一行他是好好地干过！好容易我荐他到了周家的矿上去，他又跟工头闹起来，把人家打啦。

鲁四凤 （小心地）我听说，不是我们老爷先叫矿上的警察开了枪，工人们才动的手么？

鲁　贵 反正这孩子混蛋，吃人家的钱粮，就得受人家的管。好好的，要罢工，现在又得靠我这老面子跟老爷求情啦！

鲁四凤 您听错了吧。哥哥说他自己要见老爷，不是找您求情来的。

鲁　贵 （得意）可谁叫我是他的爸爸呢，我不能不管哪。

鲁四凤 （轻蔑地看着她的父亲，叹了一口气）好，您歇歇吧，我要上楼给太太送药去了。（端起药碗向左边饭厅走）

鲁　贵 你先等一会儿，我再说一句话。

鲁四凤 （打岔）开午饭了，普洱茶先泡好了没有？

鲁　贵 那用不着我，他们小当差早侍候到了。

鲁四凤 哦，那我走了。

鲁　贵 （拦住她）四凤，你别忙，我跟你商量点事。

鲁四凤 什么？

鲁　贵 你听啊，昨天不是老爷的生日么？大少爷也赏给我四块钱。

鲁四凤 好极了，（口快地）我要是大少爷，我一个子也不给您。

鲁　贵 （鄙笑）这话有理！四块钱，够干什么的，还了点账就干了。

鲁四凤 （伶俐地）那回头您跟哥哥要吧。

鲁　贵 四凤，别——你爸爸什么时候借钱不还账？现在你手下方便，随便匀给我七块八块的好么？

鲁四凤 我没有钱。（停一下）您真是还账了么？

鲁　贵　真的！（赌咒）我跟我的亲生女儿说瞎话是王八蛋！——说起来这不怪我。昨天那几个零钱，还大账不够，小账剩点零，所以我就要了两把，也许赢了钱，不都还了么？谁知运气不好，连喝带输，还倒欠了十来块。

〔四凤望着鲁贵。

鲁　贵　这可一句瞎话也没有。

鲁四凤　那我实实在在地告诉您，我也没有钱！（说完就要拿起药碗）

鲁　贵　（着急）凤儿，你这孩子是什么心思？你可是我的亲生孩子。

鲁四凤　亲生的女儿也不能见天见地替您老人家还赌账啊？

鲁　贵　（严重地）孩子，你可放明白点，你妈疼你，只在嘴上，我可是把你的什么要紧的事情，都放在心上。

鲁四凤　（明白他有所指）您又要说什么？

鲁　贵　（四面望了一望，逼近四凤）我说，大少爷常跟我提过你，大少爷，他说——

鲁四凤　（管不住自己）大少爷！大少爷！你疯了！——我走了，太太就要叫我呢。

鲁　贵　别走，我问你，前天！我看见大少爷买衣料——

鲁四凤　（沉下脸）怎么样？

鲁　贵　（上下打量）嗯——（盯住四凤的手）这戒指，（笑着）不也是他送给你的么？

鲁四凤　（厌恶地）您看您说话的神气！

鲁　贵　你不必这样假门假事，你是我的女儿。（忽然贪婪地笑着）一个当差的女儿，收人家点东西，用人家一点钱，没有什么说不过去的。这不要紧，我都明白。

鲁四凤 您就直说吧，究竟要多少钱用？

鲁　贵 不多，三十块钱就成了。

鲁四凤 哦，那您就跟您那大少爷要去吧。

鲁　贵 （恼羞）好孩子，你以为我真装胡涂，不知道你同那混账大少爷做的事么？

鲁四凤 （压住怒气）您是父亲么？父亲有跟女儿这样说话的么？

鲁　贵 我是你的爸爸，我就要管你。我问你，前天晚上——

鲁四凤 前天晚上？

鲁　贵 我不在家，你半夜才回来，你干什么来着？

鲁四凤 （掩饰）我替太太找东西呢。

鲁　贵 为什么那么晚才回家？

鲁四凤 （轻蔑地）您这样的父亲没有资格来问我。

鲁　贵 好文明词！你就说不上你上哪儿去了。

鲁四凤 那有什么说不上！

鲁　贵 那你说！

鲁四凤 那是太太听说老爷刚回来，又要我捡老爷的衣服。

鲁　贵 哦，（低声，恐吓地）可是半夜送你回家的那位是谁？坐着汽车，醉醺醺，直对你说胡话的那位是谁呀？（得意地微笑）

鲁四凤 那，那——

鲁　贵 （大笑）你不用说了，那是我们鲁家的阔女婿！——哼，我们两间半破瓦房居然来了坐汽车的男朋友，找我这当差的女儿啦！（严厉）我问你，他是谁？你说。

〔四凤愣住。

〔鲁大海——四凤的哥哥，鲁贵的半子——进，他身体魁伟，眉毛粗而黑，两颊微微地向内凹，方方的下巴和锐利的眼睛，都表现他的性格的倔强。他有一张薄薄的嘴唇，正和他的妹妹带着南方的热情的，厚而红的嘴唇成强烈的对照。他说话微微有点口吃似的，但是在他的感情激昂的时候，词锋是锐利的。现在他刚从六百里外的煤矿回来。矿里罢了工，他是煽动者之一。几月来的精神的紧张，使他现在露出有点疲乏的神色，胡须乱蓬蓬的，看去几乎老得像鲁贵的弟弟。只有逼近地观察他，才觉出他的眼神同声音，还正是和他的妹妹一样年轻，一样地热，都是像火山要爆发，满蓄着精力的白热的人物。他穿了一件工人的蓝布褂子，油渍的草帽在手里，一双黑皮鞋，有一根鞋带早不知落在哪里。进门的时候，他略微有点不自在。他说话很简短，表面是冷冷的。

鲁大海　凤儿！

鲁四凤　哥哥！

鲁　贵　（向四凤）你说呀！装什么哑巴。

鲁四凤　（看大海）哥哥！

鲁　贵　（不顾）你哥哥来也得说呀。

鲁大海　怎么回事？

鲁　贵　你先别管。

鲁四凤　哥哥，没什么要紧的事。（向鲁贵）好吧，爸，我们回头商量。

鲁　贵　回头商量?(再盯四凤一眼)好，就这么办。(向大海，傲慢地)咦，你怎么随随便便跑进来啦?

鲁大海　(简单地)我在门房等了半天了。

鲁　贵　大海，到底你是矿上打粗的，连一点大公馆的规矩也不懂。

鲁四凤　人家不是周家的底下人。

鲁　贵　你在矿上吃的也是周家的饭哪。

鲁大海　(冷冷地)他在哪儿?

鲁　贵　(故意地)他，谁是他?

鲁大海　董事长。

鲁　贵　老爷就是老爷，什么董事长，上我们这儿就得叫老爷。

鲁大海　你给我问他一声，说矿上的工人代表来了。

鲁　贵　我看，你先回家去。(有把握地)矿上的事有你爸爸在这儿替你张罗。回头跟你妈，妹妹聚两天。等你妈走，你回到矿上，事由还是有你的。

鲁大海　我们的事你不懂，就别再操心了。

鲁四凤　(希望鲁贵走)爸，你还是看看老爷的客走了没有，再领着哥哥见老爷。

鲁　贵　(摇头)哼，我怕他不会见你吧。

鲁大海　(理直气壮)你告诉他，工人代表鲁大海要见他。他把我们约来的，就前天，已经在这儿的公司见过他啦。

鲁　贵　(犹疑地)那我先给你问问去。

鲁四凤　你去吧。

鲁　贵　（走到书房门口，转过来）他要是见你，你可少说粗话，听见了没有？（很老练地走着，自以为是阔当差的步伐，进了书房门）

鲁大海　（目送鲁贵进了书房，摇摇头）哼，他忘了他还是个人。

鲁四凤　（有些责备地）哥哥！（胆怯地望着哥哥）哥哥你说话小声点，老爷就在里边呢！

鲁大海　（望着她）好。妈也快回来了，我看你把周家的活儿辞了，好好回家。

鲁四凤　（诧异）为什么？

鲁大海　这不是你待的地方。

鲁四凤　为什么？

鲁大海　（仇恨地）周家的人不是好东西。这两年我在矿上看够了他们做的事。（缓缓地）我恨他们。

鲁四凤　你看见什么？

鲁大海　凤儿，你不要看这样威武的房子，哼，这都是矿上压死的苦工人给换来的！

鲁四凤　你别胡说，这屋子听说直闹鬼呢。

鲁大海　（忽然）刚才我看见一个年轻人，在花园里躺着，脸色发白，闭着眼睛，像是要死的样子，听说这就是周家的大少爷，我们董事长的儿子。啊，报应，报应。

鲁四凤　（气）你，——（忽然）他待人顶好，你知道么？

鲁大海　他父亲做尽了坏人弄钱，他会是个好东西？！

鲁四凤　（望大海）两年没见你，你跟从前不一样了。

鲁大海　这两年——（走了两步，又回身向四凤，望着她）我倒觉得你变了。

〔鲁贵由书房门上。

鲁　贵　好容易客人刚走，我正要回话，又来了一位。（向大海）我看我们先下去待一会儿吧。

鲁大海　那我就先进去跟他谈谈。（要向书房门走）

鲁　贵　（拦住他）干什么？

鲁四凤　不，不。哥哥你先——

鲁大海　好，（沉吟一下）也好，不要叫他看着我们工人不懂规矩。

鲁　贵　你看你这点骨头！老头说不见就不见，到下房再等一等算什么！我跟你走，这么大院子，你别胡闯乱闯走错了。（走向中门，回头）四凤，你先别走，我就回来，你听见没有？

鲁四凤　你去吧。

〔鲁贵，大海同下。

〔四凤厌倦地坐到沙发上。

〔听见外面花园里一个年轻的轻快的声音，唤着“四凤！”渐渐移到中间门口。

鲁四凤　（有点惊慌）哦，二少爷。

〔周冲的声音：四凤！四凤！

〔四凤慌忙站起躲在沙发背后。

〔周冲——周朴园的小儿子，十七岁，穿着打球的白衣服，左腋下挟着一只球拍，一面用毛巾擦汗，快步走进。他有着一切孩子的空想，他的脸色通红，眼睛欣喜地闪动着。

周　冲　四凤！四凤！（四面张望）咦，不在这儿。（蹑足走向右边的饭厅，开开门，低声）四凤你出来，我告诉你一件事。（又轻轻地走到书房门口，更低声）四凤。

〔周朴园的声音：是冲儿么？

周　冲　（胆怯地）是我，爸爸。

〔周朴园的声音：你在干什么？

周　冲　我找四凤。

〔周朴园的声音：她不在这儿。

周　冲　（把头由门口缩回来，做了一个鬼脸）咦，奇怪。（失望地向右边的饭厅走去）

〔四凤看见周冲已走，嘘出一口气。

〔鲁贵由中门进。

鲁　贵　（向四凤）刚才是谁在喊你？

鲁四凤　二少爷。

鲁　贵　他叫你干什么？

鲁四凤　谁知道。

鲁　贵　（责备）你为什么不理他？

鲁四凤　不是您叫我等着么？您有话就讲吧。

鲁　贵　你看，刚才我走到下房，这些王八蛋就堵着门口跟我要账，当着上上下下好些人，我看没有二十块钱，简直圆不下这个脸。

鲁四凤　（拿出钱来）我的都在这儿。这是我回头预备给妈添衣服的，您先拿去吧。

鲁　贵　（假意）那你不是没有花的了么？

鲁四凤　得了，您别这样客气啦。

鲁　贵　（笑着接下钱，数）就十二块？

鲁四凤　（坦白地）现钱我只有这么一点。

鲁　贵　（故意为难的样子）那这些要账的，怎么打发呢？

鲁四凤　（忍着气）您叫他们晚上到我们家里要吧。回头，见着妈，再想别的法子，这钱，您留着自己用吧。

鲁　贵　（高兴地）这给我啦，那我只当着你这是孝敬爸爸的。——好孩子，我早知道你有这份儿孝心。

鲁四凤　（没有办法）这回您让我上楼去了吧。（端起药碗）

鲁　贵　你看，谁管过你啦。去吧，跟太太说一声，说鲁贵直惦记太太的病。

鲁四凤　知道，忘不了。

鲁　贵　（得意）对了，四凤，我还告诉你一件事。

鲁四凤　您留着以后再说吧。

鲁　贵　（暗示着）你看，这是你自己的事。（假笑）

鲁四凤　（沉下脸）我又有什么事？（放下药碗）好，我们今天都算清楚再走。

鲁　贵　你瞧瞧，又急了。真快成小姐了，耍脾气倒是聒聒叫啦。

鲁四凤　您说吧。

鲁　贵　孩子，你别这样，（正经地）我劝你小心点。

鲁四凤　（嘲弄地）我现在钱也没有了，还用得着小心干什么？

鲁　贵　我跟你说，太太这两天的神气有点不大对。

鲁四凤 太太的神气不对有我什么关系？

鲁　贵 我怕太太看见你才有点不痛快。

鲁四凤 为什么？

鲁　贵 为什么？我先提你个醒。老爷比太太岁数大得多，太太跟老爷不好。大少爷不是这位太太生的，他比太太的岁数差得也有限。

鲁四凤 我都知道。

鲁　贵 你知道这屋子为什么晚上没有人来，老爷在矿上的时候，就是白天也是一个人也没有么？

鲁四凤 不是半夜里闹鬼么？

鲁　贵 哼，鬼？一点也不错，我可看见过。

鲁四凤 您看见来着？

鲁　贵 （自负地）嗯，这是你爸爸的造化。

鲁四凤 怎么？

鲁　贵 那时你还没有来，老爷在矿上，那么阴森森的大院子，就太太，二少爷，大少爷住。那时这屋子就闹鬼，二少爷是小孩，胆小，叫我在他门口睡。是个秋天，半夜里二少爷忽然把我叫起来，说客厅又闹鬼，硬叫我去看看。我直发毛，可那会儿我刚来，少爷说了，我还能不去？

鲁四凤 您去了？

鲁　贵 我就喝了两口烧酒壮壮胆子，穿过荷花池，偷偷地钻到这门外的走廊旁边。到门口，就听见这屋子里啾啾啾地像一个女鬼在哭。哭得惨！心里越怕，越想看。我就硬着头皮，从这窗缝里向里一望。

鲁四凤 （紧张地望着他）您瞧见什么？

鲁　贵 就在这张桌上点着一支要灭不灭的洋蜡烛。我恍恍惚惚地看见两个穿着黑衣裳的鬼，并排地坐着，像是一男一女，背朝着我。这个女鬼像是靠着男的身边哭，那个男鬼低着头直叹气。

鲁四凤 真的？

鲁　贵 可不是！我就乘着酒劲儿，朝着窗户缝，轻轻地咳嗽一声。这两个鬼就飕一下子分开了，都朝我这边望。这一下子他们的脸清清楚楚地正对着我。这我可真见了鬼了！

鲁四凤 什么样？

〔鲁贵停一下，四面望一望。

鲁四凤 谁？

鲁　贵 我这才看见那个女鬼呀，（回头，低声）——是我们的太太。

鲁四凤 太太？

鲁　贵 那个男鬼，——就是大少爷。

鲁四凤 他？

鲁　贵 就是他，他同他的后娘就在这屋子里闹鬼呢。

鲁四凤 （故意不在意地）我不信，准是您看错了。

鲁　贵 没个错，你不用骗自己。所以孩子，你看开点，别胡涂，周家的人就是那么一回事。

鲁四凤 不，不会。

鲁　贵 你忘了，大少爷比太太只小六七岁。

〔四凤摇头。

鲁　贵　好，信不信都在你，反正我先告诉你，太太的神气现在对你不大对，就是因为你，因为你同——

鲁四凤　（连忙岔开）太太要知道是您，一定不会饶您的。

鲁　贵　是啊，我吓了一身汗，我没等他们来，我就跑了。

鲁四凤　可是太太那个人她不会算了吧？

鲁　贵　她当然厉害，拿话套了我十几回，我一句话也没有漏出来。这两年过去，说不定他们倒以为那晚上真是鬼在咳嗽呢。

鲁四凤　（自语）不，不，我不信。

鲁　贵　你不信？又做你的梦啦，不想想，你是谁？他是谁？你，就凭你没有个好爸爸，人家大少爷会……

鲁四凤　（突然）您别说了！（站起来）妈今天回家，您看我太快活是么？您说这些瞎话——这些瞎话！

鲁　贵　你看你，告诉你真话，你倒生气了，唉，你呀！（傲然地扫四凤一眼，走到茶几旁，很熟练地偷了几支烟卷，放在自己的旧烟盒里）

鲁四凤　（望着他，冷冷地）没有话了吧，我走了。（拿起药碗就走）

鲁　贵　别走，话还没完呢。（轻描淡写地）回头你妈就到这儿来找你。

鲁四凤　（变色）什么？

鲁　贵　你妈一下火车，就到这儿公馆来。

鲁四凤　妈不愿意我在公馆里帮人，您为什么叫她到这儿来找我？反正我每天晚上回家，您叫她到这儿来干什么？

鲁　贵　不是我，孩子，是太太要我找她来的。

鲁四凤　太太要她来?

鲁　贵　嗯,（神秘地）奇怪不是，没亲没故。你看太太偏要请她来谈一谈。

鲁四凤　您别吞吞吐吐地成么?

鲁　贵　你知道太太为什么一个人在楼上，装病不下来?

鲁四凤　老爷一回家，太太向来是这样。

鲁　贵　这次不对吧?

鲁四凤　有什么不对?

鲁　贵　你一点不觉得?——大少爷没提过什么?

鲁四凤　没有，我就知道这半年多，他跟太太不常说话。

鲁　贵　哦——那么太太对你呢?

鲁四凤　这几天比往日特别地好。

鲁　贵　那就对了！——我告诉你，太太知道我不愿意你离开这儿。这次，她自己要对你妈说，叫她带着你卷铺盖滚蛋!

鲁四凤　（低声）她要我走——可是——为什么?

鲁　贵　那你自己明白!

鲁四凤　（低声）要妈来干什么?

鲁　贵　她要告诉你妈一件事。

鲁四凤　（突然明白）哦，爸爸，无论如何，我在这儿的事，不能让妈知道的。（惧悔交集，流下泪来）爸爸，您想，妈前年离开我的时候，她嘱咐过您，好好地看着我，不许您送我到公馆帮人。您不听，您要我来。妈不知道这些事，我死也不能叫妈知道这儿这些事情的。（扑在桌上）妈呀！

鲁　贵　孩子！（轻轻抚着四凤）你看现在才是爸爸好了吧，爸疼你，不要怕！她不敢怎么样，她不会辞你的。这儿呀，还有一个人叫她怕呢！

鲁四凤　谁？

鲁　贵　哼，她怕你的爸爸！你忘了我告诉你那两个鬼哪。昨天晚上我替你告假，她说你妈来的时候，要我叫你妈来。我看她这两天的神气，我就猜着了一半，我顺便就把那天半夜的事提了两句，她是机灵人，不会不懂的。——哼，她要是跟我装蒜，现在老爷在家，咱们就是个麻烦。我知道她是个厉害人，可是谁欺负了我的女儿，我就跟谁拼了！

鲁四凤　（抬起头）您可不要胡来！

鲁　贵　这家除了老头，我谁也看不上眼。别着急，有你爸爸。再说，也许是我瞎猜，她原来就许没有这意思。她外面倒是跟我说，因为听说你妈会读个书写个字，才想见见谈谈。

鲁四凤　（忽然谛听）您别说话，我听见好像有人在饭厅咳嗽似的。

鲁　贵　（听一下）别是太太吧？（走到通饭厅的门前，由锁眼窥视，忙回来）可不是她，奇怪，她下楼来了。别慌，什么话也别提，我走了。

鲁四凤　（擦干泪）嗯，妈来了，您先告诉我一声。

鲁　贵　对了，见着你妈，就当什么都不知道，听见了没有？（走到中门，又回头）别忘了，跟太太说鲁贵惦记着太太的病。（慌忙由中门下）

〔四凤端着药碗向饭厅门走，至门前，周蘩漪进。她一望就知道是个果敢阴鸷的女人。她的脸色苍白，只有嘴唇微红，她的大而灰暗的眼睛同高高的鼻梁令人觉得很美，但是有些可怕。在眉目间，在那静静的长的睫毛的下面，看出来她是忧郁的。有时为心中的郁积的火燃烧着，她的眼光会充满了一个年轻妇人失望后的痛苦与怨望。她的嘴角向后略弯，显出一个受抑制的女人在管制着自己。她那雪白细长的手，时常在她轻轻咳嗽的时候，按着自己瘦弱的胸。直等自己喘出一口气来，她才摸摸自己胀得红红的面颊。她是一个中国旧式女人，有她的文弱，她的哀静，她的明慧，——她对诗文的爱好，但是她也有更原始的一点野性：在她的心里，她的胆量里，她的狂热的思想里，在她莫名其妙的决断时忽然来的力量里。整个地来看她，她似乎是一个水晶，只能给男人精神的安慰，她的明亮的前额表现出深沉的理解；但是当她陷于情感的冥想中，忽然愉快地笑着；当着她见着她所爱的，快乐的红晕散布在脸上，两颊的笑涡也显露出来的时节，你才觉得出她是能被人爱的，应当被人爱的，你才知道她到底是一个女人，跟一切年轻的女人一样。她爱起你来像一团火，那样热烈，恨起你来也会像一团火，把你烧毁的。然而她的外形是沉静的，忧烦的，她像秋天傍晚的树叶轻轻落在你的身旁，她觉得自己的夏天已经过去，生命的晚霞早暗下来了。

〔她通身是黑色。旗袍镶着灰银色的花边。她拿着一把团扇，挂在手指下，走进来，很自然地望着四凤。

鲁四凤　太太！怎么您下楼来啦？我正要给您把药送上去呢！

周蘩漪　老爷在书房里么？

鲁四凤　老爷在书房里会客呢。

周蘩漪　谁来了？

鲁四凤　刚才是警察局长，现在不知道是谁。您要见他？

周蘩漪　不。（又停一下，看看四面）两礼拜没下来，这屋子改了样子了。

鲁四凤　是的，老爷说原来的样子不好看，又把您添的新家具搬走了几件。这是老爷自己摆的。

周蘩漪　（看看右面的衣柜）这只旧衣柜，又拿来了。（咳，坐下）

鲁四凤　太太，您脸上像是发烧，还是到楼上歇着吧。

周蘩漪　不，楼上太热。（咳）

鲁四凤　老爷说太太有病，嘱咐过请您好好地在楼上躺着。

周蘩漪　我不愿意躺在床上。——哦，我忘了，老爷哪一天从矿上回来的？

鲁四凤　大前天晚上。老爷看您烧得厉害，叫我们别惊醒您，就一个人在楼下睡的。

周蘩漪　白天我像是没见过老爷来。

鲁四凤　嗯，这两天老爷天天到省政府开会，到晚上才上楼看您。可是您又把门锁上了。

周蘩漪　（不经意地）哦，哦——怎么，楼下也这样闷热。

鲁四凤　对了，闷的很。一早晨黑云就遮满了天，也许今儿个会下一场大雨。

周蘩漪　换一把大点的团扇，我简直有点喘不过气来。

〔四凤拿一把大蒲扇给蘩漪，蘩漪望着四凤，又故意地转过头去。

周蘩漪　怎么这两天没见着大少爷？

鲁四凤　大概是很忙。

周蘩漪　听说他也要到矿上去，是么？

鲁四凤　我不知道。

周蘩漪　你没有听见说么？

鲁四凤　没有，倒是伺候大少爷的张奶奶这两天尽忙着给他捡衣裳。

周蘩漪　你父亲干什么呢？

鲁四凤　不知道。——他说，他问太太的病。

周蘩漪　他倒是惦记着我。（停一下，忽然）他现在还没起来么？

鲁四凤　谁？

周蘩漪　（没有想到四凤这样问，忙收敛一下）嗯——大少爷。

鲁四凤　我不知道。

周蘩漪　（看了她一眼）嗯？

鲁四凤　我没看见大少爷。

周蘩漪　他昨天晚上什么时候回来的？

鲁四凤　（红脸）我每天晚上总是回家睡觉，我不知道。

周蘩漪　（不自主地）哦，你每天晚上回家睡！（觉得失言）老爷回来，家里没有人会侍候他，你怎么天天要回家呢？

鲁四凤　太太，不是您吩咐过，叫我回去睡么？

周蘩漪　那时是老爷不在家。

鲁四凤　我怕老爷念经吃素，不喜欢我们侍候他。

周蘩漪　哦，（忽而抬起头来）这么说，他在这几天就走，究竟到什么地方去呢？

鲁四凤　（胆怯地）您是说大少爷？

周蘩漪　（注视四凤）嗯！

鲁四凤　我没听见。（嗫嚅地）他，他总是两三点钟回家，我早晨像是听见我父亲叨叨说下半夜给他开的门来着。

周蘩漪　他又喝醉了么？

鲁四凤　我不清楚。（想找一个新题目）——太太，您吃药吧。

周蘩漪　谁说我要吃药？

鲁四凤　老爷吩咐的。

周蘩漪　我并没请医生，哪里来的药？

鲁四凤　老爷说您犯的是肝郁，今天早上想起从前您吃的老方子，就叫抓一服，给您煎上。

周蘩漪　煎好了没有？

鲁四凤　煎好了，凉在这儿好半天啦。（递药给蘩漪）您喝吧。

周蘩漪　（喝一口）苦得很。谁煎的？

鲁四凤　我。

周蘩漪　难喝，倒了它。

鲁四凤　倒了？

周蘩漪　（想起周朴园严厉的脸）先放在那儿也好。不，（厌恶）还是倒了它。

鲁四凤 （犹豫）嗯。

周蘩漪 这些年喝这种苦药，我大概是喝够了。

鲁四凤 （拿着药碗）您忍一忍，喝了吧。药苦可能够治病。

周蘩漪 （忽然恨起来）谁要你劝我？倒掉！（自己觉得失了身份）这次老爷回来，我听老妈子说他瘦了。

鲁四凤 嗯，瘦多了，也黑多了。听说矿上正在罢工，老爷很着急的。

周蘩漪 老爷很不高兴么？

鲁四凤 老爷还是那样。除了会客，出门，在家里一句话也没有说。

周蘩漪 没有跟少爷们说话么？

鲁四凤 见了大少爷只点一点头，没说话，倒是问了二少爷学堂的事。——对了，二少爷今天早上还问您的病呢。

周蘩漪 你告诉他我很好就是了——回头叫账房拿四十块钱给二少爷，说是给他买书的。

鲁四凤 二少爷想看看您。

周蘩漪 那就叫他到楼上来见我。——（站起来，踱了两步）哦，这屋子怎么这样闷气，里里外外，都像发了霉。

鲁四凤 （想想）太太，今天我想跟您告假。

周蘩漪 是你母亲从济南回来了么？——你父亲说过来着。

〔花园里周冲的声音：四凤！四凤！

周蘩漪 你去看看，二少爷在喊你。

〔周冲的声音：四凤。

鲁四凤 在这儿。

〔周冲由中门进。

周　冲　（进门只看见四凤）四凤，我找你一早晨。（看见蘩漪）妈，怎么您下楼来了？

周蘩漪　冲儿，你怎么啦？一脸汗。

周　冲　我刚和一个同学打网球。（亲热地）我正有许多话要跟您说。您好一点儿没有？（坐在蘩漪身旁）这两天我到楼上看您，您怎么总把门关上？

周蘩漪　我想清净清净。你看我的气色怎么样？四凤，你给二少爷拿一瓶汽水。你看你的脸通红。

〔四凤由饭厅门口下。

周　冲　（高兴地）让我瞧瞧。我看您很好，没有一点病。为什么他们总说您有病呢？您一个人躲在房里，父亲回家三天了，您都没有见着他。

周蘩漪　（忧郁地看着周冲）我心里不舒服。（忽然）冲儿，你是十七了吧？

周　冲　妈，您要再忘了我的岁数，我真得跟您生气啦！

周蘩漪　（笑笑）妈是不好，有时候连自己都忘了在哪儿。（沉思）——哦，十八年了，在这个家里，你看，妈老了吧？

周　冲　不，您想什么？

周蘩漪　不想什么。

〔四凤拿汽水上。

鲁四凤　二少爷。

周　冲　谢谢你。

〔四凤红脸，倒汽水。

周　冲　你给太太再拿一个杯子来，好么？

〔四凤下。

周蘩漪　（目不转睛地看着四凤和周冲）冲儿，你们为什么这样客气？

周　冲　（喝水）妈，我就想告诉您，那是因为，——

〔四凤进。

周　冲　——回头我跟您讲。——怎么这屋子这样热？

周蘩漪　大概是窗户没有开。

周　冲　我来开。

鲁四凤　老爷说过不叫开，说外面比屋里热。

周蘩漪　不，打开。他在外头一去就是两年不回家，这屋子里的死气他是不知道的。

〔四凤拉开窗前的帷幔。

周　冲　（见四凤很费力地移动窗前的花盆）四凤，你不要动。让我。（走过去）

周蘩漪　（转向四凤）你到厨房去看一看，看看给老爷做的什么素菜。

〔四凤由中门下。

周蘩漪　冲儿！

〔周冲走回来。

周蘩漪　坐下，你说吧。

周　冲　（看着蘩漪，带了希冀和快乐的神色）妈，我这两天很快活。

周蘩漪　在这家里你能快活，自然好。

周　冲　妈，我一向什么都不肯瞒着您，您不是一个平常的母亲，您最大胆，最有想像，又最同情我的思想的。

周蘩漪　嗯。

周　冲　妈，我要告诉您一件事——不，我要跟您商量商量。

周蘩漪　你先说给我听听。

周　冲　妈，（神秘地）您不说我么？

周蘩漪　不说，你讲吧。

周　冲　（高兴地）哦，妈——（迟疑着）不，我不说了。

周蘩漪　（笑了）为什么？

周　冲　我，我怕您生气。说了以后，您还是一样地喜欢我么？

周蘩漪　傻孩子，妈永远是喜欢你的。

周　冲　（笑）好妈妈。真的，您还喜欢我？不生气？

周蘩漪　当然，你说吧。

周　冲　说完了不许您笑话我！

周蘩漪　嗯，不笑话你。

周　冲　真的？

周蘩漪　真的！

周　冲　妈，我现在喜欢一个人。

周蘩漪　（证实了她的疑惧）哦！

周　冲　（望着蘩漪的凝视的眼睛）妈，您看，您的神气又好像说我不应该似的。

周蘩漪　（摇头）没有啊，没有，你讲吧！（提起兴会）这个女孩子是谁？

周　冲　（拦不住的热情）她是世界上最，最——（看一看蘩漪）反正她是我认为最满意的女孩子。她心地单纯，她懂得活着的快乐，她知道同情，她明白劳动有意义。最好的，她不是小姐堆里娇生惯养出来的人。

周蘩漪　（不经意地）你不是喜欢受过教育的人么？她念过书么？

周　冲　自然没念过书。这是她，也可说是她唯一的缺点，然而这并不怪她。

周蘩漪　哦。（眼睛暗下来，不得不问下去）冲儿，你说的不是——四凤？

周　冲　是，妈妈。——妈，我知道旁人会笑话我，您不会不同情我的。

周蘩漪　（惊愕，自语）怎么，我的孩子——真是怪事。

周　冲　（焦灼）您不愿意么？您以为我做错了么？

周蘩漪　不，不，那倒不。我怕她这样的孩子不会给你幸福的。

周　冲　不，她是个聪明有感情的人，并且她懂得我。

周蘩漪　你不怕父亲不满意你么？

周　冲　这是我自己的事情。

周蘩漪　别人知道了说闲话呢？

周　冲　那我更不放在心上。

周蘩漪　这倒像我自己的孩子。不过我怕你走错了。第一，她始终是个没受过教育的下等人。你要是喜欢她，她当然以为这是她的福气。

周　冲　妈，您以为她没有主张么？

周蘩漪　冲儿，你把什么人都看得太高了。

周　冲　妈，我认为您这句话对她用是不合适的。她是最纯洁，最有主张的好孩子，昨天我跟她求婚——

周蘩漪　（更惊愕）什么？求婚？（笑起来）你跟她求婚？

周　冲　（不喜欢母亲这样的态度）您不要笑！她拒绝我了。——可是我很高兴，这样我觉得她更高贵了。她说她不愿意嫁给我。

周蘩漪　哼。

周　冲　你以为她不答应我，是故意地虚伪么？不，她说，她心里另外有一个人。

周蘩漪　谁？她说？

周　冲　我没有问。总是她的邻居，常见的人吧。——不过真的爱情免不了波折，我爱她，她会渐渐地明白我，喜欢我的。

周蘩漪　（抑制不住）我的儿子要娶也不能娶她。

周　冲　（出乎意料）妈，您为什么这样？四凤是个好女孩子，她背地总是很佩服您，敬重您的。

周蘩漪　你现在预备怎么样？

周　冲　我预备把这个意思告诉父亲。

周蘩漪　你忘了你父亲是什么样一个人啦！

周　冲　我一定要告诉他的。我将来并不一定跟她结婚。如果她不愿意我，我仍然是尊重她，帮助她的。但是我希望她现在受教育，我希望父亲允许我把我的教育费分给她一半上学。

周蘩漪　你真是个孩子。

周　冲　（不高兴地）不，妈，我不是孩子了。

周蘩漪　你父亲一句话就把你所有的梦打破了。

周　冲　我不相信。——（有点沮丧）得了，我们不谈这个吧。妈，昨天我见着哥哥，他说他这次可要到矿上去做事了，他明天就走，他说他太忙，他叫我告诉您一声，他不上楼见您了。您不会怪他吧？

周蘩漪　为什么怪他？

周　冲　我总觉得您同哥哥的感情不如以前那样似的。妈，您想，他自幼就没有母亲，性情自然容易古怪。我想他的母亲一定也感情很重的，哥哥就是一个很有感情的人。

周蘩漪　你父亲回来了，你少说哥哥的母亲，免得你父亲又板起脸，叫一家子不高兴。

周　冲　妈，可是哥哥现在真有点怪，他喝酒喝得很多，脾气很暴，大前天他喝醉了，拉着我的手，跟我说，他恨他自己，说了许多我不大明白的话。

周蘩漪　哦！

周　冲　最后他忽然说，他从前爱过一个他决不应该爱的女人！

周蘩漪　（自语）从前？

周　冲　说完就大哭，当时又逼着我离开他的屋子。

周蘩漪　以后还说什么话么？

周　冲　没有，他很寂寞的样子，我替他很难过，他到现在为什么还不结婚呢？

周蘩漪　（喃喃地）谁知道呢？谁知道呢？

周　冲　（听见门外脚步的声音，回头看）咦，哥哥进来了。

〔推开中门，周萍进。他约莫有二十八九，颜色苍白，躯干比他的弟弟略微长些。他的面目清秀，甚至于可以说美，但不是一看就使女人醉心的那种男子。他有宽而黑的眉毛，有厚的耳垂，粗大的手掌，乍一看，有时会令人觉得他有些憨气的。不过，若是你再长久地同他坐一坐，会感到他的气味不是你所想的那样纯朴可喜。在他灰暗的眼神里，你看见了不定，犹疑，怯弱同矛盾。他的唇角时常松弛地垂下来。一点疲乏会使他眸子发呆，叫你觉得他不能克制自己，也不能有规律地终身做一件事。他明白自己的病，他在改，不，不如说永远悔恨自己在过去铸成的错误。当着一个新的冲动来时，他的热情，他的欲望，整个又如潮水似地冲上来，淹没了他。他一星星的理智，只是一段枯枝卷在漩涡里。这样，很自然地一个大错跟着一个更大的错。但他认为自己是有道德观念的，有感情的，于是他痛苦，他恨自己，他羡慕一切没有顾忌，敢做坏事的人。他又羡慕一切能抱定一件事业向前做，依循着一般人所谓的道德，做模范市民，模范家长的人，于是他佩服他的父亲。他的父亲在他的见闻里，除了一点倔强，冷酷，——但是这个也是他喜欢的，因为这两种性格他觉得自己都没有——是一个无瑕的男子。他觉得他在那一方面欺骗他的父亲是不对了，他要把自己“拯救”起来，他需要新的“力”，无论是什么，只要能帮助他，把他由矛盾的苦海中救出来。他愿意找，他找着四凤，他发现他最需要的那一点东西，是洋溢地流动着在四凤的身体里。她有“青春”，有“美”，有热情，固然他也觉得她粗，但是现在他觉到这才是他需要的，现在他厌恶一切忧郁过分的女人，同那些细致的情绪。

〔然而依然有一种不满的感情的波纹在他心里隐约地流荡着，潜伏着。当他认为四凤不能了解也不能安慰他的时候，他便不自主地纵酒，狂欢，沉湎在一切外面的刺激之中。于是他精神颓丧，永远成了不安定的神情。

〔现在他穿一件藏青的绸袍，西服裤，漆皮鞋，没有修脸，整个是不整齐。他打着呵欠。

周　冲　哥哥。

周　萍　你在这儿。

周蘩漪　（觉得没有理自己）萍！

周　萍　哦？（低了头，又抬起）您——您也在这儿。

周蘩漪　我刚下楼来。

周　萍　（转头问周冲）父亲没有出去吧？

周　冲　没有，你预备见他么？

周　萍　我想在临走以前跟父亲谈一次。（一直走向书房）

周　冲　你不要去。

周　萍　他老人家干什么呢？

周　冲　他大概跟一个人谈公事。我刚才见着他，他说他一会儿会到这儿来，叫我们在这儿等他。

周　萍　那我先回到我屋子里写封信。（要走）

周　冲　不，哥哥，母亲说好久不见你。你不愿意一齐坐一坐，谈谈么？

周蘩漪　你看，你让哥哥歇一歇，他愿意一个人坐着的。

周　萍　（有些烦）那也不见得，我总怕父亲回来，您很忙，所以——

周　冲　你不知道母亲病了么？

周蘩漪　你哥哥怎么会把我的病放在心上？

周　冲　妈！

周　萍　您好一点了么？

周蘩漪　谢谢你，我刚刚下楼。

周　萍　对了，我预备明天离开家里到矿上去。

周蘩漪　哦，（停）好得很。——什么时候回来呢？

周　萍　不一定，也许两年，也许三年。哦，这屋子怎么闷气得很。

周　冲　窗户已经打开了。——我想，大概是大雨要来了。

周蘩漪　（停一停）你在矿上做什么呢？

周　冲　妈，你忘了，哥哥是专门学矿科的。

周蘩漪　这是理由么，萍？

周　萍　（拿起报纸）说不出来，像是家里住得太久了，烦得很。

周蘩漪　（笑）我怕你是胆小吧？

周　萍　怎么讲？

周蘩漪　这屋子曾经闹过鬼，你忘了。

周　萍　没有忘。但是这儿我住厌了。

周蘩漪　（笑）假若我是你，这周围的人我都会厌恶，我也离开这个死地方的。

周　冲　妈，我不要您这样说话。

周　萍　（忧郁地）哼，我自己对自己都恨不够，我还配说厌恶别人？——（叹一口气）弟弟，我想回屋去了。（起立）

〔书房门开。

周　冲　别走啦，大概是爸爸来了。

〔周朴园的声音：我的意思是这么办，没有问题了，很好，再见吧，不送。

〔门大开，周朴园进，他约莫有五六十上下，鬓发已经斑白，戴着椭圆形的金边眼镜，一对沉鸷的眼在底下闪烁着。像一切起家立业的人物，他的威严在儿孙面前格外显得峻厉。他穿的衣服，还是二十年前的新装，一件团花的官纱大褂，底下是白纺绸的衬衫，长衫的领扣松散着，露着颈上的肉。他的衣服很舒展地贴在身上，整洁，没有一些尘垢。他有些胖，背微微地伛偻，腮肉松弛地垂下来，眼眶下陷，眸子却闪闪地放着光彩。他的脸带着多年的世故和劳碌，一种冷峭的目光和偶然在嘴角上逼出的冷笑，看出他平日的专横，自是和倔强。年轻时一切的冒失狂妄，已经为脸上的皱纹深深避盖着，再也寻不着一点痕迹，只有他的半白的头发还保持昔日的丰采，很润泽地分梳到后面。在阳光底下，他的脸呈着银白色，一般人说这就是贵人的特征，所以他才有这样大的矿产。

周　萍
　　　　爸。
周　冲

周　冲　客走了？

周朴园　（点头，转向蘩漪）你怎么今天下楼来了，完全好了么？

周蘩漪　病原来不重——回来身体好么？

周朴园　还好。——你应当再到楼上去休息。冲儿，你看你母亲的气色比以前怎么样？

周　冲　母亲原来就没有什么病。

周朴园　（不喜欢儿子们这样回答老人的话）谁告诉你的？我不在的时候，你常来问你母亲的病么？（坐在沙发上）

周蘩漪　（怕他又来教训）朴园，你的样子像有点瘦了似的。——矿上罢工的事怎么样？

周朴园　昨天早上已经复工，不成问题。

周　冲　爸爸，怎么鲁大海还在这儿等着要见您呢？

周朴园　谁是鲁大海？

周　冲　鲁贵的儿子。前年荐进去，这次当代表的。

周朴园　这个人！我想这个人有背景，厂方已经把他开除了。

周　冲　开除！爸爸，这个人脑筋很清楚，我方才跟他谈了一回。代表罢工的工人并不见得就该开除。

周朴园　哼，现在一般青年人，跟工人谈谈，说两三句不关痛痒，同情的话，像是一件很时髦的事情！

周　冲　我以为这些人替自己的一群人努力，我们应当同情的。并且我们这样享福，同他们争饭吃，是不对的。这不是时髦不时髦的事。

周朴园 （眼翻上来）你知道社会是什么？你读过几本关于社会经济的书？我记得我在德国念书的时候，对于这方面，我自命比你这种半瓶醋的社会思想要彻底得多！

周　冲 （被压制下去，然而）爸，我听说矿上对于这次受伤的工人不给一点抚恤金。

周朴园 （头一扬）我认为你这次说话说得太多了。（向蘩漪）这两年他学得很像你了。（看钟）十分钟后我还有一个客来，嗯，你们关于自己有什么话说么？

周　萍 爸，刚才我就想见您。

周朴园 哦，什么事？

周　萍 我想明天就到矿上去。

周朴园 这边公司的事，你交代完了么？

周　萍 差不多完了。我想请父亲给我点实在的事情做，我不想看看就完事。

周朴园 （停一下，看周萍）苦的事你成么？要做就做到底。我不愿意我的儿子叫旁人说闲话的。

周　萍 这两年在这儿做事太舒服，心里很想在内地乡下走走。

周朴园 让我想想。——（停）你可以明天起身，做哪一类事情，到了矿上我再打电报给你。

〔四凤由饭厅门入，端了碗普洱茶。

周　冲 （犹豫地）爸爸。

周朴园 （知道他又有新花样）嗯，你？

周　冲　我现在想跟爸爸商量一件很重要的事。

周朴园　什么？

周　冲　（低下头）我想把我的学费的一部分分出来。

周朴园　哦？

周　冲　（鼓起勇气）把我的学费拿出一部分送给——

〔四凤端茶，放在周朴园面前。

周朴园　四凤，——（向周冲）你先等一等。——（向四凤）叫你给太太煎的药呢？

鲁四凤　煎好了。

周朴园　为什么不拿来？

〔四凤看蘩漪，不说话。

周蘩漪　（觉出空气不对了）她刚才给我倒来了，我没有喝。

周朴园　为什么？（停，向四凤）药呢？

周蘩漪　（忙说）倒了，我叫四凤倒了。

周朴园　（慢）倒了？哦？——（向四凤）药还有么？

鲁四凤　药罐里还有一点。

周朴园　倒了来。

周蘩漪　（反抗地）我不愿意喝这种苦东西。

周朴园　（向四凤）倒了来。

〔四凤走到左面倒药。

周　冲　爸，妈不愿意，您何必这样强迫呢？

周朴园　你同你母亲都不知道自己的病在哪儿。（向蘩漪，低声）你喝了，就会完全好的。（见四凤犹豫，指药）送到太太那里去。

周蘩漪 （忍顺地）好，先放在这儿。

〔四凤放下药碗。

周朴园 （不高兴地）你最好现在喝了它吧。

周蘩漪 （忽然）四凤，你把它拿走。

周朴园 （忽然严厉地）喝了它，不要任性，当着这么大的孩子。

周蘩漪 （声颤）我不想喝。

周朴园 冲儿，你把药端到母亲面前去。

周　冲 （反抗地）爸！

周朴园 （怒视）去！

〔周冲只好把药端到蘩漪面前。

周朴园 说，请母亲喝。

周　冲 （拿着药碗，手发颤）爸，您不要这样。

周朴园 你说什么？

周　萍 （低头，至周冲前，低声）听爸爸的话吧，爸爸的脾气你是知道的。

周　冲 （含着泪，向着母亲）您喝吧，为我喝一点吧，要不然，父亲的气是不会消的。

周蘩漪 （恳求地）留着我晚上喝不成么？

周朴园 （冷峻地）蘩漪，当了母亲的人，处处应当替孩子着想，就是自己不保重身体，也应当替孩子做个服从的榜样。

周蘩漪 （望望周朴园，又望望周萍，拿起药又放下）不！我喝不下！

周朴园　萍儿，劝你母亲喝下去。

周　萍　爸！我——

周朴园　去，跪下，劝你的母亲。

周　萍　（走至蘩漪前，向周朴园，求恕地）爸爸！

周朴园　（高声）跪下！

〔周萍望蘩漪；蘩漪泪痕满面。周冲气得发抖。

周朴园　叫你跪下！

〔周萍正要向下跪。

周蘩漪　（望着周萍，急促地）我喝，我现在喝！（喝了两口，眼泪又涌出来，望一望周朴园的峻厉的眼和苦恼着的周萍，咽下愤恨，一气喝下）哦……（哭着，由右边饭厅跑下）

〔半晌。

周朴园　（看表）还有三分钟。（向冲）你刚才说的事呢？

周　冲　（抬头，慢慢地）什么？

周朴园　你说把你的学费分出一部分？——嗯，是怎么样？

周　冲　（低声）我现在没有什么事情啦。

周朴园　真没有什么新鲜的问题啦么？

周　冲　（哭声）没有什么，没有什么，——妈的话是对的。（跑向饭厅）

周朴园　冲儿，上哪儿去？

周　冲　到楼上去看看妈。

周朴园　就这么跑了么？

周　冲　（抑制着自己，走回去）是，爸，我要走了，您有事吩咐么？

周朴园 去吧。

〔周冲向饭厅走了两步。

周朴园 回来。

周　冲 爸爸。

周朴园 你告诉你的母亲，说我已经请德国的克大夫来给她看病。

周　冲 妈不是已经吃了您的药了么？

周朴园 我看你的母亲，精神有点失常，病像是不轻。（回头向周萍）我看，你也是一样。

周　萍 爸，我想下去歇一会。

周朴园 不，你不要走。我有话跟你说。（向周冲）你告诉她，说克大夫是个有名的脑病专家，我在德国认识的。来了，叫她一定看一看，听见了没有？

周　冲 听见了。（走了两步）爸，没有事啦？

周朴园 上去吧。

〔周冲由饭厅下。

周朴园 （回头向四凤）四凤，我记得我告诉过你，这个房子你们没有事就得走的。

鲁四凤 是，老爷。（也由饭厅下）

〔鲁贵由书房上。

鲁　贵 （见着老爷，便不自主地好像说不出话来）老，老爷。客，客来了！

周朴园 哦，先请到大客厅里去。

鲁　贵　是，老爷。（下）

周朴园　怎么这窗户谁开开了？

周　萍　弟弟跟我开的。

周朴园　关上，（擦眼镜）这屋子不要底下人随便进来，回头我预备一个人在这里休息的。

周　萍　是。

周朴园　（擦着眼镜，看周围的家具）这间屋子的家具多半是你生母顶喜欢的东西。我从南边移到北边，搬了多少次家，总是不肯丢下的。（戴上眼镜，咳嗽一声）这屋子摆的样子，我愿意总是三十年前的老样子，这叫我的眼看着舒服一点。（踱到桌前，看桌上的相片）你的生母永远喜欢夏天把窗户关上的。

周　萍　（强笑）不过，爸爸，纪念母亲也不必——

周朴园　（突然抬起头来）我听人说你现在做了一件很对不起自己的事情。

周　萍　（惊）什——什么？

周朴园　（走到周萍的面前）你知道你现在做的事是对不起你的父亲么？并且——（停）——对不起你的母亲么？

周　萍　（失措）爸爸。

周朴园　（仁慈地）你是我的长子，我不愿意当着人谈这件事。（稍停，严厉地）我听说我在外边的时候，你这两年来在家里很不规矩。

周　萍　（更惊恐）爸，没有的事，没有。

周朴园 一个人敢做，就要敢当。

周　萍 （失色）爸！

周朴园 公司的人说你总是在跳舞场里鬼混，尤其是这两三个月，喝酒，赌钱，整夜地不回家。

周　萍 哦，（放下心）您说的是——

周朴园 这些事是真的么？（半晌）说实话！

周　萍 真的，爸爸。（红了脸）

周朴园 将近三十的人应当懂得“自爱”！——你还记得你的名为什么叫萍么？

周　萍 记得。

周朴园 你自己说一遍。

周　萍 那是因为母亲的名讳是侍萍，母亲临死，自己替我起的名字。

周朴园 那我请你为你的生母，把现在的行为完全改过来。

周　萍 是，爸爸，那是我一时的荒唐。

〔鲁贵由书房上。

鲁　贵 老爷。客人——等，等了好半天啦。

周朴园 知道。

〔鲁贵退。

周朴园 我的家庭是我认为最圆满，最有秩序的家庭，我的儿子我也认为都还是健全的子弟，我教育出来的孩子，我绝对不愿叫任何人说他们一点闲话的。

周　萍 是，爸爸。

周朴园　来人啦。（自语）哦，我有点累啦。

〔周萍扶周朴园至沙发坐下。

〔鲁贵上。

鲁　贵　老爷。

周朴园　你请客到这边来坐。

鲁　贵　是，老爷。

周　萍　爸，您歇一会吧。

周朴园　不，你不要管。（向鲁贵）去，请进来。

鲁　贵　是，老爷。（下）

〔周朴园拿出一支雪茄，周萍为他点上，周朴园徐徐抽烟，端坐。

——幕落

第二幕

〔午饭后，天气很阴沉，更郁热，低沉湿潮的空气，使人烦躁。周萍一个人由饭厅走上来，望望花园，冷清清的，没有一个人。偷偷走到书房门口，书房里是空的，也没有人。忽然想起父亲在别的地方会客，他放下心，又走到窗户前开窗门，看着外面绿荫荫的树丛。他吹出一种奇怪的哨声，低低地叫了两三声“四凤”。

〔四凤由外面轻轻地跑进来。

周　萍　（回头，低声，热烈地）凤儿！（拉着四凤的手）

鲁四凤　不，（推开他）不。（谛听，四面望）看看，有人！

周　萍　没有，凤，你坐下。（推她到沙发前）

鲁四凤　（不安地）老爷呢？

周　萍　在大客厅会客呢。

鲁四凤　（坐下，叹一口长气，望着）总是这样偷偷摸摸的。

周　萍　嗯。

鲁四凤　你连叫我都不敢叫。

周　萍　所以我要离开这儿哪。

鲁四凤　（想一下）哦，太太怪可怜的。为什么老爷回来，头一次见太太就发这么大的脾气？

周　萍　父亲就是这个样，他的话，向来不能改的。他的意见就是法律。

鲁四凤　（怯懦地）我——我怕得很。

周　萍　怕什么？

鲁四凤　我怕万一老爷知道了，我怕。有一天，你说过，要把我们的事情告诉老爷的。

周　萍　（摇头，深沉地）可怕的事不在这儿。

鲁四凤　还有什么？

周　萍　（忽然地）你没有听见什么话？

鲁四凤　什么？（停）没有。

周　萍　关于我，你没有听见什么？

鲁四凤　没有。

周　萍　从来没听见过什么？

鲁四凤　（不愿提）没有——你说什么？

周　萍　那——没什么！没什么！

鲁四凤　（真挚地）我信你，我相信你以后永远不会骗我。这我就够了。——刚才，我听你说，你明天就要到矿上去。

周　萍　我昨天晚上已经跟你说过了。

鲁四凤　（爽直地）你为什么不带我去？

周　萍　因为（笑）因为我不想带你去。

鲁四凤　这边的事我早晚是要走的。——太太，说不定今天就要辞掉我。

周　萍　（没想到）她要辞掉你，——为什么？

鲁四凤　你不要问。

周　萍　不，我要知道。

鲁四凤　自然因为我做错了事。我想，太太大概没有这个意思。也许是我瞎猜。（停）萍，你带我去好不好？

周　萍　不。

鲁四凤　（温柔地）萍，我好好地侍候你，你要这么一个人。我给你缝衣服，烧饭做菜，我都做得好，只要你叫我跟你在一块儿。

〔周萍不作声。

鲁四凤　我知道你一个人在外头是不成的。

周　萍　凤，你看不出来，现在我怎么能带你出去？——你这不是孩子话么？

鲁四凤　萍，你带我走！我不连累你，要是外面因为我，说你的坏话，我立刻就走。你——你不要怕。

周　萍　（急躁地）凤，你以为我这么自私自利么？你不应该这么看我。——哼，我怕什么？（管不住自己）这些年，我的心都死了，我恨极了我自己。现在我刚刚有点生气，我能放开胆子喜欢一个女人，我反而怕人家骂？哼，让大家说吧，周家大少爷看上他家里面的女下人，怕什么，我喜欢她。

鲁四凤　（安慰地）萍，不要难过。你做了什么，我也不怨你的。（想）

周　萍　（平静下来）你现在想什么？

鲁四凤　他又把前一个月的话跟我提了。

周　萍　他说，他爱你？

鲁四凤 不，他问我肯嫁他不肯。

周 萍 你呢？

鲁四凤 我说我许了人家了。

周 萍 他没有问旁的？

鲁四凤 没有，他倒说，要供我上学。

周 萍 上学？（笑）这孩子！——可是，谁知道，你听了他的话，也许很喜欢的。我已经快三十了，你才十八，我也不比他的将来有希望，并且我做过许多——见不得人的事。

鲁四凤 萍，你不要同我瞎扯，我现在心里很难过。你得想法子，他是个小孩，老是这样装着腔，对付他，我实在不喜欢。你又不许我跟他说明白。

周 萍 我没有叫你不跟他说。

鲁四凤 可是你每次见我跟他在一块儿，你的神气，偏偏——

周 萍 我的神气那自然是不快活的。我看见我最喜欢的女人时常跟别人在一块儿，哪怕他是我的亲弟弟，我也不情愿！

鲁四凤 你看你又扯到别处。你不要扯，你现在到底对我怎么样？你要跟我说明白。

周 萍 我对你怎么样？（他笑了。他讲不出来，他觉得女人们都有些呆气，这一句话有一个女人也这样问过他）要我说出来？（笑）那么，你要我怎么说呢？

鲁四凤 （苦恼地）萍，你别这样待我好不好？你明明知道我现在什么都是你的，你还——你还这样欺负人。

周 萍 （不喜欢她这样讲，同时还以为她究竟有些不明白他）哦！

（叹一口气）天哪！

鲁四凤 萍，我父亲只会跟人要钱，我哥哥瞧不起我，说我没有志气，我母亲如果知道了这件事，她一定不要我。没有你就没有我。他们也许有一天会不理我，你不能够，你不能够的。（抽咽）

周　萍 四凤，不，不，你让我好好地想一想。

鲁四凤 我的妈最疼我，我的妈不愿意我在公馆里做事，我怕她万一看出你同我的事，……你又不是真心，……那我——那我就伤了我妈的心了。（哭）还有，……

周　萍 （立起）凤，你别这样疑心我。我告诉你，今天晚上我预备到你那里去。

鲁四凤 不，我妈今天回来。

周　萍 那么，我们在外面会一会好么？

鲁四凤 不成，我妈晚上一定会找我谈话的。

周　萍 我可明天早车就要走了。

鲁四凤 你真不预备带我走么？

周　萍 孩子！那怎么成？

鲁四凤 那么，你——你叫我想想。

周　萍 我先要一个人离开家，过后，再想法子跟父亲说明白，把你接出来。

鲁四凤 （看着他）也好吧，今天晚上你只好到我家里来。我想，爸爸跟妈一定在外房睡，哥哥总是不在家睡觉，我的房子在半夜一定是空的。

周　萍　那么，我来还是先吹哨，你听得清楚吧？

鲁四凤　嗯，我要是叫你来，我的窗上一定有个灯。要是没有灯，那你千万不要来。

周　萍　不要来？

鲁四凤　那就是我改了主意，家里一定有许多人。

周　萍　好，就这样。十一点钟。

鲁四凤　嗯，十一点。

〔鲁贵由中门上。

鲁　贵　哦！（向四凤）我正要找你。（向周萍）大少爷，您刚吃完饭。

鲁四凤　找我有什么事？

鲁　贵　你妈来了。

鲁四凤　（喜形于色）妈来了，在哪儿？

鲁　贵　在门房，跟你哥哥刚见面，说着话呢。

〔四凤跑向中门。

周　萍　四凤，见着你妈，给我问问好。

鲁四凤　谢谢您，回头见。（下）

鲁　贵　大少爷，您是明天起身么？

周　萍　嗯。

鲁　贵　让我送送您。

周　萍　不用，谢谢你。

鲁　贵　平时总是您心好，照顾着我们。您这一走，我同我这丫头都得惦记着您了。

周　萍　（笑）你又没钱了吧？

鲁　贵　大少爷，您这可是开玩笑了。——我说的是实话，四凤知道，我总是背后说大少爷好的。

周　萍　好吧。——你没有事么？

鲁　贵　没事，没事，我只跟您商量点闲拌儿。您知道，四凤的妈来了，楼上的太太要见她，……

〔蘩漪由饭厅门上，鲁贵一眼看见，话说成一半，又吞进去。

鲁　贵　哦，太太下来了！太太，您病完全好啦？

〔蘩漪点一点头。

鲁　贵　鲁贵直惦记着。

周蘩漪　好，你下去吧。

〔鲁贵鞠躬，由中门下。

周蘩漪　（向周萍）他上哪儿去了？

周　萍　（莫名其妙）谁？

周蘩漪　你父亲。

周　萍　他有事情，见客，一会儿就回来。弟弟呢？

周蘩漪　他只会哭，他走了。

周　萍　（怕和她一同在这间屋里）哦。（停）我要走了，我要收拾东西去。（走向饭厅）

周蘩漪　等一会儿。

〔周萍停步。

周蘩漪　我请你略微坐一坐。

周　萍　什么事？

周蘩漪　（沉郁地）有话说。

〔周萍走回，站着不语。

周蘩漪　我希望你明白方才的情形。这不是一天的事情。

周　萍　（躲避地）父亲一向是那样，他说一句就是一句的。

周蘩漪　可是人家说一句，我就要听一句，那是违背我的本性的。

周　萍　我明白你。（强笑）你不要听他的话就是了。

周蘩漪　萍，我盼望你还是从前那样诚恳的人。顶好不要学着现在那种玩世不恭的态度。你知道我没有你在我面前，我已经很苦了。

周　萍　所以我就要走了。不要再多见面，互相提醒我们最后悔的事情。

周蘩漪　我不后悔，我向来做事没有后悔过。

周　萍　（不得已地）我想，我很明白地对你表示过。这些日子我没有见你，我想你很明白。

周蘩漪　很明白。

周　萍　那么，我是个最糊涂，最不明白的人。我后悔，我认为我生平做错一件大事。我对不起自己，对不起弟弟，更对不起父亲。

周蘩漪　（低沉地）但是你最对不起的人，你反而轻轻地忘了。

周　萍　还有谁？

周蘩漪　你最对不起的是我，是你曾经引诱过的后母！

周　萍　（有些怕她）你疯了。

周蘩漪　你欠了我一笔债，你对我负着责任，你不能看见了新的世界，就一个人跑。

周　萍　我认为你用的这些字眼，简直可怕。这种字句不是在父亲这样——这样体面的家庭里说的。

周蘩漪　（气极）父亲，父亲，你撇开你的父亲吧！体面？你也说体面？（冷笑）我在这样的体面家庭已经十八年啦。周家的罪恶，我听过，我见过，我做过。我始终不是你们周家的人。我做的事，我自己负责任。不像你们的祖父，叔祖，同你们的好父亲，偷偷做出许多可怕的事情，外表还是一副道德面孔，慈善家，社会上的好人物。

周　萍　大家庭里自然不能个个都是好人。不过我们这一房……

周蘩漪　都一样，你父亲是第一个伪君子，他从前就引诱过一个下等人的姑娘。

周　萍　你不要扯这些个。

周蘩漪　你就是你父亲的私生子！

周　萍　（惊异而无主地）你瞎说，你有什么证据？

周蘩漪　请你问你的体面父亲，这是他十五年前喝醉了的时候告诉我的。（指桌上相片）你就是这年轻的姑娘生的小孩。她因为你父亲又不要她，就自己投河死了。

周　萍　你，你，你简直……——好，好，（强笑）我都承认。你预备怎么样？你要跟我说什么？

周蘩漪　你父亲对不起我，他用同样手段把我骗到你们家来，我逃不开，生了冲儿。十几年来像刚才一样的凶横，把我渐渐地磨成了石头样的死人。你突然从家乡出来，是你，是你把我引到一条母亲不像母亲，情妇不像情妇的路上去。是你引诱的我！

周　萍　引诱！我请你不要用这两个字好不好？你知道当时的情形怎么样。

周蘩漪　你忘记了在这屋子里，半夜，你说的话么？你说你恨你的父亲，你说过，你愿他死，就是犯了灭伦的罪也干。

周　萍　你忘了，那是我年轻，我一时冲动，说出来这样糊涂的话。

周蘩漪　你忘了，我虽然比你只大几岁，那时，我总还是你的母亲，你知道你不该对我说这种话么？

周　萍　年轻人一时糊涂，做错了的事，你就不肯原谅么？（苦恼地皱着眉）

周蘩漪　这不是原谅不原谅的问题，我已经安安静静地等死，一个人偏把我救活了又不理我，撇得我枯死，慢慢地渴死。让你说，我该怎么办？

周　萍　那，那我也不知道，你来说吧！

周蘩漪　（一字一字地）我希望你不要走。

周　萍　怎么，你要我陪着你，在这样的家庭，每天想着过去的罪恶，这样活活地闷死么？

周蘩漪　你既然知道这家庭可以闷死人，你怎么肯一个人走，把我丢在这里？

周　萍　你没有权利说这种话，你是冲弟弟的母亲。

周蘩漪　我不是！我不是！自从我把我的性命，名誉，交给你，我什么都不顾了。我不是他的母亲，不是，不是，我也不是周朴园的妻子。

周　萍　（冷冷地）如果你以为你不是父亲的妻子，我自己还承认我是我父亲的儿子。

周蘩漪　（不曾想到他会说这一句话，呆了一下）哦，你是你的父亲的儿子。——这些日子，你特别不来看我，是怕你的父亲？

周　萍　也可以说是怕他，才这样的吧。

周蘩漪　你这一次到矿上去，也是学着你父亲的英雄榜样，把一个真正明白你，爱你的人丢开不管么？

周　萍　这么解释也未尝不可。

周蘩漪　（冷冷地）这么说，你到底是你父亲的儿子。（笑）父亲的儿子！（忽然冷静地）哼，都是些没有用，胆小怕事，不值得人为他牺牲的东西！我恨我早没有知道你！

周　萍　那么你现在知道了！我对不起你，我已经同你详细解释过，我厌恶这种关系。我告诉你，我厌恶。你说我错，我承认。然而叫我犯了那样的错，你也不能完全没有责任。你是我认为最聪明，最能了解人的女子，所以我想，你最后会原谅我。我的态度，你现在骂我玩世不恭也好，不负责任也好，我告诉你，我盼望这一次的谈话是我们最末一次谈话了。（走向饭厅门）

周蘩漪　（沉重的语气）等一等。

〔周萍立住。

周蘩漪　我希望你明白我刚才说的话，我不是请求你。我盼望你用你的心，想一想，过去我们在这屋子说的（停，难过）许多，许多的话。一个女子，你记着，不能受两代的欺侮，你可以想一想。

周　萍　我已经想得很透彻，我自己这些天的痛苦，我想你不是不知道，好，请你让我走吧。（由饭厅下）

〔蘩漪望着周萍出去，流下泪来，忍不住伏在沙发上哭泣。

〔鲁贵偷偷地由中门走进来，看见太太在哭。

鲁　贵　（低声）太太！

周蘩漪　（站起）你来干什么？

鲁　贵　鲁妈来了好半天啦。

周蘩漪　谁？谁来好半天啦？

鲁　贵　我家里的，太太不是说过要我叫她来么？

周蘩漪　你为什么不早点来告诉我？

鲁　贵　我倒是想着，可是我（低声）刚才瞧见太太跟大少爷说话，所以就没敢惊动您。

周蘩漪　啊，你，你刚才——

鲁　贵　我？我在大客厅伺候老爷见客呢！（故意地不明白）太太有什么事么？

周蘩漪　没什么，那么你叫鲁妈进来吧。

鲁　贵　（谄笑）我们家里是个下等人，说话粗里粗气，您可别见怪。

周蘩漪　都是一样的人。我不过想见一见，跟她谈谈闲话。

鲁　贵　是，那是太太的恩典。对了，老爷刚才跟我说，怕要下大雨，请太太把老爷的那一件旧雨衣拿出来。

周蘩漪　四凤给老爷检的衣裳，四凤不会拿么？

鲁　贵　我也是这么说啊，您不是不舒服么？可是老爷吩咐，要太太自己拿。

周蘩漪　那么，我一会儿拿来。

鲁　贵　老爷吩咐，说现在就要，说不定老爷就要出去。

周蘩漪　哦，好，我就去吧。——你现在叫鲁妈进来，叫她在这房里等一等。

鲁　贵　是，太太。（下）

〔蘩漪的脸更显得苍白，她在极力压制自己的烦郁。

周蘩漪　（吸一口气，自语）热极了，闷极了，这日子真过不下去了。（茫然望着窗外）

〔鲁贵上。

鲁　贵　刚才小当差来，说老爷催着要。

周蘩漪　（抬头）好，你先去吧。我叫陈妈送去。（由饭厅下）

〔鲁贵由中门下。

移时鲁妈——即鲁侍萍——与四凤上。鲁妈的年纪约有四十六七，鬓发有点斑白，面貌白净，看上去也只有三十八九岁的样子。她的眼有些呆滞，时而呆呆地望着前面，但是在那秀长的睫毛，和她圆大的眸子间，还寻得出她少年时的神韵。她的衣服朴素，洁净，穿在身上，像一个由大家门户落魄的妇人。

〔她头上包着一条白手巾，怕是坐火车围着遮土的。她说话总爱微微地笑，声音很低，很沉稳，语音像一个南方人在北方落户久了，夹杂着一些模糊，轻快的南方口音，但是她的字句说得很清楚。她的牙齿非常整齐，笑的时候在嘴角旁露出一对深深的笑涡。

〔鲁妈拉着女儿的手，四凤亲热地偎在她身边走进来。后面跟着鲁贵，提着一个旧包袱。

鲁四凤 太太呢？

鲁　贵 就下来。

鲁四凤 妈，您坐下。

〔鲁妈坐下。

鲁四凤 累了吧？

鲁侍萍 不累。

鲁四凤 （高兴地）妈，您坐一坐。我给您倒一杯冰镇的开水。

鲁侍萍 不，不要走，我不热。

鲁　贵 凤儿，你给你妈拿一瓶汽水来，（向鲁妈）这儿公馆什么没有？一到夏天，柠檬水，果子露，西瓜汤，橘子，香蕉，鲜荔枝，你要什么，就有什么。

鲁侍萍 不，不，你别听你爸爸的话。这是人家的东西。你在我身旁跟我多坐一会，回头跟我同——同这位周太太谈谈，比喝什么都强。

鲁　贵 太太就会下来，你看你，那块白包头，总舍不得拿下来。

鲁侍萍 （和蔼地笑着）真的，说了那么半天，……（笑望着四凤）连我在火车上搭的白手巾都忘了解啦。（取下白毛巾）你看我的脸脏么？火车上尽是土，你看我的头发，不要叫人家笑。

鲁四凤 不，不，一点都不脏。两年没见您，您还是那个样。

鲁　贵 （轻蔑地）你看你们这点穷相，走到大家公馆，不来看看人家的阔排场，尽在一边闲扯。四凤，你先把你这两年做的衣裳给你妈看看。

鲁四凤 妈不稀罕这个。

鲁　贵 你不也有点首饰么？你拿出来给你妈开开眼。看看还是我对，还是把女儿关在家里对？

鲁侍萍 （向鲁贵）我走的时候嘱咐过你，这两年写信的时候也总不断地提醒你，我不愿意我的女儿叫人家使唤。你偏——（忽然觉得这不是谈家事的地方，回头向四凤）你哥哥呢？

鲁四凤 不是在门房里等着我们么？

鲁　贵 不是等着你们，人家等着见老爷呢。（向鲁妈）去年我叫人给你捎个信，告诉你，大海也在矿上找上事了，那都是我在这儿嘀咕上的。

鲁四凤 （厌恶她父亲又表白自己的本领）爸爸，别再扯了，您看看哥哥去吧。

鲁　贵 真他妈的。这孩子我倒忘了。（走向中门，回头）你们好好在这屋子坐一会，别乱动，太太一会儿就下来。（下）

〔鲁妈和四凤见鲁贵走后，都舒展多了。母女二人相对凄然地笑了一笑。

鲁侍萍 （伸出手来，向四凤）孩子，让我好好看看你。

〔四凤走到母亲面前。

鲁四凤 妈，您不怪我吧？

鲁侍萍 不，做了就做了。——不过为什么这两年你一个字也不告诉我，我到了家，才听见张大婶告诉我，说你在这儿。

鲁四凤 我怕您生气，不敢告诉您。——其实，妈，就是像我这样帮帮人，我想也没有什么关系。

鲁侍萍 你以为妈怕穷么？怕人家笑我们穷么？不，孩子，妈最看得开，不过，我怕你太年轻，容易一阵子犯糊涂，（叹一口气）好，我们先不提这个。（站起来）这位太太真怪，她要见我干什么？

鲁四凤 是啊。（恐惧来了，但是愿意向好的一面想）不，妈，这边太太没有多少朋友，她听说妈也会写字，念书，也许觉着很相近，所以想请妈来谈谈。

鲁侍萍 哦？（慢慢看这屋子的摆设，指着有镜台的柜）这屋子倒是很雅致的。就是家具太旧了点。

鲁四凤 可不是，都是三十年前的老东西了，听说是从前的第一个太太，就是大少爷的母亲，顶爱的东西。您看，从前的家具多笨哪。

鲁侍萍 （用毛巾擦擦汗）奇怪——为什么窗户还关上呢？

鲁四凤 您也觉得奇怪不是？这是我们老爷的怪脾气，一到夏天就要关窗户。

鲁侍萍 （回想）凤儿，这屋子我像是在哪儿见过似的。

鲁四凤 （笑）真的？您大概是想我想的，梦里到过这儿。

鲁侍萍 对了，做梦似的。——奇怪，这地方好眼熟。（低下头）

鲁四凤 （慌）妈，您不舒服？您别是受了暑，我给您拿一杯冷水吧？

鲁侍萍　不，不是，你别去。

鲁四凤　妈，您怎么啦？

鲁侍萍　（注意看着房中的一切，沉思着）奇怪——（伸手拉四凤）四凤！

鲁四凤　（摸鲁妈的手）您手冰凉，妈。

鲁侍萍　不要紧的，妈不怎么样。真是，真好像我的魂来过这儿似的。

鲁四凤　妈，您别瞎说啦，您怎么来过？他们二十年前才搬到北方来，那时候，您不是还在南方么？

鲁侍萍　不，不，我来过。这些家具，我想不起来——我在哪儿见过。

鲁四凤　妈您看什么？

鲁侍萍　那个柜，那个柜。（声音愈低，努力地回想着）

鲁四凤　那——那是从前死了的太太的东西。

鲁侍萍　（自语）不能够，不能够。

鲁四凤　（怜惜她的母亲）别多说话了，妈，歇一会儿吧。

鲁侍萍　不要紧的。——刚才我在门房听见这家里还有两位少爷？

鲁四凤　嗯，妈，都很好，周家的人都很和气的。

鲁侍萍　周？这家姓周？

鲁四凤　妈，您看您，您刚才不是问着周家的门进来的么？怎么会忘了？妈，您准是路上受热了。我给您拿点水来喝。（走过柜前）妈，您看这就是周家第一个太太的相片。（拿相片过

来，站在鲁妈背后，给她看）

鲁侍萍 （拿着相片，看）哦！（惊愕得说不出话来）

鲁四凤 （站在鲁妈背后）您看她多好看，这就是大少爷的母亲，他们说还有点像我呢。可惜她死了。

〔鲁妈拿相片的手有些发颤。

鲁四凤 妈！

鲁侍萍 给我点水喝。

鲁四凤 妈，您到这边来！（扶鲁妈到一个大的沙发前）

〔鲁妈手里还紧紧地拿着相片。

鲁四凤 妈，您在这儿躺一躺。我给您拿水去。（由饭厅门忙跑下）

鲁侍萍 哦，天哪。我是死了的人！这是真的么？这张相片？这些家具？——哦，天底下地方大得很，怎么熬过这几十年，偏偏又把我这个可怜的孩子，放回到他——他的家里？哦，天哪！

〔四凤拿水上。

鲁四凤 妈，您喝。

〔鲁妈喝水。

鲁四凤 好一点了么？

鲁侍萍 嗯，好，好啦。孩子，你现在就跟我回家。

鲁四凤 （惊讶）妈，您怎么啦？

〔由饭厅传出蘩漪的声音：“四凤！”

鲁四凤 （听）太太。

〔蘩漪的声音：四凤！

鲁四凤 㖨。

〔蘩漪的声音：四凤，你来，老爷的雨衣你给放在哪儿啦？

鲁四凤 （大声）我就来。（向鲁妈）妈等一等，我就回来。

鲁侍萍 你去吧。

〔四凤下。鲁妈周围望望，走到柜前。忽然听见屋外花园里走路的声音，她转过身来，等候着。

〔鲁贵由中门上。

鲁　贵 四凤呢？

鲁侍萍 这儿的太太叫了去啦。

鲁　贵 你回头告诉太太，说找着雨衣不用送去了；老爷自己到这儿来，还有话跟太太说。

鲁侍萍 老爷要到这屋里来？

鲁　贵 嗯，你告诉清楚了，别回头老爷来了，太太不在，老头儿又发脾气了。

鲁侍萍 你跟太太说吧。

鲁　贵 这上上下下多少听差都得我支派，我忙不开，我可不能等。

鲁侍萍 我要回家去，我不见太太了。

鲁　贵 为什么？这次太太叫你来，我告诉你，就许有点什么很要紧的事跟你谈谈。

鲁侍萍 我预备带着凤儿回去，叫她辞了这儿的事。

鲁　贵 什么？你看你这点——

〔蘩漪由饭厅上。

鲁　贵 太太。

周蘩漪　（向门内）四凤，你先把那两件也拿出来，问问老爷要哪一件。（向鲁妈）这就是四凤的妈吧？叫你久等了。

鲁　贵　应当的。太太准她来跟您请安就是老大的面子。

〔四凤拿着雨衣由饭厅门进。

周蘩漪　请坐！你来了好半天啦。

鲁侍萍　（只在打量着，没有坐下）不多一会，太太。

鲁四凤　太太，把这三件雨衣都送给老爷那边去么？

鲁　贵　老爷说就放在这儿，老爷自己来拿，还请太太等一会，老爷见您有话说呢。

周蘩漪　知道了。（向四凤）你先到厨房，把晚饭的菜看看，告诉厨房一下。

鲁四凤　是，太太。（望着鲁贵，又疑惧地望着蘩漪，由中门下）

周蘩漪　鲁贵，告诉老爷，说我同四凤的母亲谈话，回头再请他到这儿来。

鲁　贵　是，太太。（但不走）

周蘩漪　（见鲁贵不走）你有什么事么？

鲁　贵　太太，今天早上老爷吩咐请德国克大夫来。

周蘩漪　二少爷告诉过我了。

鲁　贵　老爷刚才吩咐，说来了就请太太去看。

周蘩漪　我知道了。你去吧。

〔鲁贵由中门下。

周蘩漪　（向鲁妈）坐下谈，不要客气。（自己坐到沙发上）

鲁侍萍　（坐在旁边一张椅子上）我刚下火车，就听说您要我来见见您。

周蘩漪 我常听四凤提到你，说你念过书，从前是个很好的人家。

鲁侍萍 （不愿提起从前的事）四凤这孩子很傻，不懂事，这两年叫您多操心。

周蘩漪 不，她非常聪明，我也很喜欢她。这孩子不应当叫她侍候人，应当替她找一个正当的出路才好。

鲁侍萍 是的，我一直也是不愿意这孩子帮人。

周蘩漪 这一点我很明白。我知道你是个知书达礼的人，一看就看出是个直爽人，我就不妨把请你来的原因现在跟你说一说。

鲁侍萍 （疑虑地）是不是我这小孩平时的举动有点叫人说闲话？

周蘩漪 （笑着，故作肯定地说）不，不是。

〔鲁贵由中门上。

鲁　贵 太太。

周蘩漪 什么事？

鲁　贵 克大夫已经接来了，现时在小客厅等着呢。

周蘩漪 我有客。

鲁　贵 客？——老爷说请太太就去。

周蘩漪 我知道，你先去吧。

〔鲁贵下。

周蘩漪 （向鲁妈）我先把我家里的情形说一说。我家里的女人很少的。

鲁侍萍 是的。

周蘩漪 老爷，两个少爷，除了我和一两个老妈子以外，其余用的都是男下人。

鲁侍萍 哦。

周蘩漪 四凤的年纪很轻，她才十九岁，是不是？

鲁侍萍 十八。

周蘩漪 （委婉地）那就对了，我记得好像她比我的孩子是大一岁的样子。这样年轻的孩子，在外边做事，又生得很秀气的。

鲁侍萍 （急切地）四凤有什么不检点的地方么？请您千万不要瞒我。

周蘩漪 不，不，（又笑了）她很好的。我只是说说这个情形。我自己有一个儿子，他才十七岁——恐怕刚才你在花园见过——是个不大懂事的孩子。

〔鲁贵自书房门上。

鲁　贵 老爷催着太太去看病。

周蘩漪 没有人陪着克大夫么？

鲁　贵 张局长刚走，老爷自己在陪着呢。

周蘩漪 你跟老爷说，说我没有病，我自己并没要请医生来。

鲁　贵 是，太太。（但不走）

周蘩漪 （看鲁贵）你在干什么？

鲁　贵 我等太太还有什么事要吩咐。

周蘩漪 （忽然想起来）有，你跟老爷回完话之后，你出去叫一个电灯匠来。刚才我听说花园藤萝架上的旧电线落下来了，走电，叫他赶快收拾一下，不要电了人。

〔鲁贵由中门下。

周蘩漪 （见鲁妈立起）鲁奶奶，你还是坐呀。哦，这屋子又闷热起来啦。（走到窗户前，把窗户打开，回来）这些天我就看着我这孩子奇怪，谁知这两天，他忽然跟我说他很喜欢四凤。

鲁侍萍　（吃一惊）啊？

周蘩漪　他要帮助她学费，叫她上学。他还说——（笑笑）这孩子！——要娶四凤。

鲁侍萍　您不必往下说，我都明白了。

周蘩漪　四凤比我的孩子大，四凤又是很聪明的女孩子，这种情形——

鲁侍萍　（不喜欢蘩漪的暧昧的口气）我的女儿，我总相信是个懂事，明白大体的孩子。我向来不愿意她到大公馆帮人，可是我信得过，我的女儿就帮这儿两年，她总不会做出一点糊涂事的。

周蘩漪　鲁奶奶，我也知道四凤是个明白的孩子，不过有了这种不幸的情形，我的意思，是非常容易叫人发生误会的。

鲁侍萍　（叹气）今天我到这儿来是万没想到的事，回头我就预备把她带走，现在我就请您准了她的长假。

周蘩漪　哦，——如果你以为这样办好，我也觉得很妥当的。不过有一层，我怕，我的孩子有点傻气，他还是会找到你家里见四凤的。

鲁侍萍　您放心。我后悔得很，我不该把这个孩子一个人交给她父亲管的。大后天我就要离开此地，不会再见着周家的人。太太，我想现在带着我的女儿走。

周蘩漪　那么，也好，回头我叫账房把工钱算出来。她自己的东西，我可以派人送去，我有一箱子旧衣服，也可以带着去，留着她以后在家里穿。

鲁侍萍 （自语）我的可怜的孩子！

周蘩漪 （走到鲁妈面前）不要伤心，鲁奶奶。如果钱上有什么问题，尽管到我这儿来，一定有办法。好好地带她回去，有你这样一个母亲教育她，自然比在这儿好的。

〔周朴园由书房门上。

周朴园 蘩漪！

〔蘩漪转身。鲁妈闪在一旁。

周朴园 你怎么还不去？

周蘩漪 （故意地）上哪儿？

周朴园 克大夫还在等着，你不知道么？

周蘩漪 克大夫？谁是克大夫？

周朴园 从前给你看病的克大夫。

周蘩漪 我现在没有病。

周朴园 （忍耐）克大夫是我在德国的好朋友，对于脑科很有研究。你的神经有点失常，他一定治得好。

周蘩漪 （爆发）谁说我的神经失常？你们为什么这样咒我，我没有病，告诉你，我没有病！

周朴园 （冷酷地）你当着人这样胡喊乱闹，你自己有病，偏偏要讳病忌医，不肯叫医生治，这不就是神经上的病态么？

周蘩漪 哼，我假若是有病，也不是医生治得好的。（向饭厅门走）

周朴园 （大声喊）站住！你上哪儿去？

周蘩漪　（不在意地）到楼上去。

周朴园　（命令地）你应当听话。

周蘩漪　你！（不经意地打量他）你忘了你自己是怎样一个人啦！（径自由饭厅门下）

周朴园　来人！

〔仆人上。

仆　人　老爷！

周朴园　太太现在在楼上。你叫大少爷陪着克大夫到楼上去给太太看病。

仆　人　是，老爷。

周朴园　叫大少爷告诉克大夫，说我有点累，不陪他了。

仆　人　是，老爷。（下）

周朴园　（点着一支吕宋烟，看见桌上的雨衣，向鲁妈）这是太太找出来的雨衣么？

鲁侍萍　（看着他）大概是的。

周朴园　不对，不对，这都是新的。我要我的旧雨衣，你回头跟太太说。

鲁侍萍　嗯。

周朴园　（看她不走）你不知道这间房子底下人不准随便进来么？

鲁侍萍　不知道，老爷。

周朴园　你是新来的下人？

鲁侍萍　不是的，我找我的女儿来的。

周朴园　你的女儿？

鲁侍萍 四凤是我的女儿。

周朴园 那你走错屋子了。

鲁侍萍 哦。——老爷没有事了？

周朴园 （指窗）窗户谁叫打开的？

鲁侍萍 哦。（很自然地走到窗前，关上窗户，慢慢地走向中门）

周朴园 （看她关好窗门，忽然觉得她很奇怪）你站一站。

〔鲁妈停。

周朴园 你——你贵姓？

鲁侍萍 我姓鲁。

周朴园 姓鲁。你的口音不像北方人。

鲁侍萍 对了，我不是，我是江苏的。

周朴园 你好像有点无锡口音。

鲁侍萍 我自小就在无锡长大的。

周朴园 （沉思）无锡？嗯，无锡，（忽而）你在无锡是什么时候？

鲁侍萍 光绪二十年，离现在有三十多年了。

周朴园 哦，三十年前你在无锡？

鲁侍萍 是的，三十多年前呢，那时候我记得我们还没有用洋火呢。

周朴园 （沉思）三十多年前，是的，很远啦，我想想，我大概是二十多岁的时候。那时候我还在无锡呢。

鲁侍萍 老爷是那个地方的人？

周朴园 嗯，（沉吟）无锡是个好地方。

鲁侍萍 哦，好地方。

周朴园 你三十年前在无锡么？

鲁侍萍 是，老爷。

周朴园 三十年前，在无锡有一件很出名的事情——

鲁侍萍 哦。

周朴园 你知道么？

鲁侍萍 也许记得，不知道老爷说的是哪一件？

周朴园 哦，很远了，提起来大家都忘了。

鲁侍萍 说不定，也许记得的。

周朴园 我问过许多那个时候到过无锡的人，我也派人到无锡打听过。可是那个时候在无锡的人，到现在不是老了就是死了。活着的多半是不知道的，或者忘了。不过也许你会知道。三十年前在无锡有一家姓梅的。

鲁侍萍 姓梅的？

周朴园 梅家的一个年轻小姐，很贤慧，也很规矩。有一天夜里，忽然地投水死了，后来，后来，——你知道么？

鲁侍萍 不敢说。

周朴园 哦。

鲁侍萍 我倒认识一个年轻的姑娘姓梅的。

周朴园 哦？你说说看。

鲁侍萍 可是她不是小姐，她也不贤慧，并且听说是不大规矩的。

周朴园 也许，也许你弄错了，不过你不妨说说看。

鲁侍萍 这个梅姑娘倒是有一天晚上跳的河，可是不是一个，她手里抱着一个刚生下三天的男孩。听人说她生前是不规矩的。

周朴园 （苦痛）哦！

鲁侍萍 她是个下等人，不很守本分的。听说她跟那时周公馆的少爷有点不清白，生了两个儿子。生了第二个，才过三天，忽然周少爷不要她了。大孩子就放在周公馆，刚生的孩子她抱在怀里，在年三十夜里投河死的。

周朴园 （汗涔涔地）哦。

鲁侍萍 她不是小姐，她是无锡周公馆梅妈的女儿，她叫侍萍。

周朴园 （抬起头来）你姓什么？

鲁侍萍 我姓鲁，老爷。

周朴园 （喘出一口气，沉思地）侍萍，侍萍，对了。这个女孩子的尸首，说是有一个穷人见着埋了。你可以打听到她的坟在哪儿么？

鲁侍萍 老爷问这些闲事干什么？

周朴园 这个人跟我们有点亲戚。

鲁侍萍 亲戚？

周朴园 嗯，——我们想把她的坟墓修一修。

鲁侍萍 哦——那用不着了。

周朴园 怎么？

鲁侍萍 这个人现在还活着。

周朴园 （惊愕）什么？

鲁侍萍 她没有死。

周朴园 她还在？不会吧？我看见她河边上的衣服，里面有她的绝命书。

鲁侍萍 她又被人救活了。

周朴园 哦，救活啦？

鲁侍萍 以后无锡的人是没见着她，以为她那夜晚死了。

周朴园 那么，她呢？

鲁侍萍 一个人在外乡活着。

周朴园 那个小孩呢？

鲁侍萍 也活着。

周朴园 （忽然立起）你是谁？

鲁侍萍 我是这儿四凤的妈，老爷。

周朴园 哦。

鲁侍萍 她现在老了，嫁给一个下等人，又生了个女孩，境况很不好。

周朴园 你知道她现在在哪儿？

鲁侍萍 我前几天还见着她！

周朴园 什么？她就在这儿？此地？

鲁侍萍 嗯，就在此地。

周朴园 哦！

鲁侍萍 老爷，您想见一见她么？

周朴园 （连忙）不，不，不用。

鲁侍萍 她的命很苦。离开了周家，周家少爷就娶了一位有钱有门第的小姐。她一个单身人，无亲无故，带着一个孩子在外乡，什么事都做：讨饭，缝衣服，当老妈子，在学校里伺候人。

周朴园 她为什么不再找到周家？

鲁侍萍 大概她是不愿意吧。为着她自己的孩子，她嫁过两次。

周朴园 嗯，以后她又嫁过两次。

鲁侍萍 嗯，都是很下等的人。她遇人都很不如意，老爷想帮一帮她么？

周朴园 好，你先下去吧。

鲁侍萍 老爷，没有事了？（望着周朴园，泪要涌出）

周朴园 啊，你顺便去告诉四凤，叫她把我樟木箱子里那件旧雨衣拿出来，顺便把那箱子里的几件旧衬衣也检出来。

鲁侍萍 旧衬衣？

周朴园 你告诉她在我那顶老的箱子里，纺绸的衬衣，没有领子的。

鲁侍萍 老爷那种绸衬衣不是一共有五件？您要哪一件？

周朴园 要哪一件？

鲁侍萍 不是有一件，在右袖襟上有个烧破的窟窿，后来用丝线绣成一朵梅花补上的？还有一件——

周朴园 （惊愕）梅花？

鲁侍萍 旁边还绣着一个萍字。

周朴园 （徐徐立起）哦，你，你，你是——

鲁侍萍 我是从前伺候过老爷的下人。

周朴园 哦，侍萍！（低声）是你？

鲁侍萍 你自然想不到，侍萍的相貌有一天也会老得连你都不认识了。

〔周朴园不觉地望望柜上的相片，又望鲁妈。

〔半晌。

周朴园　（忽然严厉地）你来干什么？

鲁侍萍　不是我要来的。

周朴园　谁指使你来的？

鲁侍萍　（悲愤）命！不公平的命指使我来的！

周朴园　（冷冷地）三十年的工夫你还是找到这儿来了。

鲁侍萍　（愤怨）我没有找你，我没有找你，我以为你早死了。我今天没想到到这儿来，这是天要我在这儿又碰见你。

周朴园　你可以冷静点。现在你我都是有子女的人，如果你觉得心里有委屈，这么大年纪，我们先可以不必哭哭啼啼的。

鲁侍萍　哼，我的眼泪早哭干了，我没有委屈，我有的是恨，是悔，是三十年一天一天我自己受的苦。你大概已经忘了你做的事了！三十年前，过年三十的晚上我生下你的第二个儿子才三天，你为了要赶紧娶那位有钱有门第的小姐，你们逼着我冒着大雪出去，要我离开你们周家的门。

周朴园　从前的旧恩怨，过了几十年，又何必再提呢？

鲁侍萍　那是因为周大少爷一帆风顺，现在也是社会上的好人物。可是自从我被你们家赶出来以后，我没有死成，我把我的母亲可给气死了，我亲生的两个孩子你们家里逼着我留在你们家里。

周朴园　你的第二个孩子你不是已经抱走了么？

鲁侍萍　那是你们老太太看着孩子快死了，才叫我带走的。（自语）哦，天哪，我觉得我像在做梦。

周朴园　我看过去的事不必再提起来吧。

鲁侍萍 我要提，我要提，我闷了三十年了！你结了婚，就搬了家，我以为这一辈子也见不着你了；谁知道我自己的孩子偏偏要跑到周家来，又做我从前在你们家里做过的事。

周朴园 怪不得四凤这样像你。

鲁侍萍 我伺候你，我的孩子再伺候你生的少爷们。这是我的报应，我的报应。

周朴园 你静一静。把脑子放清醒点。你不要以为我的心是死了，你以为一个人做了一件于心不忍的事就会忘了么？你看这些家具都是你从前顶喜欢的东西，多少年我总是留着，为着纪念你。

鲁侍萍 （低头）哦。

周朴园 你的生日——四月十八——每年我总记得。一切都照着你是正式嫁过周家的人看，甚至于你因为生萍儿，受了病，总要关窗户，这些习惯我都保留着，为的是不忘你，弥补我的罪过。

鲁侍萍 （叹一口气）现在我们都是上了年纪的人，这些话请你也不必说了。

周朴园 那更好了。那么我们可以明明白白地谈一谈。

鲁侍萍 不过我觉得没有什么可谈的。

周朴园 话很多。我看你的性情好像没有大改，——鲁贵像是个很不老实的人。

鲁侍萍 你不要怕。他永远不会知道的。

周朴园 那双方面都好。再有，我要问你的，你自己带走的儿子在哪儿？

鲁侍萍 他在你的矿上做工。

周朴园 我问，他现在在哪儿？

鲁侍萍 就在门房等着见你呢。

周朴园 什么？鲁大海？他！我的儿子？

鲁侍萍 就是他！他跟你现在完完全全是两样的人。

周朴园 （冷笑）这么说，我自己的骨肉在矿上鼓动罢工，反对我！

鲁侍萍 你不要以为他还会认你做父亲。

周朴园 （忽然）好！痛痛快快地！你现在要多少钱吧！

鲁侍萍 什么？

周朴园 留着你养老。

鲁侍萍 （苦笑）哼，你还以为我是故意来敲诈你，才来的么？

周朴园 也好，我们暂且不提这一层。那么，我先说我的意思。你听着，鲁贵我现在要辞退的，四凤也要回家。不过——

鲁侍萍 你不要怕，你以为我会用这种关系来敲诈你么？你放心，我不会的。大后天我就带着四凤回到我原来的地方。这是一场梦，这地方我绝对不会再住下去。

周朴园 好得很，那么一切路费，用费，都归我担负。

鲁侍萍 什么？

周朴园 这于我的心也安一点。

鲁侍萍 你？（笑）三十年我一个人都过了，现在我反而要你的钱？

周朴园 好，好，好，那么，你现在要什么？

鲁侍萍 （停一停）我，我要点东西。

周朴园 什么？说吧。

鲁侍萍 （泪满眼）我——我——我只要见见我的萍儿。

周朴园 你想见他？

鲁侍萍 嗯，他在哪儿？

周朴园 他现在在楼上陪着他的母亲看病。我叫他，他就可以下来见你。不过是——（顿）他很大了，——并且他以为他母亲早就死了的。

鲁侍萍 哦，你以为我会哭哭啼啼地叫他认母亲么？我不会那样傻的。我难道不知道这样的母亲只给自己的儿子丢人么？我明白他的地位，他的教育，不容他承认这样的母亲。这些年我也学乖了，我只想看看他，他究竟是我生的孩子。你不要怕，我就是告诉他，白白地增加他的烦恼，他自己也不愿意认我的。

周朴园 那么，我们就这样解决了。我叫他下来，你看一看他，以后鲁家的人永远不许再到周家来。

鲁侍萍 好，我希望这一生不至于再见你。

周朴园 （由衣内取出支票，签好）很好，这是一张五千块钱的支票，你可以先拿去用。算是弥补我一点罪过。

〔鲁妈接过支票，把它撕了。

周朴园 侍萍。

鲁侍萍 我这些年的苦不是你拿钱算得清的。

周朴园 可是你——

〔外面争吵声。大海的声音：“放开我，我要进去。”三四个男仆声："不成，不成，老爷睡觉呢。"门外有男仆等与鲁大海挣扎声。

周朴园 （走至中门）来人！

〔仆人由中门进。

周朴园 谁在吵？

仆　人 就是那个工人鲁大海！他不讲理，非见老爷不可。

周朴园 哦。（沉吟）那你就叫他进来吧。等一等，叫人到楼上请大少爷下来，我有话问他。

仆　人 是，老爷。（由中门下）

周朴园 （向鲁妈）侍萍，你不要太固执。这一点钱你不收下，将来你会后悔的。

〔鲁妈望着周朴园，一句话也不说。

〔仆人领鲁大海进，大海站在左边，三四个仆人立一旁。

鲁大海 （见鲁妈）妈，您还在这儿？

周朴园 （打量大海）你叫什么名字？

鲁大海 你不要同我摆架子，你难道不知道我是谁么？

周朴园 我只知道你是罢工闹得最凶的工人。

鲁大海 对了，一点儿也不错，所以才来拜望拜望你。

周朴园 你有什么事吧？

鲁大海 董事长当然知道我是为什么来的。

周朴园 （摇头）我不知道。

鲁大海 我们老远从矿上来，今天我又在你府上大门房里从早上六点钟一直等到现在，我就是要问问董事长，对于我们工人的条件，究竟是允许不允许？

周朴园 哦，——那么，那三个代表呢？

鲁大海 我跟你说吧，他们现在正在联络旁的工会呢。

周朴园 哦，——他们没有告诉你旁的事情么？

鲁大海 告诉不告诉于你没有关系。——我问你，你的意思，忽而软，忽而硬，究竟是怎么回子事？

〔周萍由饭厅上，见有人，想退回。

周朴园 （看周萍）不要走，萍儿！（望了一下鲁妈）

周　萍 是，爸爸。

周朴园 （指身侧）你站在这儿。（向大海）你这么只凭意气是不能交涉事情的。

鲁大海 哼，你们的手段，我都明白。你们这样拖延时候，不过是想去花钱收买少数不要脸的败类，暂时把我们骗在这儿。

周朴园 你的见地也不是没有道理。

鲁大海 可是你完全错了。我们这次罢工是有团结的，有组织的。我们代表这次来，并不是来求你们。你听清楚，不求你们。你们允许就允许；不允许，我们一直罢工到底，我们知道你们不到两个月整个地就要关门的。

周朴园 你以为你们那些代表们，那些领袖们都可靠么？

鲁大海 至少比你们只认识洋钱的结合要可靠得多。

周朴园 那么我给你一件东西看。

〔周朴园在桌上找电报，仆人递给他；此时周冲偷偷由左书房进，在旁谛听。

周朴园　（给大海电报）这是昨天从矿上来的电报。

鲁大海　（拿过去读）什么？他们又上工了。（放下电报）不会。

周朴园　矿上的工人已经在昨天早上复工，你当代表的反而不知道么？

鲁大海　（怒）怎么矿上警察开枪打死三十个工人就白打了么？（笑起来）哼，这是假的。你们自己假作的电报来离间我们的。你们这种卑鄙无赖的行为！

周　萍　（忍不住）你是谁？敢在这儿胡说？

周朴园　没有你的话！（向大海）你就这样相信你那同来的几个代表么？

鲁大海　你不用多说，我明白你这些话的用意。

周朴园　好，那我把那复工的合同给你瞧瞧。

鲁大海　（笑）你不要骗小孩子，复工的合同没有我们代表的签字是不生效力的。

周朴园　合同！

〔仆人进书房把合同拿给周朴园。

周朴园　你看，这是他们三个人签字的合同。

鲁大海　（看合同）什么？（慢慢地）他们三个人签了字。（伸手去拿，想仔细看一看）他们怎么会不告诉我，自己就签了字呢？他们就这样把我不理啦？

周朴园　（顺手抽过来，交给仆人）对了，傻小子，没有经验只会胡喊是不成的。

鲁大海　那三个代表呢？

周朴园　昨天晚车就回去了。

鲁大海　（如梦初醒）他们三个就骗了我了，这三个没有骨头的东西，他们就把矿上的工人们卖了。哼，你们这些不要脸的董事长，你们的钱这次又灵了。

周　萍　（怒）你混账！

周朴园　不许多说话。（回头向大海）鲁大海，你现在没有资格跟我说话——矿上已经把你开除了。

鲁大海　开除了！？

周　冲　爸爸，这是不公平的。

周朴园　（向周冲）你少多嘴，出去！

〔周冲愤然由中门下。

鲁大海　好，好，（切齿）你的手段我早明白，只要你能弄钱，你什么都做得出来。你叫警察杀了矿上许多工人，你还——

周朴园　你胡说！

鲁侍萍　（至大海前）走吧，别说了。

鲁大海　哼，你的来历我都知道，你从前在哈尔滨包修江桥，故意叫江堤出险，——

周朴园　（厉声）下去！

仆人们　（拉大海）走！走！

鲁大海　你故意淹死了两千二百个小工，每一个小工的性命你扣三百块钱！姓周的，你发的是绝子绝孙的昧心财！你现在还——

周　萍　（冲向大海，打了他两个嘴巴）你这种混账东西！

〔大海还手，被仆人们拉住。

周　萍　打他！

鲁大海　（向周萍）你！

〔仆人们一起打大海。大海流了血。

周朴园　（厉声）不要打人！

〔仆人们住手，仍拉住大海。

鲁大海　（挣扎）放开我，你们这一群强盗！

周　萍　（向仆人们）把他拉下去！

鲁侍萍　（大哭）这真是一群强盗！（走至周萍面前）你是萍，——凭——凭什么打我的儿子？

周　萍　你是谁？

鲁大海　妈，别理这东西，小心吃了他们的亏。

鲁侍萍　（呆呆地望着周萍的脸，又哭起来）大海，走吧，我们走吧！

〔大海为仆人们拥下，鲁妈随下。台上只有周朴园与周萍。

周　萍　（过意不去地）父亲。

周朴园　你太莽撞了。

周　萍　可是这个人不应该乱侮辱父亲的名誉啊。

〔半晌。

周朴园　克大夫给你母亲看过了么？

周　萍　看完了，没有什么。

周朴园　哦，（沉吟，忽然）来人！

〔仆人由中门上。

周朴园 你告诉太太，叫她把鲁贵跟四凤的工钱算清楚，我已经把他们辞了。

仆　人 是，老爷。

周　萍 怎么？他们两个怎么样了？

周朴园 你不知道刚才这个工人也姓鲁，他就是四凤的哥哥么？

周　萍 （惊）这个人就是四凤的哥哥？那么，爸爸——

周朴园 （向仆人）跟太太说，叫账房给鲁贵同四凤多算两个月的工钱，叫他们今天就走。去吧。

〔仆人由饭厅下。

周　萍 爸爸，不过四凤同鲁贵在家里都很好，很忠诚的。

周朴园 嗯,（呵欠）我很累了。我预备到书房歇一下。你叫他们送一碗浓一点的普洱茶来。

周　萍 是，爸爸。

〔周朴园由书房门下。

周　萍 （叹一口气）嗨!（急走向中门）

〔周冲适由中门上。

周　冲 （着急地）哥哥，四凤呢？

周　萍 我不知道。

周　冲 是父亲要辞退四凤么？

周　萍 嗯，还有鲁贵。

周　冲 即便是她的哥哥得罪了父亲，我们不是把人家打了么？欺负这么一个女孩子干什么？

周　萍 你问父亲去。

周　冲　这太不讲理了。

周　萍　是啊。

周　冲　父亲在哪儿？

周　萍　在书房里。

〔周冲到书房去；周萍在屋里踱来踱去。四凤擦着眼泪由中门走进。

周　萍　（忙走至四凤前）四凤，对不起你，我实在不认识他。

〔四凤摇一摇手，满腹说不出的话。

周　萍　可是你哥哥也不应该那样乱说话。

鲁四凤　不必提了。（即向饭厅去）

周　萍　你干什么去？

鲁四凤　我收拾我自己的东西去。再见吧，明天你走，我怕不能看你了。

周　萍　不，你不要去。（拦住她）

鲁四凤　不，放开我。你不知道我们已经叫你们辞了么？

周　萍　（难过）凤，你——你不怪我么？

鲁四凤　我知道早晚是有这么一天的，可今天晚上你千万不要来找我。

周　萍　可是，以后呢？

鲁四凤　那——再说吧！

周　萍　不，四凤，我要见你，今天晚上，我一定要见你，我有许多话要同你说。四凤，你……

鲁四凤　不，无论如何你不要来。

周　萍　那你想旁的法子来见我。

鲁四凤　没有旁的法子。你难道看不出这是什么情形么？

周　萍　我是一定要来的。

鲁四凤　不，不，你不要胡闹。你千万不……

〔蘩漪由饭厅上。

鲁四凤　哦，太太。

周蘩漪　你们在这儿啊！（向四凤）等一会，你的父亲叫电灯匠就回来。你的东西，我可以交给他带回去，也许我派人给你送去。——你家住在什么地方？

鲁四凤　杏花巷十号。

周蘩漪　你不要难过，没事可以常来找我。东西，我回头叫人送到你那里。是杏花巷十号吧？

鲁四凤　是，谢谢太太。

〔鲁妈的声音：四凤！四凤！

鲁四凤　妈，我在这儿。

〔鲁妈由中门上。

鲁侍萍　四凤，收拾收拾零碎的东西，我们先走吧。快下大雨了。

〔风声，雷声渐起。

鲁四凤　是，妈妈。

鲁侍萍　（向蘩漪）太太，我们走了。（向四凤）四凤，你跟太太谢谢。

鲁四凤　（向蘩漪请安）太太，谢谢！（含着眼泪望周萍，周萍缓缓转过头去）

〔鲁妈与四凤由中门下。

周蘩漪 萍，你刚才同四凤说的什么？

周　萍 你没有权利问。

周蘩漪 萍，你不要以为她会了解你。

周　萍 你这是什么意思？

周蘩漪 你不要再骗我，我问你，你说要到哪儿去？

周　萍 用不着你问。请你自己放尊重一点。

周蘩漪 你说，你今天晚上预备上哪儿去？

周　萍 我——（突然）我找她。你怎么样？

周蘩漪 （恫吓地）你知道她是谁，你是谁么？

周　萍 我不知道。我只知道我现在真喜欢她，她也喜欢我。过去这些日子，我知道你早明白得很，现在你既然愿意说破，我当然不必瞒你。

周蘩漪 你受过这样高等教育的人同这么一个底下人的女儿，这么一个下等女人——

周　萍 （爆裂）你胡说！你不配说她下等，你不配！

周蘩漪 （冷笑）小心，小心！你不要把一个失望的女人逼得太狠了，她是什么事都做得出来的。

周　萍 我已经打算好了。

周蘩漪 好，你去吧！小心，现在（望窗外，自语）风暴就要起来了！

周　萍 （领悟）我知道。

〔周朴园由书房上。

周朴园 你们在这儿说什么？

周　萍　我正跟母亲说刚才的事情呢。

周朴园　他们走了么?

周蘩漪　走了。

周朴园　蘩漪，冲儿又叫我说哭了，你叫他出来，安慰安慰他。

周蘩漪　（走到书房门口）冲儿。冲儿!（不听见里面答应的声音，便走进去）

〔外面风雷大作。

周朴园　（走到窗前，风声甚烈，外面花盆落地打碎的声音）萍儿，花盆叫大风吹倒了，你叫下人快把百叶窗关上。大概是暴雨就要来了。

周　萍　是，爸爸!（由中门下）

〔周朴园在窗前，望着外面的闪电。

——幕落

第三幕

杏花巷十号，鲁贵家里。

下面是鲁家屋外的情形：

车站的钟打了十下，杏花巷的老少还沿着那白天蒸发着臭气，只有半夜才从租界区域吹来一阵好凉风的水塘边上乘凉。虽然方才落了一阵暴雨，天气还是郁热难堪。天空黑漆漆地布满了恶相的黑云，人们都像晒在太阳下的小草，虽然半夜里沾了点露水，心里还是热燥燥的，期望着再来一次雷雨。倒是躲在池塘芦苇根下的青蛙叫得起劲，一直不停。闲人谈话的声音有一阵没一阵地。无星的天空时而打着没有雷的闪电，蓝森森地一晃，闪露出来池塘边的垂柳在水面颤动着。闪光过去，还是黑黝黝的一片。

渐渐乘凉的人散了，四周围静下来，雷又隐隐地响着，青蛙像是吓得不敢多叫，风又吹起来，柳叶沙沙地响。在深巷里，野狗寂寞地狂吠着。

以后闪电更亮得蓝森森地可怕，雷也更凶恶似地隆隆地滚着，四周却更沉闷地静下来，偶尔听见几声青蛙叫和更大的木梆声，野狗的吠声更稀少，暴雨就快要来了。

最后暴风暴雨，一直到闭幕。

不过观众看见的还是四凤的屋子（即鲁贵两间房的内屋）。前面的叙述，除了声音，只能由屋子中间一扇木窗户显出来。

在四凤的屋子里面：

鲁家现在才吃完晚饭，每个人的心绪都是烦恶的。各人有各人的心思，在一个屋角，大海一个人在擦什么东西。鲁妈同四凤一句话也不说，大家静默着。鲁妈低着头在屋子中间的圆桌旁收拾筷子碗，鲁贵坐在左边一张破靠椅上，喝得醉醺醺的，眼睛发了红丝，像个猴子，半身倚着靠背，望着鲁妈打着噎。他的赤脚忽然放在椅子上，忽然又平拖在地上，两条腿像人字似地排开。他穿一件白汗衫，半臂已经汗透了，贴在身上，他不住地摇着芭蕉扇。

四凤在中间窗户前面站着：背朝着观众，面向窗外不安地望着。窗外池塘边有乘凉的人们说着闲话，有青蛙的叫声。她时而不安地像听见了什么似的，时而又转过头看了看鲁贵，又烦厌地迅速转过去。在她旁边靠左墙是一张搭好的木板床，上面铺着凉席，一床很干净的夹被，一个凉枕和一把蒲扇，很整齐地放在上面。

屋子很小，像一切穷人的房子，屋顶低低地压在头上。床头上挂着一张烟草公司的广告画，在左边的墙上贴着过年时黏上的旧画，已经破烂许多地方。靠着鲁贵坐的唯一的一张圆椅旁有一张小方桌，上面有镜子，梳子，女人用的几件平常的化妆品，那大概就是四凤的梳装台了。在左墙有一条板凳，在中间圆桌旁边孤另另地立着一个圆凳子，在右边四凤的床下正排着两三双很时髦的鞋。鞋的下头，有一只箱子，上面铺着一块白布，放着一个瓷壶同两三个粗碗。小圆桌上放着一盏洋油灯，上面罩一个鲜红的纸灯罩，还有几件零碎的小东西。在暗淡的灯影里，零碎的小东西虽看不清楚，却依然令人觉得这大概是一个女人的住房。

这屋子有两个门，在左边——就是有木床的一边——开着一个小门，外面挂着一幅色彩强烈的有花的红幔帐。里面存着煤，一两件旧家具；四凤为着自己换衣服用的。右边有一个破旧的木门，通着鲁家的外间，外面是鲁贵住的地方，是今晚鲁贵夫妇睡的处所。那外间屋的门就通着池塘边泥泞的小道。这里间与外间相通的木门，旁边斜放着一副铺板。

开幕时，正是鲁贵兴致淋漓地刚刚数落完半咒骂式的家庭训话。屋内是沉默而紧张的。沉闷中听得出池塘边唱着淫荡的春曲，参杂着乘凉人们的谈话。各人在想各人的心思，低着头不作声。鲁贵满身是汗，因为喝酒喝得太多，说话也过于卖了力气，嘴里流着涎水，脸红得吓人。他好像很得意自己在家里面的位置同威风，拿着那把破芭蕉扇，挥着，舞着，指着。为汗水浸透了似的肥脑袋探向前面，眼睛迷腾腾的，在各个人的身上扫来扫去。

大海依旧擦他的手枪，两个女人都不作声，等着鲁贵继续嘶喊。这时青蛙同卖唱的叫声传了过来。

四凤立在窗户前，偶尔深深地叹着气。

鲁　贵　（咳嗽起来）他妈的！（一口痰吐在地上，兴奋地问着）你们想，你们哪一个对得起我？（向四凤同大海）你们不要不愿意听，你们哪一个不是我辛辛苦苦养到大？可是现在你们哪一件事做的对得起我？（对大海）你说？（对四凤）你说？（对着站在中间圆桌旁的鲁妈）你也说说，这都是你的好孩子啊？（啪地又一口痰）

〔静默。传来外面胡琴声，唱声。

鲁大海 （向四凤）这是谁？快十点半还在唱？

鲁四凤 （随意地）一个瞎子同他老婆，每天在这儿卖唱的。（挥着扇，微微叹一口气）

鲁　贵 我是一辈子犯小人，不走运。刚在周家混了两年，孩子都安置好了，就叫你（指鲁妈）连累下去了。你回家一次就出一次事。刚才是怎么回事？我叫完电灯匠回公馆，凤儿的事没有了，连我的老根子也拔了。妈的，你不来，（指鲁妈）我能倒这样的楣？（又一口痰）

鲁大海 （放下手枪）你要骂我就骂我。别指东说西，欺负妈好说话。

鲁　贵 我骂你？你是少爷！我骂你？你连人家有钱的人都当着面骂了，我敢骂你？

鲁大海 （不耐烦）你喝了不到两盅酒，就叨叨叨，叨叨叨，这半点钟你够不够？

鲁　贵 够？哼，我一肚子的冤屈，一肚子的火，我没个够！当初你爸爸也不是没叫人伺候过，吃喝玩乐，我哪一样没讲究过！自从娶了你的妈，我是家败人亡，一天不如一天。一天不如一天……

鲁四凤 那不是你自己赌钱输光的！

鲁大海 你别理他。让他说。

鲁　贵 （只顾嘴头说得畅快，如同自己是唯一的牺牲者一样）我告诉你，我是家败人亡，一天不如一天。我受人家的气，受你们的气。现在好，连想受人家的气也不成了，我跟你们一块儿饿着肚子等死。你们想想，你们是哪一件事对得起我？（忽而觉得自己的腿没处放）侍萍，把那凳子拿过来。我放放大腿。

鲁大海 （看着鲁妈，叫她不要管）妈！

〔然而鲁妈还是拿了那唯一的圆凳子过来，放在鲁贵的脚下。他把腿放好。

鲁　贵 （望着大海）可是这怪谁？你把人家骂了，人家一气，当然就把我们辞了。谁叫我是你的爸爸呢？大海，你心里想想，我这么大年纪，要跟着你饿死。我要是饿死，你是哪一点对得起我？我问问你，我要是这样死了？

鲁大海 （忍不住，立起）你死就死了，你算老几！

鲁　贵 （吓醒了一点）妈的，这孩子！

鲁侍萍 大海！

鲁四凤 （同时）哥哥！

鲁　贵 （看见大海那副魁梧的身体，同手里拿着的枪，心里有点怕，笑着）你看看，这孩子这点小脾气！——（又接着说）咳，说回来，这也不能就怪大海，周家的人从上到下就没有一个好东西。我伺候他们两年，他们那点出息我哪一样不知道？反正有钱的人顶方便，做了坏事，外面比做了好事装得还体面。文明词越用得多，心里头越男盗女娼，王八蛋！别看今天我走的时候，老爷太太装模作样地跟我尽打官话，好东西，明儿见！他们家里这点出息当我不知道？

鲁四凤 得了吧，别扯了。

鲁　贵　（不觉骄傲起来）哼，明天，我把周家太太大少爷这点老底子给它一个宣布，就连老头这老王八蛋也得给我跪下磕头。忘恩负义的东西！（得意地咳嗽起来）他妈的！（啪地又一口痰吐在地上，向四凤）茶呢？

鲁四凤　爸，你真是喝醉了么？刚才不给你放在桌子上了么？

鲁　贵　（端起杯子，对四凤）这是白水，小姐！（泼在地上）

鲁四凤　（冷冷地）本来是白水，没有茶。

鲁　贵　混账。我吃完饭总要喝杯好茶，你还不知道么？

鲁大海　哦，爸爸吃完饭还要喝茶的。（向四凤）四凤，你怎么不把那一两四块八的龙井沏上，尽叫爸爸生气。

鲁四凤　龙井？家里连茶叶末也没有。

鲁大海　（向鲁贵）听见了没有？你就将就将就喝杯开水吧，别这样穷讲究啦。（拿一杯白开水，放在鲁贵身旁桌上，走开）

鲁　贵　这是我的家。你要看着不顺眼，你可以滚开。

鲁大海　（上前）你，你——

鲁侍萍　（阻大海）别，别，好孩子。看在妈的份上，别同他闹。

鲁　贵　你自己觉得挺不错，你到家不到两天，就闹这么大的乱子，我没有说你，你还要打我么？你给我滚！

鲁大海　（忍着）妈，他这样子我实在看不下去。妈，我走了。

鲁侍萍　胡说。就要下雨，你上哪儿去？

鲁大海　我有点事，办不好，也许到车厂拉车去。

鲁侍萍　大海，你——

鲁　贵　走，走，让他走。这孩子就是这点穷骨头。叫他滚，滚，滚！

鲁大海 你小心点。你少惹我。

鲁　贵 （赖皮）你妈在这儿。你敢把你的爹怎么样？你这杂种！

鲁大海 什么，你骂谁？

鲁　贵 我骂你。你这——

鲁侍萍 （向鲁贵）你别不要脸，你少说话！

鲁　贵 我不要脸？我没有在家养私孩子，还带着个（指大海）嫁人。

鲁侍萍 （又痛又恨）你！

鲁大海 （抽出手枪）我——我打死你这老东西！

鲁　贵 （站起，喊）枪，枪，枪！（僵立不动）

鲁四凤 （跑到大海的面前，抱着他的手）哥哥。

鲁侍萍 大海，你放下。

鲁大海 （对鲁贵）你跟妈说，说自己错了，以后永远不再乱说话，乱骂人。

鲁　贵 哦——

鲁大海 （进一步）说呀！

鲁　贵 （被胁）你，你——你先放下。

鲁大海 （气愤地）不，你先说。

鲁　贵 好。（向鲁妈）我错了，我以后永远不乱说，不骂人了。

鲁大海 （指那唯一的圆椅）还坐在那儿！

鲁　贵 （颓唐地坐在椅上，低着头咕噜着）这小杂种！

鲁大海 哼，你不值得我卖这么大的力气。

鲁侍萍 放下。大海，你把手枪放下。

鲁大海 （放下手枪，笑）妈，妈您别怕，我是吓虎吓虎他。

鲁侍萍 给我。你这手枪是哪儿弄来的？

鲁大海 从矿上带来的，警察打我们的时候掉的。

鲁侍萍 你现在带在身上干什么？

鲁大海 不干什么。

鲁侍萍 不，你要说。

鲁大海 （狞笑）没有什么，周家逼得我没有路走，这就是一条路。

鲁侍萍 胡说，交给我。

鲁大海 （不肯）妈！

鲁侍萍 刚才吃饭的时候我跟你说过。周家的事算完了，我们姓鲁的永远不提他们了。

鲁大海 （低声，缓慢地）可是我们在矿上流的血呢？周家大少爷刚才打在我脸上的巴掌呢？就完了么？

鲁侍萍 嗯，完了。这一本账算不清楚，报复是完不了的。什么都是天定，妈愿意你多受点苦。

鲁大海 那是妈自己，我——

鲁侍萍 （高声）大海，你是我最疼的孩子，你听着，我从来不这样对你说过话。你要是伤害了周家的人，不管是那里的老爷或者少爷，你只要伤害了他们，我是一辈子也不认你的。

鲁大海 （恳求）可是妈——

鲁侍萍 （肯定地）你知道妈的脾气，你若要做了妈最怕你做的事情，妈就死在你的面前。（向大海）把手枪给我。

〔大海不肯。

鲁侍萍 交给我！（走近大海，把手枪拿了过来）

鲁大海 （痛苦）妈，您——

鲁四凤 哥哥，你给妈！

鲁大海 那么您拿去吧。不过您搁的地方得告诉我。

鲁侍萍 好，我放在这个箱子里。（把手枪放在床头的木箱里）可是（对大海）明天一早我就报告警察，把枪交给他。

鲁　贵 对极了，这才是正理。

鲁大海 你少说话！

鲁侍萍 大海。不要这样同父亲说话。

鲁大海 （看鲁贵，又转头）好，妈，我走了。我要看车厂子里有熟人没有。

鲁侍萍 好，你去。不过，你可得准回来。一家人不许这样怄气。

鲁大海 嗯。就回来。（由左边与外间通的房门下）

〔传来大海关外房的大门的声音。

鲁　贵 （自言自语）这个小王八蛋！（问鲁妈）刚才我叫你买茶叶，你为什么不买？

鲁侍萍 没有闲钱。

鲁　贵 可是，四凤，我的钱呢？——刚才你们从公馆领来的工钱呢？

鲁四凤 您说周公馆多给的两个月的工钱？

鲁　贵 对了，一共连新加旧六十块钱。

鲁四凤 （知道早晚也要告诉他）嗯，是的，还给人啦。

鲁　贵　什么，你还给人啦？

鲁四凤　刚才赵三又来堵门要你的赌账，妈就把那个钱都还给他了。

鲁　贵　（问鲁妈）六十块钱？都还了账啦？

鲁侍萍　嗯，把你这次的赌账算是还清了。

鲁　贵　（急了）妈的，我的家就是叫你们这样败了的，现在是还账的时候么？

鲁侍萍　（沉静地）都还清了好。这儿的家我预备不要了。

鲁　贵　这儿的家你不要么？

鲁侍萍　我想，大后天就回济南去。

鲁　贵　你回济南，我跟四凤在这儿，这个家也得要啊。

鲁侍萍　这次我带着四凤一块儿走，不叫她一个人在这儿了。

鲁　贵　（对四凤笑）四凤，你听你妈要带着你走。

鲁侍萍　上次我走的时候，我不知道我的事情怎么样。外面人地生疏，在这儿四凤有邻居张大婶照应她，我自然不带她走。现在我那边的事已经定了。四凤在这儿又没有事，我为什么不带她走？

鲁四凤　（惊）您，您真要带我走？

鲁侍萍　（沉痛地）嗯，妈以后说什么也不离开你了。

鲁　贵　不成，这我们得好好商量商量。

鲁侍萍　这有什么可商量的！你要愿意去，大后天一块儿走也可以。不过那儿是找不着你这一帮赌钱的朋友的。

鲁　贵　谁要到那儿去？可是你带四凤到那儿干什么？

鲁侍萍　女孩子当然随着妈走，从前那是没有法子。

鲁　贵　（滔滔地）四凤跟我有吃有穿，见的是场面人。你带着她，活受罪，干什么？

鲁侍萍　（对他没有办法）跟你也说不明白。你问问她愿意跟我，还是愿意跟你？

鲁　贵　自然是愿意跟我。

鲁侍萍　你问她！

鲁　贵　（自信一定胜利）四凤，你过来，你听清楚了。你愿意怎么样？随你。跟你妈，还是跟我？

〔四凤转过身来，满脸的眼泪。

鲁　贵　咦，这孩子，你哭什么？

鲁侍萍　凤儿。

鲁　贵　说呀，这不是大姑娘上轿，说呀？

鲁侍萍　（安慰地）哦，凤儿，告诉我，刚才你答应得好好地，愿意跟着妈走，现在又怎么哪？告诉我，好孩子。老实告诉妈，妈还是喜欢你。

鲁　贵　你说你让她走，她心里不高兴。我知道，她舍不得这个地方。（笑）

鲁四凤　（向鲁贵）去！（向鲁妈）别问我，妈，我心里难过。妈，我的妈，我是跟您走的。妈呀！（抽咽，扑在鲁妈的怀里）

鲁侍萍　孩子，我的孩子今天受了委屈了。

鲁　贵　你看看，这股子小姐脾气，她要跟你不是受罪么？

鲁侍萍　（向鲁贵）你少说话，（对四凤）妈对不起你，以后跟妈在一块儿，没有人会欺负你。我的心肝孩子。

〔大海由左边上。

鲁大海 妈，张家大婶回来了。我刚才在路上碰见的。

鲁侍萍 你提到我们卖家具的事么？

鲁大海 嗯，提了。她说，她能想法子。

鲁侍萍 车厂上找着认识的人么？

鲁大海 有，我还要出去，找一个保人。

鲁侍萍 那么我们一同出去吧。四凤，你等着我，我就回来！

鲁大海 （对鲁贵）你酒醒了点么？（向鲁妈）今天晚上我不回家睡觉了。

〔大海，鲁妈同下。

鲁　贵 （目送他们出去）哼，这东西！（见四凤立在窗前，便向她）你妈走了，四凤。你说吧，你预备怎么样呢？

〔四凤不理他，叹一口气，听外面的青蛙声同雷声。

鲁　贵 （蔑视）你看，你这点心思还不浅。

鲁四凤 （掩饰）什么心思？天气热，闷得难受。

鲁　贵 你不要骗我，你吃完饭眼神直瞪瞪的，你在想什么？

鲁四凤 我不想什么。

鲁　贵 凤儿，你是我的明白孩子。我就有你这一个亲女儿，你跟你妈一走，那就剩我一个人在这儿哪。

鲁四凤 您别说了，我心里乱得很。（外面打闪）又打雷了。

鲁　贵 孩子，别打岔，你真预备跟妈回济南么？

鲁四凤 嗯。（吐一口气）

鲁　贵 （无聊地唱）“花开花谢年年有，人过了个青春不再来！……”

（忽然地）四凤，人活着就是两三年好日子，好机会一错过就完了。

鲁四凤 您去吧。我困了。

鲁　贵 周家的事你不要怕。有了我，明天我们还是得回去。你真走得开，你放得下这儿这样好的地方么？你放得下周家——

鲁四凤 您还说什么，睡去吧！外边乘凉的人都散了。

鲁　贵 别胡思乱想。这世界上没有一个人靠得住，只有钱是真的。唉，偏偏你同你母亲不知道钱的好处。

鲁四凤 听，我像是听见有人来敲门。

〔外面敲门声。

鲁　贵 快十一点了，这会有谁？

鲁四凤 爸爸，让我去看。

鲁　贵 别，让我出去。（开门）谁？

〔周冲的声音：这儿姓鲁么？

鲁　贵 是啊，干什么？

〔周冲的声音：找人。

鲁　贵 你是谁？

〔周冲的声音：我姓周。

鲁　贵 （喜形于色）你看，来了不是？周家的人来了。

鲁四凤 （惊骇）不，爸爸，您说我们都出去了。

鲁　贵 咦，（乖巧地看她一眼）这叫什么话？（下）

〔四凤把屋子略微整理一下，不用的东西放在左边小屋里，等候着客进来。

〔这时，听见周冲同鲁贵说话的声音，移时鲁贵同周冲上。

周　冲　（见着四凤，高兴地）四凤！

鲁四凤　二少爷！

鲁　贵　（谄笑）您别见笑，我们这儿穷地方。

周　冲　这地方真不好找。外边有一片水，（笑）很好的。

鲁　贵　二少爷。您先坐下。四凤，你把那张好椅子拿过来。

周　冲　（见四凤不说话）四凤，怎么，你不舒服么？

鲁四凤　没有。——二少爷，你到这里来干什么？要是太太知道了，你——

周　冲　这是太太叫我来的。

鲁　贵　（明白了一半）太太要您来的？

周　冲　嗯，我自己也想来看看你们。（问四凤）你哥哥同母亲呢？

鲁　贵　他们出去了。

鲁四凤　你怎么知道这个地方？

周　冲　（天真地）母亲告诉我的。没想到这地方还有一大片水。一下雨真滑，黑天要是不小心，真容易摔下去。

鲁　贵　二少爷，您没摔着么？

周　冲　没有。我坐着家里的车，很有趣的。（四面望望这屋子的摆设，很高兴地笑着，望四凤）哦，你原来在这儿！

鲁四凤　我看你赶快回家吧。

鲁　贵　什么？

周　冲　（忽然）对了，我忘了我为什么来的了。妈跟我说，你们离

开我们家，她很不放心。她怕你们一时找不着事情，叫我送给你母亲一百块钱。（拿出钱）

鲁四凤　什么？

鲁　贵　（以为周家的人怕得罪他，得意地笑着，对四凤）你看人家多厚道，到底是人家有钱的人。

鲁四凤　不，二少爷，你替我谢谢太太，我们还好过日子。拿回去吧。

鲁　贵　（向四凤）你看你，哪有你这么说话的？太太叫二少爷亲自送来，这点意思我们好意思不领下么？（收下钞票）你回头跟太太回一声，我们都挺好的。请太太放心，谢谢太太。

鲁四凤　（固执地）爸爸，这不成。

鲁　贵　你小孩子知道什么？

鲁四凤　您要收下，妈跟哥哥一定不答应。

鲁　贵　（不理她，向周冲）谢谢您老远跑一趟。我先给您买点鲜货吃，您同四凤在屋子里坐一坐，我失陪了。

鲁四凤　爸，您别走！不成。

鲁　贵　别尽说话，你先跟二少爷倒一碗茶。我就回来。（忙下）

周　冲　让他走了也好。

鲁四凤　（厌恶地）唉，真是下作！——（不愿意地）谁叫你送钱来了？

周　冲　你，你像是不愿意见我似的。为什么呢？

鲁四凤　（找话说）老爷吃过饭了么？

周　冲　刚刚吃过。老爷在发脾气，母亲没吃完就跑到楼上生气。

我劝了她半天，要不我还不会这样晚来。

鲁四凤 （不在心地）大少爷呢？

周　冲 我没有见着他，我知道他很难过。他又在自己房里喝酒，大概是喝醉了。

鲁四凤 哦！（叹一口气）——你为什么不叫底下人替你来？何必自己跑到这穷人住的地方来？

周　冲 （诚恳地）你现在怨了我们吧！——（羞愧）今天的事，我真觉得对不起你们，你千万不要以为哥哥是个坏人。他现在很后悔，你不知道他，他还很喜欢你。

鲁四凤 二少爷，我现在已经不是周家的用人了。

周　冲 然而我们永远不可以算是顶好的朋友么？

鲁四凤 我预备跟我妈回济南去。

周　冲 不，你先不要走。早晚你同你父亲还可以回去的。我们搬了新房子，我的父亲也许回到矿上去，那时你就回来，那时候我该多么高兴！

鲁四凤 你的心真好。

周　冲 四凤，你不要为这一点小事来忧愁。世界大的很，你应当读书，你就知道世界上有过许多人跟我们一样地忍受着痛苦，慢慢地苦干，以后又得到快乐。

鲁四凤 唉，女人究竟是女人！（忽然）你听！

〔蛙鸣声。

周　冲 不，你不是个平常的女人，你有力量，你能吃苦，我们都还年轻，我们将来一定在这世界为着人类谋幸福。我恨这不平等的社会，我恨只讲强权的人，我讨厌我的父亲，我们都是被压迫的，我们是一样。——

鲁四凤 二少爷，您渴了吧，我跟您倒一杯水喝。（站起倒水）

周　冲 不，不要。

鲁四凤 不，让我再伺候伺候您。

周　冲 你不要这样说话，现在的世界是不该存在的。我从来没有把你当作我的底下人，你是我的姐姐，我的引路的人，我们的真世界不在这儿。

鲁四凤 哦，你真会说话。

周　冲 有时我就忘了现在，（沉醉在梦想里）忘了家，忘了你，忘了母亲，并且忘了我自己。像是在一个冬天的早晨，非常明亮的天空，……在无边的海上，……有一只轻得像海燕似的小帆船。在海风吹得紧，海上的空气闻得出有点腥，有点咸的时候，白色的帆张得满满的，像一只鹰的翅膀，斜贴在海面上飞，飞，向着天边飞。那时天边上只淡淡地浮着两三片白云，我们坐在船头，望着前面，前面就是我们的世界。

鲁四凤 我们？

周　冲 对了，我同你，我们可以飞，飞到一个真真干净，快乐的地方。那里没有争执，没有虚伪，没有不平等的……没有……（仰着头，好像眼前就是那么一个所在，忽然）你说好么？

鲁四凤 你想得真好。

周　冲　（亲切地）你愿意同我一块儿去么？就是带着他也可以的。

鲁四凤　谁？

周　冲　你昨天告诉我的，你说你的心已经许给了他。那个人他一定也像你，他一定是个可爱的人。

〔大海进。

鲁四凤　哥哥。

鲁大海　（冷冷地）这是怎么回事？

周　冲　鲁先生！

鲁四凤　周家二少爷来看我们来了。

鲁大海　哦——我没想到你们现在在这儿。父亲呢？

鲁四凤　出去买东西去啦。

鲁大海　（向冲）奇怪得很！这么晚！周少爷会到我们这个穷地方来——看我们。

周　冲　我正想见你呢。我觉得我对你很抱歉的。

鲁大海　什么事？

周　冲　（红脸）今天下午，你在我们家里——

鲁大海　（勃然）你少提那桩事。

鲁四凤　哥哥，你不要这样。人家是好心好意来安慰我们。

鲁大海　少爷，我们用不着你的安慰，我们生成一副穷骨头，用不着你半夜的时候到这儿来安慰我们。

周　冲　你大概是误会了我的意思。

鲁大海　（清楚地）我没有误会。（回头向四凤）出去。

鲁四凤　哥哥！

鲁大海 你先出去，我有几句话要同他说。（见四凤不走）出去！

〔四凤慢慢地由左门出去。

鲁大海 我们谈过话，我知道你在你们家里还算是明白点的，不过你记着，以后你要再到这儿来，来——安慰我们，（突然）我就要不客气了。

周　冲 （笑）我想一个人无论怎样，总不会拒绝别人的同情吧。

鲁大海 同情不是你同我的事，也要看看地位才成。

周　冲 大海，我觉得你有时候有些偏见太重；有钱的人并不是罪人，难道说就不能同你们接近么？

鲁大海 你太年轻，多说你也不明白。告诉你吧，你就不应当到这儿来，这儿不是你来的地方。

周　冲 为什么？——你今早还说过，你愿意做我的朋友，我想四凤也愿意做我的朋友，那么我就不可以来帮点忙么？

鲁大海 少爷，你不要以为这样就是好心。我听说，你想叫四凤念书，是么？四凤是我的妹妹。她是个穷人的孩子，她的将来是给一个工人当老婆，洗衣服，做饭，捡煤渣。哼，念书，上学，那是小姐的梦！

周　冲 你的话固然有点道理，可是——

鲁大海 所以如果矿主的少爷真替四凤着想，那就请少爷从今以后不要同她往来。

周　冲 我认为你的偏见太多，你不能说我的父亲是个矿主，你就要——

鲁大海 （瞪起眼睛）现在我警告你，……

周　冲　警告？

鲁大海　如果什么时候我再看见你跑到我家里，再同我的妹妹在一起，我一定——（忽然态度和缓一些）好，时候不早了，我们要睡觉了。

周　冲　你，你那样说话，——是我想不到的，我没想到我的父亲的话还是对的。

鲁大海　（爆发）你的父亲是个老混蛋！

周　冲　什么？

鲁大海　你的哥哥是——

〔四凤由左门跑进。

鲁四凤　你，你别说了！（指大海）我看你，你简直是怪物！

鲁大海　糊涂虫！

鲁四凤　我不跟你说话了！（向周冲）你走吧，你走吧，不要同他说啦。

周　冲　（无奈地看看大海）好，我走。（向四凤）我觉得很对不起你，来到这儿，更叫你不快活。

鲁四凤　不要提了，你走吧。

周　冲　好，我走！（向大海，温和地）我还是愿意做你的朋友。（伸出手来）你愿意同我拉一拉手么？

〔大海没有理他，把身子转过去。

鲁四凤　哼！

〔周冲也不再说什么，即将走下。

〔鲁贵由左门上，捧着水果，酒瓶同酒菜。

鲁　贵　（见周冲要走）怎么？

鲁大海　让开点，他要走了。

鲁　贵　别，别，二少爷为什么刚来就走？

鲁四凤　（愤愤）你问哥哥去！

鲁　贵　（笑着向周冲）别理他，您坐一会。

周　冲　不，我是要走了。

鲁　贵　那二少爷吃点什么再走，我老远地给您买的鲜货，吃点，喝两盅再走。

周　冲　不，不早了，我要回家了。

鲁大海　（向四凤）他从哪儿弄来的钱买这些东西？

鲁　贵　（转过头）我自己的，你爸爸赚的钱。

鲁四凤　不，爸爸，这是周家的钱！你又胡花了！（回头向大海）刚才周太太送给妈一百块钱。妈不在，爸爸不听我的话收下了。

鲁　贵　（狠狠地看四凤一眼，向大海）人家二少爷亲自送来的。我不收还像话么？

鲁大海　（到周冲面前）什么，你刚才是给我们送钱来的？

鲁四凤　（向大海）你现在才明白！

鲁　贵　你看，人家周家都是好人。

鲁大海　（掉过脸来）把钱给我！

鲁　贵　（疑惧地）干什么？

鲁大海　你给不给？（声色俱厉）不给，你可记得住放在箱子里的是什么东西。

鲁　贵　（恐惧地）我给，我给！（把钞票掏出来交给大海）钱在这儿，一百块。

鲁大海　（数一遍）怎么少两块？

鲁　贵　（强笑着）我，我，我花了。

周　冲　（不愿再看鲁贵同大海）再见吧，我走了。

鲁大海　（拉住他）你别走，你以为我们能上你这样的当么？

周　冲　怎么？

鲁大海　我有钱，我有钱，我口袋里刚刚剩下两块钱。（拿出零票同现洋，放在一块）刚刚两块。拿走吧，我们不需要。

鲁　贵　这不像话！

周　冲　你这个人真有点儿不懂人情。

鲁大海　对了，我不懂人情，我不懂你们这种虚伪，这种假慈悲，我不懂……

鲁四凤　哥哥！

鲁大海　拿走。我要你给我滚，给我滚蛋。

周　冲　（失望地立了一会，忽然拿起钱）好，我走，我错了。

鲁大海　我告诉你，以后你们周家无论哪一个再来，我就打死他，不管是谁！

周　冲　谢谢你。我想周家除了我不会再有人这么糊涂的，再见吧！（向右门下）

鲁　贵　大海。

鲁大海　（大声）叫他滚！

鲁　贵　好好好，我给您点灯，外屋黑！

周　冲　谢谢你。

〔鲁贵同周冲由右门下。

鲁四凤　二少爷!（跑下）

鲁大海　四凤，四凤!

〔鲁妈由右门上。

鲁大海　妈，您知道周家二少爷来了。

鲁侍萍　嗯，我看见一辆洋车在门口，我不知道是谁来了，我没敢进来。

鲁大海　您知道刚才我把他赶了么?

鲁侍萍　（点一点头）知道，我刚才在门口听了一会。

鲁大海　周家的太太送了您一百块钱。

鲁侍萍　（愤然）不用她给钱，我明天就带着四凤走。

鲁大海　明天?

鲁侍萍　我改主意了，明天。

鲁大海　好极啦！那我就不必说别的了。

鲁侍萍　什么?

鲁大海　没有什么，我回来的时候看见四凤跟这位二少爷谈天。

鲁侍萍　（不自主地）谈什么?

鲁大海　不知道。

鲁侍萍　（自语）这个糊涂孩子。

鲁大海　妈，我走了。

鲁侍萍　你上哪儿去?

鲁大海　钱完了，我也许拉一晚上车。

鲁侍萍　干什么？用不着，妈这儿有钱，你在家睡。

鲁大海　您留着自己用吧，我走了。（由右门下）

鲁侍萍　（喊）大海，大海！

〔四凤上。

鲁四凤　妈，（不安地）您回来了。

鲁侍萍　你忙着送周家的少爷，没有顾到看见我。

鲁四凤　（解释地）二少爷是他母亲叫他来的。

鲁侍萍　我听见你哥哥说，你们谈了半天了。

鲁四凤　您说我跟周家二少爷？

鲁侍萍　嗯，他说了些什么？

鲁四凤　没有什么！——平平常常的话。

鲁侍萍　真的？

鲁四凤　您听哥哥说了些什么话？

鲁侍萍　（严肃地）凤儿。（盯着四凤）

鲁四凤　妈，您怎么啦？

鲁侍萍　妈是不是顶疼你？

鲁四凤　您为什么说这些话？

鲁侍萍　那我求你一件事。

鲁四凤　妈，您说。

鲁侍萍　你得告诉我，你跟周家的孩子是怎么回事？

鲁四凤　哥总是瞎说八道的——他跟您说了什么？

鲁侍萍　不是，他没说什么，妈要问你！

〔远处的雷声。

鲁四凤 妈，您为什么问这个？我不跟您说过么？一点也没什么。妈，没什么！

〔远处的雷声。

鲁侍萍 你听，外面打着雷。可怜你的妈，我的女儿在这些事上不能再骗我！

鲁四凤 （顿）妈，我不骗您！我不是跟您说过，这两年——

〔鲁贵的声音：（在外屋）侍萍，快来睡觉吧，不早了。

鲁侍萍 别管我，你先睡你的。（对四凤）你说什么？

鲁四凤 我不是跟你说过，这两年，我天天晚上——回家的？

鲁侍萍 孩子，你可要说实话，妈经不起再大的事啦。

鲁四凤 妈，（抽咽）妈，您为什么不信您自己的女儿呢？（扑在鲁妈怀里）

鲁侍萍 （落眼泪）可怜的孩子，不是我不相信你，（沉痛地）我是太不敢相信这个世道上的人了。傻孩子，你不懂，妈的苦多少年是说不出来的，你妈就是在年轻的时候没有人来提醒，——可怜，妈就是一步走错，就步步走错了。孩子，我就生了你这么一个女儿，我的女儿不能再像她妈似的。孩子，你疼我！你要是再骗我，那就是杀了我了，我的苦命的孩子！

鲁四凤 不，妈，不，我以后永远是妈的了。

鲁侍萍 （忽然）凤儿，我在这儿一天担心一天，我们明天一定走，离开这儿。

鲁四凤 （立起）明天就走？

鲁侍萍　（果断地）嗯。我改主意了，我们明天就走。永远不回这儿来了。

鲁四凤　永远？妈，不，为什么这么快就走？

鲁侍萍　你还要干什么？

鲁四凤　（踌躇地）我，我——

鲁侍萍　不愿意早一点儿跟妈走？

鲁四凤　（叹一口气，苦笑）也好，我们明天走吧。

鲁侍萍　（忽然疑心地）孩子，你还有什么事瞒着我。

鲁四凤　（擦着眼泪）没有什么。

鲁侍萍　（慈祥地）好孩子，你记住妈刚才的话么？

鲁四凤　记得住！

鲁侍萍　凤儿，我要你一辈子不见周家的人！

鲁四凤　好，妈！

鲁侍萍　（沉重地）不，要起誓。

〔四凤畏怯地望着鲁妈的严厉的脸。

鲁四凤　这何必呢？

鲁侍萍　（依然严肃地）不，你要说。

鲁四凤　（跪下）妈，（扑在鲁妈身上）我——我说不了。

鲁侍萍　（眼泪流下来）你是要伤妈的心么？你忘记妈这一生为着你——（回头泣哭）

鲁四凤　妈，我说，我说。

鲁侍萍　（立起）你就这样跪下说。

鲁四凤　妈，我答应您，以后我永远不见周家的人。

〔雷声滚过去。

鲁侍萍 天上在打着雷。你要是以后忘了妈的话，见了周家的人呢？

鲁四凤 （畏怯地）妈，我不会的，我不会的。

鲁侍萍 孩子，你要说，你要说。你要是忘了妈的话，——

〔外面的雷声。

鲁四凤 （不顾一切地）那——那天上的雷劈了我。（扑在鲁妈怀里）哦，我的妈呀！（哭出声）

〔雷声轰轰。

鲁侍萍 （抱着女儿）孩子，我的孩子！

〔鲁贵由右门上。脱去短衫，只穿一件线坎肩。

鲁　贵 （向鲁妈）这么晚还不睡？你说点子什么？

鲁侍萍 你别管。

鲁　贵 什么？

鲁四凤 不，妈，您去吧。让我一个人在这儿。

鲁　贵 凤儿这孩子难过一天了，你搅她干什么？

鲁侍萍 不要妈陪着？

鲁四凤 妈，您让我一个人在屋子里歇着吧。

〔鲁贵下。

鲁侍萍 那你就好好地睡吧。

鲁四凤 嗯，妈！

〔鲁妈下。

〔四凤把右边门关上，隔壁鲁贵又唱“花开花谢年年有，人过了个青春不再来”的小曲。她到圆桌前面，把洋灯的火捻小了，这时听见外面的蛙声同狗叫。她解开几个扣子，走了两步，又回来坐在床边，深深地叹一口气倒在床上。屋外一声一声的梆子。四凤又由床上坐起，拿起蒲扇用力地挥着。闷极了，她把窗户打开，立在窗前。

〔鲁贵由右门上，赤足，拖着鞋。

鲁　贵　你怎么还不睡？

鲁四凤　（望望他）嗯。

鲁　贵　（拿起酒瓶同酒菜）歇着吧。

鲁四凤　（失神地）嗯。

鲁　贵　（走到门口）不早了。（下）

〔四凤到右门口，把门关上，立在右门旁一会，听见鲁贵同鲁妈说话的声音。走到圆桌旁，长叹一声，低而重地捶着桌子，扑在桌上抽咽。外面有口哨声。四凤突然惊起，把桌上的灯捻亮，跑到窗前，探望一下，又关上。她倚着窗户，惶惑不安。口哨的声音更清楚，她把一张红纸罩着的灯，放在窗前。口哨愈近，远远一阵雷，窗外面有脚步的声音。

〔外面敲着窗户。

鲁四凤　（颤声）哦！

〔周萍的声音：（低声）喂！开开！

鲁四凤　谁？

〔周萍的声音：（含糊地）你猜！

鲁四凤　（颤声）你，你来干什么？

〔周萍的声音：你猜猜！

鲁四凤 我现在不能见你。（急切地）妈在家里。

〔周萍的声音：不用骗我！她睡着了。

鲁四凤 （关心地）你小心，我哥哥恨透了你。

〔周萍的声音：（不在意地）他不在家，我知道。

鲁四凤 你走！

〔周萍的声音：我不！

〔外面向里用力推窗门，四凤用力挡住。

鲁四凤 （焦急地）不，不，你不要进来。

〔周萍的声音：（低声）四凤，我求你，你开开！

鲁四凤 不，不！已经到了半夜，我的衣服都脱了。

〔周萍的声音：（急迫地）什么？

鲁四凤 我已经上床睡了！

〔周萍的声音：那……那……我就……我（叹一口长气）

鲁四凤 （恳求地）那你走吧，好不好？

〔周萍的声音：（转了口气）好，也好，我就走，（又急切地）可是你先打开窗门，叫我……

鲁四凤 不，不，你就走！

〔周萍的声音：（急切地）不，你只叫我……只叫我亲亲你。

鲁四凤 （苦痛地）啊，大少爷，这不是你的公馆，你饶了我吧。

〔周萍的声音：（怨恨地）那么你忘了我了，你不再想……

鲁四凤 （决心地）对了，我忘了你了。你走吧。

〔周萍的声音：（忽然地）是不是刚才我的弟弟来了？

鲁四凤 嗯，（踌躇地）他来了！

〔周萍的声音:(尖酸地)哦!(长长叹一口气)那就怪不得了。(狠毒地)哼，没有心肝，只要你变了心，——

鲁四凤 谁变了心?

〔周萍的声音:(躁急地)那你为什么不打开门，让我进来?你不知道我——爱你么?

鲁四凤 你别再缠我好不好?今天一天你替我们闹出许多事，你还不够么?

〔周萍的声音：那我知道错了，不过，现在我要见你，要见你。

鲁四凤 (叹一口气)好，那明天说吧!明天我依你，什么都成!

〔周萍的声音:(犹疑地)明天，真的?

鲁四凤 嗯，真的，我不骗你。

〔周萍的声音：好吧，就这样吧，不要冤我。

〔足步声。

鲁四凤 你走了?

〔周萍的声音：嗯，走了。

〔足步声渐远。

鲁四凤 (心里一块石头落下来，自语)他走了!(把窗户打开，风吹进来)唉!

〔周萍忽然立在窗口。

鲁四凤 哦，妈呀!(忙关窗门)

周　萍 (已推开一点窗门，继续推着)这次你赶不走我了。

鲁四凤 (用力关)你……你……你走!

〔周萍到底越过窗进来，他满身泥泞，脸上沾着血。

周　萍　你看我还是进来了。

鲁四凤　（退后）你又喝醉了！

周　萍　你为什么躲我？为什么害怕不敢见我？（转过脸）

鲁四凤　（怕）你的脸怎么啦？

周　萍　（摸脸，一手的血）为着找你，我路上摔的。（关窗户）

鲁四凤　你走吧，我求你，你走吧。

周　萍　（奇怪地笑着）不，我得好好地看看你。

〔雷声。

鲁四凤　（躲开）不，我怕。

周　萍　（挨近）你怕什么？

鲁四凤　（颤声）我怕，（退后）你的脸满是血。……我简直不认识你……你……你……

周　萍　（怪样地笑）你以为我是谁？傻孩子。（拉她的手）

〔雷声大作，一声霹雳。

鲁四凤　哦，妈。（跑到周萍怀里）我怕！

〔雷声轰轰，大雨下，舞台渐暗。窗户推开了。外面黑黝黝的。忽然一片蓝森森的闪电，照见了蘩漪的惨白的脸露在窗台上面，像个死尸，任着一条一条的雨水向散乱的头发上淋。蘩漪伸进手，将窗子关上。雷更隆隆地响着，屋子整个黑下来。

鲁四凤　（听到雷声）你抱紧我，我怕！

〔舞台渐明。

〔听见屋外大海叫门的声音。

〔周萍坐在圆椅上，四凤神色紧张，立在门侧。

周　萍　（谛听）这是谁？

鲁四凤　你别作声！

〔鲁妈的声音：怎么回来了，大海？

〔大海的声音：雨下得太大，车厂的房子塌了。

鲁四凤　（低声，急促地）哥哥来了，你走，你赶快走。

〔周萍忙到窗前，推窗。

周　萍　（推不动）奇怪！

鲁四凤　怎么？

周　萍　（急迫地）窗户外面有人关上了。

鲁四凤　（怕）真的，那会是谁？

周　萍　（再推）不成，开不动。

鲁四凤　你别作声，他们就在门口。

〔大海的声音：铺板呢？

〔鲁妈的声音：在四凤屋里。

鲁四凤　他们要进来。你藏，藏起来。

〔四凤正引周萍入左门，大海持灯推门进。

鲁大海　什么？（见四凤同萍，二人僵立不动）妈，您快进来，我见了鬼！

〔鲁妈跑进。

鲁侍萍　（喑哑）天！

鲁四凤　（夺门而出）啊！

〔鲁妈扶着门闩，几乎晕倒。

鲁大海 哦，原来是你！（拾起桌上菜刀，奔向周萍）

鲁侍萍 （用力拉着大海的衣襟）大海，你别动，你动，妈就死在你的面前。

鲁大海 您放下我！您放下我！（顿脚）

鲁侍萍 （见周萍惊立不动）糊涂东西，你还不跑？

〔周萍由右门跑下。

鲁大海 （喊）抓住他！爸，抓住他！

鲁侍萍 （见萍已跑远，才放开大海，坐在地上发呆）哦，天！

鲁大海 （顿脚）妈！妈！你好糊涂！

〔鲁贵上。

鲁　贵 他走了？咦，可是四凤呢？

鲁大海 不要脸的东西，她跑了。

鲁侍萍 哦，我的孩子，外面的河涨了水！你别糊涂啊！孩子！（跑）

鲁大海 （拉着她）你上哪儿？

鲁侍萍 不成，不成，要找她，要找她！

鲁大海 好，我也去。

鲁侍萍 快来吧！（喊）四凤！（追下）

〔鲁贵忽然也戴上帽子跑出。大海走到箱子那里，取出手枪，揣在怀里，快步走出。

外面暴风雨声。

——幕急落

第四幕

周宅客厅内。半夜两点钟的光景。

开幕时，周朴园一人坐在沙发上读报，旁边燃着一个立灯，四周是暗暗的。

外面雨声淅沥可闻，窗前帷幕垂下来了。中间的门紧紧地掩起，由门上玻璃望出去，花园的景物都掩埋在黑暗里。

周朴园 （放下报，疲倦地伸一伸腰）来人啦！来人！（擦着眼镜，走到左边饭厅门口）这儿有人么？（外面闪电。他走到右边柜前，按铃）

〔仆人上。

仆　人 老爷！

周朴园 我叫了你半天。

仆　人 外面下雨，听不见。

周朴园 （指钟）钟怎么停了？

仆　人 （解释地）每次总是四凤上的，今天她走了，这件事就忘了。

周朴园 什么时候了？

仆　人 嗯，——大概有两点钟了。

周朴园 刚才我叫账房汇一笔钱到济南去，他们弄清楚了没有？

仆　人 您说寄给济南一个，一个姓鲁的，是么？

周朴园 嗯。

仆　人 预备好了。

〔外面闪电，周朴园回头望花园。

周朴园 藤萝架那边的电线，太太叫人来修理了么？

仆　人 叫了，电灯匠说下着大雨不好修理，明天再来。

周朴园 那不危险么？

仆　人 可不是么？刚才大少爷的狗走过那儿，碰着那根电线，就给电死了。现在那儿已经用绳子圈起来，没有人走那儿。

周朴园 哦。——什么，现在几点了？

仆　人 快两点了。老爷要睡觉么？

周朴园 你请太太下来。

仆　人 太太睡觉了。

周朴园 （无意地）二少爷呢？

仆　人 早睡了。

周朴园 那么，你看看大少爷。

仆　人 大少爷吃完饭出去，还没有回来。

〔半晌。

周朴园 （走回沙发前坐下，寂寞地）怎么这屋子一个人也没有？

仆　人 是，老爷，都睡了。

周朴园 好，你去吧。

仆　人 您不要什么东西么？

周朴园 我不要什么。

〔仆人由中门下。周朴园站起来，在厅中来回沉闷地踱着，又停在右边柜前，开了中间的灯，沉思地望着侍萍的相片。

〔周冲由饭厅上。

周　冲　（没想到父亲在这儿）爸！

周朴园　（露喜色）你——你没有睡？

周　冲　嗯。

周朴园　找我么？

周　冲　不，我以为母亲在这儿。

周朴园　（失望）哦——你母亲在楼上。

周　冲　没有吧，我在她的门上敲了半天，她的门锁着。——是的，也许在屋里。——爸，我走了。

周朴园　冲儿。

〔周冲站住。

周朴园　不要走。

周　冲　爸，您有事？

周朴园　没有。（慈爱地）你现在怎么还不睡？

周　冲　（服帖地）是，爸，我睡晚了，我就睡。

周朴园　你今天吃完饭把克大夫给的药吃了么？

周　冲　吃了。

周朴园　打了球没有？

周　冲　嗯。

周朴园　快活么？

周　冲　嗯。

周朴园　（立起，拉起周冲的手）为什么，怕我么？

周　冲　是，爸爸。

周朴园　（干涩地）你像是有点不满意，是么？

周　冲　（窘迫）我，我说不出来，爸。

〔半晌。

〔周朴园走回沙发，坐下叹一口气。招周冲来，周冲走近。

周朴园　（寂寞地）今天——呃，爸爸有一点觉得自己老了。（停）你知道么？

周　冲　（冷淡地）不，不知道。

周朴园　（忽然）如果爸爸有一天死了，没有人照拂你，你不怕么？

周　冲　（无表情地）嗯，怕。

周朴园　（想让儿子亲近自己，可亲地）你今天早上说要拿你的学费帮一个人，你说说看，能答应的总是要答应的。

周　冲　那是我糊涂，以后我不会这样说话了。

〔半晌。

周朴园　（责备地望着周冲）你对我说话很少。

周　冲　我——我说不出，您平时总像不愿意见我们。（嗫嚅地）今天您就有点——有点特别，您——

周朴园　（不愿他向下说）嗯，你去吧！

周　冲　是，爸爸。（由饭厅下）

〔周朴园失望地看着他儿子走出，又拿起侍萍的相片。

〔蘩漪由中门不作声地走进来，雨衣上的水还在往下滴，颜色惨白，鬓发湿漉漉的。

周蘩漪　（看见周朴园惊愕地望着她，冷漠地）还没有睡？（立在门前）

周朴园　你？（走近她）你上哪儿去了？冲儿找你一晚上。

周蘩漪　（平常地）我出去走走。

周朴园　这样大的雨，你出去走？

周蘩漪　嗯，——（忽然报复地）我有神经病。

周朴园　我问你，你刚才在哪儿？

周蘩漪　（厌恶地）你不用管。

周朴园　（打量她）你的衣服都湿了，还不脱了它？

周蘩漪　我心里发热，我要在外面冰一冰。

周朴园　（不耐烦地）不要胡言乱语的，你刚才究竟上哪儿去了？

周蘩漪　（望着他，一字一字地）在你的家里！

周朴园　（烦恶地）在我的家里？

周蘩漪　（微笑）嗯，在花园里赏雨。

周朴园　一夜晚？

周蘩漪　（快意地）嗯，淋了一夜晚。

〔半晌。周朴园惊疑地望着蘩漪，她像一座石像，仍然站在门前。

周朴园　蘩漪，我看你上楼去歇一歇吧。

周蘩漪　（硬生生地）不。（忽然）你拿的什么？（轻蔑）哼，又是那个女人的照片！（伸手去拿）

周朴园　你可以不看，萍儿母亲的。

周蘩漪　（抢过来，就灯下看）萍儿的母亲很好看。

〔周朴园没有理蘩漪，自己在沙发上坐下。

周蘩漪　我问你，是不是？

周朴园　嗯。

周蘩漪 样子很温存的。

〔周朴园不理她。

周蘩漪 她很聪明。

周朴园 （冥想）嗯。

周蘩漪 （欣赏地）真年轻。

周朴园 （不自觉地）嗯，年轻。

周蘩漪 （放下相片）奇怪，我像是在哪儿见过似的。

周朴园 （抬起头，疑惑地）不会吧。——你在哪儿见过她？好，我看你睡去吧。（立起，把相片拿起来）

周蘩漪 拿这个做什么？

〔周朴园望望蘩漪，没有理她。

周蘩漪 （从周朴园手中取过来）放在这儿！（怪样地笑）不会掉的，我替你守着她。（放在桌上）

周朴园 不要装疯！你现在有点胡闹！

周蘩漪 我是疯了。请你不用管我。

周朴园 （愠怒）好，你上楼去吧，我要一个人在这儿歇一歇。

周蘩漪 不，我要一个人在这儿歇一歇，你给我出去。

周朴园 （严肃）蘩漪，我叫你上楼去！

周蘩漪 （轻蔑）我不愿意，告诉你，我不愿意。

〔半晌。

周朴园 （低声）你要注意（指头）这儿，记着克大夫的话，他要你静静的，少说话。明天克大夫还来，我已经替你请好了。

周蘩漪 （望着前面）明天？哼！

〔周萍低头由饭厅走出，神色忧郁，走向书房。

周朴园 萍儿。

周　萍 （抬头，惊讶）爸！您还没有睡。

周朴园 （责备地）怎么，现在才回来？

周　萍 不，爸，我早回来。我出去买东西去了。

周朴园 你来做什么？

周　萍 我到书房，看看爸写的介绍信在那儿没有。

周朴园 你不是明天早车走么？

周　萍 我忽然想起今天夜晚两点半有一趟车，我预备现在就走。

周蘩漪 （忽然）现在？

周　萍 嗯。

周蘩漪 就这样急么？

周　萍 是，母亲。

周朴园 （和蔼地）外面下着大雨，半夜走不大方便吧？

周　萍 这时走，明天一早到，找人方便些。

周朴园 信就在书房书桌上，你要现在走也好。

〔周萍点头，走向书房。

周朴园 你不用去！（向蘩漪）你到书房把信替他拿来。

周蘩漪 （看周朴园，不信任地）嗯！（走进书房下）

周朴园 （望蘩漪出，谨慎地）她不愿意上楼，回头你先陪她到楼上去，叫底下人好好地伺候她睡觉。

周　萍 是，爸爸。

周朴园 （更小心）你过来！

〔周萍走近。

周朴园 （低声）告诉底下人，叫他们小心点，（烦恶地）我看她的病更重了，刚才她忽然一个人出去了。

周　萍 出去了？

周朴园 嗯。（严重地）在外面淋了一夜晚的雨，说话也非常奇怪，我怕这不是好现象。——我老了，我愿意家里平平安安的……

周　萍 （不安地）我想爸爸只要把事不看得太严重了，事情就会过去的。

周朴园 （畏缩地）不，不，有些事简直是想不到的。人间的事很——有点古怪。今天一天叫我忽然悟到做人不容易，太不容易。（疲倦地）你肯到矿上去磨炼一下，我很高兴。有一样东西，你可以带去。（领周萍到方桌前，拉开抽屉给他看）但是，只为着保护自己，不要拿它来闯祸。（把抽屉锁上）拿着钥匙！走的时候，不要忘了带着。（把抽屉的钥匙交给周萍）

〔蘩漪持信上。

周蘩漪 （嫌恶地）信在这儿！

周朴园 （如梦初醒，向周萍）好，你走吧，我也想睡了。蘩漪，你也好好休息一下。

周蘩漪 （盼望他走）嗯，好。

〔周朴园由书房下。

周蘩漪 （见周朴园走出，阴沉地）这么说你是一定要走了。

周　萍　嗯。

周蘩漪　（忽然）刚才你父亲对你说什么？

周　萍　（闪避）他说要我陪你上楼去，请你睡觉。

周蘩漪　（冷笑）他应当叫几个人把我拉上去，关起来。

周　萍　（故意装作不明白）你这是什么意思？

周蘩漪　（迸发）你不用瞒我。我知道，我知道，（辛酸地）他说我是神经病，疯子，我知道他要你这样看我，他要什么人都这样看我。

周　萍　（心悸）不，你不要这样想。

周蘩漪　（奇怪的神色）你？你也骗我？（阴郁地）我从你们的眼神看出来，你们父子都愿我快成疯子！你们——父亲同儿子——偷偷在我背后说冷话，笑我，在我背后计算着我。

周　萍　（镇静）你不要神经过敏，我送你上楼去。

周蘩漪　（突然地）我不要你送，走开！（低声）我还用不着你父亲偷偷地背着我，叫你小心，送一个疯子上楼。

周　萍　（抑制着自己的烦嫌）那么，你把信给我，让我自己走吧。

周蘩漪　（不明白地）你上哪儿？

周　萍　（不得已）我要走，我要收拾收拾我的东西。

周蘩漪　（冷静地）我问你，你今天晚上上哪儿去了？

周　萍　（敌对地）你不用问，你自己知道。

周蘩漪　（恐吓地）到底你还是到她那儿去了。

〔半晌，蘩漪望周萍，周萍低头。

周　萍　（断然）嗯，我去了，我去了，（挑战地）你要怎么样？

周蘩漪　（软下来）不怎么样。（强笑）今天下午的话我说错了，你不要怪我。我只问你走了以后，你预备把她怎么样？

周　萍　以后？——（冒然）我娶她！

周蘩漪　娶她？

周　萍　嗯。

周蘩漪　父亲呢？

周　萍　（淡然）以后再说。

周蘩漪　（神秘地）萍，我现在给你一个机会。

周　萍　（不明白）什么？

周蘩漪　（劝诱地）如果今天你不走，你父亲那儿我可以替你想法子。

周　萍　不必，这件事我认为光明正大，我可以跟任何人谈。

周蘩漪　（忧郁地）萍！

周　萍　干什么？

周蘩漪　（阴郁地）你知道你走了以后，我会怎么样？

周　萍　不知道。

周蘩漪　（恐惧地）你看看你的父亲，你难道想像不出？

周　萍　我不明白你的话。

周蘩漪　（指着头）就在这儿；你不知道么？

周　萍　（似懂非懂地）怎么讲？

周蘩漪　（好像在叙述别人的事情）第一，那位专家，克大夫免不了会天天来的，要我吃药，逼我吃药。吃药，吃药，吃药！渐渐伺候着我的人一定多，守着我，像个怪物似地守着我。他们——

周　萍　（烦）我劝你，不要这样胡想，好不好？

周蘩漪　他们渐渐学会了你父亲的话，“小心，小心点，她有点疯病！”到处都偷偷地在我背后低着声音说话，叽咕着。慢慢地无论谁都要小心点，不敢见我，最后铁链子锁着我，那我真就成了疯子了。

周　萍　（无办法）唉！（看表）不早了，给我信吧，我还要收拾东西呢。

周蘩漪　（恳求地）萍，这不是不可能的。萍，你想一想，你就一点——就一点无动于衷么？

周　萍　你——（故意恶狠地）你自己要走这一条路，我有什么办法？

周蘩漪　（愤怒地）什么，你忘记你自己的母亲也是被你父亲气死的么？

周　萍　（一了百了）我母亲不像你，她懂得爱！她爱她自己的儿子，她没有对不起我父亲。

周蘩漪　（眼睛射出疯狂的火）你有权利说这种话么？你忘了就在这屋子，三年前的你么？你忘了你自己才是个罪人；你忘了，我们——（突停，压制自己）哦，这是过去的事，我不提了。

〔周萍低头，坐沙发上。

周蘩漪　（转向周萍）哦，萍，好了。这一次我求你，最后一次求你。我从来不肯对人这样低声下气说话，现在我求你可怜可怜我，这家我再也忍受不住了。（哀婉地诉说）今天这一天我受的罪过你都看见了，这样子以后不是一天，是整月，整年地，以至到我死，才算完。他厌恶我，你的父亲；他知道我明白他的底细，他怕我。他愿意人人看我是怪物，是疯子，萍！——

周　萍　（心乱）你，你别说了。

周蘩漪　（急迫地）萍，我没有亲戚，没有朋友，没有一个可信的人，我现在求你，你先不要走——

周　萍　（躲闪地）不，不成。

周蘩漪　（恳求地）即使你要走，你带我也离开这儿——

周　萍　（恐惧地）什么？你简直胡说！

周蘩漪　（恳求地）不，不，你带我走，——带我离开这儿，（不顾一切地）日后，甚至于你要把四凤接来——一块儿住，我都可以，只要，只要（热烈地）只要你不离开我。

周　萍　（惊惧地望着她）我——我怕你真疯了！

周蘩漪　不，你不要这样说话。只有我明白你，我知道你的弱点，你也知道我的。你什么我都清楚。（忽然那样诱惑地笑起来）你过来，你——你怕什么？

周　萍　（望着她，忍不住喊出）你不要笑！（更重）不要你这样对我笑！（苦恼地打着自己的头）哦，我恨我自己，我恨，我恨我为什么要活着。

周蘩漪　（酸楚地）我这样累你么？然而你知道我活不到几年了。

周　萍　（痛苦地）你难道不知道这种关系谁听着都厌恶么？

周蘩漪　（冷冷地）我跟你说过多少遍，我不这样看，我的良心不是这样做的。（郑重地）萍，今天我做错了，如果你现在听我的话，不离开家，我可以再叫四凤回来。

周　萍　什么？

周蘩漪　（清清楚楚地）叫她回来还来得及。

周　萍　（走到她面前，沉重地）你给我滚开！

周蘩漪　什么？

周　萍　你现在不像明白人，你上楼睡觉去吧。

周蘩漪　（明白自己的命运）那么，完了。

周　萍　嗯，你去吧。

周蘩漪　（绝望地）刚才我在鲁家看见你同四凤。

周　萍　（惊）什么，你刚才是到鲁家去了？

周蘩漪　（坐下）嗯，我在他们家附近站了半天。

周　萍　（恐惧）什么时候你在那里？

周蘩漪　（低头）我看着你从窗户进去。

周　萍　（急切）你？

周蘩漪　（失神地望着前面）我就走到窗户前面站着。

周　萍　你什么时候走的？

周蘩漪　（清朗地）一直等到你也走了。

周　萍　（走到她身旁）那窗户是你关上的。

周蘩漪　（阴沉地）嗯，我。

周　萍　（恨极）你是我想不到的一个怪物！

周蘩漪　（抬起头）什么？

周　萍　你真是一个疯子！

周蘩漪　（无表情地望着他）你要怎么样？

周　萍　（狠恶地）我要你死！（由饭厅下，门猝然关上）

周蘩漪　（呆滞地坐着，望着饭厅的门。瞥见侍萍的相片，拿起来看看又放下。她沉静地立起来，踱了两步）奇怪，我要干什么？

〔中门轻轻推开，蘩漪回头，鲁贵悄悄走进来。

鲁　贵　（弯了弯腰）太太，您好。

周蘩漪　（略惊）你来做什么？

鲁　贵　（假笑）给您请安来了。我在门口等了半天。

周蘩漪　（镇静）哦，你刚才在门口？

鲁　贵　对了。（秘密地）我看见大少爷正跟您打架，我——（假笑）我就没敢进来。

周蘩漪　（沉静地，不为所迫）你来要做什么？

鲁　贵　（有把握地）我倒是想报告给太太，说大少爷今天晚上喝醉了，跑到我们家里去。现在太太既然是也去了，那我就不必多说了。

周蘩漪　（嫌恶地）你现在想怎么样？

鲁　贵　（倨傲地）我想见见老爷。

周蘩漪　老爷睡觉了，你要见他什么事？

鲁　贵　没有什么，要是太太愿意办，不找老爷也可以。——（有意义地）都看太太要怎么样。

周蘩漪　（半晌，忍下来）你说吧，我也许可以帮你的忙。

鲁　贵　（重复一遍，狡黠地）要是太太愿意做主，不叫我见老爷，多麻烦。那就大家都省事了。我们只是求太太还赏饭吃。

周蘩漪　（不高兴地）你，你以为我——（转缓和）好，那也没有什么。

鲁　贵　（得意地）谢谢太太。（伶俐地）那么就请太太赏个准日子吧。

周蘩漪　（爽快地）那就后天来吧。

鲁　贵　（行礼）谢谢太太恩典！（忽然）我忘了，太太，您没见着二少爷么？

周蘩漪　没有。

鲁　贵　您刚才不是叫二少爷赏给我们一百块钱么？

周蘩漪　（烦厌地）嗯？

鲁　贵　（婉转地）可是，可是都叫我们少爷回了。

周蘩漪　你们少爷？

鲁　贵　（解释）就是大海——我那个狗食的儿子。

周蘩漪　怎么样？

鲁　贵　（很文雅地）我们的侍萍，实在还不知道呢。

周蘩漪　侍萍？（沉下脸）谁是侍萍？

〔中门推开。

鲁　贵　（回头）谁？

〔大海由中门进，衣服俱湿，脸色阴沉。蘩漪惊讶地望着他。

鲁大海　（向鲁贵）你在这儿！

鲁　贵　你怎么进来的？

鲁大海　（冰冷地）铁门关着，叫不开，我爬墙进来的。

鲁　贵　你来干什么？四凤怎么样了？

鲁大海 （用一块湿手巾擦着脸上的雨水）四凤没找着，妈在门外等着呢。

鲁　贵 （觉得大海小题大做，烦恶地皱着眉毛）你别管啦，四凤一会儿就会回家。你跟我回去。周家的事情也妥了，都好了，走吧！

鲁大海 别走，——你先给我把这儿大少爷叫出来，我找不着他。

鲁　贵 （疑惧地）你又要怎么样？

鲁大海 （冷静）没什么，跟他谈谈。

鲁　贵 （不信地）不对，你大概又要——

鲁大海 （盯视）你找不找？

鲁　贵 （怯弱地）可你就跟他说两句话。

鲁大海 我告诉你，我不是打架来的。

周蘩漪 （镇静地）鲁贵，叫他来吧，我在这儿，不要紧的。

鲁大海 你去吧，可你要是不找他出来就一个人跑了，你可小心！——你叫他们把门开开，让妈进来。

鲁　贵 好，好，好，完了我可就这么走了。——（低声，自语）这个小王八蛋！（走进饭厅下）

周蘩漪 （立起）你是谁？

鲁大海 四凤的哥哥。

周蘩漪 你要见我们大少爷么？

鲁大海 嗯。

周蘩漪 （缓缓地）听说他现在就要上车。

鲁大海 （回头）什么！

周蘩漪　他现在就要走。

鲁大海　他要跑了？

周蘩漪　嗯，他！

〔周萍由饭厅上，一眼就看见大海。

周　萍　（极力镇静）哦！

鲁大海　好。你还在这儿。（回头）你叫这位太太走开，我有话要跟你一个人说。

周　萍　（望着蘩漪，她不动，再走到她面前）请您上楼去吧。

周蘩漪　好！（由饭厅下）

〔半晌。大海愤恨地望着周萍。

周　萍　（耐不住）没想到你现在就来了。

鲁大海　（阴沉沉）听说你要走。

周　萍　（强笑）不过现在也赶得上，你来得还是时候。你预备怎么样？我已经准备好了。

鲁大海　（狠恶地）你准备好了？

周　萍　（望着大海）嗯。

鲁大海　（走到周萍面前）你！（用力打周萍的脸）

周　萍　（脸上的血流下来，握着拳抑制自己）你，你，——（由袋内抽出手绢，擦脸上的血）

鲁大海　（切齿地）哼！现在你要跑了！

〔半晌。

周　萍　（压下自己的怒气，辩白地）我早有这个计划。

鲁大海　（恶狠地笑）早有这个计划？

周　萍　（平静下来）我以为我们中间误会太多。

鲁大海　误会！（看自己手上的血，擦在身上）我对你没有误会，你就是一个没有血性，只顾自己的混蛋。

周　萍　（柔和地）我们两次见面，都是我性子最坏的时候，叫你得着一个最坏的印象。

鲁大海　（轻蔑地）不用推托，你是个少爷，你心地混账！你们都是吃饭太容易，有劲儿不知道怎样使，就拿着穷人家的女儿开开心，完了事可以不负一点儿责任。

周　萍　现在我想辩白是没有用的。我知道你是有目的而来的。（平静地）你把你的枪或者刀拿出来吧。随你收拾我。

鲁大海　你这样大方！——在你家里！你很聪明。哼，可是你不值得我这样，我现在还不愿意拿我这条有用的命换你这半死的东西。

周　萍　（直视大海）我想你以为我现在是怕你。你错了，与其说我怕你，不如说我怕我自己；我错了一步，不愿再错第二步。

鲁大海　（嘲笑地）我看像你这种人，活着就错了。刚才要不是我的母亲，我当时就宰了你！现在你的命还在我的手心里。

周　萍　我死了，那是我的福气。你以为我怕死，我不，我不，我欢迎你来。我够了，我是活厌了的人。

鲁大海　（厌恶地）哦，你——活厌了，可是你还拉着我的妹妹陪着你，陪着你。

周　萍　（强笑）你说我自私么？你以为我是真没有心肝，跟她开开心就完了么？你问问你的妹妹，她知道我是真爱她。现在我活着就是为着她。

鲁大海 你倒说得很好！（突然）那你为什么——不正正当当地讲出来？

周　萍 （略顿）那就是我最恨的事情。我的环境太坏。你想想我这样的家庭怎么允许有这样的事。

鲁大海 （辛辣地）哦，所以你就可以一面表示你是真心爱她，跟她做出什么事都可以，一面你还得想着你的家庭，你的董事长爸爸。他们叫你随便就丢掉她，再娶一个门当户对的阔小姐来配你，对不对？

周　萍 我要你问问四凤，她知道我这次出去，是离开了家庭，设法脱离了父亲，有机会好跟她结婚的。

鲁大海 （嘲弄）你推得很好。那么像你深更半夜的，刚才跑到我家里，你怎样说呢？

周　萍 （激昂地）我所说的话不是推托，我也用不着跟你推托。我现在看你是四凤的哥哥，我才这样说。我爱四凤，她也爱我。我们都年轻，我们都是人。两个人天天在一起，结果免不了有点荒唐。然而我相信我以后会对得起她，我会娶她做我的太太，我没有一点亏心的地方。

鲁大海 这么，你反而很有理了。可是，董事长大少爷，谁相信你会爱上一个工人的妹妹，一个当老妈子的穷女儿？

周　萍 （想了想）那，那——那我也可以告诉你。有一个女人逼着我，激成我这样的。

鲁大海 什么，还有一个女人？

周　萍　嗯，就是你刚才见过的那位太太。

鲁大海　她？

周　萍　（苦恼地）她是我的后母！——哦，我压在心里多少年，我当谁也不敢说。——她念过书，她受了很好的教育，她——她看见我就跟我发生感情，她要我——（突停）——那自然我也要负一部分责任。

鲁大海　四凤知道么？

周　萍　她知道，我知道她知道。（含着眼泪）那时我太糊涂，以后我越过越怕，越恨，越厌恶。我恨这种不自然的关系，你懂么？我要离开她，然而她不放松我。她拉着我，不放我。她是个鬼，她什么都不顾忌。我真活厌了，你明白么？我只要离开她，我死都愿意。过后我见着四凤，四凤叫我明白，叫我又活了一年。

鲁大海　哦。

周　萍　这些话多少年我对谁也说不出的，然而——（缓慢地）奇怪，我忽然跟你说了。

鲁大海　（阴沉地）这是你父亲的报应。

周　萍　（没想到，厌恶地）你，你——我告诉你，因为我认你是四凤的哥哥，我要你相信我的诚心，我没有一点骗她。

鲁大海　（略露善意）那么你真预备要四凤？你知道四凤是个傻孩子，她不会再嫁第二个人。

周　萍　（立刻）嗯，我今天走了，过了一两个月，我就来接她。

鲁大海　可是董事长少爷，这样的话叫人相信么？

周　萍　（由衣袋取出一封信）你可以看这封信，这是我刚才写给她的，就说的这件事。

鲁大海　用不着给我看，我——没有工夫！

周　萍　（半晌，抬头）那我现在再没有什么旁的保证，你口袋里那件杀人的家伙是我的担保。你再不相信我，我现在人还是在你手里。

鲁大海　（辛酸地）周大少爷，你想想这样我就完了么？（恶狠地）你觉得我真愿意么？（忽然拿出手枪）

周　萍　（惊慌）你要怎么样？

鲁大海　（狠恶地）我要杀了你。（对准周萍）你这个半死的东西！

周　萍　好，你来吧！（骇惧地闭上目）

〔半晌。

鲁大海　（嘘出一口气，放下枪，厌恶地）你睁开眼吧！

周　萍　（莫名其妙）怎么？

鲁大海　（苦闷地）没有什么。我知道我的妈。我妹妹是她的命，你能够叫四凤好好地活着，我就先放过你。

〔周萍还想说话，大海挥手，叫他不必再说。

鲁大海　（命令地）你把我的妹妹叫出来吧。

周　萍　（奇怪）什么？

鲁大海　四凤——她自然在你这儿。

周　萍　没有，没有。我以为她在你们家里呢。

鲁大海　（疑惑地）那奇怪，我同我妈在雨里找了她两个钟头，不见她。我想自然在这儿。

周　萍　（担心）她在雨里走了两个钟头，她——她没有到旁的地方去么？

鲁大海　（肯定地）半夜里她会到哪儿去？

周　萍　（突然恐惧）啊，她不会——

鲁大海　你以为——不，她不会。（轻蔑地）不，我想她没有这个胆量。

周　萍　（颤抖）不，她会的。你不知道她。她爱脸，她性子强，她——不过她应当先见我，她不该这样冒失。

〔半晌。

鲁大海　（忽然）哼，你装得好，你想骗过我，你？——她在你这儿！她在你这儿！

〔外面口哨声。

周　萍　（以手止之）不，你不要嚷。（哨声渐近）她，她来了！我听见她！

鲁大海　什么？

周　萍　这是她。我们每次见面，是这样的。

鲁大海　她在哪儿？

鲁大海　大概就在花园里。

〔周萍开窗吹哨。

〔半晌。

周　萍　（回头）她来了！

〔中门敲门声。

周　萍　（向大海）你先暂时在旁边屋子躲一躲。她没想到你在这儿。

我想她再受不得惊了。

〔周萍引大海至饭厅门，大海下。

〔四凤的声音：萍！

周　萍　（跑至中门）凤儿！（开门）进来！

〔四凤由中门进，头发散乱，眼泪同雨水流在脸上，眼角黏着水淋淋的鬓发，呆呆地望着周萍。

鲁四凤　萍！——（胆怯地）没有人吧。

周　萍　（难过）没有。（拉着她的手）

鲁四凤　萍！（抱着他抽咽）

周　萍　你怎么，你怎么会这样？你怎么会找着我？（止不住地）你怎么进来的？

鲁四凤　我从小门偷进来的。

周　萍　你的手冰凉，你先换一换衣服。

鲁四凤　不，（抽咽）让我先看看你。

周　萍　（引她到沙发，坐在自己一旁）你，你上哪儿去了？

鲁四凤　（看着周萍，含着眼泪）萍，你还在这儿，我好像隔了多年一样。

周　萍　我的可怜的，你怎么这样傻，你上哪儿去了？我的傻孩子！

鲁四凤　我一个人在雨里跑，不知道自己在哪儿。天上打着雷，我什么都忘了，我像是听见妈在喊我，可是我怕，我拼命地跑，我想找着我们门口那一条河跳。

周　萍　（恐惧地）凤！

鲁四凤 ——可是不知怎么绕来绕去没找着。

周　萍 哦，凤，我对不起你，原谅我。你原谅我，不要怨我。

鲁四凤 我糊糊涂涂又碰到这儿，走到花园那电线杆底下，我忽然想死了。我知道一碰那根电线，就可以什么都忘了。可是，我忽然看见你窗户的灯，我想到你在屋子里。我突然觉得，我不能这样就死，我不能一个人死，我丢不了你。我想我们还是可以走，只要一块儿离开这儿。

周　萍 （沉重地）嗯，一块儿离开这儿。

鲁四凤 （急切地）就是这一条路，萍，我现在已经没有家。（辛酸地）哥哥恨死我，母亲我是没有脸见的。我现在什么都没有，我没有亲戚，没有朋友，我只有你，萍，你明天带我去吧。

〔半晌。

周　萍 （顿）不，不。

鲁四凤 （失望地）萍。

周　萍 （沉重地）我们现在就走。

鲁四凤 （不相信地）现在就走？

周　萍 （怜惜地）嗯，我原来打算一个人走，以后再来接你，不过现在不必了。

鲁四凤 （不信地）真的，一块儿走么？

周　萍 嗯，真的。

鲁四凤 （狂喜地不住亲周萍的手，一面流着眼泪）真的，真的，萍，你是我的好人，你是天底下顶好顶好的人，你，你把我救了。

周　萍　（感动地）以后我们永远在一块儿了。

鲁四凤　嗯，离开这儿了，不分开了。

周　萍　（立起）好，凤，走以前我们先见见一个人。见完他，我们就走。

鲁四凤　一个人？

周　萍　你哥哥。

鲁四凤　哥哥？

周　萍　他找你，他就在饭厅里头。

鲁四凤　（恐惧地）不，不，不要见他。他恨你，他会害你的。走吧，我们就走吧。

周　萍　我已经见过他。——我们现在一定要见他一面，（不可挽回地）不然，我们也走不了的。

鲁四凤　（胆怯）可是，萍，你——

〔周萍走到饭厅门口，开门。

周　萍　（叫）鲁大海！鲁大海！——咦，他不在这儿，奇怪，也许他从饭厅的门出去了。（望着四凤）

鲁四凤　（走到周萍面前，哀告地）萍，我们走吧。（拉他向中门走）我们就这样走吧。

〔四凤拉周萍至中门，中门开，鲁妈与大海进。

〔鲁妈的样子仿佛另变了一个人，声音因为在雨里叫喊哭号已经喑哑，她似乎老了许多。

鲁四凤　（惊惧）妈！

〔略顿。

鲁侍萍　（伸出手向四凤，哀痛地）凤儿。

〔四凤跑至母亲面前。

鲁四凤　妈！

鲁侍萍　（抚摸四凤的头顶）孩子，我的可怜的孩子。

鲁四凤　（泣不成声地）妈，饶了我吧，饶了我吧。

鲁侍萍　你为什么早不告诉我？

鲁四凤　（低头）我怕，我怕您生气，看不起我，不要我，我不敢告诉您。

鲁侍萍　（沉痛地）这还是你的妈太糊涂了，我早该想到的。（酸苦地）可是这谁料得到，就会有这种事，偏偏又叫我的孩子遇着呢？妈的命苦，可你们——

鲁大海　（冷淡地）我们走吧，四凤先跟您回去。——我跟他（指周萍）商量好了，他先走，以后他再接四凤。

鲁侍萍　（迷惑）谁说的？谁说的？

鲁大海　（冷冷地望着鲁妈）妈，我知道您的意思，自然只有这么办。所以，——（顿）就让他们去吧。

鲁侍萍　什么？让他们去？

周　萍　（嗫嚅）鲁奶奶，您相信我，我一定好好地待她，我跟她现在就走。

鲁侍萍　（颤抖地）凤，你要跟他走？

鲁四凤　（紧握着鲁妈的手）妈，我只好先离开您了。

鲁侍萍　你们不能够在一块儿！

鲁大海 （诧异）妈，您怎么？

鲁侍萍 （坚决地）不，不成！

鲁四凤 妈！

鲁侍萍 四凤，我们走吧。（向大海）你出去叫一辆洋车，四凤大概走不动了。我们走，赶快走。

鲁四凤 （死命地退缩）妈，您不能这样做。

鲁侍萍 不，不成！（呆板地）走，走。

鲁四凤 （哀求）妈，您愿您的女儿急得要死在您的眼前么？

周　萍 （走向鲁妈前）鲁奶奶，我知道我对不起你。不过我能尽我的力量补我的错，现在事情已经做到这一步，你——

鲁大海 妈，（不懂）您是怎么啦。

鲁侍萍 （严厉地）你先去雇车去！（向四凤）凤儿，你听着，我情愿没有你，我不能叫你跟他在一块儿。——走吧！

〔大海刚至门口，四凤喊一声。

鲁四凤 啊，妈妈！（晕倒在母亲怀里）

鲁侍萍 （抱着四凤）我的孩子，你——

周　萍 （急）她晕过去了。

鲁侍萍 （按着四凤的前额，低声唤）四凤。

〔周萍向饭厅跑。

鲁大海 不要紧，一点凉水就好。她小时就这样。

〔周萍拿凉水洒在四凤面上，四凤渐醒。

鲁侍萍 （拿凉水灌四凤）好孩子，你回来，回来。

鲁四凤 （喘出一口气）啊，妈！

鲁侍萍 （安慰她）孩子，你不要怪妈心狠，妈的苦说不出。

鲁四凤 （叹出一口气）妈！

鲁侍萍 什么？

鲁四凤 （向周萍）我，我不能不告诉你。

周　萍 凤，你好点了？

鲁四凤 我，我总是瞒着你，对您（乞怜地望着鲁妈）也不能讲。

鲁侍萍 什么，孩子。

鲁四凤 （抽咽）我，——我跟他现在已经……（大哭）

鲁侍萍 怎样，你说你——（讲不下去）

周　萍 （拉起四凤的手）四凤！真的，你——

鲁四凤 （哭）嗯。

周　萍 什么时候？什么时候？

鲁四凤 （低头）大概已经三个月。

周　萍 哦，四凤，你为什么不告诉我，我，我的——

鲁侍萍 （低声）天哪。

周　萍 （走向鲁妈）鲁奶奶，您无论如何不要再固执哪，都是我错了。我求你！我求你放了她吧。我敢保我以后对得起她，对得起你。

鲁四凤 （走到鲁妈面前跪下）妈，您可怜可怜我们，答应我们，让我们走吧。

鲁侍萍 （不作声，坐着，发痴）我是在做梦。我的儿女，我自己生的儿女，三十年工夫——哦，天哪，（掩面哭，挥手）你们走吧，我不认得你们。（转过头去）

周　萍　那么，（立起）我们走吧。

〔四凤起。

鲁侍萍　（不自主地）不，不能够！

鲁四凤　（又跪下，哀求）妈，您是怎么？我的心定了。不管他是谁，我是他的了。我心里第一个许了他，我看得见的只有他，妈，我现在到了这一步：他到哪儿我也到哪儿；他是什么，我也跟他是什么。妈，您难道不明白，我——

鲁侍萍　（叫四凤不要往下说，苦痛地）孩子。

鲁大海　现在既然是这样，让她去了也好。

周　萍　鲁奶奶，您要是一定不放她，我们只好不顺从您，自己走了。——凤！

鲁四凤　（摇头）不，（还望着鲁妈）妈！

鲁侍萍　（低声）啊，天知道谁犯了罪，谁造的这种孽！——他们都是可怜的孩子，不知道自己做的是什么。天哪，如果要罚，也罚在我一个人身上；我一个人有罪，我先走错了一步。（伤心地）他们是我的干净孩子，他们应当好好地活着。冤孽是在我心里头，苦也应当我一个人尝。（立起，望着天）今天晚上，是我让他们一块儿走的。这罪过我知道，可是罪过我现在替他们担戴了；所有的罪孽都是我一个人惹的，我的儿女们都是好孩子，心地干净的，那么，要是真有了什么，也就让我一个人担戴吧。（回过头）凤儿，——

鲁四凤　（不安地）妈，您怎么，您说的是什么？

鲁侍萍　（回转头）没有什么。（和缓地）你起来，你们一块儿走吧。

鲁四凤　（立起，抱着她的母亲）妈！

周　萍　走，（看表）不早了，只有二十五分钟，叫他们把车子开出来，走吧。

鲁侍萍　（沉静地）不，凤儿，你们这次走，是偷偷地走，在黑地里走，不要惊动人。（向大海）大海，你去叫车去，我要回去了，你送他们到车站。

鲁大海　嗯。（由中门下）

鲁侍萍　（向四凤，哀婉地）过来，我的孩子，让我好好地亲一亲。

〔四凤过来抱母亲。

鲁侍萍　（向周萍）你也来，让我也看你一下。

〔周萍至前，低头。

鲁侍萍　（望周萍，擦眼泪）好，你们走吧！——我要你们两个在走以前答应我一件事。

周　萍　您说吧。

鲁侍萍　你们不答应，我还是不要四凤走的。

鲁四凤　妈，您说吧，我答应。

鲁侍萍　（看他们两人）你们这次走，最好越走越远，不要回头。今天离开，你们无论生死，就永远不要见我了。

鲁四凤　（难过）妈，不——

周　萍　（使眼色，低声）她现在难过，——过后，就好了。

鲁四凤　嗯，好，——妈，那我们走吧。（跪下，向鲁妈叩头；落泪）

〔鲁妈竭力忍着。

鲁侍萍　（挥手）走吧！

周　萍　我们从饭厅里出去吧，饭厅里还放着我几件东西。

〔周萍，四凤，鲁妈走到饭厅门口。饭厅门开，蘩漪走出。

鲁四凤　（失声）太太！

周蘩漪　（沉稳地）咦，你们到哪儿去？外面还打着雷呢！

周　萍　（向蘩漪）怎么你一个人在外面偷听！

周蘩漪　嗯，不只我，还有人呢。（向饭厅走）出来呀，你！

〔周冲由饭厅上，畏缩地。

鲁四凤　（惊愕）二少爷！

周　冲　（不安地）四凤！

周　萍　（不高兴）弟弟，你怎么这样不懂事？

周　冲　（莫名其妙）妈叫我来的，我不知道你们这是干什么。

周蘩漪　（冷冷地）现在你就明白了。

周　萍　（焦躁，向蘩漪）你这是干什么？

周蘩漪　（嘲弄地）我叫你弟弟来给你们送行。

周　萍　（气愤）你真卑鄙。——

周　冲　哥哥！

周　萍　（向周冲）对不起！——（突向蘩漪）不过世界上没有像你这样的母亲！

周　冲　（迷惑地）妈，这是怎么回事？

周蘩漪　你看哪！（向四凤）四凤，你预备上哪儿去？

鲁四凤　（嗫嚅）我……我？……

周　萍　不要说一句瞎话。告诉他们，说我们预备一块儿走。

周　冲　（明白）什么，四凤，你预备跟他一块儿走？

鲁四凤 嗯，二少爷，我，我是——

周　冲 （半质问地）你为什么早不告诉我？

鲁四凤 我不是不告诉你；我跟你说过，叫你不要找我，因为我——我已经不是个——

周　萍 （向四凤）不，你告诉他们！（指蘩漪）讲，说你就要嫁我！

周　冲 （略惊）四凤，你——

周蘩漪 （向周冲）现在你明白了。

〔周冲低头。

周　萍 （突向蘩漪，刻毒地）你真没有一点心肝！你以为他会替——会破坏么？冲弟弟，你说，你现在有什么意思，你说，你预备对我怎么样？你说吧。

〔周冲望蘩漪，又望四凤，自己低头。

周蘩漪 冲儿，说呀！（半晌，急促）冲儿，你为什么不说话呀？你为什么不问？为什么不问你哥哥呀？（又顿）

〔众人俱看周冲，周冲不语。

周蘩漪 冲儿，你说呀，怎么，难道你是个死人？哑巴？是个糊涂孩子？你难道看见这样的事情还不会吭一声么？

周　冲 （抬头，羔羊似地）不，妈！（又望四凤，低头）只要四凤愿意，我没有什么。

周　萍 （走到周冲面前）弟弟，我的明白弟弟！

周　冲 （疑惑地）不，我忽然发现……我觉得……我好像我并不是真爱四凤。（渺渺茫茫地）以前——我——大概是胡闹。（望着周萍热烈的神色，退缩地）不，你把她带走吧，只要你好好地待她！

周蘩漪　（幻灭）哦，你呀！（忽然气愤）你不是我的儿子，（昏乱地）你真没有点男人气，我要是你，（对四凤）我就打了她，烧了她，杀了她。你真是糊涂虫，一点生气也没有。我看错你了——你不是我的，不是我的儿子。

周　冲　（难过地）您怎么啦？

周蘩漪　（向周冲，半疯狂地）你不要以为我是你的母亲，（高声）你的母亲早死了，早叫你父亲压死了，闷死了。（揩眼泪，哀痛地）我忍了多少年了，我在这个死地方，监狱似的周公馆，陪着一个阎王十八年了，我的心并没有死；你的父亲只叫我生了冲儿，然而我的心，我这个人还是我的。（指周萍）就只有他才要了我整个的人，可是他现在不要我，又不要我了。

周　冲　（痛极）妈，我最爱的妈，您这是怎么回事？

周　萍　你先不要管她，她在发疯！

周蘩漪　（激烈地）你现在也学会你的父亲了，你这虚伪的东西！没有疯——我一点也没有疯！我要你说，我要你告诉他们——这是我最后的一口气！

周　萍　（狼狈地）你叫我说什么？我看你上楼睡去吧。

周蘩漪　（冷笑）你不要装！你告诉他们，我并不是你的后母。

〔大家俱惊，略顿。

周　冲　（无可奈何地）妈！

周蘩漪　（不顾地）告诉他们，告诉四凤，告诉她！

鲁四凤　（忍不住）妈呀！（投入鲁妈怀）

周蘩漪　你记着，是你才欺骗了你的弟弟，是你欺骗了我，是你才欺骗了你的父亲！（冷笑）

周　萍　（向四凤）不要理她，我们走吧。

周蘩漪　不用走，大门锁了。你父亲就下来，我派人叫他来的。

鲁侍萍　天！

周　萍　你这是干什么？

周蘩漪　（冷冷地）我要你父亲见见他将来的好媳妇你们再走。（喊）朴园，朴园！……

周　冲　妈，您不要！

周　萍　（走到蘩漪面前）疯子，你敢再喊！

〔蘩漪跑到书房门口，喊。

鲁侍萍　（慌）四凤，我们出去。

周蘩漪　不，他来了！

〔周朴园由书房进，大家俱不动，静寂若死。

周朴园　（在门口）你叫什么？你还不上楼去睡？

周蘩漪　（倨傲地）我请你见见你的好亲戚。

周朴园　（见鲁妈，四凤在一起，惊）啊，你，你——你们这是做什么？

周蘩漪　（拉四凤向周朴园）这是你的媳妇，你见见。（指着周朴园向四凤）叫他爸爸！（指着鲁妈向周朴园）你也认识认识这位老太太。

鲁侍萍　太太！

周蘩漪 萍，过来！当着你的父亲，过来，给这个妈叩头。

周　萍 （难堪）爸爸，我，我——

周朴园 （明白地）怎么——（向鲁妈）侍萍，你到底还是回来了。

周蘩漪 （惊）什么？

鲁侍萍 （慌）不，不，您弄错了。

周朴园 （悔恨地）侍萍，我想你也会回来的。

鲁侍萍 不，不！（低头）啊！天！

周蘩漪 （惊愕地）侍萍？什么，她是侍萍？

周朴园 （烦厌地）你不必再故意地问我，她就是萍儿的母亲，三十年前死了的。

周蘩漪 天哪！

〔半晌。四凤苦闷地叫了一声，望着她的母亲，鲁妈苦痛地低着头。周萍迷惑地望着父亲同鲁妈。这时蘩漪渐渐移到周冲身边，她逐渐感受到另外一些人的更不幸的命运。

周朴园 （沉痛地）萍儿，你过来。你的生母并没有死，她还在世上。

周　萍 （半狂地）不是她！爸，不是她！

周朴园 （严厉地）混账！不许胡说。她没有什么好身世，也是你的母亲。

周　萍 （痛苦万分）哦，爸！

周朴园 （尊重地）不要以为你跟四凤同母，觉得脸上不好看，你就忘了人伦天性。

鲁四凤 （痛苦地）哦，妈！

周朴园 （沉重地）萍儿，你原谅我。我一生就做错了这一件事。我万没有想到她今天还在，今天找到这儿。我想这只能说是天命。（向鲁妈叹口气）我老了，刚才我叫你走，我很后悔，我预备寄给你两万块钱。现在你既然来了，我想萍儿是个孝顺孩子，他会好好地侍奉你。我对不起你的地方，他会补上的。

周　萍　（向鲁妈）您——您是我的——

鲁侍萍　（不自主地）萍——（回头抽咽）

周朴园　跪下，萍儿！不要以为自己是在做梦，这是你的生母。

鲁四凤　（昏乱地）妈，这不会是真的。

〔鲁妈不语。

周蘩漪　（向周萍，悔恨地）萍，我，我万想不到是——是这样，萍——

周　萍　（向周朴园）爸爸！（向鲁妈）母亲！

鲁四凤　（与周萍互相望着，忽然忍不住）啊，天！（由中门跑下）

〔周萍扑在沙发上，鲁妈死气沉沉地立着。

周蘩漪　（急喊）四凤！四凤！（转向周冲）冲儿，她的样子不大对，你赶快出去看看她。

〔周冲由中门跑下，喊四凤。

周朴园　（至周萍前）萍儿，这是怎么回事？

周　萍　（突然）您不该生我！（由饭厅跑下）

〔远处听见四凤的惨叫声，周冲狂呼四凤，过后周冲也发出惨叫。

鲁侍萍　（叫）四凤，你怎么啦！

周蘩漪　（同时叫）我的孩子，我的冲儿！

〔鲁妈同蘩漪由中门跑出。

周朴园　（急走至窗前拉开窗幕，颤声）怎么？怎么？

〔仆人由中门跑上。

仆　人　（喘）老爷！

周朴园　快说，怎么啦？

仆　人　（急不成声）四凤……死了……

周朴园　（急）二少爷呢？

仆　人　也……也死了。

周朴园　（颤声）不，不，怎……么？

仆　人　四凤碰着那条走电的电线。二少爷不知道，赶紧拉了一把，两个人一块儿中电死了。

周朴园　这不会。这，这——这不能够，不能够！

〔周朴园与仆人跑下。

〔周萍由饭厅出，颜色惨白，但神气是沉静的。他走到方桌前打开抽屉，取出手枪，走进右边书房。

〔外面人声嘈乱，哭声，叫声，吵声，混成一片。鲁妈由中门上。老年仆人跟在后面，拿着电筒。

〔鲁妈一声不响地立在台中。

老仆人　（安慰地）老太太，您别发呆！这不成，您得哭，您得好好哭一场。

鲁侍萍　（无神地）我哭不出来！

老仆人　这是没有法子的事，——可是您得哭哭。

鲁侍萍 不，我，我——（呆立）

〔中门大开，许多仆人围着蘩漪，蘩漪不知是在哭在笑。

仆　人 （在外面）进去吧，太太，别看哪。

〔蘩漪为人拥至中门，倚门怪笑。

周蘩漪 冲儿，你这么张着嘴？你的样子怎么直对我笑？——冲儿，你这个糊涂孩子。

〔周朴园走进中门。

周朴园 蘩漪，进来！我的手发木，你也别看了。

老仆人 太太，进来吧。人已经叫电火烧焦了，没有法子办了。

周蘩漪 （进来干哭）冲儿，我的好孩子。刚才还是好好的，你怎么会死，你怎么会死得这样惨？

周朴园 你要静一静。（擦眼泪）

周蘩漪 （狂笑）冲儿，你该死，该死！你有了这样的母亲，你该死！

〔外面仆人与大海打架声。

周朴园 这是谁？谁在这时候打架。

〔老仆下问，立时另一仆人上。

周朴园 外面是怎么回事？

仆　人 今天早上那个鲁大海，他这时又来了，跟我们打架。

周朴园 叫他进来！

仆　人 老爷，他连踢带打地伤了我们好几个，他已经从小门跑了。

周朴园 跑了？

仆　人 是，老爷。

周朴园　（忽然）追他去，给我追他去。

仆　人　是，老爷。

〔仆人一齐下。屋中只有周朴园，鲁妈，蘩漪三人。

周朴园　（哀伤地）我丢了一个儿子，不能再丢第二个了。

〔周朴园，鲁妈，蘩漪都坐下来。

鲁侍萍　都去吧！让他去了也好，我知道这孩子。他恨极了，我知道，他不会回来的。

周朴园　（寂静，自己觉得奇怪）年轻的反而走在我们前头了，现在就剩下我们这些老——（忽然）萍儿呢？大少爷呢？萍儿，萍儿！（无人应）来人呀！来人！（无人应）你们给我找呀，我的大儿子呢？

〔书房枪声，屋内死一般的静默。

周蘩漪　（忽然）啊！（跑下书房，周朴园呆立不动，立时蘩漪狂喊跑出）他……他……

周朴园　他……他……

〔朴园与蘩漪一同跑下，进书房。

——剧　终

一九三三年

图书在版编目（CIP）数据

曹禺全集. 第一卷 / 曹禺著. — 北京 ：北京十月文艺出版社，2023.6

ISBN 978-7-5302-2256-0

Ⅰ. ①曹… Ⅱ. ①曹… Ⅲ. ①曹禺（1910–1996）—全集 Ⅳ. ①I216.2

中国版本图书馆CIP数据核字（2022）第162827号

曹禺全集 1
CAOYÜ QUANJI 1
曹禺 著

出 版 北京出版集团
北京十月文艺出版社
地 址 北京北三环中路 6 号
邮 编 100120
网 址 www.bph.com.cn
发 行 新经典发行有限公司
电话 010-68423599
经 销 新华书店
印 刷 北京盛通印刷股份有限公司
版 次 2023 年 6 月第 1 版
印 次 2023 年 6 月第 1 次印刷
开 本 700 毫米 ×980 毫米 1/16
印 张 40.5
字 数 448 千字
书 号 ISBN 978-7-5302-2256-0
定 价 126.00 元
如有印装质量问题，由本社负责调换
质量监督电话 010-58572393